L'Animal moral

Robert Wright

L'Animal moral

Psychologie évolutionniste et vie quotidienne

Traduit de l'américain
par
Anne Béraud-Butcher

ÉDITIONS MICHALON

Édition française publiée
sous la direction d'Ulrike Bergweiler

Titre original :
The Moral Animal, Evolutionary Psychology and Everyday Life.
© Robert Wright, 1994. ISBN : 0-679-40773-1
Cette traduction est publiée avec l'accord de Pantheon Books,
département de Random House Inc., New York.

Traduction française :
© 1995, Editions Michalon
18, rue du Dragon 75006 Paris
ISBN 2-84186-009-4.

Pour Lisa

Sans penser à ce qu'il faisait, il but une nouvelle rasade d'alcool. Au moment où le liquide touchait sa langue, il se rappela son enfant, entrant dans la hutte entourée de lumière aveuglante, avec son visage triste, obstiné, assombri d'une science précoce. « Oh ! mon Dieu, protégez-la, pria-t-il. Damnez-moi, je l'ai mérité, mais donnez-lui la vie éternelle. » Cet amour était celui qu'il aurait dû ressentir pour les créatures humaines en général : toutes ses angoisses, tout son désir d'aider l'âme à se sauver, se concentraient sur cette unique enfant. Il se mit à pleurer : comme s'il était condamné à rester sur la rive et à la voir se noyer lentement parce qu'il aurait oublié les gestes qu'on fait pour nager. « C'est le sentiment, pensa-t-il, que je devrais éprouver pour tous les êtres, à tout moment. »

Graham Greene
(La Puissance et la Gloire)

INTRODUCTION

DARWIN ET NOUS

L'Origine des espèces ne mentionne quasiment pas l'espèce humaine. Charles Darwin n'a rien à gagner à amplifier la menace que fait peser le livre tant sur le récit biblique de la Création que sur la conviction rassurante que nous serions plus que de simples animaux. Aussi se contente-t-il d'indiquer vers la fin du dernier chapitre que « la lumière sera faite sur l'origine de l'homme et sur son histoire ». Dans le même paragraphe, il se risque à avancer que l'étude de la psychologie « aura de nouveaux fondements dans un futur lointain »[1].

Lointain est bien le mot. En 1960, cent un ans après la publication de *L'Origine des espèces*, on peut lire, sous la plume de l'historien John C. Greene : « Concernant l'origine de l'homme, Darwin serait déçu de voir que les thèses qu'il défend dans *La Descendance de l'homme* ont si peu progressé. Il serait découragé d'entendre J. S. Weiner, du laboratoire d'anthropologie de l'université d'Oxford, déclarer que ce sujet n'est qu'un " vaste et déconcertant problème qui ne nous laisse qu'un mince aperçu de l'évolution "... Notre insistance à faire de l'homme le seul animal apte à transmettre la culture apparaîtrait à Darwin comme un retour au concept préévolutionniste distinguant fondamentalement l'homme des autres animaux[2]. »

Quelques années après les propos de Greene, une révolution s'amorce. Entre 1963 et 1974, quatre biologistes, William Hamilton, George Williams, Robert Trivers et John Maynard Smith, avancent diverses idées qui, dans leur ensemble, affinent et élargissent la théorie de la sélection naturelle. Leurs observations transforment radicalement la conception qu'ont les biologistes évolutionnistes du comportement social des animaux, y compris du nôtre.

Au début, la pertinence de ces nouvelles idées sur l'espèce humaine reste floue. Certains biologistes évoquent avec assurance la mathématique d'abnégation chez les fourmis ou la logique cachée de la parade amoureuse chez les oiseaux. Mais, sur le comportement humain, ils s'expriment à peine. Deux des ouvrages les plus marquants de l'époque, *Sociobiologie* de E. O. Wilson (1975) et *Le Gène égoïste* de Richard Dawkins (1976), résument et répandent ces idées nouvelles, mais restent presque muets en ce qui concerne le genre humain. Dawkins élude pratiquement la question; quant à Wilson, il en relègue l'examen à la fin d'un chapitre qui, de l'avis général, demeure spéculatif et plutôt ténu (vingt-huit pages sur cinq cent soixante-quinze).

Au milieu des années 70, on mettra davantage l'accent sur l'aspect humain. Un petit groupe de savants, dont le nombre ira d'ailleurs croissant, s'empare de ce que Wilson appelait la « nouvelle synthèse » pour l'intégrer aux sciences sociales dans le but de réactualiser celles-ci. Ces chercheurs appliquent la théorie révisée de Darwin à l'espèce humaine et confrontent ensuite leurs expériences aux données recueillies. Malgré quelques échecs inévitables, ils obtiennent d'excellents résultats. Tout en se tenant pour une minorité en camp retranché (chose dont ils semblent parfois secrètement se réjouir), ils gagnent manifestement du terrain. De très sérieuses revues d'anthropologie, de psychologie et de psychiatrie publient des articles qui, dix ans auparavant, eussent été confinés dans les publications d'un petit cercle darwinien. Lentement mais sûrement, une nouvelle vision du monde est en train de naître.

Ici, « vision du monde » est à prendre dans son acception littérale. La nouvelle synthèse darwinienne forme un corpus de faits et de théories scientifiques analogues à la physique quantique ou à la biologie moléculaire. Mais, à leur différence, elle se veut aussi une façon d'appréhender la vie quotidienne. Une fois véritablement comprise, cette thèse, des plus aisées à saisir, peut transformer notre perception de la réalité sociale.

Les questions soulevées par les défenseurs de la nouvelle théorie sont d'ordre matériel et spirituel. Elles touchent à tout ce qui nous importe : idylles, amour, sexe (les hommes et/ou les femmes sont-ils réellement faits pour la monogamie? qu'est-ce qui peut les orienter dans un sens ou dans l'autre?); amitié et inimitié (quelle logique évolutionniste se cache derrière telle prise de position politique ou, dans le même ordre d'idées, derrière la politique en général?); égoïsme, abnégation, culpabilité (pourquoi la sélection naturelle nous a-t-elle dotés de ce vaste réservoir de culpabilité que l'on nomme conscience? celle-ci nous guide-t-elle vraiment vers un comportement « moral »?); situation et ascension sociales (la hiérarchie est-elle inhérente à la société humaine?); penchants divers des hommes et des femmes pour l'amitié ou pour l'ambition (sommes-nous prisonniers de notre sexe?); racisme, xénophobie, guerre (pourquoi excluons-nous si facilement tant d'individus de notre sphère de solidarité?); tromperie, aveuglement et inconscient (l'honnêteté intellectuelle est-elle possible?); psychopathologies diverses (est-il « naturel » d'être déprimé, névrosé ou paranoïaque, et, si oui, est-ce pour autant acceptable?); relation amour/haine entre frères et sœurs (pourquoi pas de l'amour pur et simple?); formidable aptitude des parents à susciter chez leurs enfants des problèmes psychologiques (quels sont les intérêts qui leur tiennent vraiment à cœur?); etc.

UNE RÉVOLUTION TRANQUILLE

Les nouveaux chercheurs en sciences sociales darwiniens combattent une doctrine qui a régné sur leur domaine pendant la majeure partie de ce siècle : l'idée que la biologie importe peu, que l'incomparable malléabilité de l'esprit humain, associée au pouvoir inégalé de la culture, a coupé notre comportement de ses racines évolutionnistes ; qu'il n'existe pas une nature humaine proprement dite, dirigeant des actions humaines, mais bien plutôt que le fond de notre nature est d'être dirigés. Comme l'écrivait au début du siècle Emile Durkheim, le père de la sociologie moderne, la nature humaine « n'est qu'une matière mal définie, modelée et transformée par le facteur social ». L'histoire, ajoutait-il, montre que même ces émotions si vives que sont la jalousie sexuelle, l'amour filial ou paternel, sont « loin d'être inhérentes à la nature humaine ». De ce point de vue, le cerveau est essentiellement passif ; il est un réceptacle qui absorbe peu à peu la culture propre au milieu d'un individu en développement ; si l'esprit admet quelques limites à la perméabilité culturelle, celles-ci sont extrêmement larges. L'anthropologue Robert Lowie écrit en 1917 : « Les principes de la psychologie sont aussi impropres à rendre compte du phénomène culturel que la gravitation à rendre compte des styles architecturaux [3]. » Même certains psychologues, dont on attendrait qu'ils prissent fait et cause pour l'esprit humain, ont souvent décrit celui-ci au mieux comme une page blanche. Le behaviorisme, qui a influencé la psychologie pendant une bonne partie de ce siècle, repose sur l'idée que les gens sont portés à faire ce qui leur vaudra une récompense et non une punition ; ainsi se forme l'esprit. Dans le roman utopiste de B. F. Skinner, *Walden II* (1948), envie, jalousie et autres pulsions asociales sont éliminées par un sévère régime de renforcement, soit positif soit négatif.

Cette vision de la nature humaine, considérée comme une chose qui existe à peine et n'a guère d'importance, est connue chez les spécialistes darwiniens modernes comme un « standard des sciences sociales » [4]. Beaucoup l'assimilèrent en tant qu'étudiants, et certains passèrent des années sous son emprise avant de la remettre en question. Après s'être beaucoup interrogés, ils se rebellèrent.

Ce qui se passe aujourd'hui correspond à bien des égards à la description du « renversement des modèles » que fait Thomas Kuhn dans sa fameuse *Structure des révolutions scientifiques*. Quelques savants, jeunes pour la plupart, contestèrent la vision académique du monde de leurs aînés ; ils rencontrèrent une forte résistance, mais persévérèrent et finirent par triompher. Si classique soit-il, ce conflit de générations met en évidence deux ironies caractéristiques.

Comme toute révolution qui se respecte, la première progresse masquée. Les révolutionnaires refusent obstinément de se donner un seul nom et de se ranger sous une bannière définie. Autrefois, pourtant, ils ont admiré celle de la « sociobiologie », terme juste et efficace découvert par Wilson. Mais le livre de celui-ci a provoqué de telles controverses, déclenché tant de procès d'intentions et induit une vision si caricaturale de la sociobiologie que le terme en a pâti. Nombreux sont ceux qui la pratiquent et qui, toutefois, préfèrent désormais éviter cette étiquette [5]. Bien qu'unis par leur commune allégeance à un corpus de données scientifiques dense et cohérent, ils se font appeler écologistes behavioristes, anthropologues darwiniens, psychologues ou psychiatres évolutionnistes. Quiconque se demande ce qu'est devenue la sociobiologie doit savoir qu'elle a été sacrifiée sur l'autel de l'orthodoxie scientifique.

La seconde ironie de cette révolution découle de la première. Bien des aspects de cette nouvelle doctrine, que déteste et redoute la vieille garde, n'en sont pas réellement significatifs. Dès l'abord, les attaques contre la sociobiologie procédèrent de réactions qui visaient moins le livre de Wilson que des ouvrages issus d'un darwinisme dépassé. Somme toute, la théorie évolutionniste s'est vue longtemps mêlée à certaines des pages les plus sinistres de l'histoire de l'humanité. Après avoir été associée à la philosophie politique du début du siècle, pour former la vague idéologie appelée « darwinisme social », elle fut prise en otage par des racistes, des fascistes ainsi que par les plus cyniques des capitalistes. Simultanément, elle a également contribué à propager des idées simplistes sur le fondement héréditaire du comportement, lesquelles vinrent à point nommé alimenter le détournement politique du darwinisme. Une réputation de barbarie, tant intellectuelle qu'idéologique, continue de lui être associée dans l'esprit de beaucoup d'universitaires et de profanes (certains allant jusqu'à confondre darwinisme et darwinisme social). De là, nombre de malentendus sur le nouveau paradigme darwinien.

DES UNITÉS INVISIBLES

Un exemple : le nouveau darwinisme est souvent perçu comme une tentative de discrimination sociale. Au début du siècle, les anthropologues parlent fréquemment de « races inférieures », de « sauvages », incapables de progrès moral. Aux yeux de l'observateur non averti, de telles prises de position semblent s'inscrire dans le cadre des théories darwiniennes; il en sera ainsi, plus tard, des doctrines hégémoniques, hitlérisme compris. Mais, de nos jours, les anthropologues darwiniens, en étudiant les peuples de la terre, s'attachent moins aux différences superficielles qu'aux concordances profondes qui existent entre les cultures. Sous les innombrables rites et coutumes, ils distinguent des schémas structurels récurrents dans la famille, l'amitié, la politique, la séduction, la morale. Selon eux, la conception évolutionniste de l'homme explique ces schémas. Pourquoi se préoccupe-t-on tant du statut social (et souvent plus qu'on ne l'imagine) dans toutes les cultures? Pourquoi le commérage, pratique universellement répandue, tourne-t-il, dans toutes les cultures, toujours autour des mêmes sujets? Pourquoi les différences entre hommes et femmes reposent-elles partout sur des facteurs identiques? Pourquoi le sentiment de culpabilité existe-t-il partout, et dans des circonstances largement prévisibles? Pourquoi les gens ont-ils partout une exigence de justice telle que des adages comme « Un prêté pour un rendu » et « Œil pour œil, dent pour dent » sont universels?

D'une certaine façon, il n'est pas autrement surprenant que la redécouverte de la nature humaine ait pris si longtemps. Où que se portent nos regards, elle tend à se dérober. Nous tenons pour fermement acquis la gratitude, la honte, le remords, l'orgueil, l'honneur, le châtiment, l'empathie, l'amour, etc. Tout comme nous tenons pour acquis l'air que nous respirons, la propension qu'ont à tomber les objets que l'on lâche et tant d'autres évidences du quotidien sur cette planète[6]. Toutes choses qui n'ont rien d'une fatalité. Nous pourrions aussi bien habiter une planète où tels groupes ethniques éprouveraient les sentiments décrits plus haut, tandis que d'autres ressentiraient tout autre chose. Mais ce n'est pas le cas. Plus les anthropologues darwiniens observent attentivement les peuples de la terre, plus les frappe l'aspect inextricable du lien que la nature humaine a tissé entre eux tous. Et peu à peu, ils comprennent comment cette toile a été tissée.

Même lorsqu'ils mettent l'accent sur des dissemblances – que ce soit entre groupes ou entre individus d'un même groupe –, ces nouveaux darwiniens ne sont guère enclins à les analyser en termes de différences génétiques. Ils voient dans l'indéniable diversité des cultures du monde les effets de l'unicité d'une nature humaine confrontée à une extrême variété de circonstances. La théorie évolutionniste fait apparaître des liens auparavant invisibles entre circonstances et cultures (expliquant, par exemple, pourquoi la dot existe dans certaines et pas dans d'autres). Et les psychologues évolutionnistes, contrairement à ce que l'on serait communément porté à croire, adhèrent à l'une des doctrines essentielles de la psychologie et de la psychiatrie du XXe siècle, qui veut que l'environnement social forge, dès l'enfance, le psychisme adulte. En vérité, peu de chercheurs s'attachent à ce sujet, résolus qu'ils sont à découvrir les lois fondamentales qui régissent le développement psychique, et convaincus de n'y pouvoir parvenir qu'avec les instruments du darwinisme. Si nous nous demandons, par exemple, jusqu'où l'ambition ou le manque d'assurance sont le fruit d'expériences antérieures, nous devons d'abord essayer de comprendre pourquoi la sélection naturelle a rendu possible semblable faculté d'adaptation.

Ce qui ne veut pas dire que la conduite humaine soit malléable à l'infini. C'est en suivant les pistes tracées par la théorie de l'influence de l'environnement que la plupart des psychologues évolutionnistes espèrent aboutir. Le behaviorisme utopiste de B. F. Skinner, qui veut qu'un être humain puisse se transformer en n'importe quel animal sous l'effet d'un conditionnement approprié, ne mène pas loin. L'idée selon laquelle ce qu'il y a de plus sinistre chez l'être humain est immuable, enraciné dans des « instincts » et des « conduites innées » ne mène pas plus loin; pas plus que la thèse qui, pour l'essentiel, réduirait les dissemblances psychologiques entre individus à des différences génétiques. Assurément, ces différences dépendent des *gènes* (où résideraient sinon les lois régissant le développement mental?), mais pas nécessairement de *disparités* entre les gènes. Pour des raisons que nous évoquerons plus loin, nombre de psychologues évolutionnistes posent comme postulat que les différences fondamentales entre individus proviennent surtout de l'influence de l'environnement.

Les mêmes s'efforcent de mettre au jour un second niveau de la nature humaine, une unité plus profonde au sein de l'espèce. L'anthropologue s'attache d'abord à dégager des convergences entre cultures : la soif de reconnaissance sociale, l'aptitude à la culpabilité. On pourrait appeler ces affects, universels comme tant d'autres, les « commandes de la nature humaine ». Puis le psychologue note que le réglage précis de ces commandes semble varier d'une personne à l'autre. La commande « soif de reconnaissance » peut, chez un individu, se situer dans une zone rassurante, relativement basse dans l'échelle de la « confiance en soi », alors que chez tel autre, elle se situera vers le haut, dans la zone douloureuse de l'« anxiété majeure »; la commande de la culpabilité peut se trouver chez l'un en bas et chez l'autre en haut de l'échelle. Et le psychologue de se demander comment fonctionnent ces commandes. Certes, les différences génétiques entre individus sont en cause, mais peut-être leurs traits communs sont-ils plus importants encore, et ce grâce à un programme de développement commun à toute l'espèce, programme qui permet d'assimiler l'information provenant de l'environnement social et de faire s'y adapter le développement psychique. Bizarrement, les progrès encore à faire dans la perception de l'importance de l'environnement viendront d'une réflexion sur la génétique.

Ainsi, la nature humaine se présente-t-elle sous deux formes, qui ont naturellement tendance à s'ignorer. D'abord, celle qui est si évidente qu'on la considère comme allant de soi (la culpabilité, par exemple). Ensuite, celle dont le véritable rôle consiste à générer des différences entre les individus au cours de leur croissance, et qui donc, tout naturellement, reste cachée (un programme de développement qui *calibre* la culpabilité). Ainsi, la nature humaine est-elle constituée de commandes et de mécanismes aptes à les faire fonctionner, le tout demeurant invisible.

Autre facteur d'invisibilité ayant freiné la mise en lumière de la nature humaine : le fondement logique de l'évolution, universellement partagé, est imperméable à l'introspection. La sélection naturelle se plaît à cacher notre moi profond à notre moi conscient. Freud l'a montré : nous ignorons volontiers nos motivations, et de façon plus fréquente, plus intime (et parfois plus dérisoire) qu'il ne l'avait imaginé.

« AUTOTHÉRAPIE * » DARWINIENNE

Ce livre évoquera nombre de sciences du comportement – anthropologie, psychiatrie, sociologie, sciences politiques –, mais la psychologie évolutionniste sera son sujet d'élection. Cette discipline est restée jeune et balbutiante, malgré sa promesse, partiellement tenue, de créer une nouvelle étude scientifique de la pensée. Elle soulève aujourd'hui une question qui ne pouvait judicieusement se poser en 1859, lors de la publication de *L'Origine des espèces,* ni même en 1959 : qu'est-ce que la théorie de la sélection naturelle à l'être humain ? L'appréhension darwinienne de la nature humaine permet-elle aux hommes d'atteindre leurs objectifs ? Peut-elle réellement les guider dans leurs projets ? Peut-elle les aider à distinguer les buts réalistes des visées utopiques, et donc à faire les choix les plus pertinents ? Autrement dit, le fait de savoir que l'évolution fonde notre instinct moral nous aidera-t-il à comprendre quelles sont les pulsions que nous pouvons tenir pour raisonnables ?

Les réponses, à mon avis, sont : oui, oui, oui, et encore oui. Le dire, c'est non seulement gêner, mais aussi choquer nombre d'esprits autorisés. Ils ont dû, par le passé, travailler longuement sous la chape du détournement moral et politique du darwinisme. Ils entendent perpétuer la dichotomie radicale entre autorité scientifique et magistère moral. On ne peut, disent-ils, déduire la morale la plus élémentaire de la sélection naturelle, ni d'aucune manifestation de la nature. Le faire, c'est commettre ce que les philosophes appellent l'« erreur naturaliste », l'inférence arbitraire de ce qui « devrait être » sur ce qui « est ».

* *N.d.T. :* Utilisé plusieurs fois par l'auteur, qui fait allusion au livre de l'Américain Samuel Smiles, *self-help* peut se traduire par : autothérapie.

Certes, la nature n'est pas une autorité morale, et nous n'avons pas nécessairement à adopter les « valeurs » qui lui seraient inhérentes, par exemple son hypothétique bienveillance. Quoi qu'il en soit, bien comprendre la nature humaine aura, comme je vais essayer de le démontrer, d'inéluctables et légitimes conséquences sur les fondements de notre éthique.

Ce livre, par les questions qu'il pose sur la vie quotidienne, aura par certains côtés l'aspect d'un ouvrage d'autothérapie, mais il s'en faut de beaucoup qu'il en soit un. Les pages qui vont suivre ne sont pas truffées de vigoureux conseils et de chaudes certitudes. Ne misons pas trop sur le point de vue darwinien pour nous simplifier notablement l'existence. Jusqu'à un certain point, il nous la compliquera en projetant une lumière crue sur les comportements moraux douteux auxquels nous sommes enclins, et dont l'évolution de l'espèce s'est accommodée sans que nous y prissions garde. Les quelques piquantes et ravigotantes prescriptions que j'ai pu glaner auprès du nouveau paradigme darwinien ne sont rien auprès de la lumière qu'il jette sur tant de dilemmes, d'énigmes, de compromis pesants et obstinés.

J'espère l'éclat de cette lumière trop vif pour que vous la rejetiez au terme de la présente lecture. Si l'un de mes buts est bien la recherche d'applications pratiques à la psychologie évolutionniste, mon objectif prioritaire est d'en dégager les principes fondamentaux afin de faire ressortir l'élégance avec laquelle la sélection naturelle, dans son acception actuelle, dévoile les contours de la pensée. Ce livre se propose tout d'abord de promouvoir une science neuve et, ensuite, une nouvelle conception de la philosophie morale et politique.

J'ai entrepris de dissocier deux questions : de distinguer les affirmations du nouveau darwinisme sur la pensée humaine de mes propres affirmations sur ses applications pratiques. Ceux-là mêmes qui adhéreront à la première partie, au volet scientifique, ne seront pas sans réserves sur la seconde, c'est-à-dire sur le volet philosophique. Mais je crois que rares seront ceux qui, convaincus par la première, nieront le bien-fondé de la seconde. Il est difficile d'admettre que le nouveau paradigme est la plus puissante des loupes qui permette l'observation minutieuse de l'espèce humaine pour l'écarter ensuite lorsqu'il s'agit d'examiner la délicate condition humaine. L'espèce humaine *est* la condition humaine.

DARWIN, SMILES ET MILL

Publié en Angleterre en 1859, *L'Origine des espèces* ne fut pas le seul ouvrage qui fit école. Parurent aussi *Self-Help*, le best-seller du journaliste Samuel Smiles, puis *De la liberté*, de John Stuart Mill. Il se trouve que ces deux ouvrages cernent bien la conclusion à laquelle Darwin aboutira lui-même dans son livre.

Self-Help ne s'appesantissait pas sur nos sentiments pour nous arracher à l'amertume de nos relations affectives et nous renvoyer à quelque harmonie des forces cosmiques ou à toute autre idée du même acabit. C'est ce genre de facilités qui a donné depuis aux ouvrages d'autothérapie ces allures nombriliques et confortables. *Self-Help* prône surtout les vertus victoriennes : civilité, intégrité, assiduité, persévérance, que vient renforcer une maîtrise de soi à toute épreuve. Smiles pense qu'un homme peut quasiment tout réussir « par l'exercice de sa liberté d'action et son sens du sacrifice ». Encore doit-il toujours être « armé contre la tentation des bas plaisirs » et ne pas « souiller son corps par la sensualité, ni son esprit par des pensées serviles » [7].

De la liberté stigmatise au contraire l'étouffant attachement victorien à la maîtrise de soi et à la conformité morale. Mill incrimine l'« horreur de la sensualité » propre au christianisme et déplore que « le *tu ne dois pas* prédomine indûment sur le *tu dois* ». Il trouve particulièrement étouffante la théorie calviniste, avec sa conviction que « la nature humaine étant complètement corrompue, il n'y a de rachat pour quiconque n'a pas tué en lui la nature humaine ». Mill, quant à lui, opte pour une vision plus souriante de la nature humaine et suggère que le christianisme fasse de même : « Mais si cela fait partie de la religion de croire que l'homme a été créé par un Être bon, il est alors plus logique de croire que cet Être a donné à l'homme ses facultés pour qu'il les cultive et les développe, et non pour qu'elles soient extirpées et réduites à néant, et qu'Il se réjouit chaque fois que ses créatures font un pas vers l'idéal qu'elles portent en elles, qu'elles accroissent une de leurs facultés de compréhension, d'action, ou de jouissance [8]. »

Mill aborde là une question capitale : les hommes sont-ils fondamentalement mauvais ? Ceux qui le pensent ont tendance, comme Samuel Smiles, à être moralement conservateurs, à prôner abnégation et abstinence, afin que soit domestiquée la bête qui sommeille en nous. Ceux qui ne le pensent pas penchent, comme Stuart Mill, pour le libéralisme moral, pour la souplesse à l'égard des comportements individuels. La psychologie évolutionniste, si jeune soit-elle, a déjà bien éclairé ce débat. Ses découvertes sont à la fois rassurantes et dérangeantes.

Altruisme, compassion, empathie, amour, conscience, sens de la justice, tout ce qui confère à la société sa cohésion et met la supériorité de notre espèce à l'épreuve a, dorénavant et sans conteste, une solide base génétique. Voilà pour la bonne nouvelle. La mauvaise, c'est que, si ces vertus sont en quelque sorte bénéfiques à l'ensemble de l'humanité, elles n'ont, en revanche, pas évolué dans un sens capable de concourir au « bien de l'espèce ». Ce serait plutôt le contraire : il est plus clair que jamais désormais que le sens moral peut être éveillé ou assoupi en fonction d'intérêts strictement personnels, et que nous avons une tendance naturelle à oublier jusqu'à l'existence des commandes qui le déclenche. Le nouveau paradigme fait de l'humanité une espèce dotée d'un incomparable outillage moral, tragique dans sa propension à en mésuser et pathétique dans son ignorance congénitale des emplois désastreux qu'elle en peut faire. Le titre de ce livre n'est donc pas tout à fait dénué d'ironie.

Une certaine forme de vulgarisation de la sociobiologie confère au « fondement biologique de l'altruisme » une importance qui ne justifie pas l'opprobre jeté sur l'idée que brocarde John Stuart Mill, idée d'une nature humaine corrompue, d'un « péché originel ». De ce point de vue, je crois que le conservatisme moral ne mérite pas non plus cet ostracisme. Quelques-unes – je dis bien *quelques-unes* – des normes conservatrices qui ont dominé l'Angleterre victorienne reflètent, même indirectement, une connaissance de la nature humaine bien supérieure à celle qui imprégna les sciences sociales pendant la majeure partie de ce siècle. Le conservatisme moral qui resurgit depuis dix ans, surtout dans le domaine de la sexualité, témoigne de la récurrence de vérités humaines trop longtemps oblitérées.

Si les émanations d'une morale conservatrice se dégagent encore du darwinisme moderne, doit-on y voir pour autant une attitude politiquement réactionnaire ? Question délicate et essentielle. Il est assez facile, et juste, de discréditer le darwinisme social, dès lors qu'il n'est que le spasme d'une nuisible confusion. Mais prétendre que la nature humaine est fondamentalement bonne induit une ambiguïté politique que l'on ne saurait passer par pertes et profits. On sait que les rapports entre idéologie et considérations sur la nature humaine ont une longue histoire. Au cours des deux derniers siècles, le sens de mots tels que « libéralisme politique » et « conservatisme » s'est modifié au point de devenir méconnaissable. Une distinction subsiste toutefois entre conservateurs et libéraux (tel Mill en son temps). Ces derniers inclinent vers une vision plus optimiste de l'humanité, favorisant un climat moral moins rigoriste.

Toujours est-il que le lien entre morale et politique ne s'impose pas avec évidence, surtout dans le contexte actuel. Pour autant que le nouveau paradigme darwinien entraîne des implications politiques suffisamment nettes (en règle générale, ce n'est guère le cas), celles-ci affectent aussi bien la droite que la gauche. Parfois, elles penchent radicalement à gauche (Karl Marx eût probablement trouvé beaucoup à redire au nouveau paradigme darwinien, mais il y eût aussi glané des idées susceptibles de l'intéresser). Par ailleurs, ce nouveau paradigme fournit au libéralisme contemporain d'excellentes raisons d'adhérer à certaines traditions morales conservatrices, ne serait-ce qu'en vertu de leur consistance idéologique, et parce que, à leur sens, un programme d'éthique conservatrice pourrait, à terme, tirer bénéfice des orientations d'une politique sociolibérale.

EN DARWINISANT DARWIN

Pour la défense du darwinisme, j'appellerai d'abord à la barre Charles Darwin lui-même. Ses pensées, ses émotions, son comportement vont illustrer les principes de la psychologie évolutionniste. En 1876, il écrit dans le premier paragraphe de son autobiographie : « J'ai essayé de rédiger le présent compte rendu que je fais de moi-même, exactement comme si j'étais mort, dans un autre monde, jetant un regard rétrospectif sur ma propre vie. » Et il ajoute, avec le détachement qui lui est propre : « Je n'ai pas trouvé cela trop difficile, du fait que ma vie touche presque à son terme [9]. » Je me plais à imaginer que, si Darwin se penchait aujourd'hui sur son passé avec la pénétration du nouveau darwinisme, il verrait sa vie à peu près comme je vais la décrire.

Celle-ci ne servira pas que d'illustration à mon propos. Elle sera, à petite échelle, un test qui éclairera la théorie de la sélection naturelle et sa version révisée. Les zélateurs de la thèse évolutionniste (lui et moi compris) prétendent que cette façon de procéder est le meilleur moyen d'expliquer la complexité de tout ce qui vit. Si nous sommes dans le vrai, l'existence de n'importe quel être humain, pris au hasard et observé sous cet angle, doit apparaître sous un jour plus vrai. Je n'ai pas choisi Darwin tout à fait par hasard ; aussi bien lui ferai-je jouer le rôle de cobaye. Sa vie et son environnement social, celui de l'Angleterre victorienne, sont plus révélateurs observés sous le prisme darwinien qu'à l'aide de toute autre théorie. De ce point de vue, Darwin et son milieu ressemblent à n'importe quel phénomène organique.

Certes, Darwin ne ressemble guère aux phénomènes organiques qui viennent à l'esprit lorsque l'on évoque la sélection naturelle (poursuite impitoyable de l'intérêt génétique personnel et survie des plus aptes). D'après tous les témoignages, sa nature était empreinte de courtoisie et d'humanité (sauf en des circonstances peu propices à leur manifestation : il pouvait s'énerver lorsqu'il dénonçait l'esclavage et se mettre en colère contre un cocher en train de maltraiter un cheval [10]). Les manières aimables et l'absence totale de prétention du jeune Darwin n'ont pas été perverties par la notoriété. « De tous les hommes distingués que j'ai rencontrés, il est indéniablement le plus séduisant », remarque Leslie Stephen, critique littéraire, qui ajoute : « Il y a quelque chose de pathétique dans sa simplicité et dans sa bienveillance [11]. » Pour reprendre une expression du dernier chapitre de *Self-Help*, Darwin était un « vrai gentleman ».

Il avait d'ailleurs lu *Self-Help*, mais sans en avoir l'usage. À cinquante et un ans, il était déjà l'incarnation de cette maxime de Smiles, selon laquelle la vie est une bataille contre « l'ignorance morale, l'égoïsme et le vice ». En effet, une opinion répandue veut que Darwin ait été *excessivement* convenable, qu'il n'aurait eu besoin d'un livre d'autothérapie que s'il se fût agi de l'un de ces manuels contemporains, grands pourvoyeurs de recettes donnant la clef du bien-être et de la réussite. John Bowlby, l'un de ses biographes les plus perspicaces, pense que Darwin était affligé d'une « conscience suractive » et d'un « exaspérant mépris de soi ». Il écrit : « Tandis que l'absence de prétention de Darwin et la solidité de ses principes moraux, qui faisaient partie intégrante de son caractère et qui, avec bien d'autres choses, le rendaient cher à ses parents et à ses collègues, forcent l'admiration, ces qualités se développèrent, hélas! prématurément et à l'excès [12]. »

L'humilité et la moralité « excessives » de Darwin, son manque total d'agressivité, font de lui un cas d'école exemplaire. J'entends montrer comment la sélection naturelle, bien qu'apparemment étrangère à son caractère, peut en donner une image. Il est vrai que Darwin était aussi aimable, humain et honnête, qu'on peut raisonnablement demander à un homme de l'être sur cette terre. Mais il est également vrai qu'il ne fut pas fondamentalement différent de nous. Charles Darwin aussi était un animal.

PREMIÈRE PARTIE

SEXE,
IDYLLES ET AMOUR

CHAPITRE I

DARWIN ATTEINT SA MAJORITÉ

> *J'ai presque oublié comment est cette Anglaise
> — elle a quelque chose d'angélique et de bon.*
>
> Lettre écrite sur le *Beagle*,
> navire de Sa Majesté (1835) [1]

Dans l'Angleterre du XIXe siècle, l'exaltation sexuelle n'est guère recommandée aux garçons en pleine croissance. Il leur est même vivement déconseillé de seulement y penser. Le physicien victorien William Acton souligne, dans *The Functions and Disorders of the Reproductive Organs*, le danger qu'il y a à placer entre les mains d'un adolescent des « ouvrages de la littérature classique » : « Il y trouve tout ce qui a trait aux plaisirs de la chair, mais rien sur les interdits, ni sur les complaisances sexuelles. Il n'est pas conscient du fait que, s'il stimule trop ses désirs, il lui faudra davantage de volonté encore pour les maîtriser ; que s'il s'adonne à ces pratiques, il devra payer plus tard pour ses erreurs de jeunesse ; que, pour un seul qui en réchappera, dix souffriront ; qu'un risque terrible guette celui qui s'autorise des débordements sexuels ; et que le plaisir solitaire, pratiqué trop longtemps, conduit inéluctablement à la mort et à l'autodestruction [2]. »

Le livre d'Acton a été publié en 1857, au beau milieu d'une époque victorienne toute pénétrée de sens moral. La répression sexuelle existait depuis longtemps — avant le couronnement de la reine Victoria, en 1837, et même avant 1830, date servant communément à marquer le commencement de l'ère victorienne. Au début du siècle, le mouvement évangélique, alimentant cette nouvelle rigueur morale, s'est déjà largement propagé [3]. Comme G. M. Young le note dans *Portrait of an Age*, un garçon né en Angleterre en 1810 — l'année qui suit la naissance de Darwin — « aura le sentiment d'être guetté à tous les tournants et vivra en permanence sous l'intimidation de la discipline évangélique »... Il ne s'agit pas seulement de répression sexuelle, mais de répression en général, d'une autodiscipline constante face à toute complaisance. Le jeune homme apprendra, comme le disait Young, que « le monde est vraiment mauvais. Un moment d'inattention, un mot, un geste, une image ou un roman peuvent semer la graine de la dépravation dans le cœur le plus innocent » [4]... Un autre historien de l'époque victorienne parle d'« une vie de lutte incessante – à la fois pour résister à la tentation et pour maîtriser les désirs de l'ego ». Grâce à « une discipline de tous les instants, on doit pouvoir ancrer en soi les bonnes habitudes et acquérir une solide maîtrise de soi » [5].

C'est ce point de vue que Samuel Smiles, né trois ans après Darwin, va développer dans *Self-Help*. Comme le prouve le large succès du livre, les idées évangéliques se répandent alors bien au-delà de l'enceinte des églises méthodistes, véritables tremplins vers les foyers anglicans, unitariens et même incroyants [6]. Le ménage Darwin en est un bon exemple. Le couple est unitarien, pourtant Darwin lui-même est encore imprégné du puritanisme ambiant (son père était un libre-penseur plutôt modéré). Tout cela se perçoit dans l'omniprésence de sa conscience et la règle de conduite contraignante dont il s'est fait le champion. Longtemps après avoir renoncé à sa foi, il écrira : « Nous atteignons le plus haut degré de culture morale auquel il est possible d'arriver, quand nous reconnaissons que nous devons contrôler nos pensées, et [comme le disait Tennyson] " que nous ne regrettons plus, même, dans notre for intérieur, les errements qui nous ont rendu le passé si agréable ". Tout ce qui familiarise l'esprit avec une mauvaise action en rend l'accomplissement plus facile. Ainsi que l'a dit, il y a fort longtemps, Marc Aurèle : " Telles sont tes pensées habituelles, tel sera aussi le caractère de ton esprit ; car les pensées déteignent sur l'âme. " [7] »

La jeunesse et la vie de Darwin sont singulières, en même temps que représentatives de son époque : il évolue dans un monde d'une extraordinaire gravité morale. Un monde où surgit constamment la question du vrai et du faux. Et même s'il existe des réponses aux questions posées, elles sont parfois difficilement acceptables. Notre monde est très différent de celui-là. L'œuvre de Darwin est pour beaucoup dans cette différence.

UN HÉROS IMPROBABLE

La vocation toute tracée de Darwin, c'est la médecine. Il raconte que son père était sûr qu'il « ferait un excellent médecin – autrement dit, un médecin ayant une grosse clientèle ». Darwin père, lui-même médecin prospère, « maintenait que le plus sûr moyen de parvenir au succès, c'était d'inspirer une confiance totale ; mais je n'ai jamais compris ce qui lui fit supposer que moi, j'inspirerais cette confiance ». Quoi qu'il en soit, Charles quitte docilement la confortable propriété familiale de Shrewsbury à l'âge de seize ans et part, en compagnie de son frère aîné, Erasmus, pour l'université d'Édimbourg, afin d'y étudier la médecine.

Cette perspective ne l'a jamais véritablement enthousiasmé. À Édimbourg, Darwin assiste aux cours à contrecœur et évite ceux de chirurgie (avant la découverte du chloroforme, il était plutôt éprouvant d'assister à une opération). Il consacre la majeure partie de son temps à des activités annexes : avec des pêcheurs, il récolte des huîtres qu'il va ensuite disséquer ; il suit des leçons de taxidermie en complément de sa nouvelle passion pour la chasse ; il discute avec un spécialiste des éponges, un certain Robert Grant, qui croit ardemment en l'évolution tout en ne sachant évidemment rien de son fonctionnement.

Le père de Darwin a dû sentir quelques dérives dans la vocation de Charles, qui se souvient : « Il était, à juste titre, radicalement opposé à l'idée que je pusse devenir un oisif amateur de chasse, comme tout semblait alors m'y destiner[8]. » Le docteur Darwin préconise alors pour son fils une carrière de pasteur.

Cela peut paraître étrange de la part d'un homme qui ne croit pas en Dieu, et d'un fils non confit en dévotion qui manifeste un intérêt évident pour la zoologie. Mais le père Darwin est un homme pragmatique. En ce temps-là, zoologie et religion constituent les deux faces d'une même médaille. Si les choses vivantes ont été créées par la main de Dieu, alors l'étude de leur ingénieux agencement est aussi celle du génie divin. Le défenseur principal de cette idée est William Paley, l'auteur de la *Théologie naturelle* (1802). Paley y soutient que, de même que l'horloge suppose un horloger, un univers rempli d'organismes conçus et combinés en vue d'une tâche précise induit l'existence d'un Créateur[9]. (Il a raison. Toute la question est de savoir si ce Créateur est un dieu tout-puissant ou un processus involontaire.)

La théologie naturelle avait pour conséquence pratique qu'un curé de campagne pouvait, sans culpabilité aucune, consacrer les trois quarts de son temps à l'étude et à la description de la nature. C'est sans doute pour cette raison (pas nécessairement religieuse) que Darwin a accepté de prendre l'habit. « J'ai demandé un temps de réflexion, car n'y entendant à peu près rien, j'avais scrupule à proclamer ma foi en tous les dogmes de l'Église d'Angleterre ; toutefois, l'idée me plaisait de devenir pasteur de campagne. » Il lit quelques ouvrages religieux : « Comme je ne doutais pas le moins du monde de la vérité stricte et littérale de chaque mot de la Bible, je finis par me persuader que notre *Credo* devait être pleinement accepté. » Afin de se préparer au clergé, Darwin part pour l'université de Cambridge, où il lit Paley, bientôt « charmé et convaincu de la portée de sa longue démonstration » [10].

Pas pour longtemps. À sa sortie de Cambridge, une occasion inattendue s'offre à lui : la possibilité de s'engager comme naturaliste à bord du *Beagle*, navire de Sa Majesté. Le reste, bien sûr, appartient à l'histoire. Bien que Darwin n'ait pas conçu la théorie de la sélection naturelle à bord du *Beagle*, l'étude de la vie sauvage à travers le monde l'a convaincu que l'univers a bien été façonné par l'évolution. Deux ans après ce voyage en bateau qui dura cinq ans, il a l'intuition du fonctionnement de cette évolution. Devant une telle révélation, le projet clérical tombe à l'eau ! D'ailleurs, comme pour satisfaire le goût de ses biographes pour la symbolique, il emporte en voyage son recueil favori : *Paradise Lost* [11].

Alors que Darwin s'éloigne des côtes de l'Angleterre, rien ne laisse supposer qu'un siècle et demi plus tard, on racontera sa vie. Sa jeunesse, risque un biographe, a été « dénuée de toute trace de génie » [12]. De telles affirmations peuvent paraître suspectes, surtout lorsque l'on sait que le public en est généralement très friand. Il faut donc se méfier de ce jugement fondé sur une appréciation de Darwin, lui-même dépourvu de toute fatuité. Darwin prétend qu'il ne parvenait pas à maîtriser les langues étrangères, qu'il se débattait avec les mathématiques et qu'il était « considéré par tous les maîtres et par [son] père comme un élève très ordinaire, intellectuellement au-dessous de la moyenne ». Peut-être, peut-être pas. Sans doute faudrait-il accorder plus de crédit à une autre de ses remarques, concernant son aptitude à se lier d'amitié avec des hommes « beaucoup plus âgés que [lui] et plus haut placés dans la hiérarchie universitaire » : « J'en déduis que je devais être un peu plus mûr que la majorité des jeunes de mon âge [13]. »

Son absence de brio intellectuel a d'ailleurs fait dire à quelques biographes qu'il est un « héros improbable dans les annales de la loterie de l'immortalité » [14]. Certes, il n'a rien de redoutable. Il est si convenable, si doux, si peu pressé d'ambitions. Au fond, c'est une sorte de campagnard un peu simple et insulaire. Un auteur s'est posé la question : « Pourquoi a-t-il été donné à Darwin, le moins ambitieux, le moins imaginatif et le moins érudit de tous, de découvrir une théorie tant convoitée par ses confrères ? Comment se fait-il qu'un esprit sans envergure et de si peu de sensibilité ait pu élaborer un concept fondamental d'une telle complexité [15] ? »

On peut répondre à cette question (et nous allons nous y employer) en contestant un tel jugement sur Darwin, mais aussi, plus simplement encore, en contestant le jugement porté sur sa théorie. L'idée de la sélection naturelle, sans doute « fondamentale », n'est pas réellement « complexe ». C'est une théorie très simple qui n'a pas demandé une intelligence supérieure. Thomas Henry Huxley, ami de

Darwin, défenseur dévoué et vulgarisateur de talent, après avoir compris la théorie, s'est exclamé : « Comment ne pas y avoir pensé plus tôt [16] ! »

Toute la théorie de la sélection naturelle repose sur ceci : s'il se produit une variation de traits héréditaires au sein d'une population appartenant à une espèce donnée, et si quelques-uns de ces traits favorisent mieux que d'autres la survie et la reproduction, ils vont (à l'évidence) s'y répandre plus largement. Il en résulte avec la même évidence que le patrimoine génétique de cette espèce se modifie. C'est aussi simple que cela.

Bien sûr, le changement peut paraître insignifiant au sein d'une génération donnée. Si de longs cous permettent à certains animaux d'attraper de précieuses feuilles, et si des animaux aux cous plus courts meurent avant d'avoir pu se reproduire, la taille moyenne du cou de l'espèce ne grandira guère. Mais si la taille des cous a récemment varié au sein des nouvelles générations (grâce à une autre combinaison sexuelle ou à une mutation génétique), de sorte que la sélection naturelle puisse continuer de « choisir » à l'intérieur d'un échantillonnage de tailles de cous, la dimension moyenne des cous continuera d'augmenter. Ainsi, une espèce qui sera partie d'encolures analogues à celles des chevaux, en viendra à des cous semblables à ceux des girafes. On aura donc affaire à une nouvelle espèce.

Darwin a résumé ainsi la sélection naturelle : « Croissez et multipliez, que le plus fort vive et que le plus faible meure [17]. » Ici, le « plus fort » n'est pas seulement le « plus costaud », mais aussi celui qui est le mieux adapté à l'environnement, grâce à son camouflage, à son intelligence ou à tout autre type d'accessoire utile à sa survie et à sa reproduction *. La formule *mieux adapté* (que Darwin n'a pas inventée mais qu'il a adoptée) est utilisée de façon exemplaire à la place de *plus fort*, pour étayer cette conception élargie : l'« aptitude » d'un organisme à transmettre, dans son environnement, ses gènes à la génération suivante. La sélection naturelle « cherche » sans cesse à maximiser l'« aptitude » en redessinant l'espèce. C'est l'aptitude qui fait de nous ce que nous sommes.

Si crédibles soient-ils, ces constats ne sont peut-être pas encore assez explicites. Notre corps – dont l'harmonieuse complexité ne saurait être égalée par un produit humain – résulte de l'addition de centaines de milliers de progrès, dont *chacun a représenté un accident*; chacun des maillons de la chaîne qui nous relie à la bactérie initiale *n'est arrivé qu'*afin d'aider quelque lointain ancêtre à transmettre ses gènes à

---

* Darwin sépare l'aspect « survie » de l'aspect « reproduction » dans le processus. Il distingue bien les traits dus à la « sélection sexuelle », dans un accouplement réussi, de ceux dus à la sélection naturelle. De nos jours, la sélection naturelle se définit plus largement ainsi : la préservation des caractéristiques d'une génération contribuant, quoi qu'il arrive, à transmettre les gènes d'un organisme à la génération suivante.

la génération suivante. Certains créationnistes prétendent que les chances qu'a un individu de connaître une quelconque mutation génétique sont à peu près égales à celles qu'aurait un singe de parvenir à dactylographier l'œuvre de Shakespeare! Eh bien soit, peut-être pas les œuvres complètes, mais au moins certains longs et fameux passages...

Pourtant, de tels phénomènes, apparemment inconcevables, sont rendus possibles par la logique de la sélection naturelle. Supposons qu'un singe tire un bon numéro : mettons le gène XL, celui qui donne aux parents un peu plus d'amour pour leur progéniture, les incitant ainsi à mieux la nourrir. Dans la vie d'un singe quelconque, ce gène sera probablement de peu d'importance. Supposons que la progéniture des singes possédant le gène XL ait – en moyenne – un pourcentage de chances de survivre et de prospérer supérieur à celui de la progéniture qui ne l'aurait pas. Aussi longtemps que persistera ce mince avantage, la lignée des singes possédant le gène XL tendra à augmenter, tandis qu'une autre diminuera progressivement, de génération en génération. Finalement, il en résultera une population où tous les animaux posséderont le gène XL. À ce stade, le gène atteindra son point de « fixation », c'est-à-dire qu'un plus haut degré d'aptitude à l'amour parental sera spécifique à la nouvelle population.

Ainsi suffit-il d'une chance infime pour faire avancer les choses. Mais quelles sont les probabilités pour que la chance persiste et qu'une prochaine mutation génétique due au hasard vienne augmenter le degré de l'amour parental? Combien de chances pour que la mutation en XL soit suivie d'une mutation en XXL? Pratiquement aucune dans le cas d'un seul de ces singes. Mais s'il advenait que la population simiesque abonde en singes possédant le gène XL, et que l'un d'entre eux, ou d'entre leurs descendants, ait l'heur de tirer le gène XXL, ce dernier aura de bonnes chances de se répandre, fût-ce lentement, dans la population. Certes, un nombre croissant de singes héritera probablement dans l'intervalle de gènes moins avantageux, dont quelques-uns pourront même provoquer la disparition de la lignée. C'est la vie.

En tout cas, c'est ainsi que la sélection naturelle bat les cartes – sans vraiment les brasser. Il est probable que nombre de générations malchanceuses ont fini dans l'impasse, pour permettre à des lignées plus fortunées de peupler aujourd'hui la planète. Les poubelles génétiques de l'histoire débordent d'expériences ratées, de longues strophes de messages codés aussi vibrantes que le furent les vers de Shakespeare *jusqu'à* cet inéluctable éclatement en charabia. Leur rejet est le prix à payer pour le droit à l'essai et à l'erreur. Aussi longtemps qu'elle pourra s'offrir ce luxe et disposera d'un nombre de générations suffisant pour œuvrer en abandonnant la foule des échecs et ne conserver que la réussite, la création issue de la sélection naturelle sera grandiose.

Infatigable perfectionniste et ouvrière ingénieuse *, la sélection naturelle n'est autre qu'un processus inconscient.

Chacun de nos organes témoigne de son art. Cœur, poumons, estomac, tous sont des « adaptations » – émanations sophistiquées d'un projet non préconçu, mécanismes existant parce qu'ils ont contribué, un jour, à l'adaptation de nos ancêtres. Et tous sont spécifiques à l'espèce. Bien que les poumons soient légèrement différents d'une personne à l'autre, parfois pour des raisons génétiques, presque tous les gènes impliqués dans leur fabrication sont identiques à ceux du voisin, qu'il soit esquimau ou pygmée. Les psychologues évolutionnistes John Tooby et Leda Cosmides ont noté que chaque page de *L'Anatomie* de Gray peut s'appliquer à tous les peuples du monde. Pourquoi l'anatomie du cerveau serait-elle différente ? L'hypothèse de la psychologie évolutionniste part du principe que les « organes mentaux » qui constituent le cerveau humain – par exemple, celui qui incite à aimer sa progéniture – sont propres à l'espèce [18]. Les psychologues évolutionnistes sont à la recherche de ce que les spécialistes nomment l'« unité psychique du genre humain ».

LE CONTRÔLE CLIMATIQUE

Quelques millions d'années (cent mille, peut-être deux cent mille générations) nous séparent de l'australopithèque, cet être qui se tenait debout sur ses jambes mais qui possédait un cerveau pas plus gros que celui d'un singe. Cela ne paraît peut-être pas énorme. Mais il faut savoir aussi que cinq mille générations ont suffi à transformer un loup en chihuahua – et, simultanément, quoique dans le cadre d'une lignée différente, en saint-bernard. Bien sûr, les chiens ont évolué sous l'effet d'une sélection artificielle et non d'une sélection naturelle. Mais, comme Darwin l'a mis en évidence, les deux sont à peu près identiques : dans l'un et l'autre cas, certains traits sont éliminés d'une population en fonction de critères capables de traverser plusieurs générations. Et, dans l'un et l'autre cas, si l'« emprise de la sélection » est assez forte – si les gènes sont transmis assez vite –, l'évolution s'accélère.

On peut s'étonner que cette emprise se soit montrée aussi forte dans la partie la plus récente de l'évolution humaine. On sait en effet

* Dans ce livre, je parlerai parfois de ce que « veut » la sélection naturelle, ou de ses « intentions », ou encore des « valeurs » implicites dans ses œuvres. Je mettrai toujours des guillemets, puisqu'il ne s'agit là que de métaphores. Mais je pense que les métaphores sont intéressantes dans la mesure où elles nous aident à approcher la morale du darwinisme.

que celle-ci est stimulée par un environnement hostile – sécheresses, glaciations, férocité des prédateurs, rareté des proies. Or, au fur et à mesure que l'homme a évolué, ces contingences ont diminué. L'invention des outils, du feu, l'avènement de la chasse organisée et codifiée – tout ceci a permis une meilleure maîtrise de l'environnement et une protection croissante contre les caprices de la nature. Comment le cerveau du singe a-t-il pu alors se transformer en un cerveau humain, en l'espace de quelques millions d'années?

Sans doute pourrait-on dire que c'est parce que l'environnement de l'évolution de l'homme a été l'être humain (ou préhumain) [19] : à l'âge de pierre, les membres d'une communauté étaient rivaux dans la lutte pour la transmission des gènes dont ils étaient les instruments. La transmission des gènes dépendait de la façon dont on allait frayer avec son voisin : parfois en les aidant, parfois en les exploitant, quelquefois en les ignorant ou encore en les aimant, ou bien, au contraire, en les haïssant –, tout en sachant exactement quel type de traitement infliger aux autres, lorsque l'on jugeait bon de le faire. C'est principalement en cela qu'a consisté notre évolution : en une adaptation des uns aux autres.

Puisque chaque phase de l'adaptation, en se fixant dans la population, modifie le milieu social, l'adaptation exigera et amènera toujours davantage d'adaptation. À partir du moment où les parents possèdent tous le gène XXL, aucun ne prendra l'avantage dans cette incessante compétition pour la gestation de la plus vivace et de la plus féconde des descendances. La course à l'armement continue. Dans ce cas, c'est une course à l'« arme amoureuse », bien que, souvent, ce soit une tout autre affaire.

Dans certains cénacles, la mode veut que l'on batte en brèche le concept d'adaptation, de projet évolutionniste cohérent. Les vulgarisateurs des réflexions sur la biologie mettent souvent l'accent non tant sur le rôle de l'aptitude dans l'évolution, que sur celui du hasard et des contingences. Des bouleversements climatiques peuvent survenir et faire disparaître certaines espèces malchanceuses de la flore ou de la faune, modifiant ainsi radicalement le contexte de l'évolution d'espèces qui, pour leur part, auront eu la chance d'échapper à l'adversité. Un coup de dés cosmique et les jeux sont faits! Voilà comment le « hasard » affecte l'évolution. Mais ce n'est pas tout. Ainsi, il semble que de nouvelles caractéristiques, sur lesquelles la sélection naturelle n'a pas pris de décision, voient le jour par hasard [20].

Mais aucun des « hasards » de la sélection naturelle n'est en mesure d'éclipser sa vocation première : le critère le plus important du dessein organique demeure l'aptitude. Certes, les dés seront à nouveau jetés et le contexte de l'évolution changera encore. Telle particularité peut, aujourd'hui, favoriser l'adaptation et, demain, cesser de le faire. C'est ainsi que la sélection naturelle est souvent amenée à corriger certains handicaps. La rançon à long terme de cet ajustement permanent à la conjoncture sera souvent une médiocre qualité de la vie organique. (C'est pour cette raison que tant d'individus ont des problèmes de dos : si, partant de rien plutôt que d'un vieux singe, vous aviez eu à concevoir un être capable de marcher, vous ne l'auriez pas doté d'un dos si délicat!) Néanmoins, les changements conjoncturels sont suffisamment progressifs pour que l'évolution se fasse posément (même si, de temps en temps, elle doit passer à la vitesse supérieure, lorsque l'emprise de la sélection se fait plus pressante). Elle y parvient, le plus souvent, avec une formidable ingéniosité.

En cours de route, elle ne perd pas de vue sa finalité. Des centaines de milliers de gènes influant sur le comportement humain – ceux qui construisent le cerveau et gouvernent les neurotransmetteurs et autres hormones – déterminent notre « organisation mentale ». Ils ne sont pas un effet du hasard. Ils ont harcelé nos ancêtres jusqu'à ce qu'ils transmettent leurs gènes aux générations suivantes. Si la théorie de la sélection naturelle est juste, pratiquement tout ce qui relève de la pensée humaine devrait s'entendre ainsi : nos sentiments les uns envers les autres, ce que nous pensons des uns et disons aux autres, tout cela n'existe aujourd'hui qu'à cause d'un processus ancestral d'adaptation génétique.

LA VIE SEXUELLE DE DARWIN

Aucun comportement humain n'affecte autant la transmission des gènes que la sexualité. Les différents états d'âme qui gouvernent la sexualité sont les meilleurs candidats à l'explication évolutionniste. Commandées par les différents états qui gouvernent le sexe : vif désir charnel, délicieux ravissement, amour durable (ou, du moins, ressenti comme tel), etc., les pulsions propres aux individus du monde entier, Charles Darwin compris, sont arrivées à maturité.

Quand Darwin quitte l'Angleterre, il a vingt-deux ans. Comme tous les jeunes gens, il est doté d'un certaine quantité d'hormones. Il s'est montré aimable avec une ou deux jeunes filles du cru, surtout la jolie, sympathique et provocante Fanny Owen. Un jour qu'il lui met un fusil de chasse entre les mains, elle prétend, par jeu, que le recul n'a même pas heurté son épaule. Il la trouvera si charmante que, des années plus tard, il se souviendra avec une tendresse émue de cet incident [21]. Bien qu'il ne soit sans doute jamais allé au-delà du simple baiser, il entretiendra avec elle, depuis son université, un flirt épistolaire.

À l'époque où Darwin séjourne à Cambridge, il est possible d'y fréquenter des prostituées, sans parler des filles qui, à l'occasion, se laissent acheter de façon moins explicite. Mais les surveillants de l'université rôdent dans les rues proches du campus, prêts à interpeller toute femme prise en flagrant délit de « trottoir ». Le frère de Darwin lui a recommandé de ne jamais se montrer en pareille compagnie. Le lien le plus étroit qu'on lui connaisse avec les amours illicites, c'est l'argent qu'il fait un jour parvenir à une amie contrainte d'abandonner ses études après avoir mis au monde un enfant naturel[22]. Il se peut que Darwin ait quitté, sans avoir fauté, les côtes de l'Angleterre[23]. Quant aux cinq années suivantes, passées sur un navire de trente mètres avec six douzaines de mâles, elles ne lui apporteront guère d'occasions de remédier à cet état de choses, du moins par les voies conventionnelles.

À son retour, le sexe sera absent de sa vie pour les mêmes raisons. Nous sommes en pleine période victorienne. On peut fréquenter des prostituées à Londres (où Darwin élira domicile), mais les rapports sexuels avec une femme « respectable », une femme de sa classe sociale, sont presque impossibles hors des strictes règles du mariage.

L'énorme gouffre qui sépare ces deux formes de sexualité est l'un des aspects les plus connus de la morale victorienne – la dichotomie « madone-putain ». Il y a deux sortes de femmes : celle qu'un célibataire épousera plus tard et celle dont il peut user maintenant ; celle qui vaut la peine d'être aimée et celle qui satisfait le plaisir immédiat. Deuxième position morale liée à l'époque victorienne : la discrimination entre les sexes. Malgré les apparences, puisque les moralistes de l'époque découragent énergiquement toute licence sexuelle, *aussi bien* chez les hommes que chez les femmes, il n'en reste pas moins vrai que les débordements sexuels d'un homme font alors moins sourciller que ceux d'une femme. Cette discrimination relève d'ailleurs encore de la dichotomie « madone-putain ». La sévère sanction encourue par la femme victorienne sexuellement aventureuse, c'est l'enfermement à vie dans la seconde catégorie, celle de la putain, ce qui réduira considérablement le nombre de ses prétendants matrimoniaux.

On a aujourd'hui tendance à rejeter et à ridiculiser ces aspects de la morale victorienne. Il est bon de les rejeter, mais s'en moquer revient à surestimer notre progrès moral. Beaucoup d'hommes parlent encore ouvertement des « salopes » et de l'usage qu'ils peuvent en faire : parfaites pour le plaisir, mais impropres au mariage. Même des hommes (certains libéraux bien élevés) qui n'oseraient pas s'exprimer ainsi agiront de la sorte. Les femmes se plaignent parfois de ces individus apparemment civilisés qui se targuent des meilleures manières, mais qui, passé le deuxième ou troisième rendez-vous, ne donnent plus signe de vie, comme si le sexe, trop tôt consommé, avait transformé la femme en paria. De nos jours, la discrimination sexuelle a diminué, mais les femmes se plaignent toujours de sa survivance. Comprendre l'atmosphère sexuelle de l'époque victorienne nous donne un recul qui nous permet de mieux saisir notre attitude à l'égard de la sexualité.

Le fondement de la morale sexuelle victorienne est clair : les femmes et les hommes sont fondamentalement différents, surtout dans le domaine de la libido. Même ceux, parmi les victoriens, qui se prononcent contre le donjuanisme, font ressortir cette disparité. Le docteur Acton écrit : « Je dois dire que, dans leur majorité, les femmes (tant mieux pour elles) ne sont pas furieusement tourmentées par leurs pulsions sexuelles. Les hommes le sont habituellement beaucoup plus. Il est vrai aussi, comme le prouvent certains cas de divorce, que quelques femmes peuvent être la proie de désirs sexuels si intenses, qu'ils l'emportent sur ceux des hommes. » Cette « nymphomanie » est « une forme de démence. Il ne fait aucun doute que le désir sexuel chez la femme est, dans la majorité des cas, en " souffrance "... et quand il est stimulé (ce qui peut ne jamais arriver), c'est de façon plus discrète que chez l'homme ». Le problème, dit le docteur Acton, c'est qu'un certain nombre de jeunes gens, abusés par la fréquentation de « femmes vulgaires ou de petite vertu », se marient avec de fausses idées sur ce que le mariage leur réserve. Ils ne comprennent pas que « les meilleures des mères, femmes ou maîtresses de maison n'ont pas nécessairement un appétit sexuel débordant. Amour du foyer et des enfants, travaux domestiques, telles sont leurs passions les plus fortes [24] ».

Certaines femmes, qui se considèrent pourtant comme d'excellentes épouses et mères, pourraient émettre une opinion toute différente. Cependant, l'idée que l'appétit sexuel de l'homme, plus vif, diffère de celui de la femme, doit beaucoup au nouveau modèle darwinien. Cette idée prend aussi sa source ailleurs. Le lieu commun moderne, qui veut qu'hommes et femmes soient faits du même bois, semble faire de moins en moins d'adeptes. Ce n'est plus non plus une conviction majeure chez les féministes. Certaines d'entre elles – les « féministes de la différence » ou « essentialistes » – reconnaissent que les hommes et les femmes sont profondément différents. Elles demeurent assez vagues quant à la signification de ce « profondément », et beaucoup préféreraient qu'on ne prononce pas le mot *gène*, qui continue de les déconcerter. Elles conviennent que l'ancienne doctrine féministe de l'égalité sexuelle est fausse (et qu'elle a même blessé certaines femmes), tout en redoutant toujours d'explorer honnêtement cette hypothèse.

Si la nouvelle perception darwinienne de la sexualité ne dépassait pas ce lieu commun qui fait de l'homme un individu spécialement libidineux, elle ne vaudrait pas grand-chose. En réalité, elle apporte un nouvel éclairage, non seulement sur des pulsions animales comme la concupiscence, mais aussi sur la plus délicate structure de la conscience. La « psychologie sexuelle », pour un psychologue évolutionniste, englobe tout, depuis les fluctuations de l'amour-propre chez l'adolescent, jusqu'aux jugements esthétiques qu'hommes et femmes portent les uns sur les autres et, en conséquence, jusqu'aux jugements éthiques qu'ils portent sur certains individus de leur sexe. Deux bons exemples en sont la dichotomie « madone-putain » et la discrimination sexuelle qui, aujourd'hui, semblent profondément enracinées dans la nature humaine et jusque dans les mécanismes mentaux permettant d'émettre un jugement sur les autres.

Ceci appelle deux précisions. D'abord, dire d'un phénomène qu'il serait un effet de la sélection naturelle ne signifie pas qu'il soit immuable ; presque tous les comportements humains peuvent changer, après transformation de l'environnement – même si, parfois, cette mutation s'avère d'une implacable cruauté. Ensuite, dire d'une chose qu'elle est « naturelle » ne signifie pas non plus qu'elle soit « bonne ». Nous n'avons aucune raison de calquer nos valeurs morales sur celles de la sélection naturelle. Mais si nous recherchons des valeurs en accord avec la sélection naturelle, nous devons savoir à quoi nous allons être confrontés. Pour changer certains principes fermement ancrés dans notre code moral, il est préférable de savoir d'où ils viennent. Certes, le milieu culturel et les événements influent de façon complexe sur cette nature, mais *en dernier ressort*, c'est toujours de la nature humaine que proviennent ces principes moraux. Non, il n'existe pas un « gène de la discrimination sexuelle » et, pourtant, pour comprendre celle-ci, il nous faut saisir la façon dont nos gènes affectent nos pensées. Il nous faut savoir quel est le principe de la sélection des gènes et quels sont ses critères.

Dans les chapitres suivants, nous verrons comment ce processus a formé la psychologie sexuelle. Ainsi, mieux outillés, nous pourrons revenir sur la morale victorienne, retrouver la mentalité de Darwin et celle de son épouse. Tout ceci nous permettra de percevoir sous un jour nouveau ce qui nous arrive en cette fin de XXᵉ siècle – et où nous en sommes face à la séduction et au mariage.

CHAPITRE II

MÂLE ET FEMELLE

*Dans les diverses grandes classes du règne animal,
mammifères, oiseaux, reptiles, poissons, insectes et
même crustacés, les différences entre les sexes suivent
presque exactement les mêmes règles ; les mâles sont
presque toujours les chasseurs...*

La Descendance de l'homme (1871) [1]

Darwin s'est trompé sur le sexe.

Il ne se trompe pas en prétendant que les mâles sont les chasseurs. Sa vision des caractères fondamentaux des deux sexes est toujours d'actualité. « La femelle [...], à quelques rares exceptions près, est beaucoup moins ardente que le mâle. [...] Elle est timide et cherche pendant longtemps à échapper au mâle. Quiconque a étudié les mœurs des animaux a pu constater des exemples de ce genre. [...] L'exercice d'un certain choix de la part de la femelle paraît être une loi aussi générale que l'ardeur du mâle [2]. »

Darwin n'a pas tort non plus en ce qui concerne les conséquences de cette asymétrie. Il pense que les mâles rivalisent afin d'améliorer leurs chances de se reproduire, précisément à cause de cette réticence féminine. Cela expliquerait pourquoi ils sont souvent dotés d'armes naturelles : bois des cerfs, pinces des coléoptères, féroces canines des chimpanzés [3]. Les mâles que l'hérédité n'a pas suffisamment armés pour la compétition ont été privés d'activité sexuelle, et leurs traits caractéristiques ont donc été écartés par la sélection naturelle.

Darwin constate aussi que cette faculté de choix propre aux femelles revêt une grande importance. Si elles préfèrent s'accoupler à un certain type de mâles, ce sont ces mâles-là qui vont proliférer. Ainsi, la parure des mâles – gorge colorée d'un lézard qui enfle à la saison des amours, immense éventail de la queue du paon et, encore une fois, bois des cerfs, qui semblent plus élaborés que ne l'exige le seul combat[4]. Ces parures n'ont pas évolué pour permettre aux animaux de survivre (dans certains cas, on peut même dire qu'elles compliquent leur survie), mais surtout pour les aider à séduire les femelles. (C'est un point de divergence entre biologistes : en quoi est-il dans l'intérêt génétique de la femelle de succomber à de tels charmes[5] ?)

Darwin nommera « sélection sexuelle » ces deux variantes de la sélection naturelle : le combat entre les mâles et le choix des femelles. Il sera, à juste titre, très fier de cette idée. La sélection sexuelle est une extension de sa théorie générale qui rend compte d'apparentes exceptions (telles ces couleurs éclatantes qui semblent dire aux prédateurs : « Tuez-moi »).

En revanche, c'est sur la *cause*, dans l'évolution, de la réticence féminine et de la concupiscence masculine que Darwin se trompe. Bien sûr, il constate que cette divergence d'intérêts crée une compétition entre les mâles rivalisant pour se reproduire, et il en tire les conséquences ; mais il ne voit pas la cause de cette divergence. Il tenta, à la fin de sa vie, de trouver une explication au phénomène. Sans succès[6]. Et il faut bien reconnaître que plusieurs générations de biologistes allaient s'y essayer en vain après lui.

Maintenant que l'on a trouvé une solution consensuelle, ce long tâtonnement paraît étrange, d'autant que la solution est fort simple. La sexualité est, en effet, représentative de nombreux comportements mis en évidence par la théorie de la sélection naturelle, encore que l'évidence ne soit véritablement apparue que ces trente dernières années : on eût pu y parvenir un siècle plus tôt, tant il est vrai qu'elle découle directement des points de vue de Darwin sur la vie. Comme elle fait appel à une logique assez subtile, on peut pardonner à Darwin de n'avoir pas perçu d'emblée toute la portée de sa théorie. S'il pouvait entendre aujourd'hui les biologistes évolutionnistes parler du sexe, il succomberait probablement à l'un de ses fameux accès d'abattement et se reprocherait de n'y avoir pas pensé plus tôt...

ET SI ON JOUAIT À DIEU...

Pour aborder l'idée de la divergence entre les sexes, il faut poser l'hypothèse que la sélection naturelle joue un rôle dans la formation d'une espèce. Considérons l'espèce humaine. Supposons qu'on ait à fixer dans des cerveaux humains (ou préhumains) des règles de comportement qui les guideront dans la vie, le but du jeu étant de maximiser l'héritage génétique de chaque individu. Disons, pour simplifier, que chaque être doit se comporter de telle manière qu'il ait une belle progéniture, laquelle aura également une superbe descendance.

Bien sûr, ce n'est pas ainsi qu'opère la sélection naturelle. Ce n'est pas consciemment qu'elle crée des organismes. Elle entretient aveuglément des traits héréditaires qui contribueront, par hasard, à la survie et à la reproduction *. Néanmoins, la sélection naturelle fonctionnant *comme si* elle fabriquait consciemment des organismes, il n'est pas absurde d'imaginer qu'on ait à créer un organisme pour comprendre quelles tendances l'évolution aura enracinées dans les hommes et les autres espèces animales. C'est bien ainsi que procèdent à longueur d'année les biologistes évolutionnistes : ils observent une caractéristique – mentale ou physique – et tentent de trouver une réponse au problème posé.

Lorsque l'on joue ainsi au « Grand Ordonnateur de l'Évolution », en cherchant à valoriser au maximum le patrimoine génétique, on découvre vite que cela implique des différences entre hommes et femmes. Les hommes peuvent se reproduire des centaines de fois par an, en supposant qu'ils trouvent suffisamment de femelles coopératives et qu'il n'existe pas de loi contre la polygamie – cas fort improbable dans le cadre de notre évolution et de son environnement. En revanche, les femmes ne peuvent procréer qu'une fois dans l'année. Cette différence repose en grande partie sur l'extrême fragilité (et donc sur la valeur) de l'ovule ; chez toutes les espèces, l'ovule est gros et rare, alors que le minuscule spermatozoïde est produit en quantité impressionnante. (Définition biologique officielle de la femelle : celle qui est dotée des plus grandes cellules sexuelles.) Chez les mammifères, l'asymétrie entre mâle et femelle s'accentue encore par le mode de reproduction : la lente métamorphose d'un ovule se fait à l'intérieur de la femelle, et on sait qu'elle ne peut avoir plusieurs gestations simultanées.

Alors qu'elle aurait de bonnes raisons (darwiniennes) de s'unir à plus d'un seul homme (imaginons que le premier soit stérile), il arrive tout de même un moment où, pour la femme, continuer de faire l'amour ne s'impose plus. Autant se reposer ou manger un morceau ! Pour un homme, à moins qu'il ne soit au bord de l'épuisement ou de l'inanition, cela n'arrive jamais. Chaque nouvelle partenaire offre une sérieuse chance de placer « quelques gènes supplémentaires » dans la génération suivante – démarche bien plus rentable, dans la perspective darwinienne, que ne le sont une sieste ou un repas. Comme l'ont bien résumé les psychologues évolutionnistes Martin Daly et Margo Wilson : « Un homme peut toujours mieux faire [7]. »

Il existe pourtant un domaine où la femme peut mieux faire, c'est celui, non de la quantité, mais de la qualité. Donner naissance à

* En réalité, l'un des postulats du nouveau paradigme darwinien est que l'objectif de la sélection naturelle est un peu plus complexe que « survie et reproduction ». Mais cette nuance n'aura pas de réelle importance avant notre chapitre VII.

un enfant suppose un énorme investissement en temps, sans parler de l'énergie que cela demande. Or, la nature laisse à la femme assez peu de latitude quant au nombre de fois où elle peut se lancer dans une telle entreprise. C'est pourquoi, de son point de vue (génétique), chaque enfant représente une machine à fabriquer des gènes d'une incommensurable valeur. L'aptitude du rejeton à survivre, puis à produire, à terme, sa propre petite machine génétique, est d'une immense portée. Il devient donc « darwiniennement » capital pour une femme de savoir choisir l'homme qui l'aidera à construire chaque machine génétique. Elle devra jauger soigneusement le prétendant avant de lui accorder sa confiance et se demander d'abord ce qu'il apportera dans la corbeille... Cette question induit, surtout en ce qui concerne l'espèce humaine, une quantité de sous-questions beaucoup plus nombreuses et délicates qu'on ne l'imagine.

Avant de les aborder, il convient d'insister sur deux points. D'abord, la femme n'a pas eu véritablement à se poser de questions : celles-ci ne lui sont jamais venues à l'esprit. En effet, l'essentiel de l'histoire de notre espèce s'est produit avant que nos ancêtres aient eu assez d'intelligence pour s'interroger sur quoi que ce soit. Même dans un passé plus proche, postérieur à l'apparition du langage et de la conscience de soi, le comportement n'avait aucune raison de tomber sous le contrôle de la conscience. En effet, il peut *ne pas* être dans notre intérêt génétique d'agir consciemment. (Certains psychologues évolutionnistes diraient que, même si Freud recherchait quelque chose, il ne savait pas exactement quoi.) En ce qui concerne l'attirance sexuelle, en tout cas, l'expérience quotidienne montre bien que la sélection naturelle exerce largement son influence par le truchement de ces clefs émotionnelles qui connectent ou déconnectent nos sentiments, comme la première attirance, la passion dévorante ou le coup de foudre. Une femme n'examine pas un homme en se disant : « Ce type-là va probablement revaloriser mon patrimoine génétique. » Elle l'observe et se sent simplement attirée par lui – ou pas. De telles « observations » sont faites – inconsciemment, métaphoriquement – sous la pression de la sélection naturelle, car seuls les gènes capables de contribuer à l'amélioration du patrimoine génétique ancestral ont pu éclore, et non les autres.

Comprendre la démarche, souvent inconsciente, du contrôle génétique, c'est admettre d'abord que, dans bien des domaines, et pas seulement dans celui de la sexualité, nous sommes tous des marionnettes. Notre meilleur atout, pour tenter d'échapper un tant soit peu à cette fatalité, consiste à essayer de déchiffrer le langage du marionnettiste. La conséquence de cette logique n'apparaîtra pas tout de suite, mais je ne crois pas détruire le suspens en ajoutant que le bonheur des marionnettes est le cadet des soucis du marionnettiste.

En second lieu, avant de se demander comment la sélection naturelle a « décidé » de doter les femmes (et les hommes) de préférences sexuelles, il faut noter qu'elle n'est pas très prévoyante. L'évolution est soumise à l'influence du milieu, et les milieux se modifient. La sélection naturelle ne pouvait pas prévoir qu'un jour les gens utiliseraient la pilule, et que leurs passions les conduiraient à faire l'amour pour le plaisir et de façon improductive. Ou que des films X, sur cassettes vidéo, surgiraient pour assouvir, par le regard seul, la quête masculine du plaisir, plaisir d'où toute femme en chair et en os serait exclue ; et enfin que les hommes s'y adonneraient « aveuglément », au lieu de courtiser de *vraies* femmes, susceptibles de transmettre leurs gènes à la génération suivante.

Cela ne signifie pas que tout ce qui est « improductif » soit mauvais, ni qu'il faille condamner la récréation sexuelle. Ce n'est pas parce que la sélection naturelle nous a créés que nous devons docilement adhérer à son programme. (Nous devrions plutôt être tentés de nous insurger contre l'absurde fardeau qu'elle nous a légué.) Il n'est pas exact non plus de prétendre que les cerveaux des individus sont conçus pour optimiser leurs aptitudes, leur héritage génétique. Ce que dit la théorie de la sélection naturelle, c'est que les cerveaux humains ont été conçus afin d'optimiser leurs aptitudes *au sein de l'environnement dans lequel ces cerveaux évoluent.* Cet environnement est appelé EAE : Environnement de l'adaptation évolutionniste [8], ou, de façon plus répandue : « environnement ancestral ». L'environnement ancestral constitue aussi la trame invisible de ce livre. En cherchant à savoir si une caractéristique mentale provient d'une adaptation évolutionniste, on se demandera parfois si elle répond à l'« intérêt génétique » de celui qui en est porteur. Par exemple, le désir sexuel effréné est-il dans l'« intérêt génétique » de l'homme ? Certes, ceci n'est qu'un vulgaire raccourci. La vraie question est toujours celle-ci : une caractéristique répond-elle à l'« intérêt génétique » d'un individu dans l'environnement ancestral, et pas dans l'Amérique moderne ou l'Angleterre victorienne ? En théorie, seuls les caractères génétiques ayant permis aux générations successives de franchir les étapes de l'environnement ancestral devraient pouvoir entrer aujourd'hui dans la constitution de la nature humaine [9].

À quoi ressemblait donc cet environnement ancestral ? L'exemple le plus proche de notre XXe siècle est celui d'une société fonctionnant sur l'économie de la cueillette et de la chasse, telle celle des Kung San dans le désert africain du Kalahari, des Inuits (Eskimos) de l'Arctique, ou des Aches du Paraguay. Malheureusement, les différences entre ces types de sociétés rendent difficile toute généralisation. Cette diversité laisse à penser que le concept de l'EAE repose sur une fiction, une sorte de combinaison hétéroclite, le milieu social ancestral s'étant transformé considérablement au cours de l'évolution [10]. Néanmoins, dans ces sociétés, il existe des phénomènes récurrents qui indiquent la présence de constantes dans l'évolution de l'esprit humain. Exemple : on vit dans un cercle familial étroit, dans de petits villages où tout le monde connaît tout le monde, et où il est rare qu'un étranger se manifeste. On se marie sous les lois de la monogamie ou de la polygamie, et les filles se marient dès lors qu'elles sont en âge de procréer.

Nous pouvons sans risque poser cette hypothèse : quel qu'ait pu être l'environnement ancestral, il ne ressemblait guère au nôtre. Nous n'avons pas été conçus pour tenir debout dans la foule du métro, pour côtoyer quotidiennement dans nos banlieues des voisins de palier à qui nous ne parlerons jamais, pour être embauchés ou licenciés, ou pour regarder le « 20 heures » à la télé. Nombre de nos psychopathologies trouvent sans doute leur origine dans le fossé qui sépare notre mode de vie de notre programmation initiale, et ceci doit être aussi la cause de bien des problèmes quotidiens de moindre gravité. (Ce constat, thème central de *Malaise dans la civilisation*, de Freud, valut à son auteur autant de considération que son étude des motivations inconscientes.)

Pour comprendre ce que les femmes recherchent chez l'homme, et vice versa, il nous faut examiner attentivement notre environnement social ancestral, ce qui permettra aussi de mieux comprendre pourquoi nos femelles ont moins de retenue sexuelle que celles de beaucoup d'autres espèces. Mais, sur ce chapitre – quel que soit leur degré de timidité, il surpasse celui des mâles –, le milieu importe peu. La question tourne autour de ce seul principe : au cours de son existence, une femelle ne pourra jamais avoir autant d'enfants qu'un mâle. Le fait est vieux comme le monde : il en était ainsi avant que nos ancêtres soient des hommes, avant même qu'ils soient des primates ou des mammifères – avant, bien longtemps avant l'évolution de notre cerveau, depuis son noyau reptilien. La femelle du serpent n'est peut-être pas très intelligente, mais elle l'est suffisamment, au moins inconsciemment, pour savoir qu'il est des mâles avec lesquels il n'est pas souhaitable de s'accoupler.

L'échec de Darwin, c'est de n'avoir pas saisi à quel point les femmes sont des objets précieux. Il a compris que leur retenue sexuelle les rendait précieuses, mais sans voir qu'elles l'étaient *par nature*, en vertu de leur rôle biologique dans la reproduction et du peu d'enfants qu'elles peuvent mettre au monde. La sélection naturelle, elle, a « compris » tout cela, et la réticence de la femelle est bien le résultat de cette compréhension implicite.

L'AUBE DES RÉVÉLATIONS

Dans cette logique, le premier pas important vers une compréhension du genre humain est fait, en 1948, par le généticien anglais A. J. Bateman. Bateman décide de jouer à « tourner manèges » avec les mouches du vinaigre, ou drosophiles. Il place cinq mâles et cinq femelles dans un même endroit, les laisse suivre leurs penchants naturels et, plus tard, en examinant les caractéristiques de la nouvelle génération, cherche quelle progéniture appartient à quels parents. Il découvre ainsi un schéma évident. Tandis que presque toutes les femelles ont à peu près le même nombre de rejetons (qu'elles se soient accouplées à un, deux ou trois mâles), l'héritage masculin, quant à lui, diffère en fonction d'un critère simple : plus le nombre de femelles avec lesquelles ils s'accouplent est important, plus nombreuse est leur progéniture. Bateman perçoit tout de suite la portée de ses observations : la sélection naturelle encourage « un appétit sexuel sans borne chez les mâles et une judicieuse réserve chez les femelles » [11].

On a longtemps voulu ignorer la perspicacité de Bateman. Il faudra trente années et de nombreux biologistes évolutionnistes pour apporter à cette théorie ce qui lui fait défaut : d'une part, une élaboration complète et rigoureuse, de l'autre, une certaine publicité.

La rigueur vint de deux biologistes qui montrent l'inanité de certains stéréotypes concernant le darwinisme. Dans les années 70, on attaquait fréquemment les sociobiologistes en les accusant d'être des réactionnaires, des racistes, des fascistes, etc. On ne peut imaginer personnages méritant moins ces qualificatifs que George Williams et Robert Trivers. Nul n'a fait autant qu'eux pour l'émergence du nouveau paradigme.

Williams, professeur honoraire à l'université de New York, a beaucoup œuvré pour effacer les vestiges du darwinisme social, qui comportait implicitement l'idée de compétition et de soumission à la sélection naturelle. Nombre de biologistes partagent son point de vue et insistent sur le fait que l'on ne saurait calquer nos valeurs morales sur de tels principes. La sélection naturelle, dit Williams, est un processus « malin », qui engendre l'égoïsme et tire parti de la douleur et de la mort.

Trivers, professeur à Harvard à l'époque où le nouveau paradigme prend forme, enseigne aujourd'hui à l'université Rutgers. Beaucoup moins attiré que Williams par les questions d'éthique, il va néanmoins mettre un point d'honneur à ne pas adhérer aux valeurs de droite liées au darwinisme social. Il évoque fièrement les relations amicales qu'il entretient avec Huey Newton, leader des Black Panthers (ils cosignèrent autrefois un article de psychologie). Seul de son époque à flairer les intrigues conservatrices, il s'insurgera contre l'iniquité du système judiciaire.

En 1966, Williams publie son œuvre phare, *Adaptation and Natural Selection : A Critique of Some Current Evolutionary Thought*. Ce livre s'est peu à peu paré d'une aura de sainteté. Il est la bible de tous les biologistes qui étudient le comportement social, y compris le comportement social de l'homme, à la lumière du nouveau darwinisme [12]. Le livre de Williams dissipe les équivoques qui ont longtemps freiné l'étude du comportement social. Il jette les bases d'une recherche portant sur l'amitié et la sexualité, bases sur lesquelles Trivers s'appuiera pour édifier la nouvelle pensée.

Williams élargit et prolonge le raisonnement qui se profilait derrière l'essai de Bateman en 1948. Il qualifie les intérêts génétiques différents des mâles et des femelles de « sacrifices » nécessaires à la reproduction. Pour un mammifère mâle, le sacrifice est quasiment nul. Son « rôle essentiel pourrait cesser après l'accouplement, qui ne requiert de sa part qu'une faible dépense d'énergie et une inattention très momentanée à ce qui concerne directement sa sécurité et son bien-être ». Ayant peu à perdre et tout à gagner, les mâles peuvent afficher « un désir impérieux et soudain de s'accoupler avec toute femelle disponible ». En revanche, pour la femelle, « la copulation peut impliquer une lourde tâche future, tant fonctionnelle que physiologique, avec tout ce que cela suppose de contraintes et de dangers ». Il est donc dans son intérêt génétique « de n'assumer le faix de la reproduction » que lorsque les circonstances paraissent propices. Et « l'une des circonstances les plus propices est la présence d'un mâle inséminateur » ; puisque « les pères de très bonne qualité ont tendance à avoir une progéniture de très bonne qualité », c'est « à la femelle qu'il incombe de choisir le mâle de la qualité la plus exceptionnelle » [13]...

On pourrait donc dire d'un mâle qui fait sa cour qu'il fait de « la publicité afin de montrer à quel point il est exceptionnel ». Et, de même qu'il a « tout intérêt à se prétendre exceptionnellement exceptionnel, même si c'est faux », la femelle a, quant à elle, tout intérêt à détecter la publicité mensongère. Ainsi la sélection naturelle a-t-elle créé « un art de la promotion-vente chez les mâles et une résistance à la vente tout aussi développée et sélective chez les femelles » [14]. En d'autres termes : les mâles devraient, en théorie, être de plus en plus m'as-tu-vu.

Quelques années plus tard, Trivers utilisera les idées de Bateman et de Williams pour élaborer une théorie achevée qui, depuis, n'a cessé d'éclairer la psychologie masculine et féminine. Trivers commence par substituer le concept d'« investissement » à celui de « sacrifice » de Williams. La différence peut sembler mince, mais ce sont les petits ruisseaux qui font les grandes rivières des découvertes intellectuelles. Le terme *investissement*, habituellement lié à l'économie, fait déjà partie du vocabulaire analytique.

Dans un article désormais célèbre publié en 1972, Trivers définit l'« investissement parental » comme « tout investissement du parent sur sa progéniture afin d'accroître les chances de survie de cette progéniture (et donc, ses chances de se reproduire avec succès), sous réserve que le parent soit encore capable d'investir dans une autre progéniture » [15]. L'investissement parental comprend le temps et l'énergie consacrés à la production d'un ovule ou d'un spermatozoïde, à la fécondation, à la gestation ou à l'incubation et aux soins apportés à la progéniture. Il est clair que ce sont les femelles qui investissent le plus jusqu'à la naissance, et moins après, mais, en réalité, la différence d'investissement demeure après la naissance.

En quantifiant le déséquilibre existant entre l'investissement du père et celui de la mère au sein d'une espèce donnée, Trivers suggère que nous serons mieux à même de comprendre plusieurs choses : l'appétit sexuel du mâle et la réserve de la femelle, la force de la sélection sexuelle, et bien d'autres aspects subtils de la parade amoureuse, de la condition de parent, de la fidélité et de l'infidélité. Trivers note que notre espèce est moins sujette que d'autres au décalage d'investissement. Et il soupçonne à juste titre (comme on le verra dans le chapitre suivant) qu'il en résulte une grande complexité psychologique.

Grâce à l'article de Trivers intitulé *Parental Investment and Sexual Selection,* la fleur peut enfin éclore : il s'agit d'une simple extension de la théorie de Darwin, si évidente qu'il l'eût comprise dans l'instant. Entr'aperçue en 1948, développée en 1966, elle trouve sa forme accomplie en 1972 [16]. Il ne manque plus qu'un petit détail pour parfaire le concept de l'investissement parental, la publicité. E. O. Wilson, avec *Sociobiologie* (1975), et Richard Dawkins, avec *Le Gène égoïste* (1976), donneront aux travaux de Trivers une large audience, incitant un grand nombre de psychologues et d'anthropologues à penser la sexualité humaine en termes darwiniens modernes. Nous en entendrons probablement encore longtemps les échos.

LA THÉORIE MISE À L'ÉPREUVE

Il arrive fréquemment que les théories se révèlent vouées à l'échec, y compris les plus séduisantes d'entre elles, qui, comme celle de l'investissement parental, semblent expliquer beaucoup de choses avec peu d'éléments. D'aucuns (les créationnistes, notamment) objectent avec raison que certaines théories portant sur l'évolution des caractéristiques animales ne sont que des « histoires comme ça » * – plausibles, mais sans plus. Il existe pourtant une marge entre le tout juste plausible et l'incontestable. Dans certains domaines scientifiques, la vérification des théories peut s'avérer si concluante qu'il est à peine exagéré (bien qu'au sens strict, cela le soit toujours) de prétendre que leur exactitude a été « prouvée ». Dans d'autres domaines scientifiques, cette vérification passe par un processus qui approche, au mieux, le consensus. Étudier les racines évolutionnistes de la nature humaine, ou de toute autre chose, relève de cette dernière catégorie. Chaque

---

* *N.d.T. :* L'auteur fait ici allusion aux *Just So Stories* de Kipling.

théorie pose une série de questions dont les réponses peuvent être per-
çues comme convaincantes, douteuses ou ambiguës.

On peut se demander, pour ce qui est de la théorie de l'investissement parental, si le comportement humain s'y conforme entièrement. Les femmes sont-elles plus exigeantes que les hommes dans le
choix de leurs partenaires sexuels ? (Ce que l'on ne saurait confondre
avec la question de savoir lequel des deux sexes sera le candidat au
mariage le plus exigeant – nous y reviendrons.) C'est en effet ce que
laisse entendre la croyance populaire. Plus concrètement, la prostitu-
tion – les rapports sexuels avec quelqu'un que l'on ne connaît pas et
que l'on ne tient pas à connaître – est un service recherché très majori-
tairement par les mâles, tant de nos jours que dans l'Angleterre victorienne. De même, la pornographie, qui repose sur la stimulation
visuelle – photographies ou films d'individus anonymes, chair sans
esprit – est surtout destinée à la consommation masculine. Diverses
études ont fait apparaître que les hommes sont, en général, beaucoup
plus enclins que les femmes à une pratique occasionnelle et anonyme
du sexe. Lors d'un test effectué sur un campus universitaire, les trois
quarts des hommes approchés par une femme inconnue ont accepté
ses avances, alors que, dans le cas inverse, aucune des femmes n'était
volontaire [17].

Les sceptiques objectent habituellement que ce genre de démonstration, tiré de la société occidentale, reflète seulement la perversion
des valeurs de cette dernière. Point de vue de moins en moins
convaincant, surtout depuis 1979, année où Donald Symons publie
The Evolution of Human Sexuality, la première analyse anthropologique détaillée de la sexualité humaine faite dans une perspective darwinienne. Puisant ses exemples dans les cultures orientales et occidentales, industrielles et préindustrielles, Symons montre l'étendue du
message contenu dans la théorie de l'investissement parental : les
femmes ont tendance à être relativement sélectives dans le choix de
leurs partenaires sexuels ; les hommes le sont moins, car prodigieuse-
ment attirés par la plus grande variété possible de partenaires.

Symons s'est penché sur une culture aussi éloignée qu'il se peut
de l'influence occidentale : la culture indigène des îles Trobriand, en
Mélanésie. Le flux migratoire préhistorique qui peupla ces îles s'est
détaché de celui qui a peuplé l'Europe, il y a au moins des dizaines de
milliers d'années, peut-être même plus de cent mille ans. La culture
ancestrale des îles Trobriand fut coupée de la culture ancestrale
européenne plus tôt encore que ne le fut celle des premiers Indiens
d'Amérique [18]. En effet, quand, en 1915, le grand anthropologue
Bronislaw Malinowski visite ces îles, elles lui apparaissent étonnamment vierges de toute forme de pensée occidentale. Les indigènes
n'ont, semble-t-il, même pas fait le rapport entre sexe et reproduction.
Lorsqu'un marin des Trobriand, de retour d'un voyage de plusieurs
années, retrouve sa femme avec deux enfants, Malinowski a la déli-

catesse de ne pas suggérer une infidélité de l'épouse : « Lorsque j'ai évoqué ce sujet, parmi d'autres, laissant entendre qu'au moins un de ces enfants pouvait ne pas être le sien, mon interlocuteur n'a pas compris ce que je voulais dire [19]. »

Certains anthropologues ont refusé de croire que les habitants des îles Trobriand pussent être demeurés à ce point d'ignorance. Bien que l'étude de Malinowski fasse autorité en la matière, il n'existe aucun moyen de vérifier s'il a bien interprété ce qu'il a vu. Mais il est important de comprendre que rien ne porte à croire qu'il se soit trompé. L'évolution de la psychologie sexuelle semble antérieure à la découverte par l'homme de la signification vitale de sa sexualité. Le désir et autres émotions du même genre sont les moyens qu'emploie la sélection naturelle pour faire comme si nous souhaitions une nombreuse progéniture et comme si nous connaissions le moyen d'y parvenir ; que telle soit notre intention ou non importe peu [20]. Si la sélection naturelle avait procédé autrement – c'est-à-dire si elle avait bridé l'entendement humain de sorte que notre recherche de l'efficacité fût consciente et calculée –, la vie serait totalement différente. Maris et femmes ne se donneraient même pas la peine d'entreprendre des relations extraconjugales grâce à la contraception ; ils abandonneraient soit la contraception, soit la sexualité.

Autre aspect peu occidental de la culture des îles Trobriand, l'absence de scrupules victoriens quant aux rapports sexuels avant le mariage. Pendant la petite adolescence, filles et garçons sont encouragés à faire l'amour à leur convenance, avec autant de partenaires qu'ils le souhaitent. (Cette liberté se retrouve dans d'autres sociétés préindustrielles, bien que, pour les filles, la découverte de la sexualité y cède la place au mariage avant l'âge de la fertilité.) Cependant, Malinowski ne laisse aucun doute quant à savoir qui, de l'homme ou de la femme, se montre le plus exigeant dans ses choix. « Rien n'est plus direct que la séduction chez les habitants des Trobriand... Un rendez-vous est tout bonnement et tout simplement demandé, avec l'intention avouée d'en obtenir une satisfaction sexuelle. Si l'invitation est acceptée, l'assouvissement du désir chez le garçon va aussitôt effacer tout romantisme ou toute aspiration à l'inaccessible et au mystérieux. S'il est repoussé, le jeune homme n'en fera pas une tragédie intime, car depuis l'enfance, il est habitué à voir ses pulsions sexuelles contrariées par les jeunes filles, et il sait bien qu'une autre intrigue sera le plus sûr moyen de guérir rapidement cette déconvenue... » Et : « Dans toute histoire d'amour, l'homme ne doit cesser d'offrir à la femme des petits présents. Pour les indigènes, la rétribution unilatérale est une évidence. Cette coutume porte à croire que le rapport sexuel, même assorti d'un attachement réciproque entre partenaires, est un service que la femme rend au mâle [21]. »

Une pression culturelle a certainement contribué à renforcer la réserve des femmes des îles Trobriand. Bien qu'elles soient encouragées à une vie sexuelle active, leurs avances seraient inconvenantes si elles devenaient trop directes et triviales, car « une sollicitation trop pressante implique que l'on attache peu de prix à sa propre personne » [22]. Mais cette règle est-elle rien d'autre qu'un effet de culture reflétant une cause génétique plus profonde ? Trouverait-on une seule culture où les femmes à l'appétit sexuel débordant *ne seraient pas* considérées comme anormales, comparées aux hommes les plus libidineux ? Sinon, n'est-ce pas une fabuleuse coïncidence que tous les peuples soient parvenus *grosso modo* à la même destination culturelle, sans incitation génétique ? Ou est-ce que cette donnée culturelle universelle existait déjà il y a un demi-million d'années, ou plus, avant que l'espèce commence à se fragmenter ? Un délai bien long pour que se perpétue une valeur fondamentalement arbitraire, sans qu'une seule culture la voie s'éteindre !

On peut en tirer deux leçons importantes. Premièrement : l'une des meilleures raisons d'adopter une explication évolutionniste – concernant une caractéristique mentale ou le mécanisme de son développement – est son universalité, son omniprésence, y compris dans des cultures aussi éloignées de la nôtre qu'il est possible de l'être. Deuxièmement : le fait qu'on ne puisse expliquer semblable universalité en des termes exclusivement culturels montre bien que le darwinisme, quoique non *démontré* au sens où peuvent l'être des théorèmes mathématiques, répond aux exigences de la pensée scientifique. L'enchaînement de ses explications est plus rapide qu'un autre et renferme moins d'approximations ; c'est une théorie plus simple et plus convaincante. Si nous acceptons les trois assertions énoncées jusqu'ici : 1° Que la sélection naturelle implique une « aptitude » de la part des femmes, qui sont exigeantes dans le choix de leurs partenaires sexuels, et de la part des hommes, qui souvent ne le sont pas ; 2° Que ces comportements s'observent sur la terre entière ; 3° Que cette universalité peut s'expliquer, avec une égale simplicité, par une théorie concurrente, d'ordre purement culturel ; si nous acceptons cela, ainsi que les règles de la pensée scientifique, nous ne pouvons qu'adhérer à l'interprétation darwinienne : la liberté masculine et la (relative) réserve féminine sont, en grande partie, innées.

Mais il est toujours bon d'apporter des preuves supplémentaires. Bien qu'en science la « preuve » absolue soit probablement impossible, il existe des degrés dans la certitude. L'explication évolutionniste atteint rarement les 99,99 % de certitude que l'on peut parfois obtenir en physique ou en chimie, mais il est réconfortant de constater qu'elle peut faire passer cette proportion de 70 à 97 % environ.

Un bon moyen de consolider une explication évolutionniste consiste à démontrer qu'elle répond à une logique générale. Si la retenue sexuelle des femmes tient au fait qu'elles ne peuvent avoir autant d'enfants que les hommes (car cette progéniture exige d'elles un investissement plus important), et si les femelles du règne animal peuvent avoir moins de petits que les mâles, ces femelles devraient se montrer plus exigeantes que les mâles. Les théories évolutionnistes peuvent parfois se révéler décevantes, à l'instar des bonnes théories scientifiques, du fait que les biologistes évolutionnistes ne peuvent s'offrir une « rediffusion » de l'évolution en laboratoire, avec contrôle des variables, afin d'améliorer leurs résultats.

On peut dire néanmoins que ce point précis est abondamment confirmé : chez toutes les espèces, la femelle est réservée et le mâle ne l'est pas. En fait, les mâles ont si peu de discernement sexuel qu'il leur arrive de poursuivre autre chose que des femelles. Chez certaines grenouilles, la méprise homosexuelle est si fréquente que le « cri éjaculatoire » est utilisé par un mâle lorsqu'il veut faire savoir à un autre, qui le serre d'un peu près, qu'ils sont tous deux en train de perdre leur temps [24]. Pour leur part, les serpents mâles ont été surpris à plusieurs reprises en l'amoureuse compagnie d'un cadavre de femelle, avant de se mettre sur la piste de quelque spécimen vivant [25]. Quant aux dindons, ils n'hésiteront pas à courtiser fiévreusement une dinde empaillée. D'ailleurs, la réplique d'une tête de dinde femelle, accrochée à quelques centimètres au-dessus du sol, fera l'affaire. Le mâle fait le tour de la tête, se livre à sa traditionnelle parade, puis, certain que sa prestation a été bien accueillie, prend son envol pour atterrir au plus près de ce qu'il croit être le dos de la femelle, qui se révèle inexistante. Les mâles plus virils marqueront semblable intérêt pour une tête en bois, et certains iront jusqu'à manifester une forte concupiscence pour un simulacre sans yeux ni bec [26].

Bien sûr, de telles expériences ne font que confirmer la thèse de Darwin, selon laquelle l'appétit sexuel des mâles ne connaît pas de limites. Ce qui soulève d'ailleurs un autre problème, souvent évoqué à propos de l'application des thèses évolutionnistes : l'étrange façon dont les hypothèses sont vérifiées. Darwin n'est pas sorti de son bureau un beau matin en se disant : « Puisque ma théorie implique que les femelles sont réservées et exigeantes, alors que les mâles sont d'une stupide avidité, allons donc voir si tout cela est vrai... » C'est au contraire la quantité de cas rencontrés qui l'a conduit à se demander ce qui, dans la sélection naturelle, avait bien pu les susciter – une interrogation qui n'a trouvé de réponse satisfaisante que vers la seconde moitié du siècle suivant, après l'accumulation d'exemples toujours plus nombreux. Cette propension des « conjectures » darwiniennes à n'arriver qu'après leur vérification par l'évidence est un sujet de mécontentement chronique dans le cercle des critiques de Darwin. Les gens qui ne croient pas à la théorie de la sélection naturelle, ou ceux qui doutent qu'on puisse l'adapter au comportement humain, n'admettent pas que l'on puisse formuler rétroactivement des hypothèses en fonction de résultats antérieurs. C'est à ce titre qu'ils accusent les biologistes évolutionnistes de passer leur temps à imaginer des « histoires à dormir debout » pour expliquer tout ce qu'ils voient.

Dans un sens, c'est bien ce que font les biologistes évolutionnistes : ils imaginent des histoires qui... tiennent debout. Ce qui n'a,
en soi, rien de condamnable. La force d'une théorie comme celle de
l'investissement parental se juge à la quantité de données qu'elle peut
expliquer simplement, quel que soit le moment où ces données apparaissent. Lorsque Copernic démontra que le fait que la Terre tourne
autour du Soleil donnait le moyen de décrypter élégamment les
figures complexes dessinées dans le ciel par les étoiles, il eût été mal-
venu de lui dire : « C'est de la triche, vous connaissiez l'existence de
ces dessins depuis toujours ! » Certaines « histoires à dormir debout »
sont meilleures que d'autres et arrivent gagnantes. D'ailleurs, les biologistes évolutionnistes ont-ils vraiment le choix ? Si les données fondamentales de la vie animale se sont accumulées durant des millénaires
avant la théorie de Darwin, ils n'y peuvent pas grand-chose. En
revanche, il y a quelque chose qu'ils peuvent faire : outre les pseudo-
anticipations qu'elle était supposée élucider, une théorie darwinienne
génère souvent des hypothèses supplémentaires invérifiées qui pourront ultérieurement servir à évaluer la validité de cette théorie. (Darwin a succinctement dégagé les contours de cette méthode en 1838, à
l'âge de vingt-neuf ans – soit plus de vingt ans avant la publication de
L'Origine des espèces. Il note dans ses carnets : « Un des objets de ma
théorie consiste à transformer par déduction une proposition en
probabilité, et à l'appliquer à d'autres problèmes, en vérifiant ensuite
que cette hypothèse peut les résoudre [27]. ») La théorie de l'investissement parental en est un bon exemple. Car, comme l'observe Williams
en 1966, il existe en effet des espèces originales, dans lesquelles les
mâles investissent autant, voire plus que les femelles, dans leur progéniture. Si la théorie de l'investissement parental est fondée, de telles
espèces devraient braver tous les stéréotypes sexuels.

Chez les hippocampes et leurs proches parents, les aiguilles de
mer, le mâle joue à peu près le même rôle que la femelle kangourou :
il reçoit les œufs dans une poche et, pour les nourrir, les connecte à
son système sanguin. Pendant qu'il remplit ainsi la fonction de nour-
rice, la femelle peut entrer dans un nouveau cycle reproductif. Cela ne
veut pas dire qu'elle aura plus de petits que lui dans sa vie, car il lui
faut du temps pour produire ses œufs. Cependant, on constate que
l'investissement parental ne connaît pas ici le même déséquilibre qu'à
l'ordinaire. Et, comme on peut s'y attendre, la femelle de l'hippo-
campe et de l'aiguille de mer a tendance à jouer un rôle très actif dans
la parade amoureuse, recherchant les mâles et prenant l'initiative du
rituel de l'accouplement [28].

Certains oiseaux, comme les phalaropes (dont les bécassines),
affichent eux aussi une tendance hors normes en matière d'investissement parental. Ce sont les mâles qui couvent les œufs, laissant les
femelles libres d'aller faire les quatre cents coups. Nouvelle entorse au
stéréotype. Ce sont les *femelles* phalaropes qui arborent les couleurs les

plus vives et les plus variées – signe que la sélection sexuelle fonctionne à l'envers, les femelles se disputant les mâles. Un biologiste a fait observer que les femelles, suivant un mode très masculin, « se battent et paradent », tandis que les mâles couvent patiemment les œufs [29].

À dire vrai, en 1966, Williams sait que ces espèces défient les lois généralement admises. Mais des recherches postérieures sont venues confirmer ses hypothèses. On a démontré qu'un investissement parental accru chez les mâles avait les conséquences prévues chez d'autres oiseaux, chez une grenouille appelée dendrobate nain du Panama, chez un insecte aquatique dont les mâles portent les œufs fertilisés autour de la taille, et chez le grillon mormon (le bien-nommé !). Jusqu'ici, les hypothèses de Williams n'ont pratiquement pas rencontré de démenti [30].

LES SINGES ET NOUS

Pour ce qui est des différences entre hommes et femmes, l'évolution nous a fourni un autre témoignage d'importance : nos plus proches parents, les grands singes. Chimpanzés, chimpanzés pygmées (aussi appelé bonobos), gorilles et orangs-outans ne sont pas, bien sûr, nos ancêtres : ils ont tous évolué de leur côté depuis que nos chemins se sont séparés. Ces bifurcations se sont produites il y a huit millions d'années (pour les chimpanzés et les bonobos) et seize millions d'années (pour les orangs-outans) [31]. Toutes proportions gardées, ce n'est pas si lointain. (Prenons comme point de repère l'australopithèque, notre ancêtre présumé, dont le crâne était de la taille de celui d'un singe, mais qui se tenait debout ; il est apparu il y a environ quatre ou six millions d'années, peu de temps après l'apparition du chimpanzé. L'*Homo erectus* – qui possédait un cerveau dont la taille se situait à mi-chemin entre le nôtre et celui du singe, cerveau qu'il utilisera pour inventer le feu – est apparu il y a environ un million d'années et demi [32].)

Que les grands singes soient si proches de nous dans l'arbre de l'évolution nous autorise une sorte d'enquête policière. Il est possible – bien qu'improbable – qu'une caractéristique partagée par eux et par nous trouve son origine dans une généalogie commune. En d'autres termes : cette caractéristique existait chez notre ancêtre commun, « protosinge » vieux de seize millions d'années, et s'est perpétuée depuis lors dans notre lignée. La démarche est à peu près la même que celle qui consisterait à suivre la trace de quatre cousins éloignés, dont on saurait qu'ils ont tous les yeux marron, pour en déduire qu'un de leurs deux arrière-arrière-grands-parents communs, au moins, avait les yeux marron. Cette conclusion est loin de constituer une certitude à toute épreuve, mais tout de même davantage que si l'on avait vu un seul des cousins [33].

Nous avons beaucoup de traits communs avec les grands singes. La plupart d'entre eux – comme la main à cinq doigts, par exemple – ne méritent pas d'être évoqués : personne ne doute de l'origine génétique de la main de l'homme. Mais, pour ce qui est des caractéristiques mentales humaines, dont le substrat génétique demeure sujet à caution – telle cette différence dans l'appétit sexuel des hommes et des femmes –, la comparaison avec les singes peut s'avérer utile. D'ailleurs, il n'est jamais mauvais de s'accorder un peu de temps pour faire plus ample connaissance avec ses proches parents. Qui sait la part de psychisme que nous partageons avec certains d'entre eux, sinon avec eux tous, grâce à notre généalogie commune ?

Les mâles orangs-outans sont des flâneurs. Ils se promènent seuls, à la recherche de femelles, qui ont tendance à rester sédentaires, chacune sur son territoire d'élection. Un mâle peut décider de stationner assez longtemps pour assurer son monopole sur un, voire deux ou trois de ces territoires, encore que de vastes monopoles soient peu recommandés, parce que plus difficiles à défendre contre un grand nombre de rivaux. Une fois sa mission accomplie, la femelle ayant donné naissance à un petit, le mâle s'empresse généralement de disparaître. Il est tout à fait capable de revenir des années plus tard, quand la fécondation est à nouveau possible [34]. Entre-temps, il ne donne pas souvent signe de vie.

Pour un gorille mâle, l'idéal est de devenir le chef d'une troupe comprenant plusieurs femelles adultes, leurs enfants, et éventuellement quelques jeunes mâles adultes. En qualité de mâle dominant, il sera le seul à jouir d'une emprise sexuelle totale sur les femelles ; les jeunes gorilles ont intérêt à se tenir à carreau (mais un vieux chef sur le déclin peut se décider à partager les femelles avec les jeunes) [35]. Le chef devra aussi affronter tout intrus qui souhaiterait séduire une ou plusieurs de ses femelles, et cela avec détermination.

La vie du chimpanzé mâle est tout aussi combative. Il s'efforce de gravir les échelons de la hiérarchie mâle, plus étalée et moins rigide que celle des gorilles. Là encore, le mâle dominant – luttant farouchement pour défendre son rang contre toute agression, intimidation ou fourberie – s'octroie le droit de cuissage, privilège dont il use avec une vigueur remarquable lorsque les femelles sont en période d'ovulation [36].

Les chimpanzés pygmées ou bonobos (qui sont en réalité une espèce distincte de celle des chimpanzés) peuvent se montrer les plus érotiques de tous les primates. Leur vie sexuelle, très variée, se fixe souvent d'autres objectifs que ceux de la reproduction. Un comportement homosexuel chronique, tel le frottement génital entre femelles, semble signifier : « Soyons amies. » Cependant, *grosso modo*, les habitudes sexuelles des bonobos sont conformes à celles de la majorité des chimpanzés : une forte hiérarchie mâle, permettant de contrôler l'accès aux femelles [37].

Quelle que soit la grande variété des structures sociales au sein de ces espèces, on entrevoit ici le thème central de ce chapitre, fût-ce sous sa forme minimale : les mâles semblent très avides de sexe et travaillent dur pour satisfaire ce besoin ; les femelles se donnent moins de mal. Ce qui ne signifie pas que les femelles n'apprécient pas le sexe. Elles adorent ça et peuvent se montrer engageantes. Il est étrange de constater que les femelles de l'espèce la plus proche de la nôtre – chimpanzés et bonobos – semblent ne pas s'opposer du tout à une vie sexuelle débridée et accepter la diversité de partenaires. Néanmoins, le singe femelle ne se comporte pas comme le singe mâle, toujours en quête d'un rapport sexuel, n'importe où, à n'importe quel prix, fût-ce au péril de sa vie, et avec le plus grand nombre de partenaires possible. Aussi n'a-t-elle pas à s'en préoccuper, c'est le sexe qui vient à elle.

LE CHOIX DE LA FEMELLE

Le fait que la femelle singe soit plus réticente que le mâle ne signifie pas qu'elle va nécessairement passer au crible les qualités de ses partenaires potentiels. Mais ils feront l'objet d'un examen : ceux qui dominent feront l'affaire, tandis que les autres risquent fort d'être écartés. C'est précisément à cette compétition que pense Darwin lorsqu'il définit l'une des deux formes que prend la sélection sexuelle ; semblables espèces (la nôtre comprise) illustrent bien comment la compétition favorise l'évolution de mâles grands et terribles. Qu'en est-il alors de l'autre forme de sélection sexuelle ? La femelle y participe-t-elle en choisissant le mâle le plus apte à répondre à ses attentes ?

On sait combien le choix des femelles est difficile à cerner, et que les manifestations des effets à long terme sont souvent ambiguës. Les mâles sont-ils plus grands et plus forts que les femelles, uniquement parce que les plus costauds ont réussi à battre leurs rivaux dans la course à l'accouplement ? Ou bien les femelles en sont-elles venues à préférer les mâles costauds, parce que certaines femelles ayant cette préférence ancrée au plus profond de leurs gènes ont eu des fils plus solides et donc plus prolifiques, dont les nombreuses filles auraient alors hérité des goûts de leurs grand-mères ?...

Au-delà de ces ambiguïtés, on peut affirmer en toute certitude que, d'une façon ou d'une autre, et dans toutes les espèces de grands singes, les femelles sont exigeantes. Une femelle gorille, par exemple, bien que n'ayant généralement de rapports qu'avec un seul mâle dominant, changera de partenaires au cours de son existence. Qu'un mâle étranger approche du groupe, qu'il provoque son chef au combat, qu'il l'impressionne, elle n'hésitera pas à le suivre [38].

Dans le cas des chimpanzés, l'affaire est plus délicate. Le mâle dominant peut avoir toutes les femelles qu'il désire, mais ce n'est pas nécessairement parce qu'elles le préféreront ; il aura interdit toute liberté de choix en effrayant les autres mâles. Il peut également effrayer les femelles, si bien que le rejet des mâles de second rang peut aussi bien ne refléter que la peur des femelles. (Il est à noter que le phénomène de rejet disparaît dès lors que le mâle dominant a le dos tourné [39].) Mais il existe chez le chimpanzé un genre d'union tout à fait différent : une fréquentation intime, soutenue, qui peut ressembler au flirt humain. Un chimpanzé mâle et une femelle quitteront ainsi la communauté pendant plusieurs jours, parfois des semaines. Et bien qu'il soit toujours possible d'enlever une femelle qui se refuse, il peut arriver à celle-ci de voir sa résistance couronnée de succès. D'autres fois, elle cédera avec docilité, au grand dam des autres mâles qui l'auraient volontiers aidée à résister davantage [40].

En réalité, même le fait de céder sous la contrainte implique une forme de choix. Les femelles orangs-outans en sont un bon exemple. Elles semblent souvent exercer un choix en élisant tel mâle plutôt que tel autre. Mais il arrive qu'après avoir tenté de résister, elles soient prises de force et violées – si tant est que le mot puisse s'appliquer à des animaux. On a la preuve que les violeurs, souvent des adolescents, ne réussissent généralement pas à féconder la femelle [41]. Mais supposons qu'ils y parviennent avec une certaine régularité, alors une femelle aura intérêt, en termes purement darwiniens, à copuler avec un bon violeur, un solide et grand mâle de la catégorie des sexuellement agressifs ; sa progéniture mâle n'en sera que plus grande, plus solide et sexuellement plus agressive (en admettant que l'agressivité sexuelle varie, au moins pour partie, en fonction de différences génétiques) et, de ce fait, prolifique. Ainsi la sélection naturelle devrait-elle encourager la résistance des femelles (à condition que cela ne leur porte pas préjudice), moyen le plus sûr d'éviter d'avoir pour fils un violeur incapable.

Cela ne veut pas dire que la femelle primate – ses protestations mises à part – en ait une « envie folle », comme le supposent généralement les mâles humains. Au contraire, plus une femelle orang-outan en aura « envie », moins elle résistera et moins son mécanisme de protection sera puissant. Ce que « veut » la sélection naturelle et ce qu'un individu désire ne sont pas forcément deux choses identiques ; et dans ce cas précis, on note un certain désaccord. En fait, même quand les femelles ne manifestent pas de préférences particulières pour certains types de mâles, elles peuvent, concrètement, préférer un mâle donné. Et la retenue *de facto* peut se révéler une retenue *de jure*. Ce peut être une adaptation, encouragée par la sélection naturelle précisément *à cause* de son effet filtrant.

La même logique pourrait s'appliquer, plus largement, à n'importe quelle espèce de primate. Dès lors que les femelles commencent à opposer une petite forme de résistance, celle qui manifeste une résistance légèrement plus prononcée témoigne de sa valeur propre. Si difficile soit-il de vaincre cette résistance, les fils de celles qui en font montre auront plus de prix que ceux des femelles qui résistent mollement. (Ce qui suppose à nouveau que la capacité plus ou moins avérée des différents mâles à surmonter ces difficultés reflète des différences génétiques sous-jacentes.) En termes purement darwiniens, on peut donc dire que la retenue féminine est à elle-même sa propre récompense. Cela reste vrai, que les méthodes d'approche du mâle soient verbales ou physiques.

LES ANIMAUX ET L'INCONSCIENT

On réagit communément à cette nouvelle vision darwinienne de la sexualité en disant qu'elle rend parfaitement compte du comportement animal – c'est-à-dire du comportement de qui n'est pas *humain*. Certaines personnes vont probablement glousser à l'évocation du dindon essayant de s'accoupler à sa tête de femelle empaillée, mais lorsque l'on fait remarquer que beaucoup d'hommes ont une érection à la seule vue d'une photo de femme nue, personne ne fait le rapprochement. Après tout, l'homme sait bien que ce n'est qu'une photographie ; ce qui lui arrive est peut-être navrant, mais pas comique.

Peut-être pas : s'il « sait » qu'il s'agit d'une photographie, pourquoi se met-il dans cet état ? Et pourquoi les femmes sont-elles si rarement prises de frénésie onaniste devant des photos d'hommes ?

Ce refus d'amalgamer hommes et dindons sous les doctrines darwiniennes a ses raisons. Oui, notre conduite est soumise à un contrôle plus subtil et plus « conscient » que ne l'est le comportement du dindon. Les hommes peuvent refuser d'être excités – du moins peuvent-ils décider de ne pas regarder ce qui risque de les exciter. Il leur arrive même de se tenir à ce qu'ils ont décidé. Et, bien que les dindons puissent prendre des « décisions » que l'on pourrait tenir pour comparables (un dindon poursuivi par un chasseur peut décider que l'heure n'est pas à la gaudriole !), il est indéniable que la complexité et la subtilité des choix qui s'offrent à l'être humain n'ont pas d'équivalent chez l'animal. Voilà pourquoi l'investigation au cœur du genre humain, dont il est ici question, est une entreprise de longue haleine.

Tout cela peut sembler très rationnel et, à bien des égards, c'est effectivement le cas. Ce qui ne signifie pas que nous nous écartions des perspectives darwiniennes. Aux yeux du profane, il peut sembler naturel que l'évolution de cerveaux réfléchis et conscients puisse nous

libérer des contraintes qu'imposa notre évolution passée. Aux yeux du
biologiste évolutionniste, c'est à peu près tout le contraire : les cerveaux humains n'ont pas évolué pour nous délivrer de l'obligation de
survivre et de procréer, mais pour nous permettre de nous y soumettre
plus efficacement. Pour lui, que, d'une espèce où les mâles usaient des
femelles par la force, nous ayons évolué en une espèce où les mâles
murmurent des petites choses tendres, ne change rien : le doux murmure repose sur la même logique que la contrainte : il n'est qu'un
autre moyen pour les mâles de manipuler les femelles. Les expressions
fondamentales de la sélection naturelle surgissent de la plus archaïque,
de la plus souterraine partie de notre cerveau, pour venir alimenter les
nouveaux tissus de ce même cerveau. En fait, ces nouveaux tissus ne
seraient jamais apparus s'ils ne s'étaient pliés aux lois de la sélection
naturelle.

   Certes, il s'est passé bien des choses depuis que les chemins de
nos ancêtres et ceux des ancêtres des grands singes se sont séparés. On
peut même imaginer, dans le cadre de cette évolution, une mutation
qui eût privé le genre humain de ce déséquilibre entre les intérêts
amoureux des mâles et ceux des femelles. N'oublions pas que chez les
hippocampes, les bécassines, les grenouilles du Panama et les grillons
mormons, les rôles sexuels sont inversés. D'une façon moins spectaculaire, mais plus proche de nous, on trouve le gibbon, un autre de
nos cousins primates, dont les ancêtres dirent au revoir aux nôtres il y
a vingt millions d'années environ. À un certain stade de l'évolution du
gibbon, un investissement plus prononcé des mâles fut favorisé. Ils ne
s'éloignaient plus et pourvoyaient aux besoins des enfants. Il existe
une espèce de gibbons chez qui ce sont les mâles qui transportent les
petits – et, d'ordinaire, ce n'est guère le genre des singes mâles... Pour
ce qui est de la vie conjugale, les couples de gibbons se livrent tous les
matins à un duo fort sonore, destiné à vanter la stabilité familiale
auprès de tout briseur de ménage potentiel [42].

   Les mâles humains aussi sont réputés promener les enfants et rester en famille. Est-il possible que, ces derniers millions d'années, il
nous soit arrivé quelque chose de semblable à ce qui s'est produit chez
les gibbons ? Les appétits sexuels des mâles et des femelles sont-ils
devenus convergents, assez, en tout cas, pour faire de la monogamie
un objectif raisonnable ?

CHAPITRE III

HOMMES ET FEMMES

> *Par conséquent, si nous remontons assez haut*
> *dans le cours des temps, et à en juger par les habitudes*
> *sociales de l'homme actuel, l'opinion la plus probable*
> *est que l'homme primitif a originellement vécu en*
> *petites communautés, chaque mâle avec une seule*
> *femme, et, s'il était puissant et fort, avec plusieurs*
> *femmes qu'il devait défendre avec jalousie contre tout*
> *autre homme. Ou bien, l'homme n'était pas un ani-*
> *mal aussi sociable et il peut avoir vécu seul avec plu-*
> *sieurs femmes, comme le gorille...*

La Descendance de l'homme (1871) [1]

L'une des idées les plus optimistes issue de l'évolutionnisme est celle qui fait du genre humain une espèce vouée au « couple à vie ». Hommes et femmes seraient conçus pour partager toute une vie d'amour profond et monogame. Une vision des choses qui ne résiste guère à un examen minutieux de la réalité.

L'hypothèse du « couple à vie » se répandit dans le public en 1967, grâce à Desmond Morris et à son *Singe nu*. Ce livre et quelques autres, parus dans les années 60 (comme *The Territorial Imperative*, de Robert Ardrey), auraient marqué, dit-on, un tournant décisif dans l'histoire de la pensée évolutionniste. On a voulu voir, dans le succès populaire de ces ouvrages, un retour aux idées de Darwin et une heureuse dissipation du mauvais usage qu'on en fit en politique. Mais, en réalité, ces livres ne pouvaient prétendre apporter une renaissance du darwinisme dans les milieux scientifiques. Et tout bonnement parce qu'ils n'étaient pas sérieux.

Un exemple : celui de l'argumentation de Morris à propos du « couple à vie ». Il se demande pourquoi les femelles du genre humain sont généralement fidèles à leur moitié. Voilà une bonne question (si, toutefois, on pense que les femelles sont fidèles). Leur haut degré de fidélité rangerait donc les femmes dans une minorité distincte, au sein du règne animal. Bien que souvent moins libertines que les mâles, les femelles d'un grand nombre d'espèces sont loin d'être prudes. Ceci est particulièrement vrai chez nos plus proches parents, les singes. Les chimpanzés et les bonobos femelles peuvent se révéler de véritables « bêtes de sexe ». Pour expliquer comment nos femmes ont pu devenir si vertueuses, Morris remonte à la division sexuelle du travail dans l'économie des sociétés primitives, basée sur la chasse et sur la cueillette. « Pour commencer, écrit-il, les mâles ont dû s'assurer que les femelles leur seraient fidèles lorsqu'ils s'absenteraient pour la chasse. C'est ainsi que les femelles ont dû développer une tendance à la vie de couple[2]. »

Arrêtons-nous là. Il était donc dans l'intérêt reproductif des *mâles* que les *femelles* développent une propension à la fidélité? Ainsi, la sélection naturelle aurait rendu service aux mâles en opérant les modifications nécessaires chez les femelles? Morris ne se hasarde jamais à expliquer *comment* la sélection naturelle a pu accomplir cette généreuse prouesse.

Il serait sans doute injuste de s'en prendre exclusivement à Morris. Il a été victime de son époque, tout imprégnée de vagues concepts théologiques. On a l'impression, en lisant Morris et Ardrey, que la sélection naturelle peut lire l'avenir, décider de ce qui doit être fait pour améliorer les conditions de vie de l'espèce, et prendre ainsi les mesures adéquates. Mais la sélection naturelle ne marche pas comme ça. La sélection naturelle n'est pas extralucide et n'essaie pas d'arranger les choses. Chaque étape, modeste, insignifiante, aveugle, doit avoir immédiatement un sens en termes d'accomplissement génétique, ou alors elle n'en a pas du tout. Et si elle n'en a pas, personne ne vous en parlera dans un million d'années. Tel était le message essentiel de l'ouvrage de Williams, paru en 1966, message qui avait à peine commencé de se répandre lorsque fut publié le livre de Morris.

Une bonne analyse évolutionniste, dit Williams, s'attache au sort du gène étudié. Si, par exemple, le « gène de la fidélité » chez une femme (ou son « gène de l'infidélité ») façonne son comportement au point que cela va contribuer à reproduire ce gène dans les générations futures, alors, par définition, ce gène va se développer. Au cours du processus, ledit gène peut être mélangé aux gènes de son époux ou à ceux du plombier, cela n'a, en soi, aucune espèce d'importance. En termes de sélection naturelle, un véhicule en vaut un autre. (Bien sûr, en employant le mot « gène » à tout propos – fidélité, infidélité, altruisme, cruauté –, nous simplifions volontairement à l'extrême : des caractères complexes résultent de l'interaction de très nombreux gènes, dont chacun a été sélectionné en fonction de l'augmentation des potentialités adaptatives dont il est porteur.)

Une nouvelle vague d'évolutionnistes s'est appuyée sur cette conception plus rigoureuse de la sélection naturelle pour repenser, prudemment, la question qui intéressait Morris : les humains, mâles et femelles, sont-ils faits pour créer entre eux des liens durables ? Pour un sexe comme pour l'autre, la réponse ne va pas jusqu'au oui inconditionnel. Elle est cependant plus proche du oui en ce qui nous concerne, qu'elle le sera jamais dans le cas du chimpanzé. Dans toutes les cultures humaines qu'a répertoriées l'anthropologie, le mariage – qu'il soit monogame, polygame, permanent ou temporaire – reste la norme, et la famille l'atome de l'organisation sociale. Partout, les pères éprouvent de l'amour pour leurs enfants ; on ne peut en dire autant des pères chimpanzés ou bonobos, qui ne semblent même pas reconnaître leurs propres petits. Et c'est cet amour qui incite les pères à nourrir, défendre et éduquer leurs enfants [3].

En d'autres termes, à un moment donné, il est intervenu dans notre évolution un *investissement parental mâle* considérable. Nous avons, comme on le dit dans les livres de zoologie, un « IPM (*Investissement parental mâle*) élevé ». Certes, pas au point que celui des mâles puisse dépasser celui des femelles, mais nous nous situons tout de même plus haut sur l'échelle de l'IPM que le primate moyen. Nous avons assurément un gros point commun avec les gibbons.

Un IPM élevé rapproche les hommes et les femmes dans leurs programmes quotidiens et, tous les parents le savent, peut être source de grandes joies. Mais cet IPM élevé a aussi fait diverger les objectifs des mâles et des femelles d'une façon tout à fait inédite, tant dans la phase de séduction qu'au cours du mariage. Robert Trivers, dans l'article qu'il consacrait en 1972 à l'investissement parental, observait que « l'on peut, en effet, traiter les sexes comme s'il s'agissait de deux espèces différentes, le sexe opposé ayant pour fonction de produire un maximum d'enfants ayant des chances de survie » [4]. Trivers se livrait là à une analyse et non à un effet de style. Sa métaphore cerne le problème d'une façon angoissante – et dont on n'avait pas conscience avant son article : à savoir que, fût-ce avec un IPM élevé, et peut-être même à cause de cet IPM élevé, toute relation entre hommes et femmes a pour dynamique intrinsèque l'exploitation réciproque. Hommes et femmes semblent parfois avoir été conçus pour se rendre mutuellement malheureux.

POURQUOI AVONS-NOUS UN IPM ÉLEVÉ ?

Nous ne manquons pas de pistes pour comprendre pourquoi les hommes ont tendance à s'occuper de leurs petits. On trouve dans notre évolution récente plusieurs paramètres qui rendent l'investissement parental précieux du point de vue des gènes masculins [5]. Autrement dit, à cause de ces paramètres, les gènes qui poussent un mâle à aimer ses enfants – à s'en occuper, à les défendre, à les nourrir, à les éduquer – vont s'épanouir au détriment de ceux qui l'inciteraient plutôt à garder ses distances.

L'un de ces paramètres n'est autre que la vulnérabilité de la progéniture. Les manœuvres sexuelles communément imputées au mâle – il rôde, séduit tout ce qui bouge et l'abandonne ensuite – ne risquent pas de mener bien loin les gènes mâles, si la progéniture ainsi conçue doit ensuite se faire dévorer. C'est probablement l'une des raisons expliquant la relative, sinon totale, monogamie de tant d'espèces d'oiseaux. Abandonnés au nid pendant que la mère part chercher des vers, les œufs ne feraient pas long feu... Quand nos ancêtres quittaient la forêt pour la prairie, ils devaient faire face à des armadas de prédateurs. Et ce n'était pas le seul danger nouveau qui guettait l'enfant. Mais alors que notre espèce devenait plus intelligente et que sa posture se rectifiait progressivement, l'anatomie femelle fut confrontée à un étrange paradoxe : se tenir debout supposait un bassin étroit, et donc un couloir resserré pour l'accouchement, cependant que les têtes des bébés devenaient de plus en plus grosses. C'est probablement pourquoi les enfants des humains naissent bien avant ceux des primates. Très tôt, les bébés chimpanzés peuvent s'agripper à leur mère pendant qu'elle marche, les mains libres. Les bébés humains, en revanche, entravent sérieusement la quête de nourriture des mères. Pendant de nombreux mois, ils restent d'impuissantes petites balles de chair : d'excellents appâts pour les tigres.

Et plus les dividendes génétiques de l'investissement mâle augmentaient, moins l'investissement était coûteux. La chasse semble avoir pesé lourdement sur notre évolution. Comme les hommes assuraient la solide ration de protéines quotidienne, il devenait facile de nourrir une famille. Ce n'est sûrement pas une coïncidence si la monogamie est un phénomène plus répandu chez les mammifères carnivores que chez les végétariens.

Et, pour couronner le tout, plus le cerveau humain grossissait, plus il était conditionné par la toute première influence culturelle. Les enfants ayant eu deux parents doivent être avantagés, sur le plan éducatif, par rapport à ceux qui n'en ont qu'un.

Comme on pouvait s'y attendre, il semble que la sélection naturelle ait déplacé cette opération sur la scène des sentiments – en particulier sur celle de l'amour. Et pas uniquement sur celle de l'amour pour *l'enfant*, car la première étape vers une cellule parentale solide n'est autre que la séduction réciproque qu'exercent l'homme et la femme. Avoir deux parents tout dévoués au bien-être de l'enfant est une récompense génétique, et la raison pour laquelle hommes et femmes peuvent tomber amoureux... et le rester longtemps.

Jusqu'à une époque récente, cette affirmation faisait figure d'hérésie. On pensait que l'« amour romantique » était une invention de la culture occidentale ; le bruit courait que, dans certaines cultures, l'union n'avait rien à voir avec l'affection, que le rapport sexuel n'impliquait aucunement les sentiments. Plus tard, des anthropologues épris de logique darwinienne se sont à nouveau penchés sur la question et ont vivement contesté ces postulats [6]. L'amour entre l'homme et la femme semble avoir un fondement inné. En ce sens, l'hypothèse du « couple à vie » tient debout, bien que pour des raisons différentes de celles invoquées par Morris.

En même temps, le terme *couple à vie*, au même titre que le mot *amour*, évoque une permanence, une symétrie, qui – l'observateur avisé en conviendra – ne sont pas toujours garanties. Pour apprécier pleinement la largeur du fossé qui sépare un amour idéalisé de ce que l'on nomme l'amour instinctif, mieux vaut se fier à la méthode adoptée par Trivers dans son article, c'est-à-dire analyser non pas le sentiment lui-même, mais la logique évolutionniste abstraite qu'il représente. Quels sont les intérêts génétiques respectifs des mâles et des femelles dans une espèce où la fécondation se fait à l'intérieur du corps de la femelle, où la période de gestation est longue, où l'enfant dépend longtemps du lait de sa mère, et où l'investissement parental du mâle est vraiment élevé ? Dresser le relevé précis de ces intérêts génétiques est bien la seule façon d'apprécier comment l'évolution a pu non seulement inventer l'amour romantique, mais aussi, depuis toujours, le pervertir.

QUE VEULENT LES FEMMES ?

Dans une espèce où l'investissement parental mâle est faible, la dynamique de base de la parade amoureuse est, on l'a vu, assez simple : le mâle a vraiment envie de copuler et la femelle pas vraiment [7]. Il est possible qu'elle veuille (inconsciemment) avoir le temps d'évaluer la qualité des gènes du mâle, soit en sondant ses intentions, soit en l'amenant à se battre contre d'autres mâles. Elle peut aussi chercher à savoir s'il n'est pas porteur d'une maladie. Ou essayer de lui soutirer un cadeau précopulatoire, en tirant avantage du fait que ses œufs sont très recherchés. Ce « don nuptial » – qui, techniquement, peut constituer un petit investissement parental mâle, dans la mesure où il va nourrir et la femelle et ses œufs – se rencontre chez une grande variété d'espèces, depuis les primates jusqu'à certains diptères. (Il est, chez les diptères, des femelles qui tiennent à se voir offrir un insecte mort qu'elles pourront dévorer pendant le coït. Si elles terminent leur repas avant que le mâle ait fini d'œuvrer, elles sont capables de s'envoler à la recherche d'un autre mets et d'abandonner leur partenaire... Si elles sont moins rapides, le mâle récupère les restes du festin pour un autre rendez-vous galant [8].) Ce genre de souhait féminin peut, d'ordinaire, être rapidement satisfait; il n'existe aucune raison pour que la parade amoureuse se prolonge pendant des semaines.

Intégrons maintenant l'IPM élevé dans l'équation : c'est-à-dire un investissement du mâle qui ne se limite pas au coït, mais qui dure bien au-delà de la naissance du rejeton. Et voilà que la femelle s'inquiète soudain, non seulement de l'investissement génétique du mâle, du repas gratuit, mais aussi de ce que ce mâle va bien pouvoir apporter au petit après la naissance. En 1989, le psychologue évolutionniste David Buss publia une étude complètement novatrice sur les préférences sexuelles dans trente-sept cultures du monde. Il découvrit que, dans chacune de ces cultures, les femelles accordaient plus d'importance que les mâles aux perspectives financières qu'apportait une éventuelle union [9].

Cela ne signifie pas que les femmes préfèrent délibérément les hommes *riches*. La plupart des sociétés primitives ne connaissaient guère l'accumulation des richesses et la propriété privée. Que cela soit, ou non, le reflet de l'environnement ancestral est très controversé : ayant été, au cours des derniers millénaires, délogées de leurs riches territoires et poussées vers des terres moins fertiles, ces sociétés ne sont pas forcément très représentatives de celles de nos ancêtres. Mais, si les hommes de l'environnement ancestral avaient tous à peu près la même quantité de biens (c'est-à-dire peu), les femmes pouvaient être naturellement attirées, non tant par la richesse d'un homme que par sa position sociale ; dans les sociétés économiquement fondées sur la chasse et sur la cueillette, le statut social se traduit souvent par le pouvoir, par une influence dominante sur la répartition des produits de la chasse, par exemple. Dans les sociétés modernes, richesses, statut social et pouvoir vont souvent de pair et semblent former un lot particulièrement intéressant aux yeux de la population féminine moyenne.

Ambition et zèle apparaissent également, semble-t-il, à la plupart des femmes comme des signes très prometteurs – Buss note d'ailleurs que cet aspect-là aussi est la chose du monde la mieux partagée [10]. Bien sûr, l'ambition et le zèle industrieux sont des indices de qualité génétique qui peuvent être attractifs pour une femelle, même au sein d'une espèce à faible IPM. Mais il n'en va pas de même de la façon dont elle juge que le mâle va *vouloir* investir. Une femelle appartenant à une espèce à IPM élevé risque de rechercher des signes de générosité, de fidélité et, surtout, la garantie d'un engagement durable. Tout le monde sait que les fleurs, et autres gages d'affection du même ordre, sont plus prisées par les femmes que par les hommes.

Mais pourquoi les femmes éprouveraient-elles tant le besoin de se méfier des hommes? Après tout, les mâles des espèces à IPM élevé n'ont-ils pas été conçus pour se ranger, acheter une maison et tondre la pelouse tous les dimanches? C'est ici que surgit la première des interrogations que posent des mots comme *amour* et *couple à vie*. Les mâles des espèces à IPM élevé sont, paradoxalement, capables de trahisons plus grandes que les mâles des espèces à faible IPM. Car, comme l'écrit Trivers, « le parcours optimal du mâle relève d'une stratégie mixte » [11]. Même si l'investissement à long terme est son but principal, séduction et abandon sont porteurs de sens génétique, dans la mesure où ce type de comportement ne pénalise pas trop, ni en temps, ni en ressources, la progéniture dans laquelle le mâle *investit*. Les jeunes bâtards peuvent prospérer même sans investissement paternel ; ils peuvent, dans ce cas, attirer l'investissement de quelque simplet qui aura l'impression qu'ils sont les siens. Ainsi, en théorie, les mâles des espèces à IPM élevé devraient se montrer toujours ouverts à toute opportunité sexuelle.

Bien sûr, il en va de même pour les mâles des espèces à faible IPM. Mais cela n'a rien à voir avec un quelconque abus de pouvoir du mâle, puisque la femelle n'a aucune chance d'obtenir davantage d'un autre mâle. Alors que, dans une espèce à IPM élevé, la femelle a toutes ses chances, et l'échec, en ce domaine, peut lui coûter cher.

Le résultat de ces objectifs conflictuels – aversion de la femelle pour l'abus de pouvoir et facilité du mâle à abuser de son pouvoir –, c'est une course évolutionniste à l'armement. La sélection naturelle peut favoriser les mâles habiles à tromper les femelles sur leur engagement futur et, dans le même temps, soutenir les femelles aptes à déceler les tromperies ; et plus un camp se perfectionne, plus l'autre camp s'améliore. C'est le cercle vicieux de la trahison et de la méfiance – même si, chez certaines espèces suffisamment avisées, cela prend la forme de doux baisers, de murmures affectueux et de tentatives de séduction subtilement déguisées.

C'est en tout cas un cercle vicieux *théorique*. Dépasser le stade de cette spéculation théorique et pénétrer le monde des preuves tangibles – entr'aperçues derrière l'écran des baisers et des marques d'affection – n'est pas chose aisée. Les psychologues évolutionnistes n'ont que peu progressé. Certes, une étude a démontré que les mâles sont sensiblement plus portés que les femelles à se décrire comme plus gentils, plus sincères et plus fiables qu'ils ne le sont en réalité [12]. Mais ce style de publicité mensongère ne rend compte que d'un aspect de l'affaire, l'autre étant plus difficile à cerner. Comme le note Trivers, non pas en 1972, mais quatre ans plus tard : l'une des meilleures façons de tromper quelqu'un, c'est de croire vraiment en son propre mensonge. Ce qui veut dire dans ce contexte : être aveuglé par l'amour, se sentir terriblement amoureux d'une femme qui, après quelques mois de rapports sexuels, risque de devenir beaucoup moins attirante [13]. Telle est la grande sortie de secours morale des hommes, qui pratiquent cette forme de séduction élaborée et qui, pris de panique un beau matin, finissent par décamper. « Je l'aimais à l'époque », se souviendront-ils, émus, si on leur pose la question avec insistance.

Cela ne signifie pas que l'amour d'un homme soit systématiquement feint, ni que chaque fois qu'il tombe amoureux, il y ait égare-
ment tactique. Il arrive que les hommes croient *vraiment* à leurs serments d'amour éternel. D'ailleurs, un mensonge total est-il vraiment
possible? En toute bonne foi, l'amoureux transi n'a aucun moyen de
savoir, consciemment ou inconsciemment, ce que le futur lui réserve.
Une union génétiquement plus prometteuse peut se présenter dans
quelques années; il peut aussi être amené à subir quelques graves
déboires qui le rendront impropre à la séduction et feront alors de son
épouse l'unique espérance en matière de reproduction. Mais face à ces
incertitudes (combien de fois va-t-on s'engager dans une vie?), la
sélection naturelle a plutôt tendance à pécher par excès, dans la
mesure où elle rend les rapports sexuels plus probables sans demander
de contrepartie.

Et pourtant, il y eut sans doute des contreparties à payer au cours
de notre évolution, compte tenu du contexte social. Il n'était pas si
facile, alors, pour un homme de quitter sa ville ou son village, et les
fausses promesses avaient, par conséquent, vite fait de le rattraper : le
prix à payer était alors un gros déficit dans la crédibilité, voire une
réduction de l'espérance de vie. Les archives anthropologiques
regorgent d'histoires de vengeances meurtrières pour une sœur ou une
fille abusée [14].

Pourtant, le nombre de femmes susceptibles d'être abusées
n'était pas aussi important qu'il l'est dans notre monde moderne.
Comme le fait observer Donald Symons, dans une société primitive,
chaque homme apte à prendre possession d'une femme le fait, et
chaque femme en âge de procréer se marie. Il n'y avait probablement
pas beaucoup de célibataires en bonne santé dans notre environnement ancestral, hormis les adolescentes en pleine croissance ayant eu
leurs premières règles, mais n'ayant pas encore atteint le stade de la
fertilité. Symons pense que le style de vie de l'étudiant coureur de
jupons – qui séduit et abandonne successivement toute femme disponible, sans lui laisser espérer un quelconque engagement de sa part –
ne constitue pas une stratégie sexuelle à proprement parler. C'est simplement ce qui arrive au cerveau masculin, vu sa préférence pour la
variété des partenaires, lorsqu'il est lâché dans une grande ville, riche
en technologie contraceptive.

Cependant, même si l'environnement ancestral n'était pas peuplé
de femmes célibataires abandonnées après une nuit d'amour et mar-
monnant : « Tous des salauds », il y avait pourtant beaucoup de raisons de se méfier des mâles collectionneurs d'unions. Le divorce peut
arriver dans les sociétés primitives : les hommes peuvent s'en aller
après avoir engendré un enfant ou deux, ils peuvent même partir dans
un autre village. La polygamie est souvent une alternative. Un homme
peut jurer à sa fiancée qu'elle restera le centre de sa vie et, une fois
marié, passer la moitié de son temps à essayer de séduire une autre

femme – ou, pis, y parvenir et ôter toute ressource à ses enfants du premier lit. Face à de tels enjeux, une femme ferait bien d'effectuer un examen minutieux et anticipé des sentiments que l'homme prétend lui porter, et d'en avertir ses gènes. Quoi qu'il en soit, évaluer l'engagement du mâle semble faire partie de la psychologie féminine ; quant à la psychologie masculine, il semble qu'elle ait parfois tendance à favoriser les interprétations erronées.

Cet engagement partiel du mâle – chaque homme n'a qu'une disponibilité et une énergie limitées à investir dans sa progéniture – est l'une des raisons qui font que les femelles de notre espèce défient les stéréotypes qui prévalent ailleurs dans le règne animal. Les femelles appartenant aux espèces à faible IPM – soit la plupart des espèces sexuées – ne connaissent pas de grandes rivalités entre elles. Même si elles sont une douzaine à avoir des vues sur un célibataire génétiquement épatant, ce dernier peut, et avec joie, pleinement combler leurs aspirations ; copuler ne prend pas longtemps. Tandis que dans une espèce à IPM élevé, comme la nôtre, où l'idéal féminin consiste à obtenir le monopole du partenaire rêvé – et à diriger les avantages matériels et sociaux de celui-ci vers sa progéniture –, la compétition avec les autres femelles est inévitable. En d'autres termes : un haut niveau d'investissement parental mâle fait fonctionner la sélection sexuelle dans deux directions à la fois. Non seulement les mâles ont évolué de façon à pouvoir se faire concurrence pour les rares œufs des femelles ; mais les femelles aussi ont évolué de façon à pouvoir disputer les rares investissements masculins.

La sélection sexuelle a, semble-t-il, été plus forte chez les hommes que chez les femmes. Ce qui a développé différentes caractéristiques chez les deux sexes. Après tout, ce que font les femmes pour obtenir l'engagement des hommes diffère de ce que font les hommes pour obtenir l'accès sexuel aux femmes. (Pour citer l'exemple le plus évident, les femmes ne sont pas faites pour se battre entre elles, comme le sont les hommes.) Mais, quelles que soient les manœuvres auxquelles l'un et l'autre sexe doive se plier pour obtenir de l'autre ce qu'il veut, il n'en faut pas moins manœuvrer avec conviction. Les femelles des espèces à IPM élevé seront rarement passives et candides. Et il leur arrivera aussi d'être des ennemies naturelles.

QUE VEULENT LES HOMMES ?

Il serait faux de prétendre que les mâles d'une espèce à IPM élevé sont difficiles quant au choix de leurs partenaires ; disons qu'en théorie, ils sont portés à une sélection ponctuelle. D'un côté, si la chose est facile, ils sauteront sur à peu près tout ce qui bouge, comme le feraient aussi les mâles des espèces à faible IPM ; de l'autre, lorsqu'il leur faudra choisir une femelle pour une vie commune à long terme, la sagesse sera de mise. Au cours d'une existence, un mâle ne peut connaître qu'un nombre d'aventures donné, ainsi les gènes apportés par la partenaire (force, intelligence, etc.) valent la peine qu'on y regarde à deux fois. Dans une étude où l'on demandait aux hommes et aux femmes quel devait être le niveau d'intelligence minimal d'un ou d'une partenaire pour un flirt, la réponse commune fut : « Une intelligence moyenne. » On leur demandait ensuite ce qu'ils attendaient d'une personne avec laquelle ils allaient avoir des relations sexuelles. Les femmes ont répondu : « Une intelligence nettement *au-dessus* de la moyenne. » Et les hommes : « Une intelligence nettement *sous* la moyenne [15]. »

Sinon, les réponses des mâles et des femelles sont parallèles : un partenaire qu'ils « fréquenteraient régulièrement » devra être plus intelligent que la moyenne, et un époux ou une épouse potentiels devront l'être beaucoup plus. Cette étude, publiée en 1990, confirme une hypothèse élaborée par Trivers en 1972, dans l'article qu'il consacrait à l'investissement parental. Chez une espèce à IPM élevé, écrit-il, « un mâle fera la différence entre une femelle qu'il fécondera et une femelle avec qui il voudra aussi élever des enfants. Envers la première, il devra se montrer sexuellement plus actif et moins difficile dans son choix que la femelle ne le sera elle-même ; alors qu'envers la seconde, il devra se montrer, dans son choix, aussi difficile que l'est la femelle » [16].

Trivers le savait : la nature de la discrimination, sinon son intensité, diffère néanmoins de l'homme à la femme. Bien que tous deux recherchent la qualité génétique, leurs goûts peuvent diverger. De même que les femmes ont de bonnes raisons de rechercher un homme capable de subvenir aux besoins du ménage, les hommes ont de non moins bonnes raisons de rechercher des femmes capables de faire des bébés. Ce qui implique, entre autres choses, de veiller attentivement à l'âge d'une partenaire potentielle, car la fertilité décline jusqu'à la ménopause, et là, elle chute irrémédiablement. Une femme qui, après la ménopause, attirerait irrésistiblement les hommes, surprendrait considérablement les psychologues évolutionnistes. Ils n'en connaissent pas. (D'après Bronislaw Malinowski, les habitants des îles Trobriand considéraient tout rapport sexuel avec une femme d'âge mûr comme « inconvenant, ridicule, et inesthétique » [17].) L'âge compte, même avant la ménopause, et particulièrement dans une union à long terme ; plus la femme sera jeune, plus elle pourra porter d'enfants. Dans chacune des trente-sept cultures étudiées par Buss, les mâles préfèrent les partenaires jeunes (et les femelles les partenaires plus âgés).

L'importance de la jeunesse chez une femme peut contribuer à expliquer pourquoi l'homme accorde tant d'importance à la beauté physique de son épouse (une préoccupation que Buss a aussi rencontrée dans ses trente-sept cultures). Les attributs de la « belle femme » – oui, ils ont été répertoriés dans une étude présentant l'apparente diversité des goûts masculins – sont de grands yeux et un petit nez. Dans la mesure où, avec l'âge, ses yeux sembleront plus petits et son nez plus gros, ces éléments constitutifs de la « beauté » sont aussi des signes de jeunesse et, par conséquent, de fertilité [18]. Les femmes peuvent se permettre d'être moins exigeantes quant à l'apparence physique, car un homme vieillissant, contrairement à une femme dans le même cas, conserve toutes ses chances de fécondité.

La femme est peut-être relativement indulgente sur la question de l'attirance physique, dans la mesure où (consciemment ou inconsciemment) elle a d'autres sujets de préoccupation – tels que : « Pourra-t-il subvenir aux besoins des enfants ? » Quand les gens voient une belle femme en compagnie d'un homme laid, ils en déduisent automatiquement que celui-ci a soit beaucoup d'argent, soit une position sociale enviée. Les chercheurs se sont donné la peine de démontrer que cette déduction est souvent justifiée [19].

Pour ce qui est des appréciations portant, cette fois, sur le caractère du partenaire (par exemple : peut-on lui *faire confiance?*), l'homme va, là encore, faire montre d'un discernement différent de celui de la femme : la traîtrise qui menace ses gènes n'est pas la même que celle qui menace les gènes de la femme. Alors que la crainte naturelle de la femme sera de voir l'homme lui retirer son engagement, l'homme redoutera, quant à lui, de s'être engagé à tort. Les gènes d'un homme qui passe sa vie à élever des enfants qui ne sont pas les siens ne feront pas long feu. Trivers prétend même que, dans une espèce où l'investissement parental mâle est élevé et où la fécondation de la femelle est interne, « l'adaptation devrait évoluer de façon à pouvoir garantir au mâle que la progéniture de la femelle est également la sienne » [20].

Tout ceci peut paraître éminemment théorique – et c'est bien le cas. Mais cette théorie, contrairement à celle qui veut que l'amour masculin ne soit, au bout du compte, qu'une habile manœuvre d'autoaveuglement, a été vérifiée. Des années après que Trivers suggéra l'existence, chez l'homme, d'un dispositif anticocufiage, Martin Daly et Margo Wilson en découvrirent un. Ils se dirent que si, pour l'homme, le grand péril darwinien était le cocufiage et, pour la femme, l'abandon, alors leurs jalousies respectives ne devaient pas être de la même nature [21]. La jalousie masculine devait se focaliser sur l'infidélité *sexuelle*, que les mâles devaient concevoir comme impardonnable ; alors qu'une femelle, bien qu'applaudissant rarement aux activités extraconjugales de son partenaire, coûteuses en temps et en ressources, devait se sentir plus menacée par l'infidélité *sentimentale* – c'est-à-dire par un attachement à une autre femme risquant d'entraîner une dispersion des moyens de subsistance.

Ces hypothèses se trouvent corroborées par d'éternelles sagesses populaires et, depuis ces dernières décennies, par un nombre considérable de données. Ce qui rend les hommes fous, c'est d'imaginer leur partenaire au lit avec un autre ; ils ne s'attardent pas autant que les femmes sur l'éventualité d'un attachement sentimental, ni sur le temps ou l'attention qui pourraient leur être enlevés. Pour les épouses, l'infidélité du mari est traumatisante et elles lui opposent une réaction sévère, mais la conséquence, à terme, est souvent une campagne d'autoamélioration : perte de poids, maquillage soigné, bref une entreprise de reconquête. Tandis que les maris ont tendance à répondre à l'infidélité par la fureur et, même après retour au calme, ils ont souvent du mal à envisager de poursuivre une relation avec l'infidèle [22].

Daly et Wilson se sont rendu compte que ces schémas de base avaient été évoqués (bien que sans insistance) par des psychologues, avant que la théorie de l'investissement parental vienne les expliquer. Mais, aujourd'hui, des psychologues évolutionnistes ont confirmé ces schémas par une nouvelle série d'expériences dont les détails sont horribles. David Buss a placé des électrodes sur des hommes et des femmes en les incitant à se représenter leur partenaire en pleine action. Quand les hommes imaginent l'infidélité sexuelle, la courbe de leur rythme cardiaque fait des bonds d'une amplitude équivalente à celle provoquée par l'absorption de trois tasses de café consécutives. Ils transpirent. Leur front se plisse. Mais, lorsqu'ils se représentent un attachement sentimental naissant, ils retrouvent leur calme... Enfin presque... Pour les femmes, tout se passe en sens inverse : imaginer l'infidélité *affective* – c'est-à-dire l'amour qui se détourne d'elles, et non un surcroît d'activités sexuelles – les met dans un état de profond désarroi physiologique [23].

La logique gouvernant la jalousie du mâle n'est plus ce qu'elle était. De nos jours, nombre de femmes adultères utilisent la contraception et donc ne trompent pas vraiment leur époux en passant vingt ans à veiller sur les gènes d'un autre homme. Mais si la logique a faibli, la jalousie, elle, est demeurée intacte. Pour l'époux moyen, le fait que sa femme porte un diaphragme lorsqu'elle fait l'amour avec son professeur de tennis n'est pas vraiment une consolation.

L'exemple type d'une adaptation qui a survécu à sa propre logique est celui du goût pour les sucreries. Notre goût prononcé pour la chose sucrée est né dans un environnement où, certes, les fruits existaient, mais pas les bonbons. Maintenant qu'un tel penchant peut conduire à l'obésité, certains essaient de maîtriser leurs envies, parfois avec succès. Mais les méthodes pour y parvenir sont souvent compliquées, et rares sont ceux qui s'y tiennent ; cette sensation fondamentale qui fait qu'une sucrerie a bon goût est quasiment inaliénable (sauf si, par exemple, on accompagne à plusieurs reprises la sensation sucrée par un choc douloureux). De même, la pulsion de base de la jalousie est très difficile à supprimer. Il est pourtant possible d'exercer un contrôle sur ce type de pulsions et d'en réprimer certaines manifestations, comme la violence, surtout si on nous donne une raison valable de le faire. La prison est une raison valable...

QUE VEULENT-*ELLES* D'AUTRE?

Avant d'explorer plus avant la profonde empreinte que laisse l'expérience du cocufiage sur le psychisme masculin, demandons-nous pourquoi le cocufiage existe. Pourquoi une femme tromperait-elle un homme si cela ne doit pas augmenter le nombre de sa progéniture et si, de surcroît, cela doit l'exposer à la colère de l'époux et à son désengagement? Quelle satisfaction peut justifier un tel risque? Il existe, à cette question, bien plus de réponses qu'on ne l'imagine d'ordinaire.

D'abord, il y a ce que les biologistes appellent l'«extorsion de biens». Si, à l'instar de la femelle chez certains diptères, la femme peut obtenir un présent en échange d'une prestation sexuelle, alors, plus il y aura de partenaires, plus il y aura de présents. Nos plus proches parents, les primates, se comportent en conformité avec cette logique. Les femelles bonobos se montrent souvent accueillantes si on leur offre un beau morceau de viande. Chez les chimpanzés, le troc « nourriture contre sexe », bien que moins explicite, reste tout de même évident : les chimpanzés mâles donneront de préférence de la viande à une femelle lorsqu'ils remarqueront l'enflure vaginale qui marque l'ovulation [24].

Bien sûr, les femelles humaines ne font pas état de leur ovulation. L'une des théories visant à expliquer cette « ovulation secrète » est qu'il s'agirait d'une forme d'adaptation conçue pour prolonger la période durant laquelle la femme peut extorquer des bienfaits à son partenaire. L'homme capable de la couvrir de cadeaux avant et après l'ovulation, pourra en contrepartie recevoir une satisfaction sexuelle, voluptueusement inconscient de la stérilité de sa démarche. Nisa, une femme d'un village Kung San, dont l'économie se fonde sur la chasse et sur la cueillette, a expliqué sans détours à un anthropologue quels avantages matériels elle pouvait retirer de ses multiples partenaires sexuels : « Un seul homme peut vous donner très peu. Un seul homme peut vous donner toujours la même nourriture. Mais quand vous avez plusieurs amants, l'un vous apporte une chose, et l'autre autre chose. L'un vient la nuit avec de la viande, un autre avec de l'argent, et un autre avec des perles. Et votre époux aussi fabrique des choses pour vous les offrir [25]. »

Les femmes peuvent également copuler avec plusieurs hommes – et c'est là un autre avantage de l'ovulation invisible – afin de leur faire croire qu'ils sont tous *susceptibles* d'être le père d'un de leurs enfants. Chez les primates, il existe une forte corrélation entre la gentillesse d'un mâle à l'égard des petits et les chances qu'il a d'être leur père. Le mâle dominant chez les gorilles, avec sa morphologie sexuelle de rêve, peut dormir tranquille : les petits de son groupe sont les siens ; et, bien que peu démonstratif comparé à un père humain, il va leur témoigner de l'indulgence et les protéger. À l'opposé, le mâle des singes langurs (semnopithèques) tue les enfants qui ne sont pas de lui, un peu comme s'il voulait briser la glace entre lui et la mère, et faire « table rase » avant l'accouplement [26]. Quel meilleur moyen, en effet, d'initier une nouvelle ovulation chez la mère et de la faire concentrer son énergie sur la descendance à venir que de stopper radicalement les montées de lait ?

Quiconque serait tenté de se lancer dans de péremptoires accusations à l'encontre de la moralité des langurs ferait bien de se souvenir que l'infanticide consécutif à une infidélité a été toléré dans bien des sociétés humaines. Dans deux d'entre elles, les hommes pouvaient exiger de la femme qu'ils s'apprêtaient à épouser qu'elle tue ses enfants du premier lit [27]. Et chez les Aches du Paraguay, les hommes décident parfois collectivement de tuer un enfant qui a perdu son père depuis peu. Sans parler du meurtre, il faut savoir que la vie peut être difficile pour des enfants qui n'ont pas de père attitré. Les enfants aches élevés par leur beau-père après la mort du père biologique meurent beaucoup plus fréquemment avant l'âge de quinze ans que les enfants dont les parents sont vivants et mènent encore une vie commune [28]. Ainsi, pour une femme de l'environnement ancestral, les avantages d'une multiplicité de partenaires sexuels pouvaient aller du non-meurtre de ses enfants à la défense et au soutien de ceux-ci.

Cette logique ne dépend pas de la façon dont un partenaire sexuel va consciemment s'en imprégner. Les mâles gorilles et langurs, tout comme les habitants des Trobriand décrits par Malinowski, n'ont pas conscience de ce qu'est la paternité biologique. Et pourtant, dans les trois cas, le comportement des mâles témoigne d'une reconnaissance implicite. Des gènes se sont développés, qui rendent les mâles intuitivement sensibles au fait que certains enfants peuvent ou non être porteurs de leurs propres gènes. Un gène qui dit, ou, du moins, qui murmure : « Sois gentil avec ces enfants si tu as eu des rapports sexuels avec leur mère », fera mieux qu'un gène qui dit : « Vole donc la nourriture de ces enfants, même si tu as eu des rapports avec leur mère quelques mois avant leur naissance ».

Cette théorie des « sources de confusion », eu égard au vagabondage sexuel des femmes, a été défendue par l'anthropologue Sarah Blaffer Hrdy. S'étant autoproclamée sociobiologiste féministe, Sarah Blaffer Hrdy a entrepris, pour des raisons qui ne sont pas toutes scientifiques, de faire valoir que les femelles primates ont tendance à être « des individus hautement compétitifs... et sexuellement sans complexes » [29]. Les mâles darwiniens risquent de frémir longtemps à l'idée qu'ils sont tous bâtis pour une vie de haute compétition sexuelle ! Il est vrai que des théories scientifiques surgissent de toute part. Au bout du compte, la seule question importante, c'est de savoir si elles fonctionnent.

Ces deux théories de la légèreté des femelles – « extorsion de biens » et « sources de confusion » – peuvent en principe s'appliquer indifféremment aux femmes concubines, célibataires ou mariées. En vérité, chacune de ces théories pourrait être crédible dans le cas d'une espèce où il y aurait peu, sinon pas du tout d'investissement parental du mâle, et pourrait par conséquent expliquer l'extrême liberté sexuelle des chimpanzés et des bonobos femelles. Mais il existe une troisième théorie, qui se fonde exclusivement sur la dynamique de l'investissement parental du mâle, et qui, de ce fait, s'applique de façon spécifique aux épouses : la théorie du « meilleur des deux mondes ».

Dans une espèce à IPM élevé, la femelle recherche deux choses : de bons gènes et un solide engagement à long terme. Elle peut ne pas les trouver réunis chez le même homme. Une solution consisterait à faire croire à un partenaire dévoué, mais pas spécialement musclé ni surdoué, que la progéniture qu'il élève est bien la sienne. Là encore, l'ovulation secrète facilitera opportunément l'affaire... Il est très facile pour un mâle d'empêcher que ses rivaux ne fécondent sa compagne lorsqu'il connaît la période de fertilité de celle-ci ; mais si elle a l'air également fertile pendant tout le mois, la surveillance devient problématique. C'est exactement le genre de confusion qu'une femelle aimerait entretenir si son but était d'obtenir l'engagement d'un mâle et les gènes d'un autre [30]. Bien sûr, elle ne le fera pas consciemment. Elle peut ne pas connaître ses périodes d'ovulation. Mais elle peut aussi se tenir au courant...

Les théories qui mettent en œuvre tant de subterfuges inconscients peuvent paraître trop subtiles, surtout à qui n'est pas rompu à la logique cynique de la sélection naturelle. Mais il a été démontré que les femmes sont sexuellement plus actives en période d'ovulation [31]. Deux études ont révélé que les femmes qui sortent dans les bars en célibataires portent davantage de bijoux et de maquillage lorsque l'ovulation approche [32]. Ces parures semblent avoir la même valeur autopromotionnelle que la petite enflure rose des chimpanzés femelles et visent à attirer un certain nombre d'hommes, parmi lesquels la femme fera son choix. Et ces femmes sur leur trente et un ont eu effectivement davantage de contacts physiques avec des hommes au cours de leur soirée.

Une autre étude, due aux biologistes anglais R. Robin Baker et Mark Bellis, révèle que les femmes qui trompent leur compagnon le font plutôt en période d'ovulation. Ce qui porte à croire qu'elles convoitent aussi les gènes de leur amant, et pas seulement le contenu de son portefeuille [33].

Quel que soit leur mobile, les femmes trompent leur partenaire (ou, pour reprendre l'expression plus neutre des biologistes, ont des « rapports hors couple »). Des examens sanguins montrent que, dans certaines zones urbaines, plus d'un quart des enfants pourraient avoir été conçus par un père autre que celui qui figure sur les registres de l'état civil. Et même dans un village Kung San qui, à l'instar de l'environnement ancestral, est si petit qu'il rend difficile toute liaison clandestine, un enfant sur cinquante est illégitime [34]. Il semble que l'infidélité féminine ait une déjà longue histoire.

En fait, si cette infidélité féminine n'avait jalonné une grande partie de la vie de notre espèce, pourquoi la jalousie maniaque des mâles aurait-elle évolué ? En même temps, le fait que les hommes surinvestissent souvent dans la progéniture de leur compagne laisse à penser que le cocufiage n'a pas toujours été commun ; si tel avait été le cas, en effet, les gènes encourageant cet investissement paternel seraient depuis longtemps passés par pertes et profits [35]. Les cerveaux des hommes sont les archives évolutionnistes de la conduite passée des femmes. Et vice versa.

Si un compte rendu « psychologique » paraît trop flou, penchons-nous sans hésiter sur des données physiologiques : les testicules humains – ou, plus exactement, le poids moyen des testicules par rapport au poids moyen du mâle. Les chimpanzés, et autres espèces aux testicules relativement lourds, ont un « dispositif reproductif multimâle », qui semble parfaitement convenir aux femelles [36]. Les espèces aux testicules relativement légers sont, soit monogames (les gibbons, par exemple), soit polygames (comme les gorilles), un seul mâle ayant le monopole de plusieurs familles. (On appelle généralement *polygame* un mâle *ou* une femelle ayant plus d'un partenaire.) L'explication est simple. Quand des femelles se reproduisent avec plusieurs mâles différents, les gènes mâles tirent profit de l'importante sécrétion de sperme qui assure leur transport. Lequel, parmi les mâles concernés, parviendra à placer sa molécule d'ADN au cœur de la cible ? Le problème est purement quantitatif ; tout dépend du nombre de spermatozoïdes que chaque mâle sera capable d'envoyer au front. Se livre alors une véritable bataille souterraine. Les testicules d'une espèce sont en somme le journal de bord des péripéties sexuelles des femelles de la même espèce à travers les âges. En ce qui nous concerne, le poids des testicules se situe quelque part entre chimpanzé et gorille, ce qui laisse à penser que nos femmes, quoique sexuellement moins débridées que les chimpanzés femelles, sont d'un naturel quelque peu aventureux.

Bien entendu, aventureux ne signifie pas forcément volage. Il est possible que, dans l'environnement ancestral, les femmes aient connu des périodes de libertinage déchaîné – périodes pendant lesquelles de lourds testicules s'avéraient « payants » pour les hommes –, tout comme elles ont pu connaître de vertueuses phases de monogamie. Mais peut-être pas. Les variations de densité du sperme sont à considérer comme un révélateur de l'infidélité féminine. On pourrait supposer que la quantité de sperme émise par un époux dépend seulement du laps de temps qui le sépare de la dernière fois où il a eu des rapports sexuels. C'est faux. Si l'on en croit les travaux de Baker et Bellis, la quantité de sperme dépend surtout du temps qui s'est écoulé depuis la dernière fois où il a vu sa partenaire [37]. Plus une femme aura de chances d'avoir mis ce délai à profit pour collecter le sperme d'autres mâles, plus son compagnon rassemblera massivement ses troupes et disposera d'importantes réserves séminales. Le fait que la sélection naturelle se soit mise en devoir d'inventer un système de défense aussi perfectionné prouve bien qu'il y avait quelque chose à combattre.

C'est aussi la preuve que la sélection naturelle est parfaitement capable d'imaginer des armes psychologiques également pertinentes, depuis la jalousie furieuse jusqu'à cette propension, apparemment paradoxale, qu'ont certains hommes à être excités à la seule idée de leur partenaire au lit avec un autre. Ou, plus globalement : la tendance qu'ont les hommes à considérer les femmes comme appartenant à leur patrimoine. Dans un article daté de 1992 et intitulé : *L'homme qui prit sa femme pour un bien meuble*, Wilson et Daly précisent : « Les hommes revendiquent un droit sur certaines femmes, comme certains chants d'oiseaux sont l'expression d'une revendication territoriale, comme les lions revendiquent leurs proies, ou comme les individus des deux sexes revendiquent des droits sur des objets de valeur... Dire que l'homme voit la femme comme une " propriété " est plus qu'une métaphore : le mariage et le commerce semblent solliciter les mêmes algorithmes mentaux [38]. »

Conséquence théorique du tout : une nouvelle course évolutionniste à l'armement. Si les hommes vivent dans la terreur grandissante du cocufiage, les femmes devraient améliorer leur aptitude à les convaincre que leur adoration frise la vénération et leur fidélité la sainteté. Et, pour faire bonne mesure, elles devraient aussi s'en persuader un peu. Étant donné les effets dévastateurs qu'a la révélation d'une infidélité féminine – départ probable ou éventuelle explosion de violence du mâle offensé –, la capacité féminine à l'auto-aveuglement devrait finalement s'aiguiser. En termes d'adaptation, il serait par conséquent préférable, pour une femme mariée, de réprimer ses désirs intempestifs tout en conservant inconsciemment la mémoire de ce qu'est ce désir sexuel, afin de ne s'y abandonner qu'à bon escient.

LA DICHOTOMIE MADONE-PUTAIN

Le dispositif anticocufiage pourrait se révéler d'une grande utilité, non seulement quand l'homme a pris femme, mais aussi avant, au moment où il la choisit. Dans la mesure où les femmes disponibles manifestent rarement le même degré de liberté sexuelle, la légèreté de certaines d'entre elles ne peut que les prédisposer à l'infidélité conjugale. La sélection naturelle devrait dès lors inciter les hommes à choisir une épouse en conséquence. Ainsi les femmes légères seraient parfaites pour des unions de courte durée – il y aurait d'ailleurs moins d'efforts à fournir pour les séduire –, mais elles feraient de bien piètres épouses et offriraient à l'investissement parental mâle des opportunités douteuses.

Quels mécanismes émotionnels – quel système d'attirances et de répulsions – la sélection naturelle va-t-elle utiliser pour amener les hommes à suivre, à leur insu, cette logique ? Donald Symons propose la célèbre dichotomie madone-putain, cette propension des hommes à désirer « deux types de femmes » : il y a les femmes qu'ils respectent et celles avec lesquelles ils couchent [39].

Faire la cour à une femme pourrait servir, notamment, à la classer dans l'une ou l'autre catégorie. Le test se passerait à peu près comme suit : si vous rencontrez une femme qui semble génétiquement intéressante pour l'investissement, commencez par passer beaucoup de temps en sa compagnie. Si elle semble éprise, sans toutefois se départir de sa réserve, ne la quittez plus. Si, au contraire, elle se montre tout de suite d'une grande impatience sexuelle, empressez-vous de la satisfaire. Mais si la relation sexuelle se révèle aussi facile, il y a fort à parier que vous passerez du mode « investissement » au mode « abus de pouvoir ». Son impatience pourrait bien signifier qu'elle sera toujours facile à séduire – ce qui, pour une épouse, n'est pas une qualité.

Bien sûr, l'impatience sexuelle d'une femme peut ne pas signifier que celle-ci sera toujours facile à séduire ; peut-être a-t-elle trouvé cet homme-là irrésistible ! Cependant, s'il est vrai qu'il existe une corrélation entre la rapidité avec laquelle une femme succombe à un homme et les probabilités de la voir plus tard le tromper, alors cette rapidité est une donnée statistique lourde de conséquences génétiques. Confrontée au caractère complexe et souvent imprévisible du comportement humain, la sélection naturelle pèse ses chances et prend les paris.

Ajoutons encore un peu de cruauté à cette stratégie sans merci : le mâle peut aussi encourager cette impatience, dont il punira ultérieurement la femme. En effet, quel meilleur moyen de vérifier l'existence de cette retenue, si précieuse chez une femme dont les enfants vont faire l'objet de notre investissement ? Et, si cette retenue fait défaut, quel meilleur moyen de s'offrir rapidement un peu de bon temps, avant de se remettre en quête d'une histoire méritant davantage d'investissement ?

Dans sa forme pathologique extrême – le complexe madone-putain –, la dichotomie de l'image féminine finit par rendre le mâle incapable de rapports sexuels avec son épouse, tant il l'auréole de sainteté. Evidemment, un tel excès de vénération ne saurait avoir été favorisé par la sélection naturelle. En revanche, dans sa version plus modérée, la dichotomie madone-putain a toutes les caractéristiques d'un dispositif d'adaptation efficace. Elle conduit les hommes à combler les femmes vertueuses du témoignage de leur vénération, dès lors qu'ils souhaitent s'engager avec elles – précisément le genre d'adulation auquel les femmes aspirent avant de passer à l'acte. Et elle permet aux hommes d'user des femmes avec lesquelles ils ne veulent pas s'engager sans le moindre sentiment de culpabilité, en les classant dans une catégorie méprisable. Cette catégorie – située tout en bas de l'échelle morale – est, comme on va le voir, l'un des outils favoris de la sélection naturelle : elle est d'un usage particulièrement efficace en temps de guerre.

En société, les hommes prétendent parfois ne porter aucun jugement discriminatoire sur une femme qui aurait couché avec eux de façon occasionnelle. Et ils font bien, car admettre le contraire les ferait passer pour des réactionnaires. (Et ils auraient aussi les plus grandes difficultés à sérieusement convaincre leur partenaire qu'ils la respecteront toujours le lendemain matin – ce qui constitue parfois un moment décisif du prélude amoureux.)

Comme beaucoup d'épouses modernes peuvent en témoigner, succomber assez tôt à un homme ne compromet pas forcément la perspective d'une vie conjugale prolongée. L'appréciation (en grande partie inconsciente) d'un homme sur la fidélité supposée d'une femme repose sur de nombreux éléments : la réputation de la femme, sa façon de regarder les autres hommes et son air, honnête ou pas. De toute façon, même en théorie, un cerveau mâle ne devrait pas être conçu pour faire de la virginité une condition préalable à l'engagement. Les chances de rencontrer une vierge varient d'un homme à l'autre et d'une culture à l'autre – et, à en juger d'après certaines sociétés primitives, ces chances, dans l'environnement ancestral, auraient été fort minces. Les mâles sont probablement conçus pour faire de leur mieux selon les circonstances. Bien que, dans la prude Angleterre victorienne, certains eussent mis un point d'honneur à épouser des vierges, *la dichotomie madone-putain* est, en fait, un terme impropre à désigner une disposition d'esprit à coup sûr beaucoup plus souple [40].

Il n'en demeure pas moins que cette « souplesse » reste limitée. Il y a un niveau de légèreté féminine au-delà duquel l'investissement parental mâle n'a plus aucun sens génétique. Si une femme semble affligée de l'irrépressible manie de coucher avec un homme différent chaque semaine, le fait que toutes les femmes appartenant à cette culture fassent de même ne rend pas plus rationnel celui de la choisir pour épouse. Dans les sociétés de ce genre, les hommes devraient, en théorie, abandonner toute idée d'investissement parental et ne se concentrer que sur la possibilité qui leur est offerte de coucher avec le plus grand nombre de femmes possible. En fait, ils devraient se comporter comme des chimpanzés.

LES SAMOANS VICTORIENS

La dichotomie madone-putain a longtemps été rejetée comme une aberration, une nouvelle manifestation pathologique de la culture occidentale. Les victoriens, surtout, avec l'importance démesurée qu'ils accordent à la virginité et leur mépris affiché pour les amours illicites, sont tenus pour responsables du développement, voire de l'invention, de cette pathologie. Si seulement les contemporains de Darwin avaient su se montrer plus conciliants sur la question du sexe, comme le sont les hommes des sociétés sexuellement libérées et extérieures au monde occidental, tout serait si différent maintenant!

Le problème, c'est que ces sociétés idylliques et non occidentales semblent n'avoir existé que dans l'esprit de quelques rares chercheurs aussi malavisés qu'influents. L'exemple classique est celui de Margaret Mead, l'une des anthropologues les plus en vue du début du siècle. Elle est de ceux qui, en réaction contre les détournements du darwinisme, insistèrent sur la malléabilité du genre humain, au point de nier qu'il existât une nature humaine. Son ouvrage le plus célèbre, *Mœurs et Sexualité en Océanie*, fit sensation lorsqu'il parut, en 1928. Elle semblait avoir découvert une culture presque exempte des maux de l'Occident : hiérarchie sociale, rivalités forcenées et inutiles tracas relatifs à la sexualité. Ici, aux Samoa, écrivait-elle, les filles diffèrent le mariage « pour pouvoir continuer à pratiquer l'amour libre le plus longtemps possible ». L'amour romantique, « tel qu'il existe chez nous », entaché de « jalousie, d'exclusivité et d'inébranlable fidélité », n'a tout simplement « pas cours aux Samoa » [41]. Bref, un pays de rêve!

Il est difficile de mesurer l'influence des découvertes de Margaret Mead sur la pensée du XXᵉ siècle. Les affirmations portant sur la nature humaine sont toujours précaires et vulnérables confrontées à la découverte d'une culture – fût-elle unique – manifestement dépourvue de ses caractéristiques élémentaires. Pendant une grande partie de ce siècle, de telles assertions se sont systématiquement heurtées à la même question : « Et les Samoans? »

En 1983, l'anthropologue Derek Freeman publie *Margaret Mead et les Samoa : Fabrication et Destruction d'un mythe anthropologique*. Freeman avait passé près de six ans aux Samoa (Mead y avait passé neuf mois et, à son arrivée, ne parlait pas la langue). Freeman connaissait bien l'histoire de l'île avant que ne la modifient ses contacts avec l'Occident. Son livre a sérieusement entamé la réputation de la grande Margaret Mead. Il l'a décrite comme une idéaliste naïve qui, à vingt-trois ans, débarquait aux Samoa, tout imprégnée du déterminisme culturel alors en vogue. Ayant choisi de ne pas vivre parmi les indigènes, soumise à un calendrier d'interviews programmées à l'avance, elle fut dupée par de jeunes Samoanes qui se firent un jeu de la berner. Freeman s'en prend à toutes les données recueillies par Mead : l'absence prétendue de compétition sociale et la si simple félicité des adolescents samoans et – pour ce qui est de la sexualité – l'insignifiance supposée de la jalousie et de la possessivité chez les hommes, leur apparente indifférence à la dichotomie madone-putain.

En réalité, un examen approfondi montre que les découvertes ponctuelles de Mead sont moins arbitraires que ses généralisations brillantes qu'a amplement servies la publicité. Mead reconnaissait que les mâles samoans mettaient une certaine fierté à conquérir une vierge. Elle notait aussi que chaque tribu avait une vierge rituelle : une fille de bonne famille, souvent celle d'un chef, que l'on surveillait de près jusqu'au mariage, où elle subissait une défloration manuelle, le sang de l'hymen brisé attestant sa pureté. Mais, précisait-elle, l'exemple de cette fille était une déviance, une exception qui ne faisait que confirmer la règle de l'« expérience libre et facile ». Les parents de rang inférieur « ignoraient complaisamment » les expériences sexuelles de leurs filles [42]. Mead admettait, presque du bout des lèvres, qu'un test destiné à prouver la virginité était exécuté « en théorie [...] lors du mariage, et ce dans toutes les classes sociales », mais elle préférait ne pas évoquer une cérémonie à laquelle se dérobaient souvent les Samoans.

Freeman a fait le bilan des observations feutrées de Mead et mis le doigt sur certaines choses qu'elle passait complètement sous silence. La virginité avait tant de valeur aux yeux des hommes en âge de se marier, écrit-il, que, quelle que fût son appartenance sociale, une adolescente était surveillée par ses frères, qui pouvaient « la sermonner ou même la battre » s'ils la trouvaient en compagnie d'« un garçon soupçonné d'en vouloir à sa virginité ». Le suspect « courait le risque d'être très férocement pris à parti ». Les jeunes hommes en mal de partenaire s'assuraient la présence d'une compagne en s'introduisant furtivement, de nuit, chez une vierge qu'ils défloraient de force. Après quoi ils la menaçaient de rendre public son déshonneur si elle n'acceptait pas le mariage (peut-être, dans le cas de la fugue amoureuse, la meilleure façon d'échapper au test de virginité). Une femme dont on découvrait le jour de son mariage qu'elle n'était plus pucelle était publiquement qualifiée de « putain », ou d'un terme approchant. Dans la tradition samoane, une femme déflorée fait figure de « traînée », elle est une « coquille vide abandonnée par la marée » ! On chante, dans les cérémonies de défloration, une chanson qui dit ceci : « Aucun n'a pu entrer, aucun n'a pu entrer... Il est le premier parce qu'il est le meilleur, il est le meilleur parce qu'il est le premier. Ô ! être le premier [43] ! » Ce n'est pas là le signe d'une culture sexuellement libérée.

On sait maintenant que quelques-unes des aberrations occidentales prétendument inexistantes – selon Margaret Mead – chez les Samoans ont précisément été *gommées* par l'influence occidentale. Freeman note que les missionnaires ont rendu les tests de virginité moins publics, en recommandant de les pratiquer dans les habitations, derrière un rideau. Dans « l'ancien temps », comme Mead l'écrit elle-même, si la vierge rituelle de la tribu se révélait ne pas être vierge le jour de ses noces, « les femmes de sa famille lui tombaient dessus et la lapidaient, défigurant et blessant parfois mortellement celle qui avait jeté la honte sur leur maison » [44].

Même chose en ce qui concerne la jalousie des Samoans, qui, toujours selon Mead, semblait très discrète par rapport à celle des Occidentaux : mais cette discrétion est sans doute venue avec les Occidentaux... Mead notait qu'un mari surprenant sa femme en flagrant délit d'adultère trouvait l'apaisement grâce à un rituel inoffensif qui, d'après ses descriptions, prenait fin dans la bonhomie. Le coupable conviait les hommes de sa parenté à s'asseoir devant le logis du mari trompé pour se répandre en supplications et offrir, en guise de réparation, des parures capables de susciter le pardon de l'offense, et on enterrait la hache de guerre avec un bon dîner. Certes, ajoutait Mead, dans « l'ancien temps », l'offensé aurait « pris une massue et serait sorti avec sa famille pour tuer tous ceux qui étaient assis dehors » [45].

Le *decrescendo* de cette violence sous l'influence chrétienne témoigne, évidemment, en faveur de la malléabilité humaine. Mais, si nous devons jamais pénétrer la complexité des paramètres qui interviennent dans cette malléabilité, il nous faut distinguer clairement ce qui relève d'une disposition fondamentale de ce qui est dû à des influences extérieures. Encore une fois, Mead et le long cortège des déterministes culturels du milieu du xxᵉ siècle ont fait reculer les choses.

Le darwinisme contribue à les remettre d'aplomb. Une nouvelle génération d'anthropologues darwiniens ratisse d'anciens travaux ethnographiques et ouvre de nouvelles perspectives d'études, en dévoilant des aspects que les anthropologues d'alors n'avaient pas soulignés, ou qu'ils n'avaient pas même vus. Nombre de théories tenant pour la « nature humaine » voient le jour. L'une des plus recevables est bien celle de la dichotomie madone-putain. Dans les cultures exotiques, tant dans celle des Samoans que dans celle des Mangaias ou des Aches d'Amérique du Sud, une réputation d'extrême légèreté de mœurs est de nature à dissuader les hommes de toute relation à long terme [46]. Une analyse du folklore révèle d'autre part que la polarité « bonne fille / mauvaise fille » est une image qui réapparaît régulièrement – aussi bien en Extrême-Orient que dans les États islamiques, en Europe, ou même dans l'Amérique précolombienne [47].

Dans l'intervalle, David Buss a, dans son laboratoire de psychologie, découvert la preuve que les hommes opèrent bien une dichotomie entre compagne à court terme et compagne à long terme. Les indices d'une certaine légèreté de mœurs – une minijupe, par exemple, ou une attitude physique provocante – rendent une femme plus attrayante pour une relation de courte durée que pour une union à long terme. Tandis que des indices laissant supposer un manque d'expérience sexuelle provoqueront l'effet inverse [48].

Jusqu'ici, l'hypothèse que la dichotomie madone-putain a, au moins, quelque fondement naturel, repose sur de sérieuses conjectures et sur un ensemble considérable, bien que non exhaustif, de preuves anthropologiques et psychologiques. Il faut aussi, bien entendu, prendre en compte le fait que, de tout temps, des mères avisées ont averti leurs filles de ce qui les attendait si, d'aventure, un homme les prenait pour « ce genre de filles » : dans ce cas, adieu le respect !

FEMMES RAPIDES ET FEMMES LENTES

La distinction madone-putain participe d'un clivage persistant. Dans la vraie vie, les femmes ne sont pas soit « rapides », soit « lentes » ; elles font preuve d'une légèreté sexuelle variable qui va du « pas du tout légère » au « très légère ». Si bien que la question de savoir pourquoi les femmes appartiennent à telle ou telle catégorie n'a guère de sens. En revanche, il n'est pas absurde de se demander pourquoi elles se situent davantage vers l'une ou l'autre extrémité de l'échelle, pourquoi elles diffèrent dans leur retenue ? Et les hommes ? Pourquoi certains semblent-ils capables d'assumer une monogamie sans faille, alors que d'autres paraissent plutôt enclins à s'écarter de cet idéal ? Cette différence – entre madones et putains, entre papas et goujats – est-elle inscrite dans les gènes ? La réponse est, sans conteste, oui. Mais uniquement parce que la formule « dans les gènes » est trop ambiguë pour être totalement dépourvue de sens.

Examinons d'abord l'acception populaire de ce « dans les gènes ». Certaines femmes seraient-elles vouées au rôle de madone, depuis le jour où les spermatozoïdes de leur père ont rencontré l'ovule de leur mère, alors que d'autres seraient condamnées au rôle de putains ? De la même façon, les hommes sont-ils forcément appelés à devenir soit des goujats, soit des papas ?

Pour les deux sexes, la réponse est : peu probable, mais pas impossible. En règle générale, la sélection naturelle ne préserve pas

deux traits de caractère opposés. L'un contribuera – fût-ce légèrement
– plus que l'autre à la prolifération génétique. Si mince soit son avantage, il l'emportera tôt ou tard [49]. C'est pourquoi presque tous les
gènes dont nous sommes porteurs sont communs à quasiment tous les
habitants du globe. Mais il existe aussi une sélection dite « dépendante
de la fréquence » (*frequency-dependent selection*), où la valeur d'une
caractéristique décline à mesure qu'elle devient plus commune, si bien
que la sélection naturelle fait plafonner sa prédominance, laissant ainsi
place à l'alternative.

Prenons maintenant le cas du poisson-lune [50]. Le mâle grandit,
construit un groupe de nids, attend que la femelle y dépose les œufs,
les féconde et entreprend de les surveiller. Membre respectable de la
communauté, il peut avoir jusqu'à cent cinquante nids à garder, ce
qui le rend vulnérable à un autre individu de son espèce, moins respectable celui-là : le vagabond. Ce dernier se faufile partout et,
subrepticement, féconde des œufs avant de filer, les abandonnant aux
bons soins de leur gardien, qui n'y a vu que du feu. À certains
moments de leur vie, les vagabonds sont même capables d'adopter la
couleur et le comportement des femelles afin de mieux dissimuler leur
forfait.

On voit bien comment se maintient l'équilibre entre les vagabonds et leurs victimes. Si les vagabonds étaient de mauvais géniteurs,
on n'en verrait plus. Mais tandis que leur nombre augmente à proportion de leurs succès, ceux-ci diminuent, puisque la réserve en mâles
respectables et corvéables – ressource des vagabonds – va, elle aussi,
en diminuant. Voici une situation où le succès est à lui-même son
propre châtiment. Plus il y a de vagabonds, moins il y a de petits
par vagabond.

En théorie, la proportion de vagabonds devrait croître jusqu'à ce
que l'errant moyen assume une progéniture aussi nombreuse que l'est
celle du respectable poisson-lune. Une fois atteint ce seuil, toute
modification des proportions – qu'elle soit positive ou négative –
affectera la validité de chacune des deux stratégies dans un sens qui
tendra à inverser le rapport. Cet équilibre est connu sous le nom d'état
« évolutionnairement stable », terme estampillé par le biologiste
anglais John Maynard Smith, qui développa, dans les années 70, l'idée
de la sélection dépendante de la fréquence [51]. Les vagabonds ont probablement atteint, il y a très longtemps, une proportion évolutionnairement stable, soit environ un cinquième de la population des
poissons-lunes.

La dynamique, en matière de trahison sexuelle, n'est pas la même
chez les humains et chez les poissons-lunes, en grande partie du fait de
la prédilection des mammifères pour la fécondation interne. Mais
Richard Dawkins a démontré, grâce à une analyse théorique appli-
cable à notre espèce, que l'idée de Maynard Smith pouvait, dans son
principe, également nous être appliquée. En d'autres termes : on

pourrait imaginer une situation où ni les femmes lentes, ni les rapides, ni les goujats, ni les papas n'auraient le monopole de la stratégie idéale. Ou plutôt, une situation où le succès de chacune des quatre stratégies varierait en fonction de la prépondérance des trois autres. Ainsi la population tendrait-elle vers un équilibre. Par exemple, grâce à un enchaînement d'hypothèses, Dawkins fait valoir que cinq femelles sur six seraient réservées et cinq mâles sur huit fidèles [52].

Maintenant que vous avez compris cela, dépêchez-vous de l'oublier. Oubliez non seulement ces histoires d'équilibre et de proportions qui procèdent toutes d'hypothèses arbitraires et éminemment artificielles, mais aussi l'idée que chaque individu serait irrémédiablement voué à telle ou telle stratégie.

Comme l'ont observé Maynard Smith et Dawkins, l'évolution tend vers la stabilité, mais cela présuppose que les proportions magiques se retrouvent *en chacun de nous* – c'est-à-dire que, en cas de rendez-vous galant, chaque femelle doit être réservée cinq fois sur six, et chaque mâle cinq fois sur huit. Et cela, même si ces proportions se réalisent *au hasard* – si, par exemple, avant chaque rendez-vous, chacun tirait au sort avant de décider ce qu'il va faire. Il est tout de même beaucoup plus efficace de peser (consciemment ou non) chaque situation et d'imaginer la stratégie la mieux adaptée aux circonstances.

Envisageons maintenant une autre souplesse comportementale : un programme de développement qui, dans l'enfance, évaluerait l'environnement social immédiat, et qui, à l'âge adulte, pousserait l'individu vers la stratégie la plus susceptible de réussite. Pour reprendre l'exemple des poissons-lunes : imaginons un mâle qui, dans sa jeunesse, explorerait l'environnement immédiat qui est le sien, calculerait le nombre de dupes potentielles et qui *déciderait alors* de devenir ou non un vagabond. Une telle souplesse de comportement devrait finalement prévaloir au sein de la population poisson-lune, reléguant ainsi dans l'oubli les deux autres stratégies et leur rigidité.

La morale de l'histoire c'est que, si on lui en donne l'occasion, la souplesse gagne toujours contre la raideur. En fait, il semble bien qu'elle ait gagné, même chez le poisson-lune, qui n'est pourtant pas réputé avoir un cortex cervical extrêmement développé. L'influence qu'exercent certains gènes pour engager un poisson-lune dans telle ou telle stratégie n'est pas décisive : le mâle assimile quelques données avant de « décider » quelle stratégie adopter [53]. Évidemment, lorsque l'on passe des poissons à l'homme, la souplesse potentielle augmente. Nous avons d'énormes cerveaux, tout entiers tendus vers une habile adaptation à la diversité des circonstances. Vu la quantité d'éléments qui, dans l'environnement social d'un individu, peuvent modifier la valeur attribuée à une madone plutôt qu'à une putain, à un père plutôt qu'à un goujat – y compris la façon dont les autres réagissent à l'actif et au passif de cet individu –, il faudrait que la sélection naturelle soit passablement bornée pour ne pas favoriser les gènes rendant les cerveaux réceptifs à tout cela.

Il en est ainsi dans de nombreux autres domaines. La valeur attribuée à tel ou tel « type » de personnes – généreuse ou pingre, par exemple – a été fonction, au cours de l'évolution, de facteurs qui varient selon les époques, les lieux et les gens. Les gènes qui ont irrévocablement « typé » nos ancêtres devraient, en théorie, avoir perdu face aux gènes qui aident la personnalité à se développer en douceur.

Ceci n'est pas affaire d'opinion générale. On rencontre, dans la littérature scientifique, tel article intitulé, par exemple, *Évolution de l'« anarqueur »* [54]. Et, pour en revenir aux madones et aux putains, il existe également une théorie selon laquelle les femmes seraient d'instinct portées à poursuivre une stratégie dite du « fils sexy » : elles entretiennent des rapports avec des hommes attirants (beaux, intelligents, musclés, etc.), risquant ainsi de perdre l'investissement parental mâle élevé qu'elles auraient pu obtenir grâce à la stratégie de la madone, mais gagnent en contrepartie la quasi-certitude que leurs fils seront, comme leurs pères, beaux, séduisants et, par conséquent, prolifiques. De telles théories sont intéressantes, mais se heurtent toutes au même obstacle : quelle que soit l'efficacité de la stratégie des arnaqueurs ou des femmes légères, elle est encore plus infaillible lorsqu'elle fait montre de souplesse, lorsqu'elle peut battre en retraitre devant les signes avant-coureurs d'un échec éventuel [55]. Et le cerveau humain ne manque pas d'une certaine souplesse.

Insister sur cet aspect ne signifie pas que tout le monde soit né avec le même bagage psychologique, ni que toutes les différences entre les personnalités soient le fait de leur environnement. La nervosité, l'extraversion sont clairement dues à d'importantes différences génétiques. Leur « héritabilité » se situe autour de 40 % ; c'est-à-dire que 40 % environ des différences dans ces traits sont dues à des différences génétiques. (Par comparaison, en ce qui concerne la taille, l'héritabilité est d'environ 10 % : 10 % des différences de taille entre individus sont dues à la nutrition ou à d'autres différences causées par le milieu.) La question serait plutôt : *pourquoi* existe-t-il une importante et indubitable variation génétique dans la personnalité ? Les différents degrés d'une disposition génétique à l'extraversion correspondent-ils à différents « types » de personnalités, dont chacun se serait stabilisé au terme d'un processus très élaboré de sélection dépendante de la fréquence ? (Quoique généralement analysée à partir de deux ou trois stratégies distinctes, la sélection dépendante de la fréquence pourrait aussi bien produire une courbe plus détaillée.) Ou bien ces dispositions génétiques différentes ne sont-elles que des « parasites » – des effets secondaires de l'évolution, que la sélection naturelle n'aurait pas particulièrement favorisés ? Nul ne le sait ; les psychologues évolutionnistes ont des doutes, et des doutes différents [56]. Ils s'accordent cependant sur un point : une grande part de l'histoire des différences de personnalités est le fruit d'une évolution de la malléabilité, ce qu'ils nomment « plasticité de développement ».

Insister sur le développement psychologique ne doit pas pour autant nous ramener vingt-cinq ans en arrière, au temps où les chercheurs en sciences sociales mettaient tout ce qu'ils voyaient sur le compte de « forces environnementales » dont la nature restait souvent assez floue. L'une des promesses fondamentales – sinon *la* promesse fondamentale – de la psychologie évolutionniste est de contribuer à identifier ces forces, à générer des théories pertinentes concernant le développement de la personnalité. En d'autres termes : la psychologie évolutionniste peut nous aider, non seulement à comprendre quelles sont les « commandes » de la nature humaine, mais aussi quel en est le réglage. Non contente de nous montrer et de nous expliquer pourquoi, dans toutes les cultures, les hommes sont très attirés par la variété sexuelle, elle peut aussi nous indiquer dans quelles circonstances certains le sont plus que d'autres. Et, non contente de nous montrer et de nous expliquer pourquoi, dans toutes les cultures, les femmes sont plus réservées, elle promet également de nous aider à comprendre comment certaines femmes en viennent à défier ce stéréotype.

On en trouve un bon exemple dans l'article que Trivers consacrait à l'investissement parental, en 1972. Il y étudiait deux schémas que les chercheurs en sciences sociales avaient déjà mis au jour : 1° Plus une adolescente sera séduisante, plus elle aura de chances de faire un « bon mariage » et d'épouser un homme ayant une haute position socio-économique ; 2° Plus une adolescente aura une vie sexuelle active, moins elle aura de chances de faire un bon mariage.

Ces deux motifs ont, chacun de son côté, un sens darwinien. Un mâle riche et doté d'une haute position sociale dispose souvent d'un grand nombre de prétendantes au mariage. Aussi a-t-il tendance à porter son choix sur une jolie femme, plutôt du type madone. Trivers pousse l'analyse plus loin. Est-il possible, demande-t-il, que « dès l'adolescence, les femelles adaptent leurs stratégies reproductives aux atouts qui sont les leurs » [57] ? Autrement dit : les adolescentes qui reçoivent de bonne heure la confirmation sociale de leur beauté en tirent le meilleur parti en adoptant une attitude réservée, et encouragent ainsi l'investissement à long terme de mâles spécialement haut placés, en quête de jolies madones. Les femmes moins belles, ayant moins de chances de tirer le gros lot au moyen de cette retenue sexuelle, adoptent des mœurs plus légères, soutirant de petites faveurs à un plus grand nombre de mâles. Bien qu'elle eût pu faire baisser leur cote d'épouses potentielles, dans l'environnement ancestral, cette légèreté de mœurs n'eût pas compromis leurs chances de trouver un mari. Dans la plupart des sociétés primitives, presque n'importe quelle femme en âge de procréer peut trouver un mari, même s'il est loin d'être idéal, ou si elle doit le partager avec une autre femme.

DARWINISME ET ORDRE PUBLIC

Le scénario de Trivers n'implique pas, de la part des femmes séduisantes, une décision *consciente* de préserver leurs trésors (encore que cela puisse jouer un rôle; qui plus est, les parents peuvent être génétiquement enclins à encourager la retenue sexuelle de leur fille, surtout si celle-ci est jolie). De même, cela ne veut pas dire que, « réalisant » qu'elles ne doivent pas se montrer trop difficiles, des femmes moins belles se mettent à entretenir des relations sexuelles moins qu'idéales, en termes darwiniens. Le mécanisme à l'œuvre peut parfaitement agir dans le subconscient comme un aménagement progressif de la stratégie sexuelle – entendez : « conforme à des valeurs morales » –, dû à l'expérience adolescente.

Des théories comme celle-ci sont capitales. On a beaucoup parlé du problème des mères célibataires adolescentes et pauvres. Mais personne ne sait vraiment comment se forgent les habitudes sexuelles, ni comment elles se fixent par la suite. On parle beaucoup aussi du renforcement de l'« amour-propre », mais on comprend toujours mal en quoi il consiste, pourquoi il existe et à quoi il sert.

La psychologie évolutionniste ne peut pas encore fournir avec certitude les bases qui manquent à ces réflexions. Pourtant, nous ne sommes pas à court de théories plausibles; nous serions plutôt à court d'études visant à vérifier ces théories. La théorie de Trivers est restée vingt ans dans les limbes. En 1992, un psychologue a découvert ce que cette théorie avait prédit : à savoir qu'il existe un lien entre la perception qu'une femme peut avoir d'elle-même et ses habitudes sexuelles : moins elle se trouve séduisante, plus elle a de partenaires. Mais un autre spécialiste, de son côté, n'a jamais rencontré cette corrélation – en fait, il faut dire qu'*aucune* étude n'a jamais été entreprise spécialement pour vérifier la théorie de Trivers. Les deux spécialistes, quant à eux, ne la connaissaient pas [58]. Voilà où en est la psychologie évolutionniste : beaucoup de terres fertiles, mais peu de cultivateurs.

Tôt ou tard, l'apport principal de la théorie de Trivers, sinon la théorie elle-même, sera sans doute confirmé : les stratégies sexuelles des femmes dépendent vraisemblablement de la rentabilité (génétique) potentielle de chacune des stratégies, eu égard aux circonstances. Mais celles-ci vont bien au-delà de ce que Trivers met en relief : le charme d'une femme particulière. Autre paramètre : la validité de l'investissement parental mâle, qui fut certainement fluctuante dans l'environnement ancestral. Un village qui vient d'envahir une localité voisine, par exemple, risque d'avoir soudain une proportion de femmes supérieure à celle des hommes – non seulement à cause des victimes masculines de la guerre, mais aussi parce que les guerriers victorieux tuent ou écrasent généralement leurs ennemis masculins pour garder leurs femmes[59]. Les espoirs d'une jeune femme recevant un soir un homme dont elle escompte l'« investissement » total peuvent s'effondrer en une nuit. Les famines, ou les soudaines périodes d'abondance, peuvent aussi modifier l'investissement. De telles fluctuations incitent à penser que tout gène aidant une femme à tenir le cap, a dû, théoriquement, prospérer.

En voici un début de preuve : d'après une étude menée par l'anthropologue Elizabeth Cashdan, les femmes qui perçoivent généralement les hommes comme des individus en quête de rapports sexuels indépendants de tout engagement vont plus facilement porter des vêtements provocants et auront plus de rapports sexuels que celles qui voient les hommes comme des êtres désireux d'investir dans une progéniture[60]. Les femmes ne sont pas nécessairement conscientes des liens qui existent entre leur milieu et leur style de vie. Les femmes qu'entourent des hommes qui ne veulent ou ne peuvent pas devenir des pères dévoués risquent de se sentir particulièrement attirées par une vie sexuelle sans attaches, en d'autres termes, d'éprouver un relâchement de la contrainte « morale ». Et, sans doute, si les conditions du marché s'amélioraient brusquement – si la proportion de mâles augmentait, ou si, pour une raison quelconque, les hommes passaient à une stratégie d'investissement élevé –, les attirances sexuelles féminines et leur moralité changeraient en conséquence.

À ce stade précoce des progrès de la psychologie évolutionniste, tout cela a forcément un caractère spéculatif, bien qu'apparaisse déjà une lueur qui ne pourra que croître. L'« amour-propre » n'est certainement pas le même, par exemple, ni dans ses causes, ni dans ses effets, pour les filles et pour les garçons. Pour les adolescentes, l'image de beauté que leur renvoie le miroir social, peut, comme le suggère Trivers, les doter d'un fort amour-propre qui, à son tour, les incitera à la retenue sexuelle. Pour les garçons, un fort amour-propre peut aussi bien avoir l'effet inverse : il peut les conduire à rechercher avec ardeur d'éphémères conquêtes sexuelles, plus accessibles, généralement, à un beau mâle doté d'une certaine aisance sociale. Dans beaucoup de grandes écoles, on parle souvent et à moitié par plaisanterie, d'un bel athlète comme d'un « étalon ». Et, pour ceux qui réclameraient à tout prix une vérification scientifique de l'évidence : un bel homme compte plus de partenaires qu'un M. Tout-le-monde[61]. (Les femmes reconnaissent accorder plus d'importance à l'apparence physique de leur partenaire lorsqu'elles n'escomptent pas une relation durable ; elles ont apparemment le désir inconscient d'échanger l'investissement parental du mâle contre de bons gènes[62].)

Une fois marié, un mâle doté d'un puissant amour-propre peut ne pas se montrer très passionné envers son épouse. Ses nombreux atouts font vraisemblablement toujours du batifolage, même clandestin, un aspect non négligeable de son existence. (Et on ne sait jamais quand une escapade amoureuse peut se transformer en union durable et conduire à la désertion.) Des hommes à l'amour-propre plus tempéré risquent de faire des maris plus constants – même s'ils sont moins désirables. Ayant moins de chances de badiner hors du mariage, et peut-être aussi moins de certitudes quant à la fidélité de leur partenaire, ils concentreront probablement toute leur énergie et toute leur attention sur leur vie de famille. Dans le même temps, les hommes dont l'amour-propre est *extrêmement* faible, du fait de continuelles frustrations amoureuses, risquent d'avoir recours au viol. Le débat n'est pas clos, entre les psychologues évolutionnistes, sur la question de savoir si le viol est une adaptation, une stratégie que n'importe quel garçon serait capable d'adopter face au miroir décourageant que lui tendrait son environnement social. Le viol apparaît dans de nombreuses cultures et souvent dans des circonstances prévisibles : quand les hommes ont eu du mal à rencontrer des femmes séduisantes par des moyens honnêtes. Une étude (non darwinienne) montre que le violeur type a, « profondément ancrés en lui, des doutes sur ses capacités, ses compétences en tant qu'individu. Il manque de confiance en lui, tant dans le domaine de la sexualité que dans d'autres domaines » [63].

Le nouveau paradigme darwinien peut à son tour jeter un éclairage neuf sur les liens qui existent entre la pauvreté et la moralité sexuelle. Les femmes qui vivent dans un univers où peu d'hommes ont le désir et/ou la possibilité de subvenir aux besoins d'une famille, risquent naturellement de se sentir attirées par une vie sexuelle dans laquelle n'entrerait aucune notion d'engagement. (Souvent, dans l'histoire – y compris dans l'Angleterre victorienne –, les femmes des « classes défavorisées » ont eu la réputation de mener une vie dissolue [64].) Il est encore trop tôt pour en déduire que les mœurs sexuelles des quartiers déshérités se modifieraient notablement si les revenus augmentaient. Mais il convient tout de même de remarquer que la psychologie évolutionniste, en mettant l'accent sur le rôle de l'environnement, finira peut-être par mettre en lumière le coût social de la pauvreté et, à terme, par conduire à un renforcement des mesures sociales, défiant ainsi les vieux clichés qui placent le darwinisme à droite de l'échiquier politique.

Bien sûr, on peut toujours arguer que n'importe quelle théorie peut engendrer des implications politiques très variées. Et l'on pourrait imaginer des théories darwiniennes tout à fait autres sur la façon dont s'élaborent les stratégies sexuelles [65]. Mais, *en aucun cas*, on ne saurait prétendre la psychologie évolutionniste hors de propos. L'idée que la sélection naturelle, attentive à la moindre des molécules constitutives du moindre animalcule, devrait fabriquer d'énormes et très souples cerveaux humains, sans les rendre extrêmement réceptifs aux signaux que leur envoie leur environnement, aussi bien sur le sexe que sur la position sociale, et autres paramètres essentiels dans l'objectif de la reproduction – cette idée est littéralement impensable. Si nous voulons savoir où et quand le caractère d'un individu commence à adopter sa forme propre, si nous voulons savoir jusqu'à quel point ledit caractère va résister au changement, nous devons compter sur Darwin. Nous ne connaissons pas encore les réponses, mais nous savons d'où elles viendront, et c'est ce qui va nous aider à formuler nos questions avec toujours plus de pertinence.

LA FAMILLE UNIE

C'est tout récemment que l'attention s'est portée sur les stratégies sexuelles à « court terme » des femmes – qu'il s'agisse de femmes libres souhaitant une relation d'une nuit, ou de femmes mariées cherchant l'aventure. La controverse sociobiologique des années 70, au moins sous sa forme la plus répandue, tendait à décrire les hommes comme de sauvages et libidineuses créatures, battant la campagne à la recherche de femmes qu'ils pourraient duper et exploiter ; quant aux femmes, elles faisaient figure de dupes et d'exploitées. S'il y eut changement, c'est en grande partie grâce à l'augmentation du nombre de darwiniennes chercheuses en sciences sociales : elles ont patiemment expliqué à leurs collègues masculins quel est le véritable psychisme féminin.

Même après ce retour à un certain équilibre, il subsiste un domaine capital où hommes et femmes tendront, respectivement, à demeurer exploiteurs et exploitées. Au fur et à mesure qu'ils avancent dans la vie conjugale, ce sont *plutôt* les hommes qui devraient être tentés de déserter. Contrairement à ce que l'on croit parfois, cela ne tient pas au fait que le *prix*, darwinien, à payer pour un mariage brisé, est plus élevé pour la femme. Il est vrai que, si elle a un enfant en bas âge et que son mariage se brise, l'enfant en souffrira – soit qu'elle ne puisse trouver un homme désireux de s'engager avec une femme ayant un enfant d'un autre homme, soit qu'elle en trouve un qui néglige ou maltraite son enfant. Mais, en termes darwiniens, ce prix à payer est également supporté par le mari déserteur : après tout, l'enfant qui va souffrir est aussi le sien.

La grosse différence entre hommes et femmes vient plutôt des *bénéfices* qui seront tirés de cette affaire. En termes de récompense reproductive future, que peut bien gagner chaque partenaire à une séparation ? Le mari peut, en principe, trouver une femme de dix-huit ans, ayant devant elle vingt-cinq années d'avenir reproductif. La femme – sans compter les difficultés qu'elle aura à trouver un époux si elle a déjà un enfant – ne peut pas, quant à elle, rencontrer un partenaire qui lui rendra vingt-cinq ans de potentiel reproductif. Cette inégalité des chances est négligeable dans un premier temps, lorsque maris et femmes sont encore jeunes. Mais elle s'accroît avec l'âge.

Certaines circonstances peuvent réduire ou augmenter cette inégalité. Un mari pauvre, au bas de l'échelle sociale, peut n'avoir aucune chance de déserter et fournir, en revanche, à sa femme de nombreuses raisons de le faire, surtout si elle n'a pas d'enfants et sait qu'elle peut, de ce fait, trouver facilement un autre homme. Un mari qui voit sa position sociale s'améliorer, sa richesse augmenter, aura de plus en plus envie de déserter, ce qui ne sera pas le cas de sa femme. Mais, en tout état de cause, c'est l'instabilité du mari qui aura tendance à augmenter avec les années.

Tout ce qui touche à cette question de la « désertion » peut être sujet à caution. Le divorce, de même que la polygynie, sont possibles dans de nombreuses sociétés primitives ; dans l'environnement ancestral, prendre une seconde femme ne voulait pas nécessairement dire que l'on quittait la première. Et tant que ce ne fut pas le cas, il n'y eut, pour l'homme, aucune bonne raison darwinienne de déserter. Il était génétiquement plus logique de rester auprès des enfants, pour les éduquer et les protéger. Ainsi, les mâles seraient moins portés à la désertion qu'à la polygynie. Mais, dans l'environnement moderne, où la monogamie est institutionnalisée, une pulsion poussant à la polygynie va trouver d'autres moyens de s'exprimer, comme le divorce.

Quand les enfants acquièrent leur autonomie, la nécessité d'un investissement parental mâle disparaît. Beaucoup de femmes approchant la cinquantaine, surtout si elles se sentent financièrement en sécurité, peuvent parfaitement décider de quitter leur mari. Et pourtant, aucune force darwinienne ne les y *pousse*. Quitter leur mari ne fera en rien progresser leur intérêt génétique. Ce qui pousse une femme ménopausée à abandonner la vie conjugale, c'est plutôt le mécontentement exprimé par le mari. La femme qui demande le divorce ne répond pas pour autant à une question d'ordre génétique.

Parmi toutes les données recueillies à propos du mariage contemporain, il en est deux qui sont particulièrement révélatrices. La première, à la suite d'une étude élaborée en 1992, montre que le motif de divorce le plus fréquent est l'insatisfaction du mari [66]. La seconde, que les hommes ont beaucoup plus de chances que les femmes de se remarier après un divorce [67]. Cette seconde occurrence – ainsi que la nécessité biologique qui la provoque – est probablement pour beaucoup dans la première.

Les objections à ce genre d'analyse sont prévisibles : « Mais les hommes et les femmes se séparent pour des raisons *sentimentales*. Ils ne sortent pas leur calculette pour se mettre à compter leurs enfants. Les hommes s'en vont parce que leurs femmes sont ennuyeuses et agaçantes, ou bien parce qu'ils traversent la profonde crise existentielle de la cinquantaine. Les femmes s'en vont parce qu'elles en ont assez du comportement grossier ou indifférent de leur époux, ou bien parce qu'elles ont rencontré un homme sensible, qui fait enfin attention à elles. »

Tout cela est vrai. Mais, encore une fois, les sentiments ne sont que les exécutants de l'évolution. À côté des pensées, des sentiments et autres incompatibilités d'humeur que le conseiller conjugal va s'évertuer à soupeser, il y a les stratagèmes des gènes – froides et impitoyables équations que composent des variables simples : situation sociale, âge de l'épouse, nombre d'enfants, âge des enfants, occasions extérieures, etc. L'épouse est-elle *vraiment* plus ennuyeuse et plus agaçante qu'elle ne l'était vingt ans auparavant ? C'est possible, mais il se peut aussi que le seuil de tolérance du mari ait chuté, maintenant qu'elle a quarante-cinq ans et ne peut plus avoir d'enfants. Et puis, la promotion qu'il vient d'obtenir, et qui lui a déjà valu quelques battements de cils admiratifs de la part d'une jeune femme au bureau, n'a certainement pas arrangé les choses. De la même façon, on pourrait demander à la jeune épouse sans enfants qui trouve odieuse l'indifférence de son mari, pourquoi elle supportait cette indifférence un an auparavant, avant qu'il soit licencié et qu'elle rencontre ce riche célibataire avec lequel elle flirte. Bien sûr, il se peut aussi que son mari l'ait réellement maltraitée – auquel cas ce signe de désaffection risque également d'être celui d'un départ imminent – et mérite le genre de préavis qu'elle est en train de lui concocter.

À partir du moment où l'on commence à voir les sentiments et les pensées de tous les jours comme des armes génétiques, les accrochages entre époux prennent une tout autre signification. Même ceux qui ne sont pas suffisamment importants pour provoquer un divorce sont perçus comme autant d'avenants à apporter au contrat. Le mari qui disait à son épouse au cours de leur lune de miel qu'il ne voulait pas d'une femme « aux fourneaux », lance désormais d'un ton sarcastique : « Ce serait trop te demander de préparer le dîner une fois de temps en temps ? » La menace est aussi claire qu'implicite : « Je suis désireux, et parfaitement capable, de briser le contrat si tu n'es pas d'accord pour le renégocier. »

COUPLES À VIE REVISITÉS

Tout bien pesé, les choses tournent plutôt mal pour Desmond Morris et son interprétation du couple à vie. Finalement, il semble que nous ne ressemblions pas tant à notre indéfectiblement monogame parent :

le gibbon (auquel on nous avait comparés dans un élan d'optimisme).
Ceci ne devrait pas trop nous surprendre. Les gibbons ne sont pas très
sociables. Chaque famille vit sur un vaste territoire – parfois sur plusieurs hectares – qui protège des badinages extraconjugaux. De plus,
les gibbons chassent tout intrus qui voudrait dérober ou emprunter
une compagne [68]. Nous, au contraire, nous évoluons au sein d'importants groupes sociaux, riches en alternatives à la fidélité tout à fait profitables sur un plan génétique.

Il est sûr que nous possédons toutes les caractéristiques d'un
investissement parental mâle élevé. Voici des centaines de milliers
d'années, peut-être plus, que la sélection naturelle pousse les mâles à
aimer leurs enfants, leur faisant ainsi découvrir un sentiment qui avait
fait le bonheur des femelles pendant les centaines de millions d'années
précédentes. Pendant ce temps-là, la sélection naturelle a aussi incité
les hommes et les femmes à s'aimer (la signification du mot étant très
variable et approchant rarement la constance de l'attachement qui
unit parents et enfants). Bref, amour ou pas amour, nous ne sommes
pas des gibbons.

Alors, *que sommes-nous* au juste? Jusqu'à quel point notre espèce
est-elle naturellement monogame? Les biologistes apportent le plus
souvent une réponse anatomique à cette question. Nous avons déjà
rencontré des preuves anatomiques – poids des testicules et fluctuations dans la densité du sperme – qui laissent à penser que les femelles
humaines ne sont pas pieusement monogames par nature. La preuve
anatomique porte aussi sur la question de savoir jusqu'où les hommes
sont naturellement monogames. Comme Darwin l'a noté, dans les
espèces qui pratiquent la polygynie, la différence de taille entre mâles
et femelles – le « dimorphisme sexuel » – est importante. Certains
mâles monopolisent plusieurs femelles, tandis que d'autres sont totalement évincés du sweepstake génétique. On voit donc bien l'intérêt
d'être un grand mâle, capable d'intimider les autres. Les gorilles mâles,
qui s'accoupleront avec beaucoup de femelles s'ils gagnent beaucoup
de batailles, et avec aucune s'ils les perdent toutes, sont gigantesques –
presque deux fois plus lourds que les femelles. Parmi les gibbons
monogames, les petits mâles se reproduisent de façon presque aussi
prolifique que les grands, et le dimorphisme sexuel est quasiment
imperceptible. Il en résulte que le dimorphisme sexuel constitue un
bon indice de l'intensité de la sélection sexuelle chez les mâles, laquelle
sélection sexuelle reflète le degré de polygynie d'une espèce. Sur le
tableau comparatif du dimorphisme sexuel, les humains n'ont qu'un
léger indice de polygynie [69]. Notre espèce est beaucoup moins soumise
au dimorphisme que celle des gorilles, un tout petit peu moins que
celle des chimpanzés, et beaucoup plus que celle des gibbons.

Un des problèmes que pose cette démarche, c'est qu'elle fait de la
compétition entre mâles humains, et même préhumains, une opération essentiellement mentale, et non physique. Les hommes n'ont pas

les longues canines des chimpanzés mâles, qui s'en servent pour défendre leur rang et leur suprématie sexuelle. Mais ils disposent de stratagèmes variés pour améliorer leur position sociale et, par conséquent, leur pouvoir de séduction. Donc, certains, et même beaucoup des aspects de la polygynie dans notre évolution passée se sont révélés, non par des traits morphologiques évidents, mais par des caractéristiques mentales spécifiques aux mâles. La faible différence de taille entre hommes et femmes donnerait plutôt une image trop avantageuse des tendances de l'homme à la monogamie [70].

Comment, à travers les âges, les sociétés ont-elles fait face à cette asymétrie sexuelle inhérente à la nature humaine ? Eh bien, de façon asymétrique. Au dire des anthropologues qui les ont étudiées de près, une énorme majorité de sociétés (neuf cent quatre-vingts sur mille cent cinquante-quatre), des plus anciennes au plus récentes, ont autorisé l'homme à avoir plus d'une femme [71]. Et ce chiffre comprend la plupart des sociétés économiquement fondées sur la chasse et sur la cueillette, sociétés qui sont l'exemple le plus proche que nous ayons du contexte qui présida à l'évolution humaine.

On sait que les défenseurs les plus zélés de la thèse du couple à vie ont minimisé ce constat. Bien décidé à faire la preuve de la monogamie naturelle de notre espèce, Desmond Morris soutient, dans *Le Singe nu*, que les seules sociétés qui vaillent vraiment l'examen sont les sociétés modernes industrielles qui, comme par hasard, font partie des 15 % ouvertement monogames : « Toute société qui n'a pas réussi à aller de l'avant, a échoué, a fait " fausse route " [...]. Elle a été freinée par quelque chose, quelque chose qui va à l'encontre des tendances naturelles de notre espèce. Ainsi, les petites sociétés arriérées, qui n'ont pas prospéré, peuvent sans regret être ignorées. » En somme, dit Morris (à une époque où le nombre des divorces en Occident n'atteignait pas la moitié de ce qu'il est maintenant) : « Peu importe ce que font aujourd'hui les petites tribus arriérées, le courant dominant de notre espèce exprime nettement sa propension au couple à vie, et sous sa forme la plus accomplie : l'union monogame à long terme [72]. »

Voilà une façon de se débarrasser à peu de frais de données embarrassantes : il suffit de les déclarer aberrantes, même si elles sont quantitativement supérieures aux données du « courant dominant ».

En réalité, il y a bien eu un moment où la polygynie dans le mariage n'a pas constitué la norme historique. Dans 43 % des neuf cent quatre-vingts cultures pratiquant la polygynie, celle-ci a été déclarée « occasionnelle ». Et même lorsqu'elle est vraiment « répandue », plusieurs femmes sont, en général, réservées au nombre d'hommes relativement restreint qui peuvent se le permettre ou qui appartiennent à la classe dominante. Depuis des lustres, la plupart des mariages ont été monogames, même si la plupart des sociétés ne l'étaient pas.

Cependant, les comptes rendus anthropologiques indiquent que la polygynie est naturelle, dans la mesure où les hommes à qui l'on donne la possibilité d'avoir plusieurs femmes n'y sont jamais opposés. De plus, ces comptes rendus suggèrent que la polygynie a ses vertus puisqu'elle est une façon de gérer la disparité fondamentale existant entre les aspirations des hommes et celles des femmes. Dans nos cultures, lorsqu'un homme auquel son épouse a déjà donné des enfants montre des signes d'agitation et « tombe amoureux » d'une femme plus jeune, nous disons : « D'accord, tu peux l'épouser, mais nous insistons pour que tu quittes ta première femme, que tes enfants en portent les stigmates et, si tu ne gagnes pas beaucoup d'argent, que ton ancienne épouse et tes enfants en subissent les conséquences. » D'autres cultures diraient plutôt : « D'accord, tu peux l'épouser, mais seulement si tu as réellement les moyens d'avoir un second foyer ; et tu ne peux pas déserter ta famille, et tes enfants n'en porteront pas les stigmates. »

Certaines des sociétés d'aujourd'hui, théoriquement monogames, dans lesquelles la moitié des mariages échouent, devraient peut-être se montrer jusqu'au-boutistes. Oui, peut-être devrions-nous éliminer totalement les vestiges du divorce qui, déjà, commencent à s'estomper ? Peut-être devrions-nous simplement faire en sorte que l'homme qui quitte sa famille en demeure légalement responsable et continue, comme auparavant, à subvenir à ses besoins ? Bref, peut-être devrions-nous autoriser la polygynie... Nombre de femmes divorcées, ainsi que leurs enfants, ne s'en porteraient que mieux.

La seule façon intelligente d'avancer cette hypothèse, c'est de commencer par poser une question simple (celle qui induira une réponse contre-intuitive) : comment se peut-il qu'une obstination strictement culturelle dans la monogamie ait pu voir le jour, alors qu'elle semble aller à l'encontre de ce qu'est la nature humaine, alors qu'elle était presque totalement ignorée il y a plusieurs millénaires ?

Chapitre IV

LE MARCHÉ DU MARIAGE

> *On ne peut lire l'ouvrage de Mr. M'Lennan sans admettre que presque toutes les nations civilisées ont conservé quelques traces de certaines habitudes barbares, telles que le rapt des femmes, par exemple. Peut-on citer une seule nation, se demande le même auteur, qui, dans le principe, ait pratiqué la monogamie ?*
>
> La Descendance de l'homme (1871) [1]

Il semble bien que quelque chose ne tourne pas rond dans notre monde. D'un côté, il est principalement dirigé par des hommes et, de l'autre, la polygamie est illégale à peu près partout sur la planète. Si les hommes sont vraiment tels que nous les avons décrits dans les deux chapitres précédents, comment ont-ils pu laisser faire cela ?

On se débarrasse parfois du paradoxe en disant qu'il est le fruit d'un compromis entre nature masculine et féminine. Par exemple, dans le cas d'un mariage à l'ancienne, de style victorien, les hommes obtiennent de la femme la soumission voulue et, en contrepartie, maîtrisent plus ou moins efficacement leurs pulsions vagabondes. Les femmes cuisinent, font le ménage, exécutent les ordres et supportent les aspects déplaisants d'une présence masculine quotidienne. En retour, les maris ont la bonté de ne pas trop s'éloigner.

Quoique séduisante, cette thèse ne répond pas vraiment à la question. Certes, il existe des compromis au sein de tout mariage monogame, comme il en existe dans toute cellule occupée par deux hommes. Mais cela ne signifie pas pour autant que les prisons soient issues d'un pacte contracté entre criminels. Le compromis entre hommes et femmes est bien ce qui permet à la monogamie de durer (quand elle dure...), mais pas ce qui explique son apparition.

Si l'on veut comprendre le « pourquoi » de la monogamie, il faut d'abord garder en mémoire le fait que, pour certaines sociétés monogames répertoriées par l'anthropologie – y compris pour nombre de sociétés primitives –, la question n'est pas si complexe. En termes de richesses, ces sociétés se sont toujours situées juste au-dessus du minimum vital. Vu le peu de réserves qu'autorisent ces contrées arides, un homme qui partage ses ressources entre deux familles risque de se retrouver avec très peu, voire pas du tout d'enfants. Et, même s'il souhaite fonder une seconde famille, il aura du mal à séduire une seconde épouse. Pourquoi devrait-elle se contenter d'un pauvre « demi-mari », alors qu'elle peut tout obtenir d'un « mari entier » ? Par amour ? Mais cet amour-là ne sera-t-il pas souvent défaillant ? Rappelons-nous que l'amour attire la femme vers des hommes qui seront bons pour sa progéniture. Et, d'ailleurs, pourquoi la famille tolérerait-elle une telle folie ? On sait que, dans les sociétés préindustrielles, les familles influencent souvent énergiquement, et non sans pragmatisme, le « choix » que peut faire une fiancée.

C'est à peu près la même logique qui prévaut dans une société économiquement à peine au-dessus du minimum vital, mais où tous les hommes ont un niveau de vie sensiblement identique. Une femme qui choisit un « demi-mari » plutôt qu'un « entier » voit encore son bien-être matériel considérablement diminuer.

En règle générale, l'égalité économique entre les hommes – surtout, mais pas seulement s'ils approchent du minimum vital – tend à court-circuiter la polygynie. Voilà dissipée une grande part du mystère de la monogamie, car plus de la moitié des sociétés monogames connues ont été classées par les anthropologues dans la catégorie des sociétés « sans clivages sociaux importants » [2]. Demandent plus ample explication les six douzaines de sociétés qui, dans l'histoire du monde et jusque chez les nations industrielles modernes, ont été monogames, bien que comprenant de fortes inégalités socio-économiques. De véritables anomalies de la nature.

Richard Alexander, l'un des premiers biologistes à avoir largement appliqué le nouveau paradigme au comportement humain, a souligné ce paradoxe de la monogamie dans les sociétés où la répartition des richesses était inégale. Lorsque l'on rencontre la monogamie dans des cultures disposant juste du minimum vital, Alexander dit qu'elle est « imposée écologiquement ». Quand elle apparaît dans des cultures plus riches, où les clivages sociaux existent davantage, il dit de la monogamie qu'elle est « imposée socialement » [3]. La question est : *Pourquoi* la société a-t-elle imposé la monogamie ?

Cette expression, *imposée socialement*, froissera sans doute quelques esprits romantiques. Elle semble impliquer que, en l'absence de lois autorisant la bigamie, les femmes, exclusivement appâtées par l'argent, accepteraient avec jubilation de devenir deuxième ou troisième épouse, du moment qu'il leur serait possible d'en tirer profit. Le mot *appâtées* n'est pas non plus employé à la légère. Il existe une tendance à la polygynie chez une espèce d'oiseaux où les mâles contrôlent des territoires dont la qualité et la taille accusent de fortes différences. Certaines femelles se satisfont de partager un mâle, dans la mesure où il possède un domaine beaucoup plus vaste que n'importe quel autre mâle dont elles eussent.pu avoir le monopole [4]. Mais la plupart des femelles humaines aimeraient penser qu'un amour sublime guide leur choix et qu'elles ont un peu plus de fierté qu'un roitelet.

C'est bien entendu le cas. Même dans les cultures qui pratiquent la polygynie, les femmes ne brûlent pas d'envie de partager un homme. Mais, d'une manière générale, elles préféreront cela à la misère et à l'attention exclusive d'un bon à rien. Il est facile, pour les épouses distinguées des classes aisées, de railler l'idée qu'une femme qui se respecte soit capable de subir volontairement l'humiliation de la polygynie, ou de nier l'importance que les femmes accordent aux revenus d'un mari. Mais il est rare que les femmes de la bonne société *rencontrent* un homme dont les revenus soient faibles, et plus rare encore qu'elles envisagent de l'épouser. Leur milieu est si économiquement homogène qu'elles n'ont aucun souci à se faire : elles trouveront toujours quelqu'un qui pourvoira à leurs besoins et ont donc tout loisir de recentrer leur recherche pour méditer sur les goûts littéraires ou musicaux qu'elles souhaiteraient rencontrer chez l'homme de leurs rêves. (Ces goûts fournissant eux-mêmes des indications sur le statut socio-économique d'un homme. Ceci pour rappeler que l'évaluation darwinienne d'un partenaire n'est pas nécessairement *consciemment* darwinienne.)

À l'appui des thèses d'Alexander, selon lesquelles il y aurait quelque chose d'artificiel dans ces sociétés très hiérarchisées et pourtant monogames : le fait que la polygynie a tendance à percer sournoisement sous la surface. Même si le fait d'être la maîtresse d'un homme marié est considéré aujourd'hui encore comme passablement scandaleux, certaines femmes semblent préférer ce rôle plutôt que d'obtenir davantage d'engagement de la part d'un homme plus démuni – ou pas d'engagement du tout et pas d'homme non plus.

Depuis qu'Alexander a commencé à différencier les deux sortes de sociétés monogames, sa thèse s'est vue étayée de façon plus subtile. Les anthropologues Steven J. C. Gaulin et James S. Boster ont constaté que la dot – transfert de biens de la famille de la fiancée vers celle du fiancé – se rencontre presque exclusivement dans les sociétés où la monogamie est imposée socialement. Dans 37 % de ces sociétés, où la polygynie n'existe pas et où les clivages sociaux sont importants, on retrouve la dot, alors que 2 % seulement des sociétés où la polygynie n'existe pas, mais où il n'y a pas non plus de clivages sociaux, connaissent la dot. (Pour les sociétés où la polygynie existe, le rapport est d'environ 1 % [5].) Présentons les choses autrement : bien que seulement 7 % des sociétés recensées aient connu une monogamie imposée socialement, elles représentent 77 % des sociétés avec dot. Ceci laisse à penser que la dot est bien le fruit d'un déséquilibre du marché, un point de non-retour dans le commerce du mariage ; la monogamie, en limitant chaque homme à une seule épouse, fait de l'homme riche une marchandise dont la valeur est artificielle, et la dot est le prix à payer pour l'obtenir. Il est vraisemblable que, si la polygynie était légalisée, le marché retrouverait un équilibre : les mâles les plus fortunés (ou, peut-être, les plus charmants, les plus robustes physiquement, ou dotés de quelque talent susceptible de l'emporter sur la seule richesse) préféreraient, plutôt que de chasser des dots intéressantes, avoir plusieurs épouses.

GAGNANTS ET PERDANTS

Essayons d'adopter cette façon de voir, d'abandonner notre ethnocentrisme occidental et d'accepter l'hypothèse darwinienne selon laquelle les hommes veulent (consciemment ou inconsciemment) autant de machines à procurer un plaisir sexuel et à faire des enfants que leurs moyens le leur permettent, et les femmes (consciemment ou inconsciemment) une optimisation des ressources disponibles pour leurs enfants ; peut-être pourrons-nous comprendre pourquoi la monogamie existe chez nous aujourd'hui : alors qu'une société pratiquant la polygynie passe souvent pour satisfaire les hommes et mécontenter les femmes, il n'existe en réalité aucun consensus naturel sur ce point chez l'un et l'autre sexe. De toute évidence, les femmes dont le mari est pauvre et qui préféreraient un demi-mari riche sont défavorisées par une monogamie institutionnelle. Et, de toute évidence, le mari pauvre qu'elles quitteraient volontiers serait alors défavorisé par la polygynie.

Ces ironies du sort ne sont pas réservées, tant s'en faut, au bas de l'échelle sociale. En termes purement darwiniens, la *majorité* des hommes s'en sortent mieux dans un système monogame, et la *majorité* des femmes moins bien. Il s'agit là d'un point important et qui mérite qu'on s'y attarde.

Prenons un échantillon du marché du mariage, certes grossier, mais fort utile à l'analyse : un millier d'hommes et un millier de femmes sont classés en fonction de leurs charmes. Dans la vraie vie, je vous le concède, ces choses-là sont subjectives. Mais il existe des données objectives. Peu de femmes préféreraient un chômeur à la dérive à un ambitieux à qui tout réussit ; et rares sont les hommes qui hésiteraient entre une femme ennuyeuse et obèse et une charmante et vive créature. Toujours pour le bien de l'analyse, réduisons ces aspects de la séduction (et d'autres) à une dimension unique.

Supposons que ces deux mille personnes vivent dans une société monogame où chaque femme est fiancée à un homme de son rang. Elle aura envie d'épouser un homme d'un rang plus élevé, mais tous sont déjà pris par des concurrentes d'un rang supérieur au sien. Les hommes aussi voudraient bien faire un bon mariage, mais, pour les mêmes raisons, ils ne le peuvent pas. Maintenant, avant qu'aucun de ces couples passe devant le maire, légalisons la polygynie et effaçons d'un coup de baguette magique sa mauvaise réputation. Supposons qu'une femme un peu plus désirable que la moyenne – une femme plutôt séduisante, mais pas trop brillante, catégorie 400 – lâche son fiancé (un mâle de même catégorie, vendeur de chaussures) pour devenir la seconde épouse d'un fameux avocat (un mâle de catégorie 40). La chose n'est pas absolument impossible. Il lui suffit de renoncer à un revenu familial annuel d'environ 40 000 dollars, dont elle gagnait elle-même une partie en travaillant à mi-temps dans un *Pizza Hut*, pour 100 000 dollars annuels, sans l'obligation de travailler (sans compter que le mâle de la catégorie 40 est un bien meilleur danseur que le mâle de la catégorie 400 [6]).

Même ce premier échelon dans l'ascension sociale que procure la polygynie est plus profitable aux femmes qu'aux hommes. Les six cents femmes situées dans la catégorie immédiatement en dessous grimpent automatiquement d'un cran pour combler le vide laissé par la femme qui quitte son marchand de chaussures ; elles vont avoir un époux rien qu'à elles et, qui plus est, socialement mieux placé. Pendant que cinq cent quatre-vingt-dix-neuf hommes se retrouvent avec une épouse d'un rang légèrement inférieur à celui de leurs précédentes fiancées – il en est même un qui se retrouve tout seul. D'accord, dans la vraie vie, les femmes ne grimperaient pas l'échelle sociale de conserve. On trouverait très vite une femme qui, méditant les impondérables de la séduction, resterait avec son compagnon. Mais, dans la vraie vie, on graviraient sans doute d'abord plus qu'un petit échelon dans l'ascension sociale. La question fondamentale demeure : beaucoup, beaucoup de femmes, et même beaucoup de femmes *qui choisiront de ne pas partager un mari*, verront s'élargir l'éventail de leur choix dès lors que toutes les femmes seront libres de partager un mari [7]. De même, beaucoup, beaucoup d'hommes auront à pâtir de la polygynie.

Tout bien pesé, la monogamie institutionnelle, que l'on considère souvent pourtant comme une grande victoire pour l'égalitarisme et pour les femmes, n'est absolument pas égalitaire quant à ses effets sur la condition féminine. La polygynie redistribuerait bien plus équitablement les biens des hommes entre les femmes. Il est facile – et sage – aux belles et vives épouses d'athlétiques et charmants titans de l'industrie, de rejeter la polygynie comme une violation des droits de la femme. Mais les femmes mariées vivant dans la pauvreté – les femmes sans mari ni enfants et désireuses d'avoir les deux – pourraient légitimement se demander quelles sont les femmes dont la mono-

gamie protège les droits. Les seuls défavorisés qui devraient se prononcer en faveur de la monogamie sont les hommes. Car c'est elle qui leur
permet d'avoir accès à des femmes qui, sinon, auraient déjà gravi
l'échelle sociale.

Les deux sexes ne se sont pas rangés d'un côté et de l'autre d'une
imaginaire table des négociations d'où aurait résulté la tradition de la
monogamie. La monogamie n'est pas davantage un « moins » pour les
hommes qu'elle n'est un « plus » pour les femmes ; au sein de l'un et
l'autre sexe s'affrontent naturellement des intérêts divergents. Le
grand pacte historique a dû se produire plus vraisemblablement entre
hommes riches et hommes moins riches. Pour eux, l'institution de la
monogamie représente un réel compromis : les plus fortunés
obtiennent toujours les femmes les plus désirables, mais doivent se
limiter à une seule. Cette explication de la monogamie – en tant que
répartition de la propriété sexuelle entre les hommes – offre l'avantage
de nous ramener directement à ce qui ouvrait ce chapitre : ce sont les
hommes qui, d'ordinaire, contrôlent totalement le pouvoir politique,
et ce sont eux qui, historiquement, ont fait les grands choix politiques.

Naturellement, les hommes ne se sont pas réunis un beau jour
pour négocier dans la douleur le compromis « une femme par
homme ». L'idée serait plutôt que la polygynie a tendu à disparaître
pour des raisons d'éthique égalitaire – entendez par là, non d'égalité
entre les sexes, mais entre les hommes. Peut-être le terme d'« éthique
égalitaire » est-il un peu trop poli, eu égard à ce qu'il recouvre vraiment. Alors que le pouvoir politique se démocratisait, le fait que les
hommes de la bonne société eussent un monopole sur les femmes
devenait intolérable. Rien n'est plus angoissant pour une élite gouver-
nante que des hommes sexuellement frustrés, sans enfants, et dotés
d'un minimum de pouvoir politique.

Ceci n'est évidemment qu'une hypothèse [8]. Du moins la réalité
la vérifie-t-elle approximativement. Laura Betzig a montré que, dans
les sociétés préindustrielles, l'excès de polygynie va souvent de pair
avec l'excès de hiérarchie politique et qu'il atteint son point culminant
sous les régimes les plus despotiques. (Chez les Zoulous, dont le roi
peut monopoliser plus d'une centaine de femmes, tousser, éternuer ou
renifler à la table du monarque était passible de la peine de mort.) Et
la répartition des ressources sexuelles en fonction du statut social a
souvent été savamment et explicitement calculée. Dans la société inca,
on allouait respectivement aux quatre principaux caciques (du plus
petit au plus grand) des plafonds de sept, huit, quinze ou trente
épouses [9]. Il existait donc un lien évident entre le pouvoir politique et
le nombre de femmes possédées. La forme ultime de ce lien n'est autre
que le « un homme un vote » et le « un homme une épouse », caractéristiques de la plupart de nos nations industrielles contemporaines.

Vraie ou fausse, cette théorie de l'origine de la monogamie institutionnalisée fournit un bon exemple de ce que le darwinisme peut

offrir aux historiens. Bien sûr, le darwinisme n'explique pas l'histoire comme une évolution ; la sélection naturelle ne travaille pas assez vite pour produire de tels changements culturels et politiques. Mais la sélection naturelle a bel et bien façonné les esprits qui initient ces changements. Et comprendre comment elle a formé ces esprits peut peut-être éclairer d'un jour nouveau les grandes tendances de l'histoire. En 1985, l'éminent historien en sciences sociales Lawrence Stone publie un essai montrant toute l'importance que les premiers chrétiens accordaient à la fidélité des maris et à la sauvegarde du mariage. Après avoir examiné deux théories tentant de démontrer comment cette innovation culturelle s'était répandue, il conclut que la réponse « reste obscure » [10]. Peut-être l'explication darwinienne – selon laquelle la monogamie serait l'expression directe de l'égalité politique entre hommes – mérite-t-elle au moins qu'on s'y arrête. Ce n'est peut-être pas un hasard si le christianisme, qui a servi à véhiculer l'idée de la monogamie aussi bien politiquement qu'intellectuellement, a aussi souvent activement implanté son message chez des hommes pauvres et démunis de tout pouvoir [11].

LA POLYGYNIE POSE-T-ELLE UN PROBLÈME ?

Cette analyse darwinienne du mariage complique le choix entre monogamie et polygynie. Elle montre, en effet, qu'il ne s'agit pas de choisir entre égalité et inégalité, mais entre égalité des hommes et égalité des femmes. Délicate question.

On peut imaginer un grand nombre de raisons de voter pour l'égalité des hommes entre eux (c'est-à-dire pour la monogamie). L'une d'elles serait que l'on risquerait ainsi d'échapper au courroux des féministes, qui ne seront pas convaincues que la polygynie libère les femmes opprimées. Ensuite, la monogamie. est le seul système qui, en théorie du moins, peut donner un compagnon à tout un chacun, ou presque. Mais l'essentiel, c'est qu'il n'est pas seulement inégalitaire mais dangereux de laisser beaucoup d'hommes sans femmes ni enfants.

Le danger suprême, c'est la sélection sexuelle chez les mâles. Les hommes se sont longtemps disputé l'accès à la plus précieuse des ressources sexuelles : la femme. Et le prix à payer en cas d'échec est si lourd (l'oubli génétique), que la sélection naturelle les a poussés à se livrer une concurrence féroce. Dans toutes les cultures, les hommes font preuve de davantage de violence – et cela peut aller jusqu'au meurtre – que les femmes. (Chez les animaux, ce sont aussi les mâles les plus belliqueux, *sauf* chez certaines espèces, comme celle des phalaropes, où l'investissement parental mâle est si élevé que les femelles peuvent se reproduire plus souvent que les mâles.) Même lorsque la violence n'est pas dirigée contre un rival sexuel, elle se ramène souvent pourtant à une compétition sexuelle. Une bagarre insignifiante peut dégénérer et aboutir au meurtre d'un homme par un autre pour « sauver la face » – à savoir, pour regagner cette sorte de respect primitif qui, dans l'environnement ancestral, pouvait asseoir une position et apporter des récompenses sexuelles [12].

Fort heureusement, la violence masculine peut être tempérée par les circonstances, et l'une de ces circonstances n'est autre que la partenaire. On pourrait s'attendre à ce que les hommes privés de femmes se livrent à la plus féroce des compétitions, et c'est ce qu'ils font. Un célibataire âgé de vingt-quatre à trente-cinq ans a environ trois fois plus de chances de tuer un autre mâle qu'un homme marié de la même tranche d'âge. Certes, au premier chef, cette différence dit plutôt quels sont les hommes qui se marient et quels sont ceux qui ne se marient pas. Mais Martin Daly et Margo Wilson ont défendu de façon convaincante l'idée que cette différence pouvait, en grande partie, être due aux « effets pacificateurs du mariage » [13].

Un homme « non pacifié » ne sera pas seulement plus susceptible qu'un autre de commettre un meurtre. Pour avoir de quoi appâter les femmes, il sera aussi plus enclin à courir des risques divers – à commettre un vol, par exemple. Il sera aussi plus enclin au viol. Plus indirectement, une vie criminelle, une vie à hauts risques entraîne souvent un abus de drogues et d'alcool, ce qui aura pour effet d'aggraver le problème, puisque les chances de l'individu diminueront de gagner jamais suffisamment d'argent par des moyens légitimes pour attirer les femmes [14].

Ceci est peut-être le meilleur argument en faveur du mariage monogame et de ses effets égalisateurs sur les hommes : l'inégalité entre les mâles est plus destructrice sur le plan social que l'inégalité entre les femmes – et d'une façon dommageable aux femmes *comme* aux hommes. Une nation pratiquant la polygynie, dans laquelle beaucoup d'hommes aux revenus faibles demeurent célibataires, ne serait pas un pays où il ferait bon vivre.

Hélas, c'est précisément dans ce genre de pays que nous vivons. Les États-Unis ne sont plus un pays où la monogamie est institutionnalisée. Les États-Unis sont un pays de monogamie à répétition. Or, la monogamie à répétition s'apparente à bien des égards à la polygynie [15]. Johnny Carson *, comme beaucoup de mâles riches et puissants, a monopolisé durant sa vie les années fécondes d'un grand nombre de femmes. À quelques pas de là, il y a un homme qui, désireux de fonder un foyer, eût volontiers épousé l'une de ces belles femmes, si elles n'avaient toutes été réservées à l'usage exclusif de Johnny Carson. Et si l'homme en question a réussi à trouver une autre

---

* *N.d.T.* Johnny Carson est un animateur de télévision hollywoodien que toute l'Amérique connaît comme riche, célèbre et couvert de femmes.

épouse, c'est qu'elle a échappé aux griffes d'un autre homme. Et ainsi de suite : par une série de réactions en chaîne, la pénurie en femmes fertiles se propage tout le long de l'échelle sociale.

Aussi abstrait et théorique que cela puisse paraître, il ne peut en être autrement. Une femme n'est fertile que pendant vingt-cinq ans. Quand quelques hommes règnent en maîtres sur plus de vingt-cinq années de fertilité féminine, c'est qu'il y a, ailleurs, des hommes qui doivent se contenter de moins. Et, outre les nombreux maris « à répétition », si on prend en compte les jeunes hommes qui vivent pendant cinq ans avec une femme avant de décider de la quitter pour recommencer ailleurs (et peut-être épouser, enfin, à l'âge de trente-cinq ans, une femme qui en a vingt-huit), il y a là un piège assez révélateur. Alors qu'en 1960, la proportion de quadragénaires jamais mariés était identique chez les hommes et les femmes, en 1990, celle des hommes est notablement plus importante que celle des femmes [16].

Il n'est pas insensé d'imaginer que des alcooliques, des violeurs sans abri, s'ils avaient atteint leur majorité dans le climat social des années précédant 1960, alors que les ressources féminines étaient équitablement réparties, eussent trouvé une épouse et adopté un style de vie moins dangereux et destructeur. On peut ne pas adhérer à cette façon de voir et reconnaître néanmoins la validité de l'argument : si la polygynie a effectivement des effets pervers sur les hommes moins fortunés de notre société, et indirectement sur le reste d'entre nous, il ne suffit pas seulement de s'opposer à sa légalisation. (Autant que j'en puisse juger, la légalisation de la polygynie ne constitue pas encore une véritable menace...) Nous ferions mieux de nous inquiéter de la polygynie qui existe déjà *de facto*. Nous devrions nous demander, non pas si la monogamie peut être sauvée, mais si elle peut être rétablie. Et nous devrions recevoir, dans cette démarche, le soutien enthousiaste, non seulement d'un grand nombre d'hommes sans femme, mais aussi d'un grand nombre d'ex-épouses mécontentes – surtout de celles qui ont eu la malchance d'épouser un homme moins riche que Johnny Carson.

DARWINISME ET IDÉAUX MORAUX

Cette vision du mariage est un exemple classique de la façon dont le darwinisme peut, et ne peut pas, se lancer légitimement dans un débat d'ordre moral. Certes, il ne nous fournira pas la panoplie de base des valeurs morales ; il ne nous dira pas, par exemple, si notre aspiration à vivre dans une société égalitaire est un choix judicieux, ni s'il est indispensable que nous imitions la sélection naturelle dans son indifférence à la souffrance des faibles. Et nous ne devrions pas non plus nous inquiéter de savoir si le meurtre, le vol et le viol sont, en quelque sorte, des choses « naturelles ». C'est à nous qu'il appartient de décider si nous considérons ces actes comme odieux et si nous voulons les combattre.

Mais à partir du moment où nous avons fait ces choix, à partir du moment où nous *avons* des idéaux moraux, le darwinisme peut nous aider à découvrir quelles institutions sociales seront le mieux à même de les servir. Dans ce cas, un point de vue darwinien sur l'institution matrimoniale dominante, la monogamie à répétition, montrera qu'elle est, à bien des égards, équivalente à la polygynie. En tant que telle, cette institution se révèle avoir sur les hommes des effets inégalitaires, puisqu'elle œuvre contre les plus défavorisés. Le darwinisme met également en évidence la rançon de cette inégalité : violence, vol, viol.

Sous cet éclairage, les vieux débats moraux prennent un tout autre aspect. Par exemple, le monopole des conservateurs sur l'argument des « valeurs familiales » apparaît alors bien étrange. Les libéraux, que préoccupent les « racines sociales » du crime et de l'indigence, devraient logiquement s'enthousiasmer pour ces « valeurs familiales ». Car une chute du taux des divorces, augmentant le nombre de jeunes femmes accessibles aux plus pauvres, réduirait d'autant le nombre de ceux qui sombrent dans le crime, la drogue et, parfois, la clochardisation.

Bien sûr, étant donné les perspectives matérielles que la polygynie (même la polygynie *de facto*) peut ouvrir aux femmes pauvres, on peut aussi imaginer un argument de type libéral *contre* la monogamie. On peut même imaginer un argument libéral *féministe* contre la monogamie. Dans tous les cas, on voit bien qu'un féminisme darwinien sera un féminisme plus complexe. Vues sous l'angle darwinien, « les femmes » ne constituent pas un groupe naturellement cohérent : elles ne forment pas une seule communauté [17].

Le nouveau paradigme révèle encore d'autres retombées issues des normes matrimoniales en vigueur : le lourd tribut payé par les enfants. Martin Daly et Margo Wilson écrivent : « Peut-être l'hypothèse darwinienne la plus juste concernant les motivations des parents est-elle la suivante : les parents de substitution vont, en général, avoir tendance à s'occuper moins attentivement des enfants que les parents naturels. » Donc, « les enfants élevés par des personnes qui ne sont pas leurs parents biologiques seront plus souvent exploités et plus souvent en danger que les autres. L'investissement parental est une précieuse richesse, et la sélection naturelle doit favoriser le psychisme des parents qui ne le dilapident pas sur des étrangers » [18].

Pour certains darwiniens, cette affirmation peut sembler si évidente qu'elle ne mérite aucune vérification. Mais Daly et Wilson ont pris la peine d'aller au-delà. Ce qu'ils ont découvert dépasse tout ce qu'ils avaient pu imaginer. Aux États-Unis, en 1976, un enfant vivant avec un ou deux parents de substitution courait cent fois plus de risques d'être victime de maltraitance mortelle qu'un enfant vivant avec ses parents biologiques. Dans les années 80, dans une ville du Canada, un enfant âgé de deux ans, ou moins, courait soixante-dix fois plus de risques d'être tué par un de ses parents, en vivant avec un parent biologique et le conjoint de celui-ci plutôt qu'avec ses deux parents biologiques. Bien sûr, les enfants assassinés représentent une toute petite fraction des enfants partageant le toit de leurs beaux-parents. Une mère qui divorce et se remarie ne signe pas l'arrêt de mort de son enfant. Examinons plutôt le cas, plus courant, des sévices n'entraînant pas la mort. Les enfants de moins de dix ans risquaient, selon leur âge et la spécificité de l'enquête, trois à quarante fois plus d'être maltraités en vivant avec un beau-parent et un parent biologique plutôt qu'en vivant avec leurs deux parents biologiques [19].

On peut honnêtement en déduire que des formes d'indifférence parentale moins dramatiques, et sur lesquelles nous ne possédons pas de témoignages, suivent ce schéma de base. Après tout, si la sélection naturelle a *inventé* l'amour paternel, c'est bien pour que les enfants en reçoivent les bénéfices. Que les biologistes appellent ces bénéfices « investissements » ne signifie pas qu'ils soient exclusivement matériels, renouvelables par chèques mensuels. Les pères donnent à leurs enfants tutelle, conseils (plus souvent que pères et enfants eux-mêmes ne l'imaginent) et les protègent contre toutes sortes de dangers. Une mère seule ne peut pas prendre le relais. Et il est à peu près certain qu'un beau-père ne fera pas beaucoup mieux. En termes darwiniens, les beaux-enfants sont un obstacle à l'adaptation, une déperdition de ressources.

Il existe des moyens de tromper la nature, d'inciter les parents à aimer des enfants qu'ils n'ont pas mis au monde – d'où le cocufiage. Après tout, ce n'est pas par télépathie que les parents sentent qu'un enfant est porteur de leurs gènes. En revanche, ils se fient à des indices qui, dans l'environnement ancestral, avaient la même portée. Si une femme nourrit et câline un petit tous les jours, elle va développer un tel amour pour l'enfant qu'un homme qui aura vécu auprès d'elle pendant des années aura toutes les chances d'éprouver le même. C'est ce type de liens qui fait qu'on peut aimer des enfants adoptés, qui fait que les nurses aiment ceux dont elles s'occupent. Mais, et la théorie et l'observation quotidienne montrent que plus un enfant est grand lors de la rencontre avec un parent de substitution, moins l'attachement est profond. Dans une large majorité des cas, les enfants qui héritent d'un beau-père ne sont plus des bébés.

On peut aisément imaginer une controverse entre personnes humaines et sensées sur le thème suivant : une société fortement monogame est-elle meilleure qu'une société où se pratique la polygynie ? Mais le point suivant est beaucoup moins discutable : chaque fois que – dans l'une ou l'autre de ces sociétés – on laisse l'institution matrimoniale se dissoudre, de sorte qu'apparaissent le divorce, les mères célibataires et le fait que de nombreux enfants ne vivent plus avec leurs deux parents naturels, il en résulte une importante déperdition de la plus précieuse des richesses de l'évolution : l'amour. Quels que soient les mérites respectifs de la monogamie et de la polygynie, le monde dont nous nous accommodons aujourd'hui – monogamie à répétition et polygynie de fait – est bien le pire de tous.

À LA RECHERCHE DES IDÉAUX MORAUX

Manifestement, le darwinisme ne va pas venir simplifier ce débat politique et moral. Dans le cas précis, en soulignant la tension qui existe entre égalité parmi les hommes et égalité parmi les femmes, il complique notre recherche de l'institution matrimoniale qui servirait au mieux nos idéaux. Si la question a toujours existé, au moins le débat est-il maintenant porté au grand jour. Lorsque le nouveau paradigme nous aura enfin permis de décider quelles institutions seront le mieux à même de servir nos idéaux moraux, le darwinisme pourra alors apporter sa seconde contribution, en nous aidant à comprendre quelles forces – règles morales, mesures sociales – pourront venir nourrir ces institutions.

　　C'est ici qu'apparaît une nouvelle ironie dans le débat portant sur les « valeurs familiales » : les conservateurs seraient surpris d'entendre que l'une des plus sûres façons de consolider le mariage monogame, c'est de distribuer plus équitablement les revenus [20]. Une jeune femme célibataire sera moins tentée de séduire le mari A de la femme A, si le célibataire B dispose d'autant d'argent que l'époux A. Et ce dernier, s'il n'attire pas les regards provocants des jeunes femmes, risque de mieux se satisfaire de sa femme A et de moins s'attarder sur ses premières rides. Cette dynamique peut sans doute aussi expliquer pourquoi le mariage monogame a si souvent pris racine dans des sociétés à faibles clivages socio-économiques.

　　Les conservateurs prétendent fréquemment qu'une politique de lutte contre la pauvreté coûterait trop cher : les taxes écraseraient les riches, diminueraient leurs motivations au travail, et le niveau économique général s'en ressentirait. Mais, si le but de cette politique est de soutenir la monogamie, alors rendre les riches moins riches est un effet secondaire bénéfique. La monogamie n'est pas uniquement menacée par la pauvreté, mais aussi par la richesse des individus fortunés. Que le fait de réduire ces richesses nuise, en partie, au rendement économique d'un pays est, certes, chose regrettable, mais si, aux bénéfices d'une redistribution des revenus, on ajoute une plus grande stabilité des mariages, le regret devrait s'en trouver quelque peu adouci.

On pourra nous objecter que cette analyse perd, de nos jours, de sa pertinence. En effet, les femmes sont de plus en plus nombreuses à entrer dans le monde du travail et sont donc mieux à même de fonder leurs choix matrimoniaux sur des critères autres que les revenus de l'époux. Mais n'oublions pas que les femmes ne calculent pas forcément consciemment leurs intérêts ; elles ont hérité d'un profond romantisme, issu d'un autre environnement que le nôtre. Si on se réfère à ce qui se passe dans les sociétés primitives, on constate que, pendant toute la durée de l'évolution humaine, ce sont les hommes qui ont contrôlé la majeure partie des ressources matérielles. Et même dans les plus pauvres de ces sociétés, où il est difficile de trouver un homme plus riche que l'autre, le statut social d'un père se traduit souvent, d'une façon subtile, en avantages pour sa progéniture – avantages matériels ou autres –, ce qui n'est pas le cas du statut des mères [21]. Bien que la femme moderne puisse prendre en compte son indépendance financière et essayer de faire un choix matrimonial en conséquence, cela ne signifie pas qu'elle pourra aisément passer outre aux profondes pulsions esthétiques, si capitales dans l'environnement ancestral. De fait, de toute évidence, les femmes modernes n'ont pas abandonné ces pulsions. Les psychologues évolutionnistes l'ont montré : dès lors que les femmes ont tendance à accorder plus d'importance que les hommes aux avantages matériels d'une union, cette tendance persiste quels que soient les revenus des femmes en question [22].

Tant que la société subira d'importants clivages socio-économiques, vouloir réconcilier la monogamie à vie avec la nature humaine restera un défi. Incitations et dissuasions (morales et/ou légales) seront sans doute nécessaires. On peut se faire une idée des incitations qui auraient quelques chances de réussir en observant leur action sur une société à fort clivage économique. Prenons l'exemple de l'Angleterre victorienne. Chercher ce qui, dans les mœurs de l'époque, a pu contribuer à la réussite des mariages (ou, du moins, à leur non-dissolution) n'induit pas que nous devrions nous y conformer sans réserve. On peut percevoir la « sagesse » de certains principes moraux – voir comment ils atteignent certains objectifs en reconnaissant implicitement de profondes vérités sur la nature humaine –, sans en accepter pour autant les effets secondaires. Mais appréhender cette « sagesse » peut nous aider à mieux comprendre le défi auquel nous sommes confrontés. Observons donc un mariage victorien d'un point de vue darwinien : pourquoi pas celui de Charles et Emma Darwin ?

Mais avant de revenir à la vie de Darwin, n'oublions pas que, jusqu'ici, nous avons analysé l'esprit humain dans l'abstrait ; nous avons parlé des adaptations « caractéristiques » à une espèce et destinées à en optimiser l'aptitude. En passant de l'espèce entière à un individu unique, nous *ne pouvons pas* attendre de ce dernier qu'il optimise régulièrement son aptitude ni la transmission de ses gènes aux générations futures. Et ce pour la raison suivante, qui va au-delà de tout ce que nous avons pu voir jusqu'à présent : la plupart des êtres humains ne vivent pas dans un milieu semblable à celui pour lequel leur esprit a été conçu. Les environnements – y compris ceux pour lesquels les organismes sont conçus – sont imprévisibles. C'est pourquoi la souplesse du comportement est la première des qualités qui évolue, le propre de l'imprévisible étant de ne pouvoir être anticipé. John Tooby et Leda Cosmides l'ont bien dit : « La sélection naturelle ne peut avoir la " vision " d'un organisme particulier dans une situation donnée et tailler sur mesure le comportement adéquat [23]. »

Le mieux que puisse faire la sélection naturelle, c'est de nous pourvoir en systèmes d'adaptation – « organes » ou « modules » mentaux – qui prennent les paris. Elle peut doter les hommes du module « amour de la progéniture » et faire en sorte que le module en question soit réceptif au fait que cette progéniture est bien celle de l'homme. Mais l'adaptation n'est pas à l'épreuve des tromperies. La sélection naturelle peut doter les femmes d'un module « attirance pour les muscles » ou « attirance pour le statut social ». Qui plus est, elle peut rendre la puissance de ces attirances dépendante de nombreux paramètres ; mais aucun de ces modules, si souple soit-il, ne peut garantir que ces attirances se convertiront un jour en une progéniture bien portante et prolifique.

Comme Tooby et Cosmides l'ont dit, les êtres humains ne sont pas des « optimisateurs d'aptitude ». Ils sont des « exécutants de l'adaptation » [24]. L'adaptation peut, ou non, donner de bons résultats. Et le succès peut être tout à fait partiel dans les environnements autres qu'un petit village primitif. Ainsi, s'agissant de Charles Darwin, la question n'est pas : « Peut-on imaginer ce qu'il aurait pu faire pour avoir une progéniture mieux portante et plus prolifique que ne le fut la sienne ? » La question est : « Sa conduite est-elle analysable en tant que produit d'un esprit composé d'un faisceau d'adaptations ? »

CHAPITRE V

LE MARIAGE DE DARWIN

> *Comme un enfant qui possède une chose qu'il aime par-dessus tout, je m'attarde sur ces mots, ma chère Emma toute à moi... Mon Emma à moi, j'embrasse tes mains, avec toute l'humilité et la gratitude qui m'emplissent de bonheur... Mais je t'en prie, chère Emma, souviens-toi que la vie est courte, et que deux mois représentent le sixième d'une année.*

> Darwin, en novembre 1838,
> dans une lettre où il presse sa fiancée
> d'accepter de l'épouser.

> *Le désir sexuel fait saliver... curieuse association.*

> Darwin,
> dans son carnet de notes scientifiques,
> même mois, même année [1].

À l'époque où Darwin se marie, soit dans les années 1830, le nombre de couples britanniques demandant le divorce est, en moyenne, de quatre par an. En fait, cette statistique peut prêter à confusion. Elle reflète sans doute aussi en partie cette propension qu'ont alors les hommes de mourir avant la crise existentielle de la cinquantaine. (Pour être plus précis, c'est la cinquantaine des femmes, plus que celle des hommes, qui suscite la crise.) Qui plus est, à l'époque, pour obtenir le divorce, il fallait – au sens propre – une décision du Parlement. Certes, les mariages pouvaient aussi se terminer autrement, par des séparations à l'amiable. Mais il ne fait aucun doute que l'on essayait de sauvegarder l'institution contre vents et marées, surtout dans le milieu qui était celui de Darwin, la haute bourgeoisie. Le mariage s'est encore maintenu ainsi pendant les cinquante ans qui suivirent l'année (1857) où la loi sur le divorce facilita les formalités de rupture [2]. Quelque chose, dans la morale victorienne, incitait à ne pas se séparer.

On n'a pas idée des souffrances qu'ont engendrées, dans l'Angleterre victorienne, de malheureux et interminables mariages ; encore ne surpassent-elles pas forcément celles que génère un divorce moderne [3]. Quoi qu'il en soit, nous connaissons quelques mariages victoriens réussis, parmi lesquels celui d'Emma et Charles Darwin. Leur attachement était réciproque et semble même s'être affermi avec les années. Sept de leurs enfants atteignirent l'âge adulte, et aucun ne prit plus tard la plume pour dénoncer des parents tyranniques. Leur fille Henrietta qualifie leur mariage d'« union parfaite » [4]. Leur fils Francis écrit à propos de son père : « C'est dans ses relations avec ma mère que sa tendresse et son aimable nature trouvaient leur plus belle expression. Son bonheur lui venait de sa seule présence, et sa vie – qui aurait pu être assombrie par la peine – connut grâce à elle la félicité d'une paisible et joyeuse existence [5]. » Aujourd'hui, le mariage de Charles et Emma Darwin nous apparaît presque idyllique dans sa douceur et dans sa pure et tranquille longévité.

LES ESPOIRS DE DARWIN

Sur le marché du mariage victorien, Charles Darwin est une affaire assez recherchée. C'est un gagnant, il a reçu une excellente éducation, la tradition familiale augure bien de sa carrière et il va hériter. Certes, il n'est pas particulièrement beau, et alors ? Les victoriens avaient des idées très précises sur la répartition des tâches en matière d'esthétique, idées compatibles avec la psychologie évolutionniste : d'heureuses perspectives financières faisaient un mari attirant, et une plastique heureuse une femme attirante. À l'époque où il est au collège, ou plus tard, à bord du *Beagle*, Darwin entretient avec ses sœurs une correspondance fournie, dans laquelle il est beaucoup question d'idylles. Il les a chargées d'enquêter pour lui, et elles lui envoient des rapports détaillés. Les hommes sont presque invariablement jugés à l'aune de leur capacité à assurer la vie matérielle d'une femme, et les femmes à l'aune de leur aptitude à créer une atmosphère de charme (tant visuelle qu'auditive) autour de leur futur. Les femmes répondant aux vœux de Charles sont « jolies », « charmantes » ou, au moins, « agréables ». « Je suis sûre qu'elle te plairait, écrit Catherine à son frère en évoquant l'une des candidates. Elle est si gaie, si agréable et, je trouve aussi, très jolie. » En revanche, les fiancés sont plus ou moins fortunés. Susan Darwin écrit à Charles : « Ta charmante cousine Lucy Galton s'est fiancée à Mr. Moilliet, l'aîné des fils d'une *très grosse*

Mrs. Moilliet... Comme le jeune homme ne manque pas de moyens, tout le monde est content [6]. »

Le voyage à bord du *Beagle* dura plus longtemps que prévu, et le jeune Darwin finit par passer cinq ans – en fait, le meilleur de ses vingt ans – loin de l'Angleterre. Mais l'âge, comme un physique médiocre, n'est pas chose bien redoutable pour un homme. Les femmes de la classe sociale de Darwin passent leurs vingt ans à s'exposer, dans l'espoir de trouver très tôt un parti. Comme Darwin, les hommes consacrent plutôt leur jeunesse à courir après un statut professionnel (et/ou la fortune) qu'ils pourront ensuite déposer aux pieds d'une jeune beauté. Pour eux, rien ne presse. Qu'une jeune femme épouse un homme sensiblement plus âgé qu'elle est alors considéré comme une chose normale, mais un victorien qui épouse une femme beaucoup plus vieille que lui sème la consternation. Pendant que Darwin navigue, sa sœur Catherine lui écrit que le cousin Robert Wedgwood, qui a à peu près l'âge de Charles, est « tombé éperdument amoureux de Miss Crewe, une femme de cinquante ans et qui ne voit que d'un œil ». Sa sœur Susan renchérit, sarcastique : « Ils n'ont que vingt ans de différence ! » Et Caroline d'ajouter : « Une femme qui pourrait être sa mère ! » Catherine a une théorie : « Comme c'est une femme intelligente, elle a dû le piéger par des artifices ; d'ailleurs, elle a de beaux restes, et ça a pu aider [7]... » En d'autres termes : le système de détection de l'âge a bien fonctionné chez l'homme, mais sur une femme dont la beauté persistante – c'est-à-dire la jeunesse apparente – l'a induit en erreur.

Le territoire sur lequel le jeune Darwin risque de trouver une épouse n'est pas bien vaste. Depuis son adolescence, les candidates potentielles sont issues de deux familles aisées, habitant à deux pas de chez les Darwin, à Shrewsbury. Il y a d'abord la fameuse Fanny Owen, « la plus jolie, la plus rondelette, la charmante », comme la décrit Darwin pendant ses années de collège [8]. Et puis il y a les trois plus jeunes filles de Josiah Wedgwood II, l'oncle maternel de Charles : Charlotte, Fanny et Emma [9].

Au moment où Charles embarque sur le *Beagle*, personne ne mise sur Emma comme sur une possible favorite – bien que sa sœur Caroline lui ait écrit en passant qu'« Emma est très jolie et sa conversation fort agréable » [10]. (Qu'est-ce qu'un homme peut désirer de plus ?) Mais le destin voudra que les trois autres candidates soient soudain écartées de la course !

La première, Charlotte, la sœur d'Emma, écrit en janvier 1832 à Darwin pour lui annoncer d'impromptues fiançailles avec un homme qui, admet-elle, « a très peu de revenus pour le moment », mais qui va très bientôt hériter de sa grand-mère. De toute façon, c'est un homme « de principes, gentil, et qui [lui] apporte la sécurité dont [elle a] besoin » [11]... (Traduction : argent en vue et volonté solide de l'investir dans une progéniture.) À vrai dire, Charlotte eût été un outsider. Bien

qu'elle ait favorablement impressionné Charles et son frère Erasmus
– ils la surnomment « l'incomparable » –, elle a au moins dix ans de
plus que Charles ; Erasmus est sans doute plus amoureux d'elle
(comme il semble l'avoir été de pas mal de femmes, sans jamais en
épouser aucune).

Plus troublante que le destin de Charlotte, cette nouvelle,
presque simultanée : la séduisante Fanny Owen a, elle aussi, décidé
de sauter le pas. Son père, dans une lettre adressée à Charles, se
montre extrêmement déçu : le fiancé « n'est pas très fortuné et ne le
sera vraisemblablement jamais » [12]. En réalité, c'est tout de même un
homme avec une position sociale, et qui a eu une brève carrière parlementaire.

Darwin réagit à toutes ces annonces de mariages dans une lettre
à sa sœur Caroline et ne cherche guère à donner le change : « Voilà
qui est probablement source de grand bonheur pour ceux qui sont
concernés, mais comme je préfère les femmes non mariées à celles
qui ont reçu la bénédiction nuptiale, je trouve tout cela fort déprimant [13]. »

L'idée que les sœurs de Darwin se font de son avenir – pasteur à
la campagne et bien marié – ne s'améliore pas à mesure que dispa-
raissent toutes les épouses potentielles. Catherine surveille celles qui
restent, Emma et Fanny Wedgwood, et fait part de sa préférence pour
Fanny. Elle écrit à Charles qu'elle espère que la jeune femme sera toujours célibataire lorsqu'il reviendra au pays : « Elle ferait une charmante petite épouse, parfaitement à la hauteur [14]. » Mais Fanny
tombe malade et meurt en l'espace d'un mois, à l'âge de vingt-six ans.
Avec trois prétendantes sur quatre ou mariées ou mise en terre, le destin
semble inexorablement désigner Emma.

Si Charles eut jamais des vues sur Emma, il les a bien cachées. Il
avait prédit, comme Catherine le lui rappelle un jour, qu'à son retour
il trouverait Erasmus « pieds et poings liés à Emma Wedgwood, et
totalement fou d'elle ». En 1832, Catherine écrit à Charles : « Ta pro-
phétie m'amuse d'autant plus qu'elle risque de faire son petit effet
en ne s'accomplissant pas [15]. » Erasmus continue de tourner autour
d'Emma, et pourtant elle est toujours disponible quand le Beagle
regagne l'Angleterre en 1836. En fait, on pourrait dire d'Emma
qu'elle est radicalement disponible ! Elle était une insouciante jeune
personne de vingt-trois ans lorsque le Beagle avait hissé les voiles et,
dans les deux années qui avaient suivi, elle avait reçu plusieurs
demandes en mariage. La voici désormais qui frise la trentaine et passe
le plus clair de son temps à s'occuper de sa mère infirme. Elle se
montre donc moins qu'auparavant en société [16]. Elle se prépare visiblement au retour de Darwin, puisqu'elle écrit à sa belle-sœur qu'elle
lit un livre sur l'Amérique du Sud, « pour en apprendre un peu sur
tout ce qu'il a vu » [17].

On peut se demander si le fait d'en « apprendre un peu » sera suffisant pour attirer l'attention de Charles sur cette amie d'enfance. À son retour, il possède ce que toutes les femmes de toutes les cultures ont toujours apprécié chez un homme : une situation. Du fait de son appartenance familiale, il a toujours eu une position sociale élevée, mais, à présent, il a en outre acquis de l'importance par lui-même. Depuis le *Beagle*, Darwin a expédié des fossiles, des spécimens organiques et de pénétrantes observations géologiques qui lui ont valu la considération des milieux scientifiques. Il peut désormais se frotter aux grands naturalistes de son temps. Au printemps 1837, il s'installe à Londres, dans une garçonnière à deux pas de chez son frère Erasmus. Il est très demandé.

Plus vaniteux, moins résolu, il eût pu se laisser entraîner et perdre son temps en mondanités étourdissantes – chose que le très sociable Erasmus se fût fait un plaisir d'encourager. Darwin est, certes, conscient du fait que son envergure professionnelle ne cesse de croître. (« Je me suis fait l'effet d'un lion dans ce milieu », dit-il après une visite à Cambridge.) Mais il est trop mesuré et trop sérieux pour se mêler au monde. Autant que faire se peut, il évite les mondanités. Il préfère, comme il le dira à son mentor, le professeur John Henslow, « [lui] rendre visite chez [lui] plutôt que de rencontrer la terre entière à un grand dîner ». Il décline ainsi une invitation de Charles Babbage, le mathématicien qui inventa la « machine analytique », engin précurseur de l'ordinateur : « Cher monsieur Babbage, je vous suis très obligé de m'avoir adressé cette invitation à votre fête, mais je crains de ne pouvoir l'accepter, car je sais que je vais y rencontrer des personnes auxquelles j'ai juré mes grands dieux que je ne sortais jamais [18]. »

Grâce au temps ainsi épargné, Darwin peut se lancer dans un travail de titan qui ne lui vaudra que des satisfactions. Au cours des deux années qui suivent son retour, il va : 1° Publier son journal de bord en volume (ouvrage très agréable à lire, qui se vend bien, et qui reparaît aujourd'hui en version abrégée sous le titre : *Le Voyage du* Beagle) ; 2° Obtenir habilement du chancelier de l'Échiquier un traitement de mille livres pour la publication de *Zoology of the Voyage of H.M.S. Beagle*, et réunir les souscriptions ; 3° Renforcer sa position dans le milieu scientifique britannique en publiant une demi-douzaine d'articles, qui vont de la description d'une espèce inconnue d'autruche américaine (baptisée *Rhea darwinii* par la Société zoologique de Londres) à une nouvelle théorie sur la formation de la couche arable (« Chaque particule de terre formant le substrat d'où provient l'humus de nos pâturages est passée par l'intestin des vers [19]. ») ; 4° Partir en expédition géologique en Écosse ; 5° Frayer avec les éminences du très fermé club masculin de l'Athenaeum ; 6° Se voir élire secrétaire de la Société géologique de Londres (poste qu'il accepte à contrecœur, craignant qu'il ne lui demande trop de temps) ; 7° Dresser l'inventaire de ses carnets de notes scientifiques – sur des sujets qui vont de la « question des espèces » à la religion, en passant par les facultés morales de l'être humain –, lesquels sont d'une densité intellectuelle telle qu'ils serviront de fondement à ses travaux pour les quarante années à venir ; et enfin, 8° Poser les bases de la théorie de la sélection naturelle.

OPTER POUR LE MARIAGE

C'est vers la fin de cette période – quelques mois avant que lui vienne à l'esprit l'idée de la sélection naturelle – que Darwin décide de se marier, sans savoir nécessairement avec qui. Rien ne prouve qu'il ait – fût-ce vaguement – Emma Wedgwood en tête, et on suppose au contraire qu'elle n'était pas du tout au centre de ses préoccupations. Dans une note mûrement réfléchie, apparemment rédigée vers le mois de juillet 1838, il récapitule ses idées sur le principe du mariage.

Le document comporte deux colonnes, l'une intitulée *Se marier*, et l'autre *Ne pas se marier*, au-dessus desquelles on peut lire une formule soulignée : « Voilà la question. » Dans la partie promariage, on lit : « Enfants (s'il plaît à Dieu), compagne permanente (et amie pour les vieux jours) qui s'intéressera à vous – objet d'amour et de désir avec lequel on peut se divertir. » Après une réflexion dont on ignore si elle fut longue, il ajoute à la phrase précédente : « Mieux qu'un chien, en tout cas. » Il continue : « Un foyer et quelqu'un pour s'en occuper. Le charme musical du babillage féminin. Toutes choses bonnes pour la santé. *Mais une épouvantable perte de temps.* » Ainsi, Darwin, oubliant qu'il est en train de remplir la colonne « pour », y inscrit un paramètre nettement antimariage, paramètre tellement important qu'il le souligne. Le résultat – cet empiètement du mariage sur son temps, et surtout sur son temps de travail – est ensuite développé plus longuement dans la colonne adéquate : *Ne pas se marier.* Ne pas se marier, écrit-il, préserverait « la liberté d'aller et de venir, de fréquenter une compagnie choisie (*et rare*), de converser au club avec des hommes intéressants, d'échapper aux visites à la famille et aux courbettes de toutes sortes, aux dépenses et aux soucis que procurent les enfants, aux éventuelles querelles – *perte de temps* –, à l'impossibilité de pouvoir lire le soir, à l'embonpoint et à la paresse, à l'anxiété et aux responsabilités : moins d'argent pour les livres et le reste..., et si nombreuse progéniture, au fait de devoir trimer pour l'élever ».

Pourtant, ce sont les arguments en faveur du mariage qui l'emportent, avec cette pensée qui figure au bas de la colonne *Se marier* : « Mon Dieu, la seule pensée d'avoir à passer sa vie à butiner comme une abeille, à travailler, travailler sans relâche, un point c'est tout, est insupportable. Non, non, je n'y tiens pas ! S'imaginer tout seul pendant une journée entière, dans l'enfumé et crasseux London House. Plutôt se représenter une douce et belle épouse installée sur un divan près du feu, avec des livres et de la musique peut-être. » Après cette image, il ajoute : « Se marier ; Marie (*sic*) ; se marier. CQFD. »

La décision de Darwin va connaître d'autres doutes, qui percent, innocemment au début, à mesure qu'il écrit : « Maintenant qu'il est prouvé qu'il faut se marier, quand faut-il le faire ? Tôt ou tard ? » Cette question est aussitôt suivie d'une crise de panique bien connue des jeunes gens qui sont fiancés. Les jeunes femmes la connaissent aussi, bien sûr, mais leurs doutes semblent davantage porter sur le choix de l'époux. Chez les hommes, comme en témoignent les notes de Darwin, la panique n'est pas provoquée essentiellement par le choix de la compagne ; c'est *l'idée même* d'une compagne à vie qui effraie. Car – dans une société monogame, du moins – elle anéantit tout espoir d'intimité avec d'autres femmes (fût-ce en passant), ce que les gènes d'un homme réclament pourtant à tout prix.

Ce qui ne veut pas dire que la panique qui précède le mariage se fixe vulgairement sur l'image d'éventuelles partenaires extra-conjugales ; le subconscient peut agir de façon plus subtile. Cependant, il reste vrai que, dans leur large majorité, les hommes sur le point de s'engager pour la vie avec une femme sont terrifiés, comme pris au piège par ce qui, pour eux, signifie la fin des aventures. « Hélas, ajoute Darwin avec un ultime frisson à l'heure de l'engagement définitif, je ne connaîtrai jamais le français, ni l'Europe, ni l'Amérique, je ne monterai pas en ballon, je ne ferai pas de voyage solitaire au pays de Galles – pauvre esclave – pire qu'un Nègre ! » Enfin, résigné, il réunit le courage nécessaire : « Qu'à cela ne tienne, mon garçon – courage ! On ne peut pas passer sa vie en solitaire et la terminer en vieillard usé et frileux, sans amis ni enfants, en ne rencontrant chaque matin dans la glace qu'un visage ridé. Tant pis, aie confiance en ta bonne étoile, et garde un œil ouvert ! Il peut exister des esclaves heureux. » Fin de citation [20].

CHOISIR EMMA

Auparavant, probablement au mois d'avril, Darwin avait pris d'autres notes tout aussi réfléchies, dans lesquelles il échafaudait des plans de carrière : enseigner à Cambridge ? La géologie ? La zoologie ? Ou bien : « Travailler sur la reproduction de l'espèce ? » Il soupesait aussi la question du mariage sans parvenir à la résoudre [21]. On ne sait ce qui l'a amené à rouvrir le débat et, cette fois, à se décider. Mais il est curieux de constater que, sur les six fois où il reprend son très sporadique journal intime, entre avril et juillet, il note à deux reprises qu'il ne se sent « pas bien ». Le malaise physique va prendre chez Darwin une tournure chronique, et il doit d'ores et déjà s'en rendre compte. L'ironie est singulière qui veut que sa condition de mortel soit à la fois ce qui pousse un homme au mariage et aussi ce qui l'y arrache, lorsque, plus tard, il se met en quête de nouvelles preuves de sa virilité. L'ironie s'estompe, néanmoins, une fois réduite à sa cause première : les pulsions qui poussent un homme à jurer un amour éternel à une femme et celles qui l'incitent à vagabonder, reposent sur une seule et même donnée : combien de fois ces pulsions ont-elles conduit ses ancêtres à se reproduire ? En ce sens, les deux pulsions constituent un véritable antidote à la mortalité, même si, au bout du compte, elles se révèlent inefficaces (sauf d'un point de vue génétique), et, pour ce qui est de la seconde − le « batifolage » − destructrices.

Quoi qu'il en soit, sur un plan moins philosophique, Darwin sent vraisemblablement qu'avant longtemps il aura besoin d'une épouse et d'une infirmière dévouée. Peut-être même pressent-il vaguement qu'il va passer des années à travailler, dans une indigente et patiente solitude, à un gigantesque ouvrage sur l'évolution. Sa santé se détériore, mais sa connaissance du sujet se développe. Il ouvre, en juin ou en juillet 1837, son premier cahier sur la « mutabilité des espèces » et entame le deuxième au début de l'année suivante [22]. En même temps qu'il rumine avec rigueur la question du mariage, il progresse sur celle de la sélection naturelle. Il est persuadé que l'une des clefs de l'évolution réside, au départ, dans une infime différence héréditaire ; que lorsqu'une espèce est divisée en deux populations − par une masse d'eau, par exemple −, ce qui n'était, de prime abord, que deux variantes d'une même espèce se transforme jusqu'à aboutir à la formation de deux nouvelles espèces bien distinctes [23]. Tout ce qu'il écrira par ailleurs − c'est-à-dire le gros de son travail − n'existe qu'à seule fin de déterminer ce qui a bien pu créer cette différence. En juillet 1838, il termine son deuxième cahier et commence le troisième, celui qui va apporter la réponse. Il se peut d'ailleurs que, rédigeant le même mois ses fatidiques considérations matrimoniales, il ait eu le pressentiment d'un succès imminent.

C'est à la fin du mois de septembre que surgit la solution. Darwin vient de lire le fameux essai de Thomas Malthus sur la population, essai qui démontre qu'une augmentation démographique naturelle va, si on ne la contrôle pas, épuiser les réserves alimentaires. Darwin écrit dans son autobiographie : « Étant moi-même très exercé à l'observation des habitudes des animaux et des plantes, j'étais préparé à comprendre cette lutte pour la vie qu'on retrouve partout, et il me vint tout de suite à l'esprit que, dans ces conditions, les bonnes tendances seraient préservées, tandis que les mauvaises finiraient par disparaître. Le résultat en serait la création de nouvelles espèces. Du moins avais-je ainsi mis la main sur une idée à explorer [24]... » Le 28 septembre, Darwin jette encore dans ses cahiers quelques notes à propos de Malthus et, sans décrire explicitement la sélection naturelle, en examine toutefois les effets : « On peut dire qu'il y a comme une force ressemblant à la pression qu'exerceraient cent mille leviers cherchant à soulever toutes les formes adaptées pour les faire basculer du côté de l'économie de la nature ou qui, au contraire, tenteraient de combler les vides laissés par l'éviction des plus faibles. La véritable raison de l'existence de ces leviers est la création d'une solide structure, capable de s'adapter aux changements [25]. »

L'orientation de sa vie professionnelle étant désormais établie, il ne reste à Darwin qu'à fixer le cours de sa vie affective. Six semaines après avoir rédigé les lignes ci-dessus, le dimanche 11 novembre (« Jour J », note-t-il dans son journal intime), il demande Emma Wedgwood en mariage.

Examinée de façon purement darwinienne, l'attirance de Charles pour Emma paraît étrange. À l'aube de ses trente ans, il est un homme aisé et plein d'avenir. Il eût pu épouser une femme jeune et ravissante. Or, Emma est son aînée de un an et, sans être laide (du moins de l'avis de son portraitiste), elle n'est pas non plus d'une époustouflante beauté. Pourquoi Darwin commet-il un acte aussi peu conforme aux lois de l'adaptation : épouser une femme mûre qui a déjà perdu plus de dix ans de potentiel reproductif ?

D'abord parce que l'équation mâle riche avec bonne position sociale = ravissante et jeune épouse est un peu sommaire. Nombre de facteurs peuvent jouer en faveur d'une union génétiquement prometteuse, parmi lesquels l'intelligence, la loyauté et divers terrains d'entente [26]. D'ailleurs, choisir une épouse revient aussi à choisir une mère pour sa progéniture. La force de caractère d'Emma augure bien de l'attention qu'elle consacrerait à des enfants. L'une de ses filles se souvient : « Grâce à son indulgence et à son tempérament serein, ses enfants se sentaient toujours à l'aise et en sécurité auprès d'elle, quels que soient les problèmes. En même temps, ils savaient que, du fait de sa générosité, rien ne lui était jamais un fardeau, et qu'ils pouvaient aller la trouver aussitôt qu'ils avaient besoin d'aide ou d'explications [27]. »

En outre, si la question est de connaître la « valeur » de la femme recherchée par Darwin, elle n'est pas, en revanche, de savoir si lui-même est un compagnon valable ; voyons plutôt comment il s'y prend pour donner l'impression qu'il l'est. Dès l'adolescence, voire plus tôt, chacun reçoit, en quelque sorte, des échos de sa « valeur marchande », échos qui vont façonner l'amour-propre et, par conséquent, décider de la hauteur des ambitions. Il ne semble pas que Darwin soit sorti de l'adolescence avec le sentiment d'être un mâle dominant. Quoique bien bâti, il est doux et n'est pas vraiment un battant. Et, comme le note une de ses sœurs, il se trouve un visage « franchement repoussant » [28].

Bien sûr, tout ceci aura moins d'importance après ses succès.

Adolescent, Darwin n'avait peut-être pas une position remarquable, mais il l'a conquise plus tard, et rien de tel que la réussite pour compenser, aux yeux des femmes, un physique médiocre et un certain manque de vigueur. Certes, son peu d'assurance semble avoir persisté – comme c'est souvent le cas lorsqu'un tel déficit se forme dès l'adolescence. La question est de savoir pourquoi.

Il se peut que le mécanisme réglant le manque d'assurance de Darwin soit un vestige de l'évolution, une adaptation qui eût amélioré l'aptitude dans l'environnement ancestral, mais qui, désormais, ne le fait plus. Dans de nombreuses sociétés primitives, la hiérarchie masculine s'établit dès les tout débuts de l'âge adulte ; à l'époque de Darwin, les hommes soumis, ceux du bas de l'échelle sociale, n'allaient pas à l'université et devaient assidûment grimper tous les échelons d'une carrière afin d'acquérir un prestige qui leur permettrait ensuite de séduire les dames. Ainsi, si, dans l'environnement ancestral, un amour-propre affermi dès l'adolescence a pu conduire l'individu à devenir une valeur durable sur le marché du mariage, dans un environnement plus moderne, il se peut qu'il soit devenu un indicateur défectueux.

Mais il se peut aussi qu'une piètre et tenace opinion de soi puisse être parfaitement adaptée à presque tous les environnements. Après tout, les femmes trompent bien leurs époux ! Du reste, le mythe populaire veut qu'elles trompent leurs maris avec de superbes mâles tout en muscles. C'est peut-être le médiocre sentiment de Darwin quant à son sex-appeal qui l'a empêché d'épouser une créature renversante, du genre de celles qui se laisseraient tourner autour par des séducteurs.

EMMA DIT OUI

En acceptant la demande en mariage de Darwin, Emma laisse à celui-ci un sentiment de « profonde gratitude pour avoir accepté un type tel que [lui] ». De son côté, elle est ravie, comme elle le dira plus tard, qu'il ait pu douter de sa réponse [29]. Personne n'a envie d'être tenu pour « acquis », ce qui augurerait mal de la suite des événements amoureux.

Emma ne montre d'ailleurs aucun signe d'hésitation. Il est clair qu'elle admire l'intelligence de Darwin. Pour expliquer son assentiment, elle met aussi l'accent sur l'honnêteté de son futur, son affection pour sa famille et sa nature « douce et équilibrée » [30]. (Traduction : il doit avoir de bons gènes et sans doute est-il susceptible d'apporter un investissement parental généreux et attentif.) De plus, il n'a pas pu échapper à Emma que Charles est issu d'une famille riche et qu'il est appelé à une brillante carrière (qu'il aura donc beaucoup de ressources financières et sociales à investir).

Emma est issue d'une famille plus fortunée encore. Son grand-père, potier inventif, connut un énorme succès et donna son nom à la « porcelaine Wedgwood ». Elle eût pu épouser un indigent sans craindre pour autant de voir ses enfants grandir dans le dénuement. Mais, nous l'avons vu, l'attraction qu'exercent le pouvoir social et la richesse a si fortement joué sur les femmes tout au long de leur évolution, qu'elles en gardent des traces indélébiles. Même si Emma Wedgwood avait pu *s'offrir* le luxe de faire son chemin dans la haute société londonienne – le cas échéant grâce à quelques bonnes œuvres –, le statut social de Darwin l'aurait probablement séduite. En tout cas, c'est ce qui s'est produit. Pendant leurs fiançailles, le couple est invité par le géologue Adam Sedgwick, professeur à l'université de Cambridge. « Quel honneur d'être invitée chez le grand Sedgwick, s'émerveille Emma. *Moi*, rien que d'y penser, je me sens déjà quelqu'un! Et qu'est-ce que ce sera quand je serai devenue Mrs. D. J'ose à peine y penser [31]. »

Les hommes sont bien évidemment très attachés, eux aussi, au statut social et à la richesse qu'apporte une compagne. Mais, si l'importance de ces facteurs a été inégalement distribuée entre les deux sexes au cours de l'évolution, l'attirance de l'homme pour une femme fortunée et socialement bien placée sera moins une affaire naturelle que le résultat d'un calcul. Dans ses notes du mois de juillet, lorsque Darwin se tourmentait des méfaits jumeaux du mariage – la « perte quotidienne de temps » et l'« atroce pauvreté » –, il faisait sournoisement suivre chacune de ses phrases d'une parenthèse : « À moins que la femme ne soit un ange qui vous pousse à travailler », ajoutait-il à la suite de son premier souci, et, après le second : « À moins que l'épouse ne soit meilleure qu'un ange, et riche. »

Que Darwin sache ou non à quoi s'en tenir quant à sa carrière et à sa santé, il n'en cerne pas moins le profil de la femme idéale pour un homme malade qui, sans être affilié à aucune université, souhaite, de surcroît, se lancer dans l'écriture de l'ouvrage scientifique le plus important du siècle. Et, bien qu'il n'ait peut-être, à ce moment-là, aucune idée de qui pourrait devenir sa femme, il vient de dessiner le portrait d'Emma Wedgwood [32]. Entre la fortune de son père, celle du père d'Emma, ses droits d'auteur et son talent pour les finances, le ménage Darwin n'allait pas manquer d'argent [33]. Bien qu'Emma n'ait pas « poussé » Darwin à travailler, elle l'a certainement encouragé à le faire en le maternant et en le protégeant contre toute espèce de distraction. Du reste, dès le départ, usant de la tactique détournée qu'on lui connaît, Darwin a tenu à mettre les choses au point avec Emma. Trois semaines après les fiançailles, il lui écrit en mentionnant la réaction d'une de ses connaissances à l'annonce de leur mariage : « Elle a dit : " Alors comme ça, Mr. Darwin va se marier; j'imagine qu'il ira s'enterrer à la campagne et qu'il sera à tout jamais perdu pour la géologie! " C'est mal connaître le genre de personne sérieuse que je vais épouser, celle qui va me renvoyer à mes devoirs et m'aidera, je le sais, à devenir meilleur à bien des égards [34]... »

DARWIN S'ENFLAMME

Que Darwin ait prudemment et rationnellement choisi son épouse ne veut pas dire qu'il ne soit pas amoureux d'elle. Quelque temps avant le jour du mariage, ses lettres à Emma sont si pleines d'émotion, qu'on se demande comment ses sentiments ont pu évoluer si rapidement. En juillet, il est, selon la façon dont on interprète son témoignage, soit à cent lieux de songer à l'épouser elle plutôt qu'une autre, soit sous l'emprise d'incessantes tergiversations au sujet de ce mariage. Fin juillet, il lui rend visite, et ils ont une longue conversation. Il retourne la voir trois mois et demi plus tard et lui pose enfin la question. Et voilà que soudain, il nage en plein ravissement ; il lui envoie des lettres enfiévrées, lui racontant comment il guette anxieusement le courrier chaque matin dans l'espoir d'y trouver une lettre d'elle, et qu'il ne dort plus la nuit, tant il songe à leur avenir : « Avec quelle impatience j'attends le jour où nous entrerons chez nous, ensemble ; comme ce sera beau de te voir assise auprès du feu, dans notre maison [35]! » Mais qu'est-il arrivé à cet homme ?

Au risque de vous paraître un rien obsessionnel, je voudrais revenir sur la question des gènes, et tout particulièrement sur celle de la différence entre les intérêts génétiques d'un homme et ceux d'une femme qui n'ont jamais eu de rapports sexuels ensemble. Avant une relation sexuelle, les gènes de la femme exigent souvent une prudente évaluation. L'affection ne doit pas se muer trop vite en une passion dévorante. En même temps, l'intérêt génétique de l'homme sera plutôt d'accélérer le mouvement, en prononçant les paroles qui vont faire tomber les défenses de la femme. Tout en haut de la liste de ces paroles se trouvent les serments d'attachement profond et d'amour éternel. Et les serments ne sont jamais si convaincants que lorsqu'ils traduisent des *sentiments* de tendresse et d'amour.

Une logique que peuvent venir amplifier divers paramètres, et notamment celui-ci : l'homme a-t-il eu jusqu'à présent une vie sexuelle satisfaisante ? Comme l'ont observé Martin Daly et Margo Wilson, « toute créature se dirigeant à coup sûr vers un fiasco reproductif total » devrait, en théorie, essayer de changer de cap avec une énergie croissante [36]. Autrement dit : la sélection naturelle ne montrerait probablement guère d'indulgence pour les gènes d'un homme dont l'activité sexuelle aurait été ralentie. Autant qu'on le sache,

Darwin a passé sa vie de célibataire sans avoir jamais eu de rapports sexuels [37]. Question : faut-il vraiment longtemps pour exciter un homme qui a été si longtemps sevré ? Alors que le *Beagle* est à quai, au Pérou, Darwin aperçoit des femmes élégantes drapées dans des voiles qui ne laissent apparaître qu'un œil. « Mais alors, écrit-il, cet œil unique, si noir et brillant, est si troublant, ce regard si expressif, qu'il vous pénètre jusqu'à la moelle [38]. » Une fois Emma à sa portée, le visage découvert, le corps bientôt tout à lui, rien d'étonnant que Darwin se mette à « saliver ». (Le terme ne semble pas trop fort : se reporter à la citation de son journal intime qui figure en tête de ce chapitre.)

Il est difficile de savoir ce qui l'emporte, chez Darwin, du désir sexuel ou de l'amour, à l'approche de son mariage. La valeur reproductive de l'un et l'autre de ces affects a considérablement varié au cours de notre évolution, tant d'un moment à l'autre (et c'est encore le cas), que d'un millénaire à l'autre. Quelques semaines avant son mariage, Darwin glisse cette réflexion parmi ses notes scientifiques : « Que se passe-t-il dans la tête d'un homme qui dit aimer quelqu'un ? Est-ce un sentiment aveugle, une sorte de transport sexuel ? L'amour, cette émotion, a-t-il à voir, est-il influencé par d'autres émotions [39] ? » Comme beaucoup de réflexions jetées par Darwin dans ses cahiers, celle-ci est sybilline. Mais, en liant amour et transports sexuels, et en suggérant que l'amour s'enracine peut-être profondément dans d'autres sentiments, cette réflexion semble aller dans le sens d'une conception darwinienne moderne de la psychologie humaine. On peut supposer (comme l'allusion à la salivation incite à le penser) que Darwin, à ce moment-là, était lui-même la proie d'une grande diversité de sentiments à l'égard d'Emma.

Et Emma, quels sont ses sentiments ? Sachant que l'urgence sexuelle du mâle n'a souvent d'égale que la circonspection de la femelle, on peut supposer, de la part d'Emma, moins d'ardeur que Darwin n'en manifeste. L'ambivalence, quant au passage à l'acte, est plus souvent féminine que masculine. Par conséquent, différer l'acte sexuel jusqu'au mariage devait théoriquement donner aux femmes le pouvoir pendant leurs fiançailles. Alors que les hommes avaient de bonnes raisons d'attendre impatiemment la nuit de noces (par comparaison, du moins, aux hommes d'aujourd'hui), les femmes avaient de bonnes raisons de se donner le temps de la réflexion (par comparaison aux femmes d'aujourd'hui).

Emma n'échappe pas à la règle. Au cours des fiançailles, elle propose de retarder le mariage jusqu'au printemps, alors que Darwin insiste pour qu'on s'en tienne à l'hiver. Elle prétexte que sa sœur Sarah Elizabeth, de quinze ans son aînée et toujours célibataire, conçoit des sentiments mêlés quant à ce mariage. Emma ajoute candidement, dans une lettre à Catherine, la sœur de Darwin : « D'ailleurs, c'est aussi ce que je souhaite. » Puis elle insiste : « Chère Catherine, je t'en prie, essaie de faire ralentir un peu le mouvement [40] ! »

Darwin a alors recours à sa plus belle prose (« l'espoir différé de pouvoir vraiment t'appeler ma femme rend mon cœur malade ») et parvient à éviter que sa lune de miel ne soit reportée. Mais même après que la date du mariage a été fixée, il semble anxieux du manque d'enthousiasme d'Emma et peut-être aussi de son attitude en général ; certes, les lettres de la jeune femme sont affectueuses, mais loin d'être enflammées. Darwin lui écrit : « Je prie pour que jamais tu ne regrettes le bel acte, j'ajouterai l'acte de bonté, que tu vas accomplir *ce mardi-là*. » Emma tente de le rassurer, mais elle n'est visiblement pas sous l'emprise du même envoûtement : « Ne crois pas, cher Charles, que je ne sois pas aussi heureuse que toi. J'attends avec impatience l'événement du 29 comme l'un des plus beaux de ma vie, encore que je ne le tienne pas, peut-être, pour aussi beau et bon que tu le dis [41]. » Aïe !

Peut-être tout cela ne reflète-t-il qu'une dynamique propre à Charles et Emma, et non une morale victorienne qui rendait l'acte sexuel indissociable du mariage. Emma n'a jamais été une femme terriblement sentimentale [42]. Après tout, il se peut qu'elle ait commencé d'avoir quelques doutes sur la santé de Charles, doutes d'ailleurs pleinement justifiés. Il n'en demeure pas moins que, s'il est plus difficile, de nos jours, de faire passer un homme devant M. le maire, c'est aussi parce que la mairie n'est plus l'étape obligatoire sur le chemin de l'oreiller.

APRÈS LA LUNE DE MIEL

L'acte sexuel peut modifier l'équilibre des sentiments. Bien que la femme soit généralement plus longue que l'homme à laisser se déchaîner ses ardeurs, une fois passée la barre, elle devrait théoriquement se détendre et se laisser porter par la vague. Ayant jugé un homme digne de s'unir à l'épopée de son investissement parental, elle a génétiquement tout intérêt à ne pas le lâcher. Le comportement d'Emma correspond, une fois encore, aux prévisions. Dès les premiers mois de leur mariage, elle écrit : « Je ne peux lui dire à quel point il me rend heureuse, combien je l'aime, comme je le remercie pour toute l'affection dont il me comble et qui contribue chaque jour davantage à mon bonheur [43]. »

Que l'acte sexuel renforce l'affection d'un homme est une tout autre histoire. Il se peut que ses serments aient été le seul fruit de son aveuglement ; il se peut aussi qu'une fois sa compagne enceinte, il en rencontre une autre, non dépourvue de charmes. Mais tel ne fut pas le cas de Darwin. Plusieurs mois après son mariage (et des semaines après la conception de son premier enfant), des notes griffonnées dans son cahier attestent qu'il cherche confusément une explication évolutionniste à cette question : Comment « les marques de bonté d'un homme envers sa femme et ses enfants peuvent-elles lui procurer un plaisir, dans la mesure où son propre intérêt n'entre pas en ligne de compte »? Ce qui laisse supposer que son affection pour Emma demeure intacte[44].

La chose n'a peut-être rien de surprenant. La valeur tactique de la retenue féminine ne repose pas uniquement sur le fait que l'homme, fou de désir, va se mettre, pour parvenir à ses fins, à dire et même à *croire* n'importe quoi, y compris : « Je veux passer toute ma vie avec toi. » Si le mécanisme « madone-putain » fonctionne vraiment au cœur du cerveau masculin, alors la retenue féminine peut affecter durablement l'opinion du mâle en ce qui la concerne. Si elle ne plie pas sous la pression de ses avances, il sera plus enclin à la respecter le lendemain matin – et peut-être même pendant des années. Il pourra *dire* « je t'aime » à des femmes dont il aura envie, et peut-être le pensera-t-il; mais il continuera plus sûrement de le penser s'il n'obtient pas tout de suite leurs faveurs. N'y aurait-il pas un peu de sagesse chez ces victoriens qui réprouvaient la sexualité avant le mariage?

Mais, bien au-delà même de cette réprobation, la culture victorienne exaltait la partie « madone » dans le cerveau masculin et y paralysait la partie « putain ». Les victoriens appelaient eux-mêmes « culte de la femme » leur attitude à l'égard des femmes. La femme était une rédemptrice, l'incarnation de l'innocence et de la pureté, capable de dompter la bête en l'homme et de sauver son esprit qu'étouffait le monde du travail. Mais elle ne pouvait le faire que dans un contexte domestique, sous la bénédiction du mariage, et après avoir été longuement et chastement courtisée. Le secret, c'était d'avoir – et c'est d'ailleurs le titre d'un poème de l'époque – un « ange à la maison »[45].

L'idée n'était pas seulement que les hommes, à un certain moment de leur vie, devaient cesser de faire les quatre cents coups, se ranger et aduler leurs épouses. Non, pour commencer, ils n'étaient pas censés faire de coups du tout. Bien que le libertinage soit monnaie courante au XIXᵉ siècle, en Angleterre comme ailleurs, il est combattu par les plus sévères gardiens de la morale victorienne (y compris par le docteur Acton), qui prêchent aux hommes, non seulement l'abstinence extraconjugale, mais aussi l'abstinence préconjugale. Dans *The Victorian Frame of Mind*, Walter Houghton écrit : « Pour préserver la pureté de son corps et de son esprit, on enseignait au jeune garçon à considérer les femmes comme des objets dignes du plus grand respect et même de la plus grande crainte. » Bien que le jeune homme fût supposé gratifier toute femme de ce respect, certaines d'entre elles méritaient mieux encore : « Il devait considérer les dames (ses sœurs, sa mère ou sa future épouse) comme des anges plutôt que comme de simples humains – une métaphore merveilleusement calculée, non seulement pour dissocier amour et sexe, mais aussi pour transformer l'amour en dévotion, en culte de la pureté[46]. »

Si Houghton écrit « calculée », c'est de façon délibérée. Voici comment, en 1850, un auteur décrit les vertus de la chasteté prénuptiale : « Où trouver cette vénération pour le sexe féminin, cette tendresse de sentiments, cette profonde dévotion du cœur qui est, dans l'amour, ce qu'il y a de plus beau et de plus pur ? N'est-il pas certain que, ce qu'il y a de délicat et de chevaleresque dans nos sentiments envers les femmes, nous le devons à une passion *réprimée*, et, par conséquent, élevée et sanctifiée ? Qu'est-ce qui peut, de nos jours, préserver la chasteté, sauver quelques vestiges de cette galante dévotion ? Ne savons-nous donc pas qu'un jeune homme ne peut avoir de meilleure sauvegarde contre la sensualité qu'un attachement précoce, vertueux et passionné [47] ? »

Hormis le mot *réprimer*, qui sans doute en dépeint mal la dynamique psychologique, ce passage est assez plausible. On voit comment, pour son auteur, la passion d'un homme peut être « élevée et sanctifiée » si elle n'est pas trop vite satisfaite – autrement dit, courtiser chastement une femme permet à celle-ci de passer dans la partie « madone » du cerveau masculin.

Ce n'est pas là l'unique raison pour laquelle courtiser chastement une femme peut encourager le mariage. Rappelons-nous que, dans l'environnement ancestral, il n'existait ni préservatifs, ni diaphragmes, ni pilules contraceptives. Ainsi, si deux adultes s'unissaient, couchaient ensemble pendant un an ou deux et n'avaient pas d'enfants, il y avait fort à parier que l'un des deux était stérile. Bien sûr, on n'avait aucun moyen de savoir lequel, mais tous deux avaient peu à perdre à se séparer pour trouver chacun un nouveau partenaire. L'adaptation qu'implique cette logique est un « module de rejet du partenaire » (*mate ejection module*) : un mécanisme mental qui, inscrit chez le mâle comme chez la femelle, permet à la relation de tourner court lorsqu'elle se révèle stérile [48].

Cette théorie, quoique passablement spéculative, s'appuie néanmoins sur quelques données objectives. Dans toutes les cultures du monde, les mariages stériles sont ceux qui se défont le plus facilement [49]. (Ne parlons pas des cas où la stérilité est la cause avouée de la séparation ; le plus souvent, l'éloignement du compagnon est motivé de façon *inconsciente*.) Comme en témoignent de nombreux époux, la naissance d'un enfant cimente souvent un couple, même indirectement. L'amour de la femme se reporte en grande partie sur le nouveau-né, pour se répandre ensuite sur toute la famille, mari compris. C'est un *genre* d'amour différent et qui a sa solidité propre. En l'absence de cette recharge indirecte, l'amour existant entre les époux risque de s'éteindre totalement – et à dessein.

Darwin lui-même s'est inquiété de ce que la technologie contraceptive allait « se répandre chez les femmes célibataires et détruire la chasteté dont dépendent les liens familiaux. L'affaiblissement de ces liens serait, pour l'humanité, le plus désastreux de tous les maux » [50]. Il n'a certainement pas saisi toutes les raisons darwiniennes qui font que la contraception et son corollaire, les rapports sexuels prénuptiaux, pourraient un jour détourner les gens du mariage. Il ne soupçonnait rien du principe de base de la dichotomie « madone-putain », ni de l'existence éventuelle d'un « module de rejet du partenaire ». Et, aujourd'hui encore, nous sommes loin d'avoir des certitudes à ce sujet. (Les corrélations établies entre sexualité prénuptiale et divorce, ainsi qu'entre concubinage prénuptial et divorce, bien qu'intéressantes, sont ambiguës [51].) Cependant, il est maintenant plus difficile qu'il y a trente ans de reléguer les craintes de Darwin au rang des sermons d'un victorien vieillissant.

La contraception n'est pas la seule technologie risquant d'affecter la structure de la vie familiale. Les femmes qui allaitent disent qu'elles sont moins portées à faire l'amour, ce qui se comprend d'un point de vue darwinien, puisqu'elles ne peuvent pas concevoir pendant cette période. Il arrive aussi que les maris ne trouvent pas une femme qui allaite particulièrement excitante, probablement, dans le fond, pour la même raison. Ainsi, le biberon rendrait donc les épouses plus désireuses et plus désirables. Il est difficile de dire si, en définitive, tout cela est bon pour la cohésion familiale. (Cela va-t-il pousser les femmes à avoir des liaisons extraconjugales ou dissuader les hommes d'en avoir ?) En tout cas, cette logique peut donner un sens à l'affirmation, par ailleurs comique, du docteur Acton : « Les meilleures mères, épouses et maîtresses de maison ignorent tout, ou presque, des complaisances sexuelles. L'amour du foyer, des enfants et les devoirs domestiques sont leurs seules passions. » Dans l'Angleterre victorienne, alors que tant de femmes passaient le plus clair de leurs années fertiles à porter des enfants et à les allaiter, il est vrai que la passion a dû rester en friche [52]...

Même si une kyrielle de bébés peut favoriser la stabilité du couple, les intérêts du mari et de l'épouse peuvent aussi diverger avec le temps. Plus les enfants sont grands (c'est-à-dire moins ils ont besoin de l'investissement paternel) et plus la femme vieillit, moins l'amour de l'homme sera soutenu par l'héritage que lui a laissé l'évolution. On a beaucoup moissonné, la terre est de moins en moins fertile, il est peut-être temps de se remettre en route [53]. Naturellement, le mari éprouvera plus ou moins fortement cette pulsion, selon qu'elle sera ou non susceptible de porter des fruits. Un homme riche et plein d'allant risque d'obtenir des femmes le genre de regards qui alimentent cette pulsion ; ce qui ne sera pas le cas d'un pauvre bougre défiguré. Cependant, la pulsion aura tendance à se manifester plus fortement chez l'homme que chez la femme.

Bien que l'équilibre mouvant de l'attirance entre mari et femme soit rarement décrit de façon aussi explicite, il transparaît souvent de façon indirecte dans la littérature romanesque, dans des aphorismes, dans la sagesse populaire, comme autant d'avertissements à l'usage des fiancés. Le professeur Henslow, un vétéran avec derrière lui quinze années de mariage, écrit à Darwin juste avant ses noces : « Le seul conseil que j'ai à vous donner, c'est de vous souvenir, en épousant une femme pour le meilleur et pour le pire, d'apprécier le meilleur et d'oublier le pire. » Il ajoute : « C'est pour avoir négligé ce point que tant d'hommes souffrent dans le mariage et regrettent le célibat comme une félicité [54]. » En d'autres termes, souvenez-vous d'une règle simple : ne cessez jamais d'aimer votre femme, comme tant d'hommes semblent enclins à le faire.

Quant à Emma, on lui conseille non pas de fermer les yeux sur les défauts de Charles, mais plutôt de dissimuler les siens, surtout ceux qui donnent à une femme l'air vieilli et défait. Une tante (consciente peut-être de ce qu'Emma n'a aucun goût en matière d'habillement) lui écrit : « Dépense un peu plus et sois toujours bien habillée ; ne néglige pas ces petits détails qui rendent les femmes plus agréables à regarder, sous prétexte que tu estimes avoir épousé un homme pour qui ce genre de choses est sans importance. Aucun homme n'est au-dessus de ce genre de choses... Je l'ai constaté même chez mon époux, pourtant à demi aveugle [55]. »

La logique de l'idiosyncrasie masculine demeure obscure à qui la subit. Un homme lassé de sa compagne ne se dit pas : « Je sers mieux mon potentiel reproductif si je romps ce mariage, c'est donc ce que je vais faire pour de très égoïstes raisons. » La conscience de son égoïsme ne pourrait que l'entraver dans sa quête. Il est beaucoup plus simple pour les sentiments qui l'ont amené à ce mariage d'opérer une retraite lente, mais totale.

Un mari inconstant peut porter sur sa femme vieillissante un regard d'une sévérité croissante. Charles Dickens, l'un des rares membres de la haute bourgeoisie victorienne qui eût officiellement quitté sa femme (par séparation, non par divorce) en est une excellente illustration. Élu membre de l'Athenaeum, le même jour que Darwin, en 1838, Dickens était marié depuis deux ans à celle qu'il appelait alors sa « meilleure moitié ». Vingt ans plus tard – devenu célèbre et attirant donc les regards de nombreuses jeunes femmes –, il éprouve quelques difficultés à voir le bon côté de cette « meilleure moitié ». Il lui semble désormais qu'elle vit dans une « atmosphère morbide qui détruit tous ceux qui devraient l'aimer ». Voici ce qu'il écrit à un ami : « Je crois que jamais deux individus n'ont eu entre eux si peu de goûts, d'amitié, de confiance, de sentiments, de tendresse, que ma femme et moi. » (Dans ce cas, peut-être aurait-il pu en parler avec elle *avant* de lui faire dix enfants ?) Un chroniqueur de leur mariage écrit : « À ses yeux, sa femme était devenue d'une inertie, d'une mesquinerie et d'une apathie proches de l'inhumain [56]. »

Emma Darwin, comme Catherine Dickens, vieillira et perdra ses jolies formes. Et Charles Darwin, comme Charles Dickens, gagnera en envergure socioprofessionnelle après son mariage. Mais il ne semble pas qu'il ait jamais trouvé Emma « proche de l'inhumain ». À quoi tient donc la différence ?

CHAPITRE VI

LE PLAN DARWINIEN
POUR LE BONHEUR CONJUGAL

> *Elle a été la plus grande bénédiction de ma vie,*
> *et je peux affirmer que je ne l'ai jamais entendue pro-*
> *noncer un mot dont j'aurais souhaité qu'il ne fût pas*
> *dit... Elle a été un conseiller avisé et mon gai réconfort*
> *tout au long de ma vie qui, sans elle, aurait été, à*
> *cause de la maladie, longtemps malheureuse. Elle a*
> *gagné l'amour et l'admiration de tous ceux qui l'ont*
> *approchée.*

Autobiographie (1876) [1]

Dans sa quête d'un mariage réussi et durable, Charles Darwin ne manque pas d'atouts.

D'abord, il souffre d'une maladie chronique. Neuf ans après son mariage, alors qu'il rend visite à son père souffrant, et qu'il est lui-même mal en point, il écrit à Emma qu'il « languit » loin d'elle : « Comme je me sens perdu sans toi quand je suis malade ! » Il conclut ainsi sa lettre : « Je suis impatient de te revoir, de retrouver ta protection, car alors je me sens en sécurité [2]. » Au bout de trente années de mariage, Emma remarquera que « rien ne marie si bien quelqu'un que la maladie » [3]. Il est possible que cette réflexion soit plus amère que douce. La maladie de Darwin a toute sa vie été un fardeau pour elle, et elle n'a pu se rendre compte de ce qui l'attendait vraiment que bien après son mariage. Qu'Emma en ait conçu, ou non, des doutes sur le mariage, il n'en reste pas moins que, pendant la majeure partie de sa vie d'homme marié, Darwin a été d'une faible « valeur marchande ». Et, dans un mariage, celui – homme ou femme – qui présente une « faible valeur marchande » se contente souvent d'une vie sexuelle calme, sinon inexistante.

Autre atout de Darwin dans son mariage : sa sincère adhésion à

l'idéal victorien de la femme en tant que salut spirituel. Dans ses soli-
loques prénuptiaux, il imaginait un « ange » qui le pousserait à travailler, tout en ne le laissant pas suffoquer sous le poids de la tâche. Il eut
l'ange et aussi l'infirmière. Et, pour faire bonne mesure, le fait de
l'avoir chastement courtisée a contribué à ce que Darwin range Emma
dans la catégorie des « madones ». Il écrit vers la fin de sa vie : « Je
m'émerveille de la chance que j'ai eue. Qu'elle, si infiniment supérieure à moi en toute qualité morale, ait pu consentir à devenir ma
femme [4]... »

Troisième avantage : la situation géographique. Un peu comme
les gibbons, les Darwin vivent sur un territoire de neuf hectares, à
deux heures de Londres et de ses distractions féminines. On sait à quel
point le fantasme sexuel de l'homme est essentiellement sollicité de
façon visuelle, alors que les fantasmes féminins comprennent plus fréquemment caresses, tendres murmures et autres témoignages d'un
engagement à venir. Rien d'étonnant à ce que les fantasmes masculins
et l'excitation sexuelle chez l'homme soient aussi plus facilement pro-
voqués par des signes purement visuels, par la seule vue d'une chair
anonyme [5]. Ainsi, l'isolement visuel est une très bonne méthode pour
empêcher chez un homme certaines pensées qui l'amèneraient à l'insatisfaction conjugale ou à l'infidélité, voire aux deux.

L'isolement est quasi impossible de nos jours, et ce n'est pas seulement parce que les jolies femmes ne s'enferment plus à la maison,
enceintes et en pantoufles. Où que se porte notre regard, il tombe sur
des images de ravissantes créatures. Le fait qu'elles soient en deux
dimensions ne les rend pas plus innocentes. La sélection naturelle ne
pouvait pas « prévoir » l'invention de la photographie. Dans l'environnement ancestral, tant de représentations de jolies personnes
eussent impliqué une (génétiquement) intéressante alternative à la
monogamie, et les sentiments se seraient adaptés en conséquence. Un
psychologue évolutionniste a constaté que des hommes auxquels on
avait montré les mannequins du magazine *Playboy* se prétendaient
ensuite moins épris de leur femme que ceux auxquels on avait montré
d'autres images. (Les femmes ayant regardé des photos de *Playgirl*
n'ont en rien modifié leur attitude à l'égard de leurs époux [6].)

Enfin, le couple Darwin a aussi eu le privilège d'être extrêmement fécond. Lorsque des époux ont la chance de pouvoir faire des
enfants sans discontinuer, tout en disposant des moyens suffisants
pour les élever, ils sont généralement assez peu tentés d'aller batifoler.
Le vagabondage sexuel demande du temps et de l'énergie, toutes
choses qui peuvent avantageusement être investies dans une génération de charmants petits véhicules de la transmission génétique. Le fait
que le divorce soit moins fréquent dans les familles où il y a beaucoup
d'enfants est parfois perçu comme la preuve que les couples choisissent de supporter les souffrances du conjungo « pour le bien des
enfants ». Cela ne fait pas l'ombre d'un doute. Mais on peut au moins

imaginer que l'évolution nous a incités à aimer un partenaire plus profondément lorsque l'union s'est révélée fructueuse [7]. Les couples qui prétendent rester mariés et ne pas vouloir d'enfants feront mentir l'une et l'autre hypothèse [8].

On peut maintenant tracer dans ses grandes lignes un plan darwinien pour le bonheur conjugal : faire chastement sa cour, épouser un ange, aller vivre à la campagne peu après le mariage, avoir des tripotées d'enfants et sombrer dans une maladie très affaiblissante. Se plonger dans le travail peut aussi aider, surtout si le travail en question n'oblige à aucun voyage d'affaires...

CONSEILS MATRIMONIAUX À L'USAGE DES HOMMES

Pour un homme ordinaire de la fin du xxᵉ siècle, le plan darwinien n'est guère réalisable. Peut-être peut-on glaner dans la vie de Darwin quelques idées plus pratiques pour une monogamie de longue durée ? Commençons par son approche en trois temps du mariage : 1° Décider avec méthode et raison de se marier ; 2° Trouver la personne qui, de façon concrète, correspondra aux aspirations ; 3° L'épouser.

L'un de ses biographes a critiqué chez Darwin cette démarche si formelle, en disant de ses considérations matrimoniales qu'elles étaient « vides d'émotion » [9]. Peut-être bien. Mais peut-être faut-il aussi rappeler que Darwin a été, pendant près d'un demi-siècle, un époux et un père aimant. Tout homme qui souhaiterait remplir ce rôle tirerait profit d'un examen attentif des « considérations vides d'émotion » de Darwin sur le mariage. Il n'est pas impossible qu'elles recèlent une leçon adaptable aux Temps modernes.

À savoir : l'amour « durable » est une chose qu'on doit *décider* d'expérimenter. L'amour monogame à vie n'a rien de naturel – pas même pour les femmes, et moins encore pour les hommes. Il requiert ce que, à défaut de meilleures formules, on peut appeler un acte volontaire. D'où la justesse de la séparation qu'opère Darwin entre la question du mariage en tant que telle et celle du choix de la partenaire. Le fait qu'il ait – et fermement à la fin – décidé de se marier est aussi important que l'identité de l'épousée.

Ce qui ne signifie pas qu'un jeune homme ne puisse espérer succomber au coup de foudre. Darwin lui-même a été pas mal « secoué » à l'approche de son mariage. Mais la constance des sentiments d'un homme est loin d'être forcément proportionnelle à la puissance de sa passion initiale ! L'ardeur va certainement diminuer, tôt ou tard, et le mariage ne durera que dûment soutenu par le respect, la compréhension, l'affection, et (surtout de nos jours) par la détermination. C'est grâce à cela que pourra durer jusqu'à la mort une chose qui méritera de porter le label « amour ». Certes, ce sera un autre genre d'amour que celui qui a présidé au mariage. Sera-t-il plus profond, plus riche, plus spirituel ? Les opinions varient à ce sujet. En tout cas, ce sera certainement un amour plus émouvant.

Il faudrait ajouter à tout cela que les mariages ne sont pas nécessairement paradisiaques. L'un des grands motifs de divorce chez les hommes (et chez les femmes), c'est quand ils s'imaginent soudain avoir épousé la « mauvaise » personne, persuadés que la prochaine fois ils épouseront la « bonne ». En fait, c'est peu probable. Les statistiques sur le divorce rejoignent plutôt l'opinion de Samuel Johnson, qui qualifiait la décision d'un homme de se remarier de « victoire de l'espoir sur l'expérience »[10].

John Stuart Mill avance un point de vue tout aussi sensé. Il insiste sur l'idée de *tolérance* face à la diversité morale, il souligne les bienfaits, à terme, d'un certain anticonformisme dans nos sociétés, mais ne recommande à personne d'ériger en mode de vie une morale aventureuse. Sous le radicalisme qui transparaît dans *De la liberté*, Mill nous conseille de contrôler fermement nos pulsions par la pensée. « La grande majorité des individus n'est pas vraiment douée pour le bonheur, écrit-il dans une lettre. Ils attendent [...] du mariage beaucoup plus de bonheur qu'ils n'en trouvent généralement. Et, sans comprendre que la faute en incombe uniquement à leur propre inaptitude au bonheur, ils s'imaginent qu'ils auraient été plus heureux avec quelqu'un d'autre. » Conseil de Mill aux insatisfaits : on ne bouge pas et on attend que ça passe. « S'ils restent unis, le sentiment de déception finit par disparaître avec le temps, et ils passent le reste de leur vie ensemble, avec autant de bonheur qu'ils en auraient trouvé seuls ou avec quelqu'un d'autre, et sans avoir enduré l'épuisante répétition des expériences ratées[11]. »

Beaucoup d'hommes – et certaines femmes aussi, quoique moins nombreuses – apprécieront fort ces expériences en leurs débuts. Mais, à la fin, ils risquent de découvrir que cet éclair de bonheur n'était encore une fois qu'une illusion savamment entretenue par leurs gènes, dont le but premier n'est autre, on s'en souvient, que de faire de nous des êtres prolifiques, pas des individus durablement heureux. (De toute façon, ces gènes n'opèrent pas dans l'environnement où nous avons été conçus. Dans une société moderne, où la polygamie est illégale, une pulsion polygame peut provoquer plus de dommages affectifs chez les individus concernés – notamment chez la progéniture – que ne l'eût « voulu » la sélection naturelle.) La question se pose alors en ces termes : le plaisir éphémère que procurent de plus verts pâturages surpasse-t-il la douleur qu'il y a à abandonner les siens ? Ce n'est pas une question simple, moins encore une question dont la réponse s'imposerait d'elle-même face aux désirs de quelqu'un. Mais contrairement à ce que penseraient beaucoup de gens (surtout les hommes), la réponse est négative.

Il n'est d'ailleurs pas certain que la stricte arithmétique des plaisirs et des peines tranche la question. Peut-être, par une sorte d'effet cumulatif, la cohérence d'une vie compte-t-elle pour quelque chose. Des générations d'hommes ont déclaré que, sur la longue route d'une vie partagée avec femme et enfants, malgré toutes les frustrations, ils avaient trouvé des satisfactions qu'ils n'eussent pas obtenues autrement. Bien sûr, on ne devrait pas accorder trop de poids aux témoignages des vieux mariés. Pour chacun de ceux qui affirment avoir été comblés, on peut trouver au moins un célibataire ravi d'accumuler les conquêtes. Il convient cependant de noter qu'un certain nombre de ces vieux mariés vécurent les premiers temps de la libération sexuelle et admettent avoir apprécié l'expérience. Alors qu'aucun célibataire ne peut prétendre savoir ce qu'est fonder une famille et vivre à ses côtés.

John Stuart Mill aborda le sujet en élargissant le contexte. Et même lui, le principal avocat de « l'utilitarisme », insiste sur le fait que, lorsqu'il affirme que « le plaisir et la fin de la souffrance sont les seules aspirations fondamentales de l'homme », il ne l'entend pas aussi simplement qu'il y paraît. Il pense que les joies et les peines que nous pouvons apporter aux autres (surtout à ceux qui sont issus de notre mariage) sont moralement facturées à notre compte. En outre, Mill insiste sur la qualité du plaisir, et non pas seulement sur sa quantité, attachant une valeur toute particulière à des plaisirs mettant en œuvre les « plus hautes facultés ». Il écrit : « Peu d'êtres humains accepteraient d'être réduits au statut de vil animal contre la promesse d'une vie entière vouée au plaisir bestial... Nous préférons notre condition d'être humain insatisfait à celle de porc comblé ; nous préférons être un Socrate insatisfait plutôt qu'un crétin comblé. Et si le crétin ou le porc sont d'un avis différent, c'est parce qu'ils ne voient la question que de leur côté, tandis que l'être humain, lui, en connaît les deux côtés [12]. »

DIVORCE D'AUTREFOIS ET DIVORCE D'AUJOURD'HUI

Depuis l'époque de Darwin, les incitations au mariage ont été modifiées – et, en fait, inversées. Autrefois, les hommes avaient toutes sortes de bonnes raisons de se marier (le sexe, l'amour et la pression sociale) et une bonne raison de le rester (ils n'avaient pas le choix). Aujourd'hui, un célibataire peut avoir des rapports sexuels, avec ou sans amour, régulièrement et en toute honorabilité. Et si, pour une raison ou l'autre, il trébuche et tombe dans le mariage, inutile de s'alarmer : une fois dissipés les premiers frissons amoureux, il n'aura qu'à quitter la maison pour reprendre une vie sexuelle active, sans que personne lève un sourcil. Le divorce qui s'ensuit n'est pas chose si compliquée. Alors que le mariage victorien était un piège séduisant, le mariage moderne n'a rien d'une nécessité, et on peut fort bien s'en évader.

Le changement s'est produit au début du siècle et, dans sa seconde moitié, a atteint des proportions phénoménales. Le taux de divorce aux États-Unis, alors qu'il était resté stable entre 1950 et le début des années 60, a doublé entre 1966 et 1978, où il a atteint son niveau actuel. Il était devenu si facile et si commun de s'évader du mariage, que les hommes (et, sans doute, de façon moins spectaculaire, les femmes) s'en sont désintéressés. Entre 1970 et 1988, bien que l'âge moyen des femmes se mariant (pour la première fois) augmentât, le pourcentage de jeunes filles de dix-huit ans déclarant avoir eu des rapports sexuels passait de 39 à 70 %. Pour les jeunes filles de quinze ans, il passait de une sur vingt à une sur quatre [13]. Le nombre de concubins non mariés aux États-Unis passait de un million en 1970 à presque trois millions en 1990.

D'où une double calamité : d'un côté, le divorce facile crée une population croissante d'ex-épouses, de l'autre, le sexe facile crée une population croissante de femmes jamais mariées. Entre 1970 et 1990, le nombre d'Américaines âgées de trente-cinq à trente-neuf ans qui n'ont jamais été mariées est passé de une sur vingt à une sur dix [14]. Et dans le groupe des femmes du même âge qui *ont été mariées*, environ un tiers a aussi divorcé [15].

Pour les hommes, les chiffres sont encore plus sévères. Un homme sur sept, âgé de trente-cinq à trente-neuf ans, n'a jamais été marié ; et, comme on l'a vu, la monogamie à répétition tend à laisser davantage d'hommes que de femmes dans cette situation [16]. Pourtant, ce sont sans doute les femmes les grandes perdantes. Il est vraisemblable qu'elles souhaitent plus que les hommes avoir des enfants. Et une quadragénaire célibataire et sans enfants, contrairement à son équivalent masculin, va bientôt voir toutes ses chances de maternité brusquement réduites à zéro. Pour ce qui est des conditions de vie respectives des hommes et des femmes divorcés : aux États-Unis, le divorce apporte à l'homme une nette amélioration de son niveau de vie, pendant que sa femme, restée seule avec les enfants, subit l'effet contraire [17].

En Angleterre, la loi sur le divorce de 1857, qui contribuait à rendre légitime la séparation, fut bien accueillie par les féministes. Parmi elle, Harriet Taylor Mill, la femme de John Stuart Mill qui, jusqu'à la mort de son premier mari, avait été prisonnière d'un mariage qu'elle détestait. Mrs. Mill, dont il ne semble pas qu'elle ait jamais fait montre d'un enthousiasme débordant pour les rapports sexuels, en est arrivée à croire que « tous les hommes, à l'exception de quelques âmes nobles, sont plus ou moins des sensualistes [...], ce qui n'est pas le cas des femmes ». À toute épouse partageant la répugnance de Mrs. Mill pour le sexe, le mariage victorien devait apparaître comme une succession de viols, entrecoupée de terribles effrois! Mrs. Mill fut donc pour le divorce sur demande, pour le bien des femmes.

Son mari vota également pour le divorce sur demande (*si et seulement si* le couple n'avait pas d'enfants). Mais son opinion sur le sujet différait sensiblement de celle de son épouse. Il considérait les serments du mariage comme une contrainte pour l'homme beaucoup plus que pour la femme. Il fit remarquer, avec une grande perspicacité quant aux possibles origines de la monogamie institutionnelle, que les strictes lois du mariage de l'époque avaient été rédigées « *par* des sensualistes, *pour* des sensualistes, et *pour ligoter* les sensualistes » [18]. Il n'était pas le seul à défendre ce point de vue. Derrière l'opposition à la loi sur le divorce de 1857, se cachait la crainte que le divorce ne transformât les hommes en monogames à répétition. Gladstone s'opposa à cette loi parce que, disait-il, elle allait « conduire à l'avilissement de la femme [19] ». (Ou, comme allait le dire une Irlandaise plus d'un siècle plus tard : « Une femme votant pour le divorce, c'est un peu comme une dinde qui voterait pour Noël [20] ! ») Les répercussions provoquées par le divorce facile sont complexes, mais à bien des égards, elles confirment ce que disait Gladstone : le divorce est souvent une mauvaise affaire pour la femme.

Il ne sert à rien de vouloir faire machine arrière, ni d'essayer de soutenir le mariage en rendant le divorce illégal. Des études prouvent que, pour les enfants, il existe une chose pire que le divorce : des parents qui restent ensemble et se livrent un combat mortel. Mais l'homme ne devrait pas être financièrement *incité* à divorcer; le divorce ne devrait pas *améliorer* son niveau de vie, comme c'est le cas de nos jours. En fait, si le niveau de vie de l'homme baisse, ce n'est que justice – non qu'il s'agisse de le punir, mais bien parce que c'est souvent la seule manière d'empêcher le niveau de vie de sa femme et de ses enfants de chuter. Une fois financièrement en sécurité, une femme peut être heureuse en élevant ses enfants sans un homme – plus heureuse, parfois, que si elle vivait avec lui, et même plus heureuse qu'il ne le sera lui-même, une fois habitué à sa nouvelle vie.

R.E.S.P.E.C.T.

Les opinions varient sur le « respect » que le climat moral actuel peut réserver aux femmes. Les hommes pensent qu'on leur en témoigne beaucoup. La proportion d'Américains pensant que les femmes sont plus respectées aujourd'hui qu'autrefois est passée de 40 % en 1970 à 62 % en 1990. Les femmes ne sont pas du tout de cet avis. Une enquête datant de 1970 montre qu'elles trouvaient alors les hommes

« fondamentalement doux, gentils et prévenants », mais, en 1990, le même institut d'enquête découvre chez les femmes une tout autre opinion : les hommes ne croient qu'en ce qu'ils disent, essaient de dévaloriser les femmes, tout occupés qu'ils sont à vouloir les fourrer dans leur lit, et ne prêtent aucune attention aux questions domestiques [21].

Respect est un mot ambigu. Ces hommes qui trouvent qu'on « respecte » les femmes l'entendent peut-être dans le sens où ils les ont acceptées comme des collègues de valeur. Et peut-être est-il vrai que les femmes obtiennent davantage de ce genre de respect. Mais si l'on prend le mot dans son acception victorienne – à savoir que le respect consiste à ne pas traiter les femmes comme des objets sexuels –, alors cette sorte de respect a sans doute baissé depuis 1970 (et incontestablement, en tout cas, depuis 1960). On pourrait interpréter les chiffres ci-dessus de la façon suivante : les femmes aimeraient qu'on les respecte davantage sur ce plan-là.

Il n'y a d'ailleurs aucune raison pour que s'établisse un compromis entre ces deux formes de respect : aucune raison pour que les féministes de la fin des années 60 et du début des années 70, en insistant sur la première, aient ébranlé la seconde (qu'en réalité, elles disaient aussi désirer). Mais, et c'est souvent le cas, c'est ce qu'elles firent. Elles prêchèrent la symétrie naturelle des sexes dans tous les domaines, y compris celui de la sexualité. Beaucoup de jeunes femmes comprirent que cette doctrine de la symétrie les autorisait à obéir à leurs attirances sexuelles et à se jouer des vagues idées de prudence viscérale : il s'agissait de coucher avec qui on voulait sans se demander avec crainte si le désir sexuel du partenaire était le signe d'un attachement, et surtout sans s'inquiéter de savoir si on n'allait pas être sentimentalement plus impliquée que ledit partenaire. (Certaines féministes pratiquaient l'amour occasionnel presque pour des raisons d'idéologie pure.) De leur côté, les hommes utilisèrent la doctrine de la symétrie pour se débarrasser du carcan moral. Désormais, ils allaient pouvoir coucher à droite et à gauche, sans s'inquiéter des retombées sentimentales ; étant exactement comme eux, les femmes ne nécessitaient donc plus aucune considération particulière. À cet égard, ils ont été, et sont encore, aidés par des femmes qui refusent toute espèce de considération morale parce qu'elles y voient une forme de condescendance (ce qui est parfois le cas de nos jours, et ce qui l'était certainement dans l'Angleterre victorienne).

Pendant ce temps-là, le législateur interprétait lui aussi le concept de la symétrie entre les sexes : les femmes n'avaient plus besoin de bénéficier d'une protection légale particulière [22]. Les années 70 virent alors fleurir dans de nombreux États d'Amérique le concept de divorce « sans torts prononcés » et la division automatique à parts égales des biens du couple – même si l'un des époux, d'ordinaire la femme, n'avait pas vécu dans une logique de carrière et se retrouvait donc avec de bien pâles perspectives d'avenir. Du même coup, la pension alimentaire à vie qu'une femme divorcée pouvait alors espérer s'est transformée en une « indemnité de réinsertion » sur quelques années, laquelle est supposée donner à la femme le temps d'opérer une reconversion professionnelle – reconversion qui, en réalité, s'étendra bien au-delà des quelques années en question, pour peu qu'elle ait des enfants à élever. Il ne lui sera d'aucune utilité, si elle veut aboutir à une situation plus équitable, d'arguer du fait que la séparation est due aux liaisons de son mari ou à sa soudaine et brutale intolérance. Après tout, la faute n'en incombe à personne. La philosophie du « sans torts prononcés » est l'une des raisons pour lesquelles le divorce est, au sens propre, une bonne affaire pour les hommes. (L'autre raison, c'est le laxisme de la loi envers les maris qui n'honorent pas leurs obligations financières.) La mode du divorce sans torts prononcés est désormais passée et, dans chaque État, le législateur a réparé certains dégâts, mais pas tous.

La doctrine féministe de la symétrie naturelle entre les sexes n'a été ni la seule, ni, initialement, la principale coupable. La norme sexuelle et matrimoniale avait changé depuis longtemps et des raisons de toutes sortes : la technologie contraceptive, celle des communications, l'habitat moderne, la vogue des loisirs. Alors, pourquoi insister tant sur le féminisme ? En partie à cause de cette singulière ironie qui veut que, chaque fois qu'on a tenté (de façon parfaitement louable) de cesser d'exploiter les femmes d'une façon, on a aidé à les exploiter de l'autre. En partie aussi parce que, même si les féministes ne sont pas seules à l'origine du problème, certaines d'entre elles ont nettement contribué à l'entretenir. Jusqu'il n'y a pas si longtemps, la crainte d'une réaction féministe a été, de loin, le principal obstacle à toute discussion honnête sur les différences entre les sexes. Les féministes ont publié ouvrages et articles dénonçant le « déterminisme biologique », sans se donner la peine de comprendre ni la biologie, ni le déterminisme. Et la discussion féministe sur les différences entre les sexes, plus fréquente bien que tardive, demeure parfois allusive et hypocrite ; on y trouve une forte propension à décrire des différences qui trouveraient une explication plausible en termes darwiniens, tout en éludant la question de savoir si elles sont innées [23].

ÉPOUSES MALHEUREUSES

Le « plan darwinien » pour un mariage durable – et, d'ailleurs, le propos général de ce chapitre – peut sembler reposer sur un principe très simple : les femmes aiment le mariage, les hommes pas. La vie est évidemment plus complexe. Certaines femmes ne veulent pas se marier, et d'autres – plus nombreuses encore –, une fois mariées, sont loin d'être heureuses. Si ce chapitre a souligné le peu de goût du *mâle* pour le mariage monogame, ce n'est pas pour laisser supposer que la femelle serait davantage prédisposée à la fidélité et à l'adulation. Je crois simplement que c'est dans l'esprit de l'homme que se trouve le principal obstacle à la monogamie à vie – et aussi le principal obstacle qui se fasse jour dans le nouveau paradigme darwinien.

L'inadéquation entre l'esprit *féminin* et le mariage moderne est moins simple, moins nette (et, en fin de compte, moins perturbante). L'incompatibilité n'est pas tant due à la monogamie elle-même qu'au cadre socio-économique de la monogamie moderne. Dans les sociétés primitives, les femmes concilient parfaitement leur vie de famille et leur travail. Quand elles sortent chercher de la nourriture, la garde des enfants est rarement un problème ; ils peuvent les accompagner ou rester sous la surveillance des tantes, oncles, grands-parents ou cousins présents. À leur retour, quand elles s'occupent de leurs enfants, c'est collectivement, au sein de la communauté. L'anthropologue Marjorie Shostak, qui a vécu dans un village africain de ce type, écrit : « La mère seule, débordée par des petits enfants qui s'ennuient, est une chose qui n'a pas d'équivalent dans la vie quotidienne des Kung [24]. »

La plupart des mères modernes semblent se trouver bien soit d'un côté soit de l'autre de ce (raisonnablement) juste milieu auquel accède naturellement une femme dans une société de ce type : soit elle travaille quarante ou cinquante heures par semaine, s'inquiète de la qualité de la crèche et se sent coupable, soit elle est femme au foyer à plein temps, élève seule les enfants et enrage de la monotonie de son existence. Certaines femmes au foyer, bien sûr, réussissent à créer de solides liens sociaux, et cela malgré le caractère transitoire et anonyme des cités modernes. Mais le malaise des nombreuses femmes qui ne le font pas est pratiquement inévitable. Il n'y a rien de surprenant à ce que le féminisme moderne ait recueilli tant de suffrages dans les années 60, quand les banlieues de l'après-guerre (et tant d'autres choses encore) diluaient le sens de la communauté et écartelaient les familles. La femme n'a pas été conçue pour devenir femme au foyer en banlieue.

L'habitat ordinaire des banlieues dans les années 50 était plus « naturel » aux hommes. Comme beaucoup de pères des sociétés primitives, les maris banlieusards de l'époque passaient un peu de temps avec leurs enfants, et beaucoup dehors, en compagnie d'autres mâles, au travail, au jeu ou autres rencontres rituelles [25]. La plupart des hommes de l'époque victorienne (excepté Darwin) s'organisaient à l'identique. Même si la monogamie à vie est, en soi, moins naturelle aux hommes qu'aux femmes, la forme qu'a souvent prise le mariage monogame, et qu'il prend encore, est sans doute plus difficile à vivre pour les femmes que pour les hommes.

Ce qui ne revient pas à dire que l'esprit féminin menace plus, ou autant, la monogamie moderne que l'esprit masculin. Le mécontentement d'une mère ne se traduit pas aussi facilement par une séparation que celui d'un père. La raison profonde en est que, dans l'environnement ancestral, la recherche d'un nouvel époux, pour une femme qui avait déjà des enfants, constituait rarement une proposition génétiquement réussie.

Faire en sorte que la monogamie moderne « fonctionne » – c'est-à-dire non seulement qu'une union dure, mais aussi que le couple soit heureux – est un défi d'une extrême complexité. Une réorganisation réussie impliquerait une modification radicale de la structure même de notre vie moderne, tant dans notre habitat que dans nos professions. Toute tentative dans ce sens devrait commencer par une réflexion sur l'environnement social dans lequel ont évolué les humains. Dans l'environnement ancestral non plus, les gens n'étaient pas conçus pour nager dans un bonheur permanent. Comme de nos jours, l'anxiété était un moteur chronique, et le bonheur le but inlassablement poursuivi... et souvent fuyant. Mais, dans l'environnement ancestral, les gens *n'étaient pas* conçus pour devenir dingues...

LE PLAN D'EMMA

Quels que soient les aspects insatisfaisants du mariage moderne, nombre de femmes aspirent à trouver le compagnon d'une vie et à avoir des enfants. Le climat actuel ne favorisant pas cet objectif, que doivent-elles faire ? Nous avons vu comment les hommes peuvent se conduire s'ils veulent que le mariage devienne une institution vigoureuse. Mais donner des conseils matrimoniaux aux hommes, c'est un peu comme offrir un manuel de savoir-vivre à Attila ! Si les femmes sont naturellement plus proches que les hommes de la monogamie, et si elles souffrent davantage du divorce, peut-être est-ce en elles qu'il faut chercher le terrain d'une réforme. Comme l'ont découvert George Williams et Robert Trivers, une bonne part de notre psychologie sexuelle tient à la rareté des ovules par rapport à l'abondance des spermatozoïdes. Une rareté qui donne aux femmes plus de pouvoir – dans les relations individuelles et dans la formation de la structure morale – qu'elles ne le pensent parfois.

Il arrive pourtant qu'elles en prennent conscience. Les femmes voulant un mari et des enfants ont employé le plan d'Emma Wedgwood pour accrocher un candidat. De façon caricaturale, le plan est le suivant : si vous voulez des serments d'amour éternel jusqu'au jour du mariage – et si vous tenez à *ce qu'il y ait* un jour du mariage –, pas de familiarités avant la nuit de noces.

N'allons pas en déduire que l'homme veut, comme on dit, « le beurre et l'argent du beurre ». Si la dichotomie madone-putain est effectivement ancrée dans l'esprit masculin, alors un rapport sexuel prématuré avec une femme risque d'étouffer tout sentiment d'amour. Et s'il existe bien, dans nos cerveaux, un « module de rejet du partenaire », des relations sexuelles suivies et sans résultat peuvent avoir pour conséquence – chez l'homme *ou* chez la femme – un net rafraîchissement des sentiments.

Bien des femmes répugnent à employer la stratégie d'Emma, jugeant indigne d'elles de « piéger » un homme : s'il faut le contraindre au mariage par la force, elles feront aussi bien sans lui. D'autres disent que l'attitude d'Emma est réactionnaire et sexiste, qu'elle est la résurgence d'une exigence éculée qui voulait que la femme assume seule le fardeau moral de la maîtrise de soi, pour le bien de l'ordre social. D'autres encore disent que cette approche laisse supposer, semble-t-il, que la retenue sexuelle est chose facile pour les femmes, ce qui est souvent faux. Toutes ces réactions sont légitimes.

Mais on fait aussi un autre reproche à la stratégie d'Emma : elle ne marche pas. De nos jours, les hommes peuvent faire l'amour autant qu'ils le désirent, et avec un minimum d'engagement. Certes, ce n'est peut-être plus aussi flagrant qu'il y a quelques années, mais si une femme coupe les ponts, d'autres prendront la relève. Drapées dans leur pureté, les femmes restent alors seules chez elles. En 1992, le *New York Times*, dans un article consacré à la Saint-Valentin, rapporte les propos d'une célibataire de vingt-huit ans qui « regrette qu'il n'y ait plus d'idylles, et que les hommes ne sachent plus faire la cour ». Elle ajoute : « Les types savent bien que si une fille refuse, une autre acceptera. C'est comme s'il n'y avait plus de raison d'attendre de mieux se connaître [26]. »

Cette réflexion, fort compréhensible, est aussi l'une des raisons pour lesquelles une croisade prônant l'austérité aurait peu de chances d'être couronnée de succès. Cependant, certaines ont compris que prendre *un peu de distance* pouvait se révéler assez profitable [27]. Si un homme ne s'intéresse pas suffisamment à une femme en tant qu'être humain pour pouvoir supporter, disons, deux mois de relation platonique avant d'en venir au sexe, c'est que, de toute façon, il ne va pas rester longtemps. Certaines femmes ont décidé de ne pas perdre un temps qui – faut-il le préciser ? – leur est plus précieux qu'aux hommes.

Cette version édulcorée de la méthode d'Emma peut s'auto-renforcer. Plus les femmes sont nombreuses à découvrir les bienfaits d'un petit délai, plus il leur devient aisé d'en imposer un plus long. Si huit semaines d'attente sont l'ordinaire, alors dix semaines d'attente ne seront pas un handicap décisif. Rien de tout cela n'atteindra les extrêmes victoriens. Après tout, les femmes aiment faire l'amour. Néanmoins, cette tendance, qui semble commencer de faire son chemin en ce moment, va sans doute se poursuivre. Le climat sexuel conservateur d'aujourd'hui est certainement en grande partie dû à la peur des maladies sexuellement transmissibles. Mais, à en juger par l'opinion de plus en plus répandue chez les femmes que les hommes sont des porcs, ce nouveau conservatisme pourrait bien venir aussi du fait que les femmes poursuivent rationnellement leurs intérêts en admettant quelques cruelles vérités sur la nature humaine. Elles semblent avoir enfin compris que la nature humaine n'est pas tendre. Et, en règle générale, les gens continuent de poursuivre leurs intérêts, là où ils pensent les trouver. La psychologie évolutionniste contribue à faire en sorte qu'ils sachent où les trouver.

THÉORIE DU CHANGEMENT MORAL

Autre raison pour laquelle une moralité sexuelle – qu'elle aille ou non dans le sens de la retenue – peut se maintenir : si hommes et femmes sont effectivement conçus pour tailler leurs stratégies sexuelles aux mesures des conditions du marché local, la norme, pour chacun des sexes, dépendra de ce qu'elle est pour l'autre. David Buss et d'autres nous ont déjà fourni la preuve que, lorsque les hommes jugent une femme légère, ils la traitent en conséquence, comme une conquête passagère et pas une récompense à longue durée. Elizabeth Cashdan nous a aussi montré que les femmes qui tiennent les hommes pour des stratèges du court terme sont elles-mêmes davantage susceptibles d'avoir l'air de femmes légères et de se conduire comme telles [28]. On peut imaginer ces deux tendances enfermées dans une spirale qui conduirait tout droit à ce que les victoriens auraient appelé l'inexorable déclin de la morale. La prolifération des minijupes et des attitudes aguicheuses peut envoyer les signaux visuels qui découragent l'engagement chez les mâles. Et moins les hommes, ainsi découragés, se montrent respectueux des femmes, plus les minijupes continuent de fleurir. (Même les attitudes aguicheuses affichées sur les panneaux publicitaires ou dans les pages de *Playboy* peuvent produire leur effet [29].)

Si, pour une raison ou pour une autre, le mouvement devait s'opérer en sens inverse, c'est-à-dire *vers* l'investissement parental mâle, cette tendance pourrait être soutenue par la même dynamique du renforcement mutuel. Plus les femmes seraient madones, plus les hommes seraient papas, et plus les femmes seraient madones, etc.

Dire de cette théorie qu'elle est spéculative est presque une litote. Elle a, en outre, l'inconvénient (comme beaucoup de théories relatives aux mutations culturelles) d'être difficile à vérifier. Mais elle repose sur des théories de la psychologie individuelle qui, elles, sont vérifiables. Les études de Buss et Cashdan se sont limitées à un test préalable et, jusqu'ici, les piliers de la théorie tiennent debout. Cette théorie a aussi pour vertu de nous aider à comprendre pourquoi les tendances relatives à la moralité sexuelle peuvent persister si long-temps. Bien que la pruderie victorienne ait, à son apogée, été l'abou-tissement d'une tendance morale qui avait duré un siècle, elle semble avoir depuis longtemps cédé du terrain.

Pourquoi le long et lent mouvement du pendule revient-il tou-jours ? Il faut en chercher la cause du côté des mutations tech-nologiques (la contraception, par exemple) et démographiques [30]. Il est également possible que le mouvement du pendule tende à s'inver-ser quand une forte proportion de la population, chez un sexe ou chez l'autre (voire chez les deux), trouve que ses intérêts sont décidément trop mal défendus et décide, en toute conscience, de réviser sa façon de vivre. En 1977, Lawrence Stone fait observer que « si on en croit l'histoire, il est peu probable que cette période d'extrême permissivité sexuelle se prolonge très longtemps sans générer un fort retour de bâton. Il est assez amusant de constater qu'au moment où certains intellectuels proclament l'avènement du mariage parfait, reposant sur la pleine satisfaction des besoins sexuels, sentimentaux et créatifs des deux époux, on note une rapide recrudescence des séparations et des divorces » [31]. Depuis que Stone a écrit ces lignes, les femmes, qui ont davantage de prise sur la morale sexuelle, ont été apparemment de plus en plus nombreuses à s'interroger sur l'opportunité de rapports sexuels débridés. On ne saurait dire si nous entrons dans une longue période de conservatisme moral. Tout ce qu'on peut dire, c'est que la société moderne ne manifeste pas une passion démesurée pour le *statu quo*.

LE SECRET DE LA REINE VICTORIA

On a beaucoup critiqué la morale sexuelle victorienne : elle était hor-riblement et douloureusement répressive. On a dit aussi qu'elle était taillée sur mesure pour sauvegarder le mariage. Le darwinisme reprend et réunit ces jugements. Une fois que l'on connaît l'improbable longé-vité d'un mariage monogame, surtout dans une société à forts clivages socio-économiques – autrement dit, une fois que l'on connaît la nature humaine –, on a du mal à imaginer que cette institution eût pu être préservée sans l'aide d'une vigoureuse répression.

Mais l'idéal victorien a été beaucoup plus loin que la simple répression. Ses interdits, très spécifiques, étaient remarquablement taillés pour le servir.

La plus forte menace pesant sur un mariage durable – la tenta-tion qu'ont les hommes vieillissants, riches ou influents de quitter leurs épouses pour des modèles plus jeunes – déclenchait sans doute de puissants contre-feux sociaux. Bien qu'ayant réussi à quitter sa femme, à la réprobation générale et en en payant socialement le prix, Charles Dickens fut à jamais tenu de ne rencontrer sa maîtresse que dans le plus grand secret. Admettre que sa désertion en était vraiment une eût jeté sur lui un discrédit auquel il ne souhaitait faire face.

Il est vrai qu'à Londres certains maris passaient pas mal de temps dans l'une ou l'autre des nombreuses maisons closes que comptait la capitale (et les petites bonnes servaient également parfois d'exutoires sexuels aux bourgeois). Mais il n'en est pas moins vrai que l'infidélité masculine peut ne pas menacer le mariage tant qu'elle ne conduit pas son auteur à la désertion ; mieux que les hommes, les femmes savent s'accommoder d'une trahison conjugale. Et l'un des meilleurs moyens de s'assurer que l'infidélité masculine ne va pas conduire à la désertion, c'est de la circonscrire... aux prostituées. On peut parier sans risques que rares étaient les victoriens qui prenaient leur petit déjeuner en rêvant au jour où ils quitteraient leur épouse pour la prostituée avec laquelle ils venaient de passer la nuit. Et on peut ajouter sans trop s'aventurer que la dichotomie madone-putain, profondément inscrite dans le psychisme masculin, n'était pas pour rien dans ce phénomène.

En revanche, si le victorien se mettait à menacer directement l'institution de la monogamie en trompant son épouse avec des femmes « respectables », il courait un risque beaucoup plus important. Edward Lane, le médecin de Darwin, fut traîné devant les tribunaux par le mari de l'une de ses patientes, qui l'accusait d'avoir commis l'adultère avec sa femme. Ce genre de scandales soulevait à l'époque une telle indignation que le *Times* londonien couvrit l'événement pendant toute la durée du procès. Darwin suivit l'affaire de très près, et convaincu (peut-être un peu facilement) de l'innocence de Lane (« Jamais je n'ai entendu dans sa bouche une expression sensuelle »), il s'inquiéta en ces termes de l'avenir de son médecin : « Je crains que cette affaire ne ruine sa carrière [32]. » C'est probablement ce qui serait arrivé si le juge ne l'avait acquitté.

Bien sûr, du fait de la discrimination existant entre les sexes, les femmes adultères s'attiraient des sanctions autrement plus sévères que leurs homologues masculins. Lane et sa patiente étaient tous deux mariés, pourtant le journal intime de la jeune femme mentionne une conversation qu'ils eurent après un rendez-vous galant et qui répartit ainsi les torts : « Je le suppliai de croire que, depuis mon mariage, jamais je n'avais eu pareilles faiblesses. Il me consola de ce que j'avais fait et me conjura de me pardonner à moi-même [33]. » (Même si l'avocat de Lane réussit à convaincre la cour que ce journal intime n'était que pure fantaisie, ces lignes reflètent bien la morale de l'époque.)

Sans doute y a-t-il là une injustice entre les sexes, mais, d'une certaine manière, cette injustice s'explique. L'adultère représente, en soi, une menace beaucoup plus grave pour la monogamie lorsqu'il est commis par la femme. (Encore une fois : l'homme trompé aura beaucoup plus de difficultés que la femme trompée à reprendre une vie conjugale avec l'infidèle.) Et si, pour une raison quelconque, l'époux d'une femme adultère lui reste marié, il se peut qu'il ne traite plus ses enfants avec la même affection, maintenant qu'ont surgi en lui des doutes sur sa paternité.

Ces appréciations rapides, à l'emporte-pièce, sur la morale victorienne courent le risque d'être mal interprétées. Alors soyons clairs : il ne faut voir ici *aucun* argument en faveur de la discrimination sexuelle ou d'un quelconque aspect de la morale victorienne.

En effet, même si la discrimination sexuelle a pu autrefois contribuer à assurer la stabilité du mariage, en offrant à la concupiscence masculine une soupape de sûreté, les temps ont changé. De nos jours, un puissant homme d'affaires ne limite pas ses liaisons aux prostituées, aux bonnes ou aux petites secrétaires, que leur milieu rend impropres au beau mariage. Les femmes étant de plus en plus nombreuses sur le marché du travail, il va rencontrer, au bureau ou au cours de voyages d'affaires, de jeunes célibataires qu'il pourrait parfaitement épouser s'il devait refaire sa vie ; et il *peut* refaire sa vie. Alors que les affaires extraconjugales constituaient, au XIXᵉ siècle et souvent encore dans les années 50, un exutoire purement sexuel pour l'homme marié, aujourd'hui, elles peuvent se révéler une pente glissant vers la désertion. Si la discrimination sexuelle a pu servir jadis à soutenir la monogamie, aujourd'hui, c'est le divorce qu'elle sert.

Même sans chercher à savoir si la morale victorienne « marcherait » aujourd'hui, on peut se demander si les bénéfices qu'on en tirerait en justifieraient le coût. Certains victoriens, hommes et femmes, se sentaient désespérément piégés par le mariage. (On savait qu'on ne pouvait vraiment pas s'en évader, mais on s'attardait moins sur ses défauts.) Du reste, la pression de la morale était telle que les femmes avaient du mal à jouir sans culpabilité de leur sexualité, fût-elle conjugale – sans oublier que les hommes de l'époque n'étaient pas réputés pour leur grande sensibilité sexuelle. La vie était dure aussi pour ces femmes qui eussent voulu être plus que décoratives, plus qu'un « ange à la maison ». Les sœurs de Darwin lui firent un jour part de leur inquiétude : leur frère Erasmus nourrissait une amitié ambiguë pour une femme de lettres, Harriet Martineau, qui ne correspondait guère aux canons féminins de l'époque. En la rencontrant, Darwin eut cette impression : « Elle est fort sympathique et réussit à parler d'un nombre considérable de sujets en fort peu de temps. J'ai été très surpris de constater qu'elle n'est pas laide, mais elle m'est vite apparue submergée par ses projets, ses pensées et ses talents à elle. Erasmus pallie tout cela en soutenant qu'il ne faut pas la considérer comme une femme [34]. » C'est précisément à cause de ce genre de remarques que nous devrions éviter de recréer la morale sexuelle victorienne.

Il existe certainement d'autres systèmes moraux susceptibles de sauvegarder le mariage monogame. Mais il est probable que tout système, quel qu'il soit, aura un prix, à l'instar de la morale victorienne.

Et, bien que nous soyons certainement prêts à promouvoir une forme de morale qui répartirait *équitablement* les efforts entre hommes et femmes (et qui les répartirait non moins équitablement parmi les hommes entre eux, comme parmi les femmes entre elles), rien ne prouve que nous pourrions les répartir *à l'identique*. Hommes et femmes sont différents, et les menaces que leurs esprits évolués font peser sur le mariage sont de natures différentes. Une morale qui voudrait combattre efficacement ces menaces devrait sanctionner différemment les deux sexes.

Si nous voulons vraiment sérieusement restaurer l'institution de la monogamie, *combattre* est, semble-t-il, le terme approprié. En 1966, un érudit américain, se penchant sur la honte qui entachait toute pulsion sexuelle chez les hommes de l'époque victorienne, y vit « toute une classe d'hommes pitoyablement coupés de leur sexualité »[35]. Il a sûrement raison pour ce qui est de la coupure. Mais le « pitoyablement » convient sans doute moins. L'extrême inverse a pour nom « complaisance » et nous fait obéir à nos pulsions sexuelles comme s'il s'agissait de la voix du Bon Sauvage, venu nous restituer un état de béatitude primitive, qui n'a, en fait, jamais existé. Un quart de siècle de complaisance envers nos pulsions aura eu pour résultat (entre autres choses) beaucoup d'enfants sans père, de femmes amères, de plaintes pour viol et harcèlement sexuel, d'hommes seuls qui louent des cassettes pornographiques, et beaucoup de femmes seules. Peut-on encore prétendre, de nos jours, que la guerre menée par les victoriens contre la concupiscence masculine était « pitoyable »? Pitoyable par rapport à quoi? Il peut sembler à certains que Samuel Smiles demandait beaucoup lorsqu'il parlait de passer sa vie « armé contre la tentation des bas plaisirs », mais l'alternative ne paraît pas vraiment préférable.

D'OÙ VIENNENT LES CODES MORAUX?

Le ton parfois moralisateur de ce chapitre a, en un sens, quelque chose d'ironique. D'un côté, le nouveau paradigme darwinien laisse entendre que toute institution aussi « contre nature » que l'est le mariage monogame risque d'être difficile à préserver sans un code moral fort (c'est-à-dire répressif). Mais le nouveau paradigme offre aussi un effet compensatoire : il nourrit un certain relativisme moral, pour ne pas dire un cynisme flagrant envers tout type de contrainte morale.

La conception darwinienne de l'origine des codes moraux pourrait se résumer comme suit : les individus ont tendance à prononcer les jugements moraux qui vont aider leurs gènes à se transmettre à la génération suivante (ou, du moins, à prononcer le genre de jugements qui aurait servi cette cause dans l'environnement de notre évolution). Ainsi un code moral n'est-il rien d'autre qu'un compromis informel passé entre des sphères d'intérêt génétique concurrentes, dont chacune cherche à modeler le code à ses propres fins, en faisant usage de tous les moyens mis à sa disposition [36].

Prenons la discrimination sexuelle. L'explication darwinienne la plus évidente est que les hommes ont été conçus, d'une part pour donner libre cours à leur sexualité et, de l'autre, pour reléguer les femmes laissant libre cours à leur sexualité (les « putains ») au plus bas de l'échelle morale, même – et le fait est remarquable – lorsque ces mêmes hommes encouragent ces mêmes femmes dans cette voie. Ainsi, dans la mesure où ce sont les hommes qui établissent les codes moraux, la discrimination sexuelle est inévitable. Un examen plus attentif révèle que ce jugement typiquement masculin reçoit de toutes parts des appuis naturels : les parents des jolies jeunes filles qui incitent ces dernières à réserver leurs faveurs à l'homme de leur vie (autrement dit : à demeurer des cibles attirantes pour l'investissement parental du mâle) et qui leur expliquent qu'il est « mal » de se comporter autrement ; ces mêmes filles, qui, tout en préservant leur vertu pour le plus offrant, dénigrent avec égoïsme et moralisme les autres concurrentes ; les épouses comblées, qui voient dans la légèreté des mœurs une menace clairement dirigée contre leur mariage (c'est-à-dire une menace visant l'investissement de leur mâle dans leur progéniture). Il existe en fait une conspiration génétique virtuelle tendant à dépeindre les femmes sexuellement libres comme des suppôts de Satan. Dans le même temps, il existe une relative tolérance à l'égard du donjuanisme, et pas seulement parce que certains hommes (de préférence riches et beaux) trouvent l'idée attrayante. Les femmes aussi, en jugeant les infidélités épisodiques de leurs époux moins dommageables que leur désertion, renforcent la discrimination sexuelle.

Si vous en convenez, ne vous attendez pas à ce que les codes moraux servent les intérêts de la société prise dans son ensemble. Ils sont le résultat d'un processus politique informel qui tend probablement à renforcer le pouvoir des plus puissants ; ils ont fort peu de chances de représenter équitablement les intérêts de tous (encore que la chose soit déjà moins improbable dans une société où règnent liberté d'expression et égalité économique). Aussi n'y a-t-il aucune raison de voir dans l'existence des codes moraux l'émanation d'une vérité plus haute, une inspiration divine ou une quelconque recherche philosophique.

En réalité, le darwinisme peut contribuer à éclairer le contraste existant entre les codes qui sont les nôtres et ceux auxquels un philosophe désintéressé eût pu aboutir. Prenons l'exemple de la discrimination sexuelle, qui impose sa loi sévère aux femmes aventureuses. Bien qu'elle soit peut-être l'un des effets naturels de la nature humaine, un philosophe féru d'éthique pourrait fort bien arguer du fait que la licence sexuelle est souvent *moralement* plus contestable chez les hommes. Considérons un homme et une femme célibataires à leur premier rendez-vous. L'homme réussira plus facilement à obtenir ce qu'il veut de la femme en exagérant (consciemment ou inconsciemment) l'intensité de sa flamme amoureuse et, s'il parvient à ses fins, sa ferveur aura de bonnes chances de s'éteindre avant celle de sa partenaire. Bien sûr, cela est loin, très loin d'être une règle, une constante définitive ; le comportement humain est complexe, situations et individus varient du tout au tout, et hommes et femmes subissent nombre d'avatars sentimentaux. Bien qu'il s'agisse là d'une généralisation grossière, on peut tout de même dire que, dans une relation éphémère, un célibataire blessera davantage sa partenaire par déloyauté, que ne le fera une célibataire. Tant que les femmes n'entretiennent pas de rapports sexuels avec des hommes déjà en couple, leur liberté sexuelle ne porte tort à personne, sinon de façon fort diffuse et indirecte. Et si, comme la plupart des gens, vous pensez qu'il est immoral de blesser les autres en les laissant s'égarer, implicitement ou explicitement, alors vous devriez être plus enclins à condamner la liberté sexuelle chez les hommes que chez les femmes.

Quoi qu'il en soit, c'est mon cas. Si, dans ce chapitre, j'ai pu sembler prôner une modération de la sexualité féminine, n'y voyez aucune prétention éthique, mais tout au plus une recommandation, façon « autothérapie ».

On peut aussi s'étonner du paradoxe qui veut que, d'un point de vue darwinien, on conseille aux femmes une retenue sexuelle faisant écho aux exhortations morales traditionnelles, et que, dans le même temps, on s'élève contre l'opprobre dont celles qui passent outre à ces recommandations font l'objet. Mais nous voilà désormais accoutumés au paradoxe, car il fait partie intégrante d'une perspective beaucoup plus générale du darwinisme en matière de morale.

D'un côté, un darwinien considérera la morale existante avec une grande méfiance. De l'autre, la morale traditionnelle incarne fréquemment une certaine sagesse utilitariste. Après tout, la recherche de l'intérêt génétique peut coïncider parfois, fût-ce rarement, avec celle du bonheur. Ces mères qui pressent leurs filles de « se préserver » les conseillent dans ce que leur intérêt génétique a de plus impitoyable, mais se soucient également de leur bonheur à long terme. Quant aux filles qui suivent les conseils de leurs mères, elles croient fermement qu'elles feront un mariage heureux et auront des enfants : oui, si elles désirent des enfants, c'est bien parce que leurs gènes « veulent » qu'elles en désirent. Il n'en demeure pas moins qu'*elles veulent* des enfants et qu'elles ont des chances d'avoir une vie plus satisfaisante si elles en ont. Bien qu'il n'y ait rien de fondamentalement bon dans « l'intérêt génétique », rien n'y est non plus fondamentalement mauvais. Lorsqu'il peut conduire au bonheur (ce qu'il ne fait pas toujours) et ne porte tort à personne, pourquoi le combattre ?

Le darwinien moraliste va maintenant examiner la morale traditionnelle en la supposant chargée de sages et précieux conseils de vie –
fût-elle, par ailleurs, corsetée d'égoïstes et philosophiquement indéfen-
dables déclarations sur « l'immoralité » absolue de certains comportements. Les mères ont probablement raison de conseiller la retenue à
leurs filles – ainsi, elles font sûrement bien de jeter le discrédit sur des
concurrentes moins réservées. Mais prétendre que ces condamnations
ont une quelconque valeur *morale* tient du sophisme, et d'un
sophisme « génétiquement orchestré ».

En supposant que quelques-uns, parmi les philosophes qu'intéresse l'éthique, apprécient encore le nouveau paradigme dans les
décennies à venir, leur tâche principale, et la plus difficile, consistera à
dégager la sagesse du sophisme. C'est un sujet sur lequel nous reviendrons vers la fin de cet ouvrage, lorsque nous aurons mis au jour les
origines des plus fondamentales parmi nos pulsions morales.

UNE SCIENCE ÉDULCORÉE

L'une des réactions les plus fréquentes lorsque l'on parle de morale à
la lumière du nouveau darwinisme est celle-ci : Est-ce qu'on ne met-
trait pas un peu la charrue avant les bœufs ? La psychologie évolutionniste en est à peine à ses débuts. Elle a déjà dégagé quelques théories
solides (une différence innée entre la jalousie de l'homme et celle de la
femme), d'autres qui sont bien étayées (la dichotomie madone-putain)
et certaines qui, pour être spéculatives, n'en sont pas moins plausibles
(le « module de rejet du partenaire »). Cet ensemble de théories peut-il
permettre de prononcer des jugements radicaux sur la morale, victorienne ou autre ?

Philip Kitcher, un philosophe qui, dans les années 80, s'est lui-
même proclamé éminent critique en sociobiologie, a poussé le doute
un peu plus loin. Il pense que les darwiniens feraient bien d'avancer
prudemment sur le terrain de la morale et de la politique (terrain que
bon nombre d'entre eux se gardent de fouler depuis les égratignures
qu'y reçurent certains dans les années 70), tant ils sont mal épaulés
par leur science balbutiante, et qu'ils feraient aussi bien de s'occuper
de la science. De toute façon, si les darwiniens ne franchissaient pas la
frontière qui sépare la science de la morale, d'autres le feraient : les
théories portant sur la nature humaine seront inévitablement utilisées
à l'appui de telle ou telle doctrine morale ou politique. Et si les théories se révèlent fausses, elles auront, dans l'intervalle, provoqué beaucoup de dégâts. Kitcher observe que les sciences sociales ne fonctionnent pas comme la physique ou la chimie. Si nous adhérons à
« une vision inexacte concernant les origines d'une lointaine galaxie,

dit-il, l'erreur n'aura pas de conséquences tragiques. En revanche, si nous nous trompons sur les fondements de notre comportement social, si nous renonçons à répartir équitablement bénéfices et charges au sein de la société, sous prétexte que nous acceptons des hypothèses fautives quant à l'histoire de notre évolution, alors les conséquences d'une erreur scientifique peuvent être très graves ». Donc, « quand les scientifiques veulent se mêler de politique sociale, ils doivent placer extrêmement haut la fiabilité des preuves et leur capacité à l'autocritique » [37].

Je vois ici deux problèmes. D'abord, « l'autocritique » n'est pas un des piliers de la science. La critique venant de confrères – sorte d'autocritique *collective* – en est un. C'est ce qui permet de garder une haute « fiabilité des preuves ». Mais cette autocritique collective ne peut pas même commencer si aucune hypothèse n'est avancée. Le propos de Kitcher n'est sans doute pas de suggérer qu'il faille court-circuiter l'algorithme du progrès scientifique en s'abstenant d'avancer des hypothèses faibles ; les hypothèses faibles ne deviennent des hypothèses fortes qu'une fois avancées et soumises à un examen impitoyable. Et si Kitcher souhaite nous voir les étiqueter « hypothèses spéculatives », personne n'y voit d'inconvénient. En réalité, c'est grâce à des gens comme Kitcher (cela dit sans aucun sarcasme) que de nombreux darwiniens sont désormais passés maîtres dans l'art de la prudente réserve.

Voilà qui nous conduit au second problème que soulève l'argumentation de Kitcher : l'idée que les chercheurs en sciences sociales darwiniens – et les darwiniens seulement – devraient s'armer d'une grande vigilance. Ce qui sous-entend que des théories darwiniennes inexactes sur le comportement seraient plus pernicieuses que des théories *non*-darwiniennes inexactes. Et pourquoi donc ? Une doctrine psychologique fort ancienne et absolument pas darwinienne semble pourtant avoir été à l'origine de beaucoup de souffrances au cours de ces dernières décennies : celle selon laquelle, en matière de séduction et de comportements sexuels, il n'existe pas de différences mentales innées fondamentales entre hommes et femmes. Cette théorie reposait sur les « preuves » les plus faibles qui fussent : en fait, aucune preuve réelle d'aucune sorte, pour ne rien dire d'un arrogant et flagrant silence sur la sagesse populaire de toutes les cultures de la planète. Pour quelque inexplicable raison, rien de tout cela ne trouble Kitcher ; il pense, semble-t-il, que les théories qui impliquent les gènes peuvent avoir des effets néfastes, à l'inverse des théories qui n'impliquent pas les gènes.

Une généralisation plus fiable voudrait que les théories inexactes soient potentiellement plus dangereuses que les théories exactes. Et si, comme c'est souvent le cas, nous ne savons pas avec certitude quelles théories seront les bonnes, nous ne pouvons que miser sur celles qui semblent avoir le plus de chances d'être avérées. Ce livre fait le pari que, en dépit de sa jeunesse, la psychologie évolutionniste représente d'ores et déjà le meilleur gisement de théories sur l'esprit humain pouvant se révéler exactes – et que, en réalité, bon nombre d'entre elles ont déjà de solides fondements.

Les ennemis du darwinisme ne sont pas les seuls à menacer une honnête exploration de la nature humaine. Même à l'intérieur du nouveau paradigme, la vérité peut parfois être édulcorée. Il est souvent tentant, par exemple, de minimiser les différences entre hommes et femmes. Considérant la nature plus polygame des hommes, certains chercheurs darwiniens politiquement influençables peuvent dire, par exemple : « N'oublions pas que ce ne sont là que des généralisations statistiques ; chaque individu est susceptible de s'écarter considérablement de la norme de son propre sexe. » Certes. Mais, parmi ces différences, rares sont celles qui vont approcher de très près la norme de l'autre sexe (et la moitié de ces différences se situe *au-delà* de la moyenne de la norme de l'autre sexe). Ou bien : « N'oublions pas que le comportement subit l'influence de l'environnement proche et des choix de la conscience. Les hommes *ne sont pas obligés* de draguer. » Exact, et d'une importance capitale. Mais nombre de nos pulsions sont à dessein si puissantes, que toute force désireuse de les étouffer devra se montrer plus forte encore. Il serait faux d'évoquer la retenue sexuelle comme une chose aussi aisée à contrôler qu'un bouton sur une télécommande.

Non seulement faux, mais dangereux. George Williams, le père fondateur du nouveau paradigme, a peut-être été un peu loin en déclarant que la sélection naturelle était « le mal ». Après tout, elle a aussi bien créé ce qui est bon en l'homme que ce qui est mauvais. Il est néanmoins indéniable que l'on peut y distinguer les racines de tous les maux, lesquels s'expriment (en même temps que le bien) dans la nature humaine. C'est bien dans nos gènes que réside l'ennemi de la justice et de l'honnêteté. Si, dans ce livre, je donne le sentiment de m'écarter de l'image que souhaitent promouvoir certains darwiniens, si j'insiste davantage sur ce qui est mauvais chez l'homme que sur ce qui est bon, c'est parce que, à mon avis, il y a plus de danger à sous-estimer un ennemi qu'à le surestimer.

DEUXIÈME PARTIE

LE CIMENT SOCIAL

CHAPITRE VII

FAMILLES

La fourmi ouvrière est un insecte qui diffère beaucoup de ses parents et qui cependant est complètement stérile ; de sorte qu'elle n'a jamais pu transmettre les modifications de conformation ou d'instinct qu'elle a graduellement acquises. Comment est-il possible de concilier ce fait avec la théorie de la sélection naturelle ?

L'Origine des espèces (1859)

[Hier] *Doddy* [William, le fils de Darwin] *s'est montré suffisamment généreux pour offrir un petit morceau de son pain d'épice à Annie, et aujourd'hui [...] il en a déposé les dernières miettes sur le canapé pour qu'elle s'en empare. Il s'est aussitôt mis à crier d'un ton suffisant : « Oh, le gentil Doddy, le gentil Doddy ! »*

Observations de Darwin
sur ses enfants (1842)[1]

Nous aimons tous nous tenir pour altruistes, et il arrive que nous le soyons. Mais, comparés aux insectes, nous sommes... des rats. Les abeilles meurent pour leurs compagnes, lorsqu'elles perdent leur abdomen en piquant un intrus. Certaines fourmis explosent en défendant la colonie. D'autres jouent toute leur vie le rôle de garde du corps, écartant les indésirables ; d'autres encore se font garde-manger et restent suspendues, tels des ballots tout gonflés de nourriture, en cas de disette[2]. Celles-là sont comme des meubles. Jamais elles n'auront de progéniture.

Darwin a passé plus de dix ans à se demander comment la sélection naturelle avait pu produire des castes entières de fourmis sans descendance. Dans le même temps, il s'appliquait lui-même à en avoir une nombreuse. Le problème de la stérilité des insectes attire son attention au moment de la naissance d'Henrietta, son quatrième enfant, fin 1843, et, en 1856, à la naissance de Charles, son dixième et dernier enfant, il ne l'a toujours pas résolu. Si, pendant toutes ces années, il a tenu secrète sa théorie de la sélection naturelle, c'est peut-être à cause de la contradiction flagrante qu'y apportaient les fourmis. Le paradoxe lui paraît alors « insurmontable et fatal à toute [sa] théorie » [3].

S'interrogeant sur le mystère des fourmis, Darwin ne se doute probablement pas que la clef de l'énigme pourrait aussi expliquer la structure quotidienne de sa propre vie familiale : ses enfants se montrent parfois affectueux les uns envers les autres, d'autres fois ils se battent ; alors qu'il se sent tenu de leur enseigner les vertus de la bonté, il arrive qu'ils lui résistent ; Emma et lui vont ressentir plus ou moins douloureusement la perte d'un enfant. Pourquoi ? La compréhension de l'abnégation chez les insectes va révéler la dynamique de la vie familiale chez les mammifères, humains compris.

Bien que Darwin ait fini par concevoir, même confusément, la signification de la stérilité chez certains insectes et qu'il ait soupçonné quelque application possible au comportement humain, il est très loin d'en avoir perçu toute la portée et la diversité. Il faudra pour cela attendre encore un siècle.

La raison en est sans doute que l'explication de Darwin, telle qu'il l'avait formulée, était difficile à saisir. Dans *L'Origine des espèces*, il écrit que le paradoxe de la stérilité « se résout et se dissipe, si l'on songe que la sélection s'applique aussi bien à la famille qu'à l'individu, et peut ainsi atteindre le but désiré. Lorsque l'on cuit un légume appétissant, l'individu est détruit ; mais en semant les graines de la même souche, les pépiniéristes espèrent voir naître à peu près la même variété. Les éleveurs veulent que la graisse et la viande aient, chez le bétail, les proportions qui conviennent : l'animal répondant à ce critère est abattu, mais l'éleveur continue en confiance à faire prospérer la même race » [4].

Aussi étrange que puisse paraître, dans le contexte, cette intervention des pépiniéristes et des éleveurs, elle se révélera tout à fait appropriée après 1963, lorsqu'un jeune biologiste anglais, William D. Hamilton, esquissera la théorie de la sélection parentale [5]. Il va reformuler les intuitions darwiniennes en les étendant au langage de la génétique, un langage qui, du temps de Darwin, n'existait pas encore.

Le terme même de *sélection parentale* rejoint l'idée de Darwin, selon laquelle « la sélection peut être appliquée à la famille » et pas seulement à l'individu. Cependant, aussi vraie soit-elle, cette indication prête à confusion. Ce qui fait la beauté de la théorie d'Hamilton, c'est que la sélection n'y touche pas tant l'individu *ou* la famille, mais surtout les gènes. Hamilton a été le premier à clairement diffuser cette idée qui se trouve au centre du nouveau paradigme darwinien : on peut considérer la survie du point de vue des gènes.

Prenons le cas d'un jeune tamia qui n'a pas encore eu de petits et qui, à la vue d'un prédateur, se dresse sur ses pattes et lance un cri d'alarme, risquant ainsi d'attirer l'attention du prédateur et d'en mourir. Si l'on considère la sélection naturelle à la manière des biologistes du milieu du siècle – c'est-à-dire comme un processus tout entier tendu vers la survie et la reproduction des animaux et de leur progéniture –, ce cri d'alarme n'a aucun sens. Si le tamia qui le pousse n'a pas de progéniture à protéger, ce cri est un suicide au regard de l'évolution. Hamilton a répondu que non, et ce « non » est d'une importance capitale.

Selon lui, l'attention doit porter moins sur l'animal qui pousse le cri que sur le gène (ou, en réalité, la série de gènes) responsable de l'alarme. Après tout, à l'instar des autres animaux, les tamias ne sont pas éternels. La seule entité organique virtuellement immortelle est le gène (ou, pour être plus précis, le système d'information codé à l'intérieur du gène, puisque le gène lui-même disparaîtra après avoir transmis ce système par la voie de la reproduction). Ainsi, à l'échelle de l'évolution – à savoir sur des centaines, des milliers ou des millions de générations –, la question n'est pas de savoir ce qu'il est advenu d'un animal : nous connaissons tous la sinistre réponse. Non, la question est de savoir ce qu'il est advenu de ses *gènes*. Certains s'éteignent, d'autres se développent : la question est de savoir lesquels. Que va donc devenir un gène du « cri d'alarme suicidaire » ?

La réponse, quelque peu surprenante, se trouve au cœur de la théorie d'Hamilton : ce gène va fort bien se porter, dans certaines circonstances adéquates. Parce que le tamia qui en est porteur doit avoir, dans le coin, quelques parents que son cri a sauvés, et certains de ces parents sont sans doute porteurs du même gène. On peut supposer, par exemple, que 50 % de tous les frères et sœurs possèdent ce gène (à moins qu'il ne s'agisse de demi-frères et de demi-sœurs, auquel cas la proportion serait de 25 %, ce qui n'est encore pas négligeable). Si le cri d'alarme sauve les vies de quatre frères et sœurs, dont deux sont porteurs du gène en question, l'opération est profitable pour le gène, même au prix du sacrifice du tamia qui a crié. Ce gène superficiellement altruiste fera bien mieux, à terme, qu'un gène superficiellement égoïste qui inciterait l'animal à détaler, laissant périr quatre frères et sœurs et, en moyenne, deux copies du gène *. La chose

* En vérité, un tamia (ou un être humain) a plus de la moitié de ses gènes en commun avec un frère ou une sœur – et, en réalité, avec les autres membres de son espèce. Mais ce sont les *nouveaux* gènes, ceux qui viennent de faire leur apparition au sein d'une population, qui vont résider dans la moitié d'un organisme frère. Et lorsqu'il est question de l'évolution de nouvelles caractéristiques, ce sont les nouveaux gènes qui comptent.

est également vraie si le gène ne sauve qu'un frère ou une sœur et si le tamia montant la garde ne court ainsi qu'un risque sur quatre de mourir. À terme, pour chaque gène perdu, il y en aura toujours deux de sauvés.

LES GÈNES DE L'AMOUR FRATERNEL

Il n'y a rien de surnaturel dans tout cela. Les gènes ne tentent pas de sauver des organismes sous prétexte qu'ils y auraient senti, par magie, la présence de leurs propres répliques. Les gènes ne sont pas extra-lucides, ni même conscients; ils n'« essaient » pas de faire quoi que ce soit. Mais, si un gène apparaît qui *se trouve* pousser celui qui en est porteur à un comportement favorisant la survie ou la reproduction d'autres porteurs de gènes susceptibles de contenir une copie de lui-même, alors il peut se développer, même si l'avenir de son propre porteur s'en trouve compromis. C'est cela, la sélection parentale.

Cette logique pourrait s'appliquer, comme c'est le cas ici, à un gène qui inciterait un mammifère à pousser un cri d'alarme lorsqu'il percevrait un danger menaçant son terrier et sa famille. Cette logique pourrait aussi s'appliquer à un gène qui conduirait un insecte à la stérilité, dans la mesure où cet insecte passerait sa vie à aider ses parents féconds (qui, eux, possèdent le gène sous une forme « inexprimée »). Enfin, elle pourrait également s'appliquer à des gènes qui pousseraient les êtres humains à sentir très tôt qui sont leurs frères et sœurs, à partager avec eux de la nourriture, à les conseiller, à les défendre, etc. – bref, à des gènes amenant à la sympathie, à l'empathie, à la compassion : des gènes de l'amour.

Le fait que l'on n'ait pas su évaluer comme il convenait l'amour familial a empêché le principe de la sélection parentale d'apparaître clairement avant Hamilton. En 1955, dans un fameux article, le biologiste anglais J. B. S. Haldane souligne qu'un gène qui inciterait à plonger dans une rivière pour sauver un enfant de la noyade, sachant que l'on aurait une chance sur dix d'y rester, ne pourrait se développer que s'il s'agissait de son propre enfant, ou bien d'un frère ou d'une sœur. Ce gène pourrait même s'épanouir, quoique plus lentement, si cet enfant est un cousin germain, puisque nous avons, en moyenne, un huitième de nos gènes en commun avec nos cousins germains. Mais, plutôt que de poursuivre dans ce sens, Haldane coupe court en faisant observer que, dans l'urgence, on n'a guère le temps de se livrer à des opérations mathématiques. Nos ancêtres du paléolithique, poursuit-il, ne se sont certainement pas lancés dans de savants calculs pour connaître leur degré de parenté. Aussi en conclut-il que les gènes de l'héroïsme se développeraient seulement « au sein de petites populations où la plupart des enfants seraient proches parents de l'individu risquant sa vie » [6]. Autrement dit, un héroïsme aveugle, reflétant le degré *moyen* de parenté entre individus voisins, pourrait évoluer si ce degré moyen était suffisamment élevé.

En dépit de toute la pertinence des réflexions d'Haldane, qui considère les choses plutôt du point de vue des gènes que du point de vue de l'individu, le fait qu'il n'ait pas poursuivi jusqu'au bout son raisonnement est pour le moins étrange. C'est un peu comme si, pour lui, la sélection naturelle réalisait ses calculs en provoquant chez les organismes une répétition consciente, plutôt qu'en mandatant des affects qui, dans leur subtilité, opèrent les mêmes calculs. Haldane n'avait-il pas remarqué que les individus éprouvent des sentiments très chaleureux pour ceux qui partagent une grande part de leurs gènes ? Et qu'ils sont plus enclins à risquer leur vie pour ceux qu'ils aiment ? Quelle importance que les hommes du paléolithique n'aient pas été des surdoués en mathématiques ? Ils étaient des animaux ; ils avaient des sentiments.

Techniquement parlant, Haldane avait raison, dans les seules limites de sa réflexion. En effet, au sein d'une petite population de proches parents, un altruisme aveugle pourrait évoluer. Et cela resterait vrai même dans le cas où cet altruisme serait dispensé à des individus non parents. Après tout, même si nous concentrons très précisément notre altruisme sur nos frères et sœurs, nous allons en gaspiller une partie, en termes d'évolution, puisque frères et sœurs ne partagent pas absolument tous nos gènes, et que l'un ou l'autre d'entre eux peut ne pas être porteur du gène responsable de l'altruisme. Dans les deux cas, ce qui importe, c'est que le gène de l'altruisme *tende* à favoriser les individus qui *tendent* à être porteurs de répliques de ce gène ; ce qui importe, c'est que le gène en question, à terme, favorise plus qu'il ne contrarie sa propre prolifération. Un comportement opère toujours dans l'incertitude, et tout ce que la sélection naturelle peut faire, c'est prendre les paris. Selon le scénario d'Haldane, elle prend ces paris en diffusant un altruisme moyen et généralisé, dont l'intensité dépendra du degré de parenté existant entre individus d'un même territoire. Possible...

Mais, comme le souligne Hamilton en 1964, la sélection naturelle, si elle en a l'occasion, augmentera ses chances en réduisant l'incertitude. Tout gène permettant de préciser la cible de l'altruisme sera appelé à prospérer. Un gène qui pousserait un chimpanzé à donner soixante grammes de viande à un frère ou à une sœur finira par prévaloir sur un gène qui l'inciterait à donner trente grammes à un frère ou à une sœur et trente grammes à un chimpanzé ne faisant pas partie de la famille. Ainsi, à moins qu'il ne soit très difficile d'identifier la famille, l'évolution devrait produire une tendance à la bienveillance forte et bien ciblée, plutôt qu'une tendance à la bienveillance faible et diffuse. Et c'est ce qui s'est passé. C'est ce qui s'est produit, dans une certaine mesure, pour les tamias, qui pousseront plus facilement leur cri d'alarme en présence de quelque proche parent [7]. C'est ce qui s'est produit aussi, toutes proportions gardées, pour les chimpanzés et pour d'autres primates, qui entretiennent souvent des relations exceptionnellement positives avec leurs frères et sœurs. Et c'est aussi, dans une large mesure, ce qui s'est produit pour nous.

Peut-être le monde eût-il été plus agréable sans cela. L'amour fraternel, au sens littéral, agit aux dépens de l'amour fraternel au sens biblique ; plus nous faisons bénéficier notre famille d'une bonté sans réserve, moins nous en faisons bénéficier les autres. (Certains pensent que c'est ce qui empêcha Haldane, en bon marxiste qu'il était, de voir cette vérité en face.) Cependant, pour le meilleur ou pour le pire, c'est bien d'un amour fraternel au sens littéral dont nous sommes porteurs.

Nombre d'insectes vivant en société reconnaissent les membres de leur famille grâce à des signaux chimiques appelés phéromones. Concernant les humains et les autres mammifères, la méthode (consciente ou inconsciente) est moins claire. Le fait de voir notre mère nourrir un enfant et en prendre soin jour après jour constitue certainement un indice évident pour reconnaître un frère ou une sœur. Il se peut aussi qu'en observant l'entourage de notre mère, nous sentions, par exemple, qui est sa sœur et, de ce fait, qui sont les enfants de sa sœur. En outre, grâce au langage, les mères peuvent nous dire qui est qui – information qu'il est dans leur intérêt génétique de fournir et dans notre intérêt génétique d'écouter. (Ainsi, les gènes qui poussent une mère à aider ses enfants à identifier les proches parents vont prospérer, de même les gènes qui incitent les enfants à bien écouter.) Il est difficile de dire quels sont les autres mécanismes d'identification en jeu, si toutefois il en existe d'autres, puisque les expériences susceptibles d'apporter une réponse à cette question impliqueraient des actions contraires à l'éthique, comme enlever les enfants à leurs familles, par exemple [8].

Ce qui est clair, c'est qu'il existe des mécanismes. Toute personne ayant des frères et sœurs – dans quelque culture que ce soit – sait ce qu'est l'empathie pour un frère ou une sœur dans le besoin, le sentiment de contentement qu'on éprouve à lui porter secours et la culpabilité que l'on ressent si on ne le fait pas. Quiconque a perdu un frère ou une sœur a connu le chagrin. Les gens qui ont connu cela savent ce qu'est l'amour, et c'est à la sélection parentale qu'ils le doivent.

Ce phénomène est doublement important chez les mâles qui, sans la sélection parentale, auraient pu ne jamais savoir ce qu'est l'amour profond. Bien avant que notre espèce présente un investissement parental mâle élevé, les hommes n'avaient aucune raison de se montrer très altruistes envers leur progéniture. Ce type d'affection était exclusivement réservé aux femmes, en partie parce qu'elles seules pouvaient savoir avec certitude qui étaient vraiment leurs enfants.

Mais les hommes pouvaient connaître avec certitude qui étaient leurs frères et sœurs ; ainsi l'amour put-il se glisser dans leur psychisme grâce à la sélection parentale. Si les hommes n'avaient pas acquis la capacité d'aimer leurs frères et sœurs, sans doute n'auraient-ils pas évolué vers un investissement parental mâle élevé, et sans doute n'auraient-ils pas connu l'amour plus profond encore qu'engendre celui-ci. L'évolution ne peut fonctionner qu'à partir des matériaux bruts qui se trouvent à sa portée ; si l'amour pour certains enfants – les frères et sœurs – n'avait pas existé dans le cerveau des hommes plusieurs millions d'années auparavant, ils auraient sans doute difficilement trouvé le chemin qui les a conduits à aimer leurs propres enfants – le chemin de l'IPM élevé.

LES NOUVELLES MATHÉMATIQUES

Connaissant la théorie d'Hamilton, il devient plus facile de comprendre le lien qu'établissait Darwin entre une vache dont la qualité de viande fait qu'elle est abattue et mangée et une fourmi qui travaille dur toute sa vie et n'a pas de descendance. Chez la vache, le gène responsable de la qualité de sa viande n'a vraiment rien fait pour la vache, puisqu'elle a fini à l'abattoir, et risque de ne rien faire non plus pour son héritage génétique direct : une vache morte ne peut plus se reproduire. Mais ce gène va tout de même faire beaucoup pour l'héritage génétique indirect de la vache car, en produisant la bonne qualité de viande, il encourage l'éleveur à nourrir et à élever les proches parents de la vache, parmi lesquels certains possèdent des répliques du gène en question. Il en va de même pour la fourmi stérile. Cette fourmi n'a pas d'héritage direct, mais les gènes responsables de cet état de choses se portent fort bien, merci, dans la mesure où le temps et l'énergie qui auraient été consacrés à la reproduction sont mis à profit afin d'aider de proches parents à être prolifiques. Bien que le gène de la stérilité soit en sommeil chez ces parents-là, il existe et il se transmettra à la génération suivante, où il produira à nouveau beaucoup d'altruistes stériles toutes dévouées à sa transmission.

Le fait que Darwin, qui travaillait sans connaître ni les gènes ni véritablement la nature de l'hérédité, ait pu pressentir ce parallèle un siècle avant Hamilton témoigne bien de la richesse et de la précision de sa pensée.

Cependant, il ne fait aucun doute que la version d'Hamilton concernant la sélection parentale est bien supérieure à celle de Darwin. On peut dire, comme le fit ce dernier, que (et c'est le cas pour la stérilité de l'insecte) la sélection naturelle opère tantôt sur la famille, tantôt sur l'organisme individuel. Mais pourquoi ne pas considérer les choses plus simplement? Pourquoi ne pas dire que, dans les deux cas, l'unité de base de la sélection est le gène? Pourquoi ne pas formuler un seul et bref principe qui engloberait toutes les formes de sélection naturelle? À savoir : les gènes qui provoquent la survie et la reproduction *de leurs propres répliques* sont les gènes qui gagnent. Ils peuvent le faire directement, en poussant ceux qui en sont porteurs à survivre, à engendrer et à équiper leur progéniture pour la survie et la reproduction. Ou bien, ils peuvent le faire de façon indirecte, en poussant, par exemple, ceux qui en sont porteurs à peiner sans relâche, stérilement et « avec altruisme », de sorte que, chez les fourmis, une reine pourra mettre au monde une nombreuse progéniture porteuse de ces gènes. Que les gènes s'y prennent de quelque façon que ce soit, ils le font par égoïsme de *leur* point de vue, même si, au niveau de l'organisme, l'affaire a tout l'air altruiste. D'où le titre du livre de Richard Dawkins, *Le Gène égoïste*. (Ce titre s'est attiré les critiques de puristes soulignant que les gènes sont dépourvus d'intentions et ne peuvent donc être « égoïstes ». Soit : il s'agissait d'une métaphore.)

Bien sûr, c'est l'organisme qui importe le plus à l'être humain : l'être humain est un organisme. Mais pour la sélection naturelle, l'organisme est tout à fait secondaire. Si quelque chose a une « importance » pour la sélection naturelle – et, métaphoriquement, c'est bien le cas –, ce n'est pas nous, mais l'information contenue dans nos cellules sexuelles, nos ovules et notre sperme. Évidemment, la sélection naturelle « désire » que nous adoptions certains comportements. Mais, tant que nous nous conformons à ses désirs, peu lui importe que nous soyons heureux, malheureux, physiquement estropiés, ou même morts. La seule chose que la sélection naturelle « désire » vraiment maintenir en état, c'est l'information contenue dans nos gènes, et elle accréditera toutes nos souffrances, si elles servent son propos.

Tel est l'apport philosophique d'Hamilton dans l'argumentation simple, qu'il souligne de façon abstraite et succincte, dans une lettre adressée en 1963 aux éditeurs du journal *The American Naturalist*. Il imagine un gène G qui serait à l'origine d'un comportement altruiste et note : « Malgré le principe de la " survie du plus apte ", l'ultime critère qui détermine si G va prospérer ou non n'est pas tant le bénéfice qu'en tirera son possesseur, mais celui qu'en tirera G lui-même; et ce sera le cas si le comportement a pour résultat d'ajouter au patrimoine génétique une poignée de gènes contenant G sous une forme plus concentrée que celle se trouvant dans le patrimoine génétique lui-même [9]. »

Hamilton approfondira cette observation l'année suivante, dans un article intitulé *The Genetical Evolution of Social Behaviour*, paru dans *The Journal of Theoretical Biology*. Cet article, sous-estimé pendant des années, fait désormais partie des travaux les plus fréquemment cités dans l'histoire de la pensée darwinienne et a révolutionné les mathématiques de la biologie évolutionniste. Avant la théorie de la sélection parentale, il était d'usage de considérer l'« aptitude » comme le critère majeur dans l'évolution, critère dont l'ultime manifestation, semblait-il alors, était la somme totale de l'héritage biologique direct d'un organisme. Les gènes qui favorisaient l'aptitude d'un organisme – optimisant le nombre d'enfants, de petits-enfants, etc. – seraient les gènes qui prospéreraient. Aujourd'hui, on pense que le critère majeur dans l'évolution est l'« aptitude globale » (*inclusive fitness*), qui prend également en compte l'héritage génétique indirect perçu par l'intermédiaire de frères et sœurs, de cousins, etc. Hamilton écrit en 1964 : « Nous avons découvert ici une quantité, l'aptitude globale, qui tend à s'optimiser de la même manière que l'aptitude simple tend à s'optimiser dans le modèle classique. »

La mathématique hamiltonienne comporte le symbole r, introduit précédemment par le biologiste Sewall Wright, mais qui prend à présent une tout autre importance ; r représente le degré de parenté existant entre des organismes. Chez des frères et sœurs des mêmes pères et mères, r est de 1/2, chez les demi-frères, demi-sœurs, neveux, nièces, oncles et tantes, il est de 1/4 et, chez les cousins germains, de 1/8. La nouvelle mathématique indique que les gènes du comportement sacrificiel vont prospérer tant que le prix à payer par l'altruiste (c'est-à-dire l'impact de son geste sur une réussite reproductive à venir) sera inférieur au profit qu'en tirera le bénéficiaire (même chose), étant donné le degré de parenté existant entre les deux. À savoir : aussi longtemps que c vaudra moins que br.

Quand Hamilton introduit la théorie de la sélection parentale, il utilise comme exemple le groupe d'organismes qui avait plongé Darwin dans la perplexité. Comme Darwin, il a été frappé par l'extraordinaire abnégation dont sont capables nombre d'insectes, notamment les fourmis, les abeilles et les guêpes, très organisées sur le plan social. Pourquoi cet altruisme élevé, qui va de pair avec une grande cohésion sociale, se rencontre-t-il si peu chez d'autres insectes ? On peut apporter à la question plusieurs réponses évolutionnistes, mais Hamilton met le doigt sur celle qui semble la plus centrale. Il constate que, grâce à une forme étrange de reproduction, ces espèces présentent un r exceptionnellement vaste. Chez les fourmis, les sœurs ont en commun les trois quarts de leurs gènes, et pas seulement la moitié. C'est ainsi que se justifie, aux yeux de la sélection naturelle, un altruisme d'une telle ampleur.

Lorsque la proportion de r est encore plus élevée, l'argument évolutionniste visant à expliquer l'altruisme et la solidarité sociale n'en est que plus fort. Prenons l'exemple des moisissures cellulaires, qui sont si intriquées qu'on s'est longtemps demandé s'il s'agissait d'une société de cellules ou d'un seul et unique organisme. Comme les cellules en question se reproduisent de façon asexuée, chez elles, la valeur de r est 1 ; toutes sont jumelles. Du point de vue du gène, il n'existe *pas* alors de différence entre le sort de sa propre cellule et celui de sa voisine. Il n'est pas surprenant que de nombreuses moisissures cellulaires ne se reproduisent pas et se consacrent à la protection de leurs compagnes fertiles. Le bien-être de leurs voisines, en termes d'évolution, est identique au leur. *C'est cela*, l'altruisme.

Ainsi en va-t-il des êtres humains – non pas des groupes d'êtres humains, mais des groupes de cellules que *sont* les êtres humains. La vie multicellulaire a surgi il y a quelques centaines de millions d'années. Des associations de cellules se trouvèrent si fortement regroupées qu'elles formèrent ce qu'on appelle aujourd'hui des « organismes », et ce sont ces organismes qui finirent par nous engendrer. Mais, comme en témoignent les moisissures cellulaires, la frontière qui sépare un groupe d'un organisme n'est pas nette. Techniquement parlant, il n'est pas faux de considérer un organisme aussi cohérent que l'est celui de l'être humain, comme une communauté unie d'organismes monocellulaires. Ces cellules font montre d'une forme de coopération et d'abnégation telle qu'elles pourraient presque faire passer l'efficacité quasi mécanique d'une colonie d'insectes pour un vaste désordre. Presque toutes les cellules du corps humain sont stériles. Seules les cellules sexuelles – nos « reines des abeilles » – parviennent à se dupliquer pour la postérité. Si ces millions et ces millions de cellules stériles se comportent comme si cet arrangement les satisfaisait pleinement, c'est sans aucun doute parce que, entre elles et les cellules sexuelles, la valeur de r est 1 ; les gènes contenus dans les cellules stériles sont transmis aux générations suivantes par le sperme et les ovules aussi sûrement qu'ils le seraient par les cellules qui les contiennent si elles effectuaient elles-mêmes la transmission. Encore une fois, quand la valeur de r est égale à 1, l'altruisme est total.

LES LIMITES DE L'AMOUR

Le revers de la médaille, c'est que lorsque r n'est pas égal à 1, l'altruisme n'est pas total. Même l'amour entre frères et sœurs – l'amour fraternel – n'est pas absolu. On dit que J. B. S. Haldane a prétendu un jour qu'il ne donnerait jamais sa vie pour un frère – mais, plutôt, pour « deux frères ou huit cousins ». Sans doute plaisantait-il, parodiant peut-être ce qu'il considérait à tort comme une extension trop subtile de la logique darwinienne. Mais sa plaisanterie a le mérite de mettre en lumière une vérité profonde. Définir le degré d'engagement envers un parent revient à définir le degré d'indifférence et, virtuellement, d'antagonisme envers le même parent ; la coupe de l'intérêt commun entre frères et sœurs est à moitié vide comme à moitié pleine. Bien qu'il y ait un intérêt génétique à aider un frère ou une sœur, fût-ce dans une large mesure, cette mesure n'est pas illimitée.

Ainsi, d'un côté, aucun darwinien contemporain n'attendrait d'un enfant qu'il accapare toute la nourriture alors que l'un de ses frères ou sœurs meurt de faim. Mais nul n'escompterait non plus que, si deux frères ou sœurs devaient se partager un unique sandwich, la question se règle à l'amiable. S'il peut être facile d'apprendre aux enfants à partager entre frères et sœurs (au moins dans certaines cir-constances), il est en revanche difficile de leur apprendre à partager *équitablement*, car cela va à l'encontre de leur intérêt génétique. C'est, en tout cas, ce qu'implique la sélection naturelle. Nous laissons aux parents le soin de nous dire si l'hypothèse est confirmée.

La divergence d'intérêts génétiques entre frères et sœurs crée un paradoxe qui, bien qu'il lui arrive d'être charmant, n'en est pas moins exaspérant. Ils se livrent une féroce concurrence pour susciter l'affec-tion et l'attention de leurs parents, par tous les moyens dont ils dis-posent, et font montre d'une jalousie si mesquine, qu'on les créditerait parfois difficilement d'un sentiment d'amour ; mais que l'un d'eux se trouve véritablement dans le besoin ou en danger, et l'amour fait sur-face. Darwin a observé chez son fils Willy, alors âgé de cinq ans, un semblable changement d'attitude envers sa sœur cadette Annie. « S'il arrive qu'elle se blesse en notre présence, Willy fait celui qui n'a rien vu et parfois même s'arrange pour détourner sur lui l'attention par un bruit quelconque », note Darwin. Mais un jour, Annie se blesse alors qu'aucun adulte ne se trouve à proximité, si bien que Willy ne peut savoir si le danger est réel ou non. Alors sa réaction est « totalement différente. D'abord il essaya de la consoler très gentiment, puis dit qu'il allait appeler Bessy, puis celle-ci n'étant pas là, il perdit cou-rage et se mit à pleurer aussi [10] ». Darwin n'explique pas cela, ni d'ail-leurs aucun exemple d'amour fraternel, en termes de sélection paren-tale, qu'il appelle quant à lui la sélection « familiale » ; il semble n'avoir jamais perçu la relation entre l'abnégation des insectes et l'affection chez les mammifères [11].

Robert Trivers fut le premier biologiste à insister sur la partie à moitié vide de la coupe de l'intérêt génétique commun. Il note en par-ticulier que l'intérêt génétique d'un enfant diffère non seulement de celui d'un frère ou d'une sœur, mais aussi de celui d'un père ou d'une mère. Chaque enfant devrait théoriquement se considérer comme ayant deux fois plus de valeur que son frère ou sa sœur, tandis que le père ou la mère, ayant le même lien de parenté avec les deux, leur attribue la même valeur. D'où une autre conjecture darwinienne : non seulement frères et sœurs devront apprendre à partager équitablement entre eux, mais ce seront les parents qui devront se charger de cet enseignement.

En 1974, Trivers analyse le conflit parents-enfants dans un article. À titre d'exemple, il choisit cette question fort controversée : quand un nourrisson doit-il être sevré ? Un petit caribou, note-t-il, continuera de téter longtemps après que le lait a cessé d'être essentiel à sa survie, même si cela empêche sa mère de concevoir un autre petit qui partagerait quelques-uns de ses gènes. Après tout, « le petit caribou n'est apparenté complètement qu'à lui-même, et seulement partiellement apparenté à ses futurs frères et sœurs » [12]... Il viendra un moment où les récompenses nutritives de la tétée seront assez faibles, pour que l'intérêt génétique favorise la croissance d'un autre petit. Mais la mère, pour qui ses deux rejetons sont (implicitement) d'égale valeur, atteint ce stade encore plus tôt. Aussi, la théorie de la sélection naturelle, posée en termes d'aptitude globale, implique-t-elle que le conflit du sevrage fasse partie intégrante de la vie des mammifères – ce qui semble bien être le cas. Le conflit peut durer plusieurs semaines et devenir assez violent, les enfants hurlant pour obtenir leur lait et allant jusqu'à frapper leur mère. Les observateurs chevronnés des babouins savent bien que le meilleur moyen de repérer une de leurs bandes consiste à écouter, le matin, le vacarme des querelles entre mères et petits [13].

Dans cette bataille pour les ressources, attendons-nous à voir les enfants user de toutes les armes dont ils disposent, y compris la mauvaise foi. Celle-ci peut être grossière et dirigée contre les frères et sœurs. (« Willy essaie parfois une petite ruse pour empêcher Annie de s'intéresser de trop près à sa pomme...“ La tienne est plus grosse que la mienne, Annie.”») Mais la ruse peut être plus subtile et viser un public plus large, incluant les parents. Une bonne façon de court-circuiter les exigences de parents en demande de plus grands sacrifices, c'est d'exagérer – ou, dirions-nous plutôt, de mettre sélectivement en évidence – les sacrifices déjà faits. Voici un exemple, qui figure d'ailleurs en tête de ce chapitre : Willy, alors âgé de deux ans et surnommé Doddy, donne son dernier morceau de pain d'épice à sa jeune sœur et s'exclame de sorte que tout le monde entende : « Oh, le gentil Doddy, le gentil Doddy [14]! » Les parents connaissent bien ce genre de démonstrations.

Autre truc utilisé par les enfants pour obtenir quelque chose de leurs parents : enjoliver leurs besoins. Emma Darwin se souvient du jour où, à l'âge de trois ans, son fils Leonard « avait arraché deux petits lambeaux de peau de son poignet. Pensant que son papa ne l'avait pas suffisamment plaint, il hoche énergiquement la tête à son adresse : “ La peau est partie, elle est perdue, et le sang coule. ” Un an plus tard, on entendit Leonard dire : “ Papa, j'ai toussé terriblement, plusieurs fois, et cinq fois encore plus fort, et même encore plus fort. Je pourrais avoir un peu du truc noir [de la réglisse] ? ” [15]. »

Pour faire valoir leurs droits, les jeunes enfants peuvent aussi exagérer la cruauté et l'injustice des parents à leur égard. À son paroxysme, cette exagération tourne à la crise de colère – une réaction qui ne se rencontre pas seulement parmi les jeunes de notre espèce, mais aussi chez les chimpanzés, les babouins et autres primates. Comme l'a fait remarquer il y a cinquante ans un spécialiste des primates, les jeunes chimpanzés mécontents ont pour habitude de « jeter furtivement un œil du côté de leur mère ou de celle qui les garde, comme pour voir si leurs agissements ont bien attiré l'attention [16] ».

Heureusement pour les jeunes primates, leurs parents se laissent volontiers abuser. Il est dans l'intérêt des gènes des parents que ceux-ci prêtent attention aux cris et aux plaintes de l'enfant : ils peuvent être signes de vrais besoins chez un être qui possède des répliques de leurs gènes. En d'autres termes : les parents aiment leurs enfants et peuvent être aveuglés par cet amour.

Cependant, l'idée que la colère puisse être une manipulation de la part de l'enfant ne va pas paraître révolutionnaire aux parents, et c'est là la preuve qu'ils ne sont pas complètement aveugles. Si la sélection naturelle a tout d'abord rendu les parents aisément manipulables, elle a dû, en théorie, les pourvoir ultérieurement de dispositifs anti-manipulation, telle la capacité de distinguer les pleurs suspects de ceux qui ne le sont pas. Mais, une fois installé le discernement parental, la sélection naturelle a dû équiper les enfants d'une technique propre à le contourner : des pleurs mieux sentis, par exemple. La course à l'armement est sans fin.

Comme l'a souligné Trivers dans son article de 1974, envisager les choses du point de vue du gène implique que les parents soient eux-mêmes des manipulateurs. Ils veulent – ou, du moins, leurs gènes « veulent » – obtenir de l'enfant davantage d'altruisme familial et d'abnégation et, par conséquent, insuffler à l'enfant plus d'amour que son intérêt génétique n'en demande. Cela n'est pas seulement vrai de l'amour entre frères et sœurs, mais aussi de l'amour pour les oncles, les tantes et les cousins, qui ont tous (en moyenne) deux fois plus de gènes des parents que de gènes de l'enfant. Il est rare qu'un parent demande à un enfant d'avoir *moins* d'égards envers ses oncles, ses tantes et leurs enfants.

Les enfants sont biologiquement sensibles à la propagande faite par les parents, tout comme les parents le sont à celle menée par l'enfant. Parce qu'il existe souvent une excellente raison darwinienne de faire ce que disent les parents. Bien que les intérêts génétiques des parents et des enfants soient divergents, 50 % d'entre eux se recoupent partiellement. Ainsi, personne plus qu'un parent, n'a autant de motivations génétiques à remplir la tête d'un enfant de recommandations utiles. Personne n'attire autant l'attention de l'enfant. Les gènes d'un enfant doivent « vouloir » que celui-ci s'informe auprès de cette banque de données qui, lui étant exclusivement réservée, est logée dans ses parents.

Et, manifestement, ils y parviennent. Jeunes, nous sommes remplis de crainte respectueuse et de crédulité envers nos parents. L'une des filles de Darwin se souvient : « Tout ce qu'il pouvait dire était pour nous vérité et loi absolues. » Sans doute exagère-t-elle. (Quand

Darwin trouve le petit Leonard en train de sauter sur le canapé du salon et lui dit que c'est interdit, Leonard réplique : « Dans ce cas, je te *conseille* de quitter la pièce [17]. ») Quoi qu'il en soit, les jeunes enfants ont une confiance fondamentale, sinon totale, en leurs parents, et les parents devraient, théoriquement, abuser de cette confiance.

Et surtout, les parents devraient, sous couvert d'« éducation », se livrer à ce que Trivers appelle le « modelage ». « Puisque l'éducation (par opposition au modelage) est censée être perçue par la progéniture comme étant dans son propre intérêt, les parents sont supposés conférer à leur rôle d'éducateurs une importance excessive, afin de diminuer la résistance des jeunes [18]. » Trivers considérerait peut-être avec un certain cynisme l'un des souvenirs de Darwin concernant sa mère : « Je l'entends encore me dire que " si elle me demandait de faire quelque chose... c'était uniquement pour mon bien " [19]. »

Les parents trouvent un autre avantage, plus spécifique encore, au fait d'essayer de contrecarrer (en partie) les gènes de leurs enfants. La sélection parentale a fait en sorte que la conscience attache une grande importance aux frères et sœurs, générant la culpabilité en cas de manquement. Les parents peuvent donc jouer sur ce sentiment de culpabilité, et la sélection naturelle les rend assez bons à ce jeu-là. D'un autre côté, comme l'observe Trivers, la sélection naturelle a dû contourner l'obstacle et doter les enfants d'un équipement anti-exploitation : par exemple, un scepticisme prononcé quant aux déclarations des parents sur le devoir fraternel. Nouvelle course à l'armement.

Le résultat de tout cela n'est autre qu'une bataille en bonne et due forme dans chaque conscience enfantine. Pour Trivers, « la personnalité et la conscience de l'enfant se forment dans l'arène des conflits » [20].

Il considère l'éducation telle qu'on la dispense communément – processus de « culturation », dans lequel les parents équipent consciencieusement leurs enfants de compétences vitales – comme désespérément naïve. « Rien ne permet d'affirmer que les parents qui s'efforcent d'inculquer à leurs enfants des vertus telles que le sens des responsabilités, la décence, l'honnêteté, la loyauté, la générosité et l'abnégation dispensent à leur progéniture des informations véritablement utiles pour une conduite appropriée à leur milieu. Car toutes ces vertus sont susceptibles d'affecter l'altruisme ou l'égoïsme du comportement à l'égard des proches parents, or parents et enfants sont supposés appréhender ces comportements de façons différentes. » On a presque l'impression que Trivers considère la « culturation » comme une tacite machination fomentée par des oppresseurs. Il ajoute : « On s'attendrait plutôt à ce que les adultes nourrissent et répandent le concept dominant de socialisation [21]. »

Cette allusion à une vision du monde très conservatrice, à

laquelle le darwinisme fut longtemps assimilé, rappelle également autre chose. Vu à travers le nouveau paradigme, le discours moral et idéologique peut apparaître comme une lutte permanente pour le pouvoir, lutte dans laquelle le fort triomphe souvent du faible. « De tout temps, les idées dominantes ont toujours été celles de la classe dirigeante [22] », disaient Marx et Engels.

TU AS TOUJOURS ÉTÉ LE PRÉFÉRÉ DE MAMAN

Nous avons considéré jusqu'ici les exemples les plus élémentaires de sélection parentale et de conflits parents-enfants, nous fondant sur des hypothèses pratiques, mais parfois douteuses. L'une d'entre elles consiste à supposer que, au cours de l'évolution humaine, frères et sœurs auraient eu le même père et la même mère. Dans la mesure où cette hypothèse est imparfaite – et, dans une certaine mesure, elle l'est –, le rapport « naturel » de l'altruisme entre frères et sœurs ne sera pas de deux pour un en faveur du sujet, mais se situera quelque part entre deux et quatre pour un. (Cette rectification devrait tranquilliser les parents qui trouvent chez leurs enfants davantage d'antagonismes qu'il n'est « naturel » d'en avoir si l'on se fie aux calculs d'Hamilton.) Il est certes possible que les enfants évaluent (inconsciemment) les chances qu'ont leurs frères et sœurs de partager leur père aussi bien que leur mère, et qu'ils les traitent en conséquence. Il serait intéressant, par exemple, de voir si deux frères ou sœurs vivant avec leurs parents se montrent plus généreux l'un envers l'autre, que deux frères ou sœurs dont les parents sont souvent séparés.

Une autre de ces simplifications abusives réside dans l'idée que, en tant que tel, r – c'est-à-dire le degré de parenté qui nous lie à d'autres individus – détermine, de notre part, un comportement génétique optimal envers nos proches parents. La question mathématique soulevée par William Hamilton – c est-il inférieur à br? – a deux autres variables : ce que nous coûte l'altruisme (c) et les avantages qu'en tirera le bénéficiaire (b). Toutes deux se posent en termes d'aptitude darwinienne : jusqu'à quel point nos chances d'engendrer une progéniture viable et apte à se reproduire avec succès vont-elles diminuer à cause de notre altruisme, et jusqu'à quel point celles du bénéficiaire de l'altruisme vont-elles augmenter? Les deux variables dépendent incontestablement de la façon dont ces chances sont distribuées dès le départ – c'est-à-dire du potentiel reproductif de l'une et l'autre personne. Or, le potentiel reproductif est une chose qui varie beaucoup d'un parent à l'autre et d'une décennie à l'autre.

Prenons un exemple : un frère grand, beau, fort, intelligent et ambitieux a plus de chances de se reproduire avec succès qu'un frère introverti, ennuyeux et stupide. Et cela a dû être particulièrement vrai dans l'environnement social de l'évolution humaine, quand les hommes dotés d'un bon statut social pouvaient avoir plus d'une seule femme – ou, à défaut, pratiquaient largement l'adultère. En principe, les parents devraient (consciemment ou non) prêter beaucoup d'attention à de telles différences. Ils devraient redistribuer l'investissement sur leurs divers enfants avec autant de sagacité qu'un courtier de Wall Street, l'objectif étant toujours d'optimiser les chances de gain reproductif qu'apporte chaque augmentation de l'investissement. Ainsi, il se peut qu'il y ait une cause évolutionniste au « Tu as toujours été le préféré de maman (ou de papa) ». Les frères Smothers, célèbres comiques américains des années 60, ont merveilleusement joué sur cette corde : c'était toujours ce pauvre benêt de Tommy, avec sa face de lune, qui adressait cette plainte à son plus vif et dynamique frère Dick [23].

Les potentiels reproductifs respectifs de deux enfants ne dépendent pas que d'eux-mêmes. Ils peuvent également être conditionnés par la position sociale de leurs parents. Dans une famille pauvre où la fille est jolie et le fils beau, mais pas spécialement doué, c'est la fille qui aura le plus de chances d'avoir des enfants dont les débuts dans l'existence bénéficieront de certains avantages matériels; une fille fera plus facilement qu'un garçon un « beau mariage », qui la portera plus haut dans l'échelle socio-économique [24]. Dans une famille riche bénéficiant d'une haute position sociale, c'est le garçon qui, à qualités égales, aura le potentiel reproductif le plus élevé; contrairement à une femme, un homme peut user de son statut et de sa fortune pour avoir une nombreuse progéniture.

Les êtres humains sont-ils programmés pour suivre cette logique déconcertante? Les parents qui se considèrent comme riches ou socialement bien placés vont-ils inconsciemment décider de prodiguer toute leur attention à leurs fils, au détriment de leurs filles, puisque les fils peuvent (ou pouvaient, au cours de l'évolution) convertir plus sûrement statut social ou ressources matérielles en progéniture? Les parents qui se trouvent pauvres font-ils le contraire? Terrifiant, soit... mais pas invraisemblable.

Cette logique trouve sa source dans une analyse plus générale que fit Robert Trivers en 1973, dans un article écrit en collaboration avec le mathématicien Dan E. Willard [25]. Dans toutes les espèces où la polygynie existe, certains mâles s'accouplent de façon prolifique, alors que d'autres échouent à se reproduire. Aussi, des mères de faible condition physique pourraient-elles tirer profit (génétiquement parlant) du traitement préférentiel qu'elles accorderaient à leurs filles plutôt qu'à leurs fils. Car, en supposant que la mauvaise santé de la mère induise – par le biais d'un lait trop pauvre, par exemple – une progéniture fragile, les principales victimes seront les fils. Les mâles sous-alimentés risquent d'être totalement écartés de la course à la reproduction, alors qu'une femelle féconde peut, en toutes circonstances ou presque, attirer un partenaire sexuel.

Quelques mammifères semblent se conformer à cette logique. Les mères des rats de Floride, lorsqu'elles ont du mal à se nourrir, empêchent leurs fils de téter et les laissent même mourir de faim, tandis qu'elles continuent de nourrir leurs filles. Chez d'autres espèces, même *la proportion de naissances* mâles et femelles en est affectée : les mères bénéficiant de conditions favorables auront plutôt des garçons et les mères moins avantagées plutôt des filles [26].

Dans notre espèce, où la polygynie s'est pratiquée beaucoup au cours de l'évolution, la richesse et la position sociale peuvent avoir autant d'importance que la santé. Car l'une et l'autre sont des armes avec lesquelles les hommes se disputent les femmes – et, pour ce qui est de la position sociale du moins, c'est le cas depuis des millions d'années. Aussi est-il plus intéressant (d'un point de vue darwinien) pour des parents qui se trouvent socialement et matériellement avantagés, d'investir plutôt dans des fils que dans des filles. Voilà un bon exemple de cette logique qui, souvent, choque certains qui la trouvent trop machiavélique pour la nature humaine. Pour un darwinien, le froid machiavélisme du processus ajoute à sa crédibilité. (Comme le disait Thomas Huxley, après que Darwin lui avait fait part d'une hypothèse plutôt vilaine concernant la reproduction des méduses : « L'inconvenance de la chose joue en faveur de sa vraisemblance [27]. »)

Vers la fin des années 70, l'anthropologue Mildred Dickemann, après avoir étudié l'Inde et la Chine du XIXe siècle ainsi que l'Europe médiévale, conclut que l'infanticide féminin – le meurtre des nouveau-nées parce qu'elles sont des filles – a davantage été pratiqué dans les classes possédantes [28]. On connaît bien aussi la propension qu'ont les familles riches, dans un grand nombre de cultures – y compris celle à laquelle appartenait Darwin –, à transmettre plus de biens aux fils qu'aux filles. (Un parent de Darwin, l'économiste du début du siècle Josiah Wedgwood, écrit dans une étude sur l'héritage : « Dans mon échantillonnage des ancêtres les plus riches, il apparaît avec évidence que les fils reçoivent une part d'héritage plus importante que les filles. Dans le cas d'héritages plus modestes, une répartition équitable est beaucoup plus fréquente [29]. ») La distorsion entre fils et filles peut prendre des formes plus subtiles. Les anthropologues Laura Betzig et Paul Turke ont observé, en travaillant en Micronésie, que les parents ayant une haute position sociale passent davantage de temps avec leurs fils, et les autres avec leurs filles [30]. Toutes ces découvertes vont dans le sens de la logique de Trivers et Willard : pour les familles situées tout en haut de l'échelle socio-économique, les fils constituent un meilleur investissement que les filles [31].

Le renfort le plus curieux qui fut apporté aux hypothèses de Trivers et Willard provient de découvertes récentes. Un étude portant sur les familles nord-américaines a mis au jour des différences prononcées dans l'indulgence dont les parents font montre à l'égard de leurs fils et de leurs filles, en fonction du contexte social. Plus de la moitié des filles nées dans des familles aux revenus modestes ont été nourries au sein, et moins de la moitié des fils ; environ 60 % des filles nées de femmes riches ont été allaitées par leur mère, contre près de 90 % des garçons. Et, de façon plus spectaculaire encore, les femmes aux revenus modestes ont, en moyenne, un autre enfant trois ans et demi après la naissance d'un fils et un peu plus de quatre ans après la naissance d'une fille. Autrement dit, lorsqu'il s'agit de donner naissance à un autre enfant, les femmes les moins favorisées ont tendance à privilégier la fille : elles attendent plus longtemps avant de produire une cible concurrente pour l'investissement. Chez les femmes riches, c'est le contraire qui se produit : les filles ont un concurrent, frère ou sœur, trois ans environ après leur naissance, et les fils près de quatre ans après [32]. Très rares sont les mères sur lesquelles portait l'enquête qui savaient combien la position sociale peut affecter le succès reproductif des hommes et des femmes (ou, plus précisément, combien c'eût été le cas dans l'environnement de notre évolution). Cela nous rappelle une fois encore que la sélection naturelle travaille dans l'ombre, en façonnant les sentiments humains, et non en rendant les humains conscients de sa logique [33].

Bien que ces études soient toutes centrées sur l'investissement *parental*, la même logique peut s'appliquer à l'investissement fraternel. Pauvre, vous devriez, en principe, vous montrer plus altruiste envers une sœur qu'envers un frère ; et riche, fonctionner à l'inverse. Il est certain que, dans la famille aisée de Darwin, les sœurs ont passé pas mal de temps à s'inquiéter pour leurs frères et à s'en occuper. Mais cette tendance peut avoir été tout aussi prononcée dans certaines classes plus pauvres, à une époque où la subordination des femmes était un idéal social (signe que la culture peut parfois infléchir notre comportement dans un sens opposé à la logique darwinienne).

En outre, la remarquable obligeance féminine a d'autres explications darwiniennes. Le potentiel reproductif varie tout au long d'une vie, et varie différemment chez les mâles et chez les femelles. En 1964, Hamilton avance dans son article que « l'on peut s'attendre à ce que le comportement d'un animal en période postreproductive soit entièrement altruiste » [34]. Il est vrai qu'à partir du moment où celui qui en est porteur ne peut plus transmettre ses gènes à la génération suivante, ceux-ci seront bien avisés de concentrer toute leur énergie sur des individus qui peuvent encore les transmettre. Puisque seules les femmes passent la majeure partie de leur existence en mode postreproductif, il paraît logique que les femmes plus âgées, plus que leurs homologues masculins, s'intéressent davantage à leur famille. Et c'est ce qu'elles font. On rencontre une tante célibataire dévouée corps et âme à ses proches bien plus souvent qu'un oncle dans le même cas. Susan, sœur de Darwin, et Erasmus, le frère, étaient tous deux des célibataires proches de la cinquantaine quand mourut leur sœur Marianne, mais c'est Susan qui recueillit ses enfants [35].

CHAGRINS

Même pour un mâle, le potentiel reproductif se modifie *un peu* avec le temps. En fait, pour chacun de nous, il varie tous les ans. Un individu de cinquante ans, quel que soit son sexe, aura beaucoup moins de chances d'avoir des enfants qu'il n'en avait à trente ans – âge auquel le potentiel reproductif est moins élevé que quinze ans auparavant. Mais, par ailleurs, un individu âgé de quinze ans possède un potentiel reproductif plus élevé que lorsqu'il avait un an, puisque l'enfant de un an peut mourir avant l'adolescence – chose qui fut très fréquente pendant la majeure partie de notre évolution.

Nous voici confrontés à une autre de ces simplifications abusives que l'on trouve dans les exemples élémentaires de sélection parentale. Puisque, dans l'équation de l'altruisme, le potentiel reproductif s'inscrit aussi bien côté coût que côté bénéfice, l'âge de l'altruiste et celui du bénéficiaire vont aider à déterminer si l'altruisme tendra à favoriser l'aptitude globale, et sera donc favorisé par la sélection naturelle. En d'autres termes, notre tendresse et notre générosité à l'égard d'un membre de notre famille dépendent, en théorie, à la fois de notre âge et de celui du parent en question. Il devrait y avoir, par exemple, un changement continuel, et qui se prolongerait sur toute la durée de la vie de l'enfant, dans l'attachement que lui portent ses parents [36].

Plus précisément, l'attachement des parents devrait croître jusqu'au début de l'adolescence, âge auquel culmine le potentiel reproductif, puis se mettre à diminuer. De même qu'un éleveur de chevaux sera plus attristé si un pur-sang meurt la veille de sa première course plutôt que s'il était mort le lendemain de sa naissance, la mort d'un adolescent devrait être une plus grande douleur, pour un parent, que celle d'un nourrisson. L'adolescent comme le cheval de course sont des valeurs qui atteignent leur point de rentabilité et, dans les deux cas, repartir à zéro demandera beaucoup de temps et d'efforts. (Cela ne signifie pas que les parents soient moins tendres et moins protecteurs envers un nourrisson qu'envers un adolescent. À l'approche d'une bande de maraudeurs, l'instinct d'une mère sera d'attraper le bébé avant de s'enfuir, laissant l'adolescent se défendre seul, mais cela parce que les adolescents *peuvent* se défendre, et non parce qu'ils sont moins précieux que les bébés.)

Les parents souffrent donc davantage de la mort d'un adolescent

que de celle d'un bébé de trois mois – ou de celle d'un enfant de quarante ans. Il est tentant d'écarter de telles données : *bien sûr*, nous
déplorons plus la mort d'un jeune homme que celle d'un homme plus
âgé ; il est tragique de mourir quand on a la vie devant soi, c'est l'évidence même. À quoi les darwiniens répondent : oui, mais n'oublions
pas que cette « évidence » peut avoir été produite génétiquement.
Pour aboutir à ses fins, la sélection naturelle nous fait percevoir certaines choses comme « évidentes », « justes » et « désirables » et
d'autres comme « absurdes », « fausses » et « intolérables ». Il nous faudrait confronter avec soin les réactions du sens commun et les théories
évolutionnistes, avant de conclure que le sens commun lui-même n'est
pas une savante distorsion créée par l'évolution.

Auquel cas, nous devrions nous poser la question suivante : si la
mort d'un adolescent nous attriste à cause de toute la vie qu'il n'aura
pas vécue, pourquoi le décès d'un nourrisson ne nous attriste-t-il pas
plus encore ? On peut répondre à cela en disant que nous avons eu
davantage de temps pour connaître l'adolescent et que nous percevons
donc mieux la vie qu'il n'a pas pu vivre. Quelle étrange coïncidence,
pourtant, que les fluctuations compensatoires de ces deux quantités
– accroissement de l'intimité avec le temps et réduction de la vie de
la personne – culminent dans le chagrin précisément lorsqu'il s'agit
d'un adolescent, c'est-à-dire quelqu'un dont le potentiel reproductif
est à son apogée. Pourquoi le chagrin ne culminerait-il pas dans le cas
d'un individu disparaissant à l'âge de vingt-cinq ans, c'est-à-dire au
moment où ce qu'aurait pu être sa vie devient *vraiment* clair ? Ou à
l'âge de cinq ans, quand il reste *tant* à vivre ?

Manifestement, le chagrin se conforme parfaitement aux attentes
darwiniennes. Dans une étude faite au Canada en 1989, on demandait à des adultes d'imaginer la mort d'enfants d'âges différents et de
dire quelles étaient les morts qui créeraient le plus intense sentiment
de perte chez un parent. Les résultats, traduits par un graphique,
montrent que le chagrin croît jusqu'à l'adolescence, pour diminuer
ensuite. Si on compare cette courbe avec celle qui retrace l'évolution
du potentiel reproductif au cours de la vie d'un individu (réalisée
d'après les données démographiques canadiennes), la corrélation se
révèle très forte. Mais plus forte encore – presque parfaite, en vérité –,
la corrélation entre la courbe du chagrin de ces Canadiens contemporains et la courbe du potentiel reproductif dans une société primitive,
les Kung San africains. Autrement dit : le chagrin évoluait presque
exactement comme l'aurait prédit un darwinien, en tenant compte des
réalités démographiques de l'environnement ancestral [37].

En théorie, comme dans les faits, l'affection des parents pour
leurs enfants varie aussi avec le temps. Sous le regard de la sélection
naturelle – et il est impitoyable –, à partir d'un certain moment nos
parents nous sont plus vite inutiles, alors que nous, nous leur sommes
encore utiles. À mesure que nous avançons dans l'adolescence, ils

jouent de moins en moins le rôle de banques de données, de protecteurs et ils pourvoient moins à nos besoins. Et lorsqu'ils ont atteint la cinquantaine, ils sont de moins en moins susceptibles de continuer à transmettre nos gènes. Vieux et impotents, ils n'ont plus que peu, voire plus du tout, d'utilité génétique pour nous. Même si nous subvenons à leurs besoins (ou payons quelqu'un pour le faire), il arrive que nous éprouvions de l'impatience et du ressentiment à leur égard. Nos parents finissent par devenir aussi dépendants de nous que nous l'étions d'eux, et pourtant nous ne mettons pas à nous occuper d'eux le même enthousiasme qu'ils mettaient à veiller sur nous.

L'équilibre fluctuant, et presque toujours inégal, de l'affection et des devoirs réciproques entre parents et enfants est bien l'une des expériences les plus amères qui soit donnée dans l'existence. Il montre bien à quel point les gènes peuvent manquer de précision lorsqu'ils jouent avec nos commandes émotionnelles. Bien qu'il n'y ait apparemment aucune raison darwinienne pour que l'on dépense temps et énergie à s'occuper d'un vieux père mourant, peu d'entre nous voudraient ou pourraient se résoudre à lui tourner le dos. Opiniâtre, l'amour familial persiste au-delà de toute utilité évolutionniste. Pour la plupart, nous nous réjouissons sans doute du peu de rigueur de ce contrôle génétique – encore qu'il n'existe, bien sûr, aucun moyen de savoir ce que nous penserions si ce contrôle devenait plus précis...

LE CHAGRIN DE DARWIN

Darwin connut plusieurs chagrins, lors du décès de trois de ses enfants et de celui de son père. Et son attitude se conforme assez bien à la théorie.

La mort de Mary Eleanor, troisième enfant des Darwin, survient trois semaines après sa naissance, en 1842. Charles et Emma en sont indéniablement très attristés, et Charles est particulièrement affecté par l'enterrement; pourtant, aucun signe de douleur insurmontable, ni de deuil prolongé. Emma écrit à sa belle-sœur : « Notre peine n'est rien comparée à ce qu'elle eût été si elle avait dû vivre plus longtemps et souffrir davantage [ajoutant qu'avec deux autres enfants pour les distraire, Charles et elle, de leur chagrin] il n'y a pas lieu de craindre que la douleur dure trop longtemps [38]. »

La mort de Charles Waring, le petit dernier, a dû aussi leur porter un coup détourné. Il était très jeune (dix-huit mois) et mentalement attardé. L'une des conjectures darwiniennes parmi les plus simples est que les parents s'intéresseront moins aux enfants si fortement handicapés et donc susceptibles de n'avoir qu'une faible valeur reproductive. (Dans de nombreuses sociétés primitives, on tuait les bébés malformés et, même dans les sociétés industrielles, les enfants handicapés courent souvent le risque d'être maltraités [39].) Darwin écrit quelques lignes à la mémoire de son fils, lignes parfois empreintes d'un détachement clinique (« Il faisait souvent d'étranges grimaces et tremblait lorsqu'il était énervé... »), et semble presque échapper à l'angoisse [40]. L'une de ses filles dira plus tard à propos du bébé : « Mon père et ma mère se montraient tous deux infiniment tendres avec lui, mais lorsqu'il mourut, au cours de l'été 1858, un sentiment de soulagement succéda à la peine qu'ils avaient d'abord éprouvée [41]. »

Le décès de son père, en 1848, ne le terrasse pas non plus. À ce moment-là, Charles est entièrement autonome, et son père, âgé de quatre-vingt-deux ans, a épuisé son potentiel reproductif. Dans les jours qui suivent, Darwin manifeste un profond chagrin et, bien sûr, rien ne prouve qu'il n'ait pas souffert pendant des mois. Mais, dans ses lettres, il ne laisse rien transparaître de plus que ceci : « Si on ne l'avait pas connu, on n'aurait pu croire qu'un homme âgé de plus de quatre-vingt-trois ans [sic] pût conserver un tempérament si tendre et affectueux, doublé, jusqu'à la fin, d'une telle vivacité d'esprit. » Il écrit encore, trois mois après le décès : « La dernière fois que je l'ai vu, il était très bien, et son expression, celle dont je conserve à présent la mémoire, était gaie et sereine [42]. »

Il en va tout autrement du décès de sa fille Annie, en 1851, au terme d'une maladie qui a commencé un an plus tôt. Elle meurt à l'âge de dix ans, alors que son potentiel reproductif n'est pas loin de culminer.

Dans les jours qui précèdent la mort de l'enfant, Charles et Emma échangent des lettres poignantes et chargées d'angoisse, Charles ayant emmené la petite fille loin de chez eux, chez un médecin. Quelques jours après le décès, il rédige, à la mémoire d'Annie, quelques lignes bien différentes de celles qui évoquaient Charles Waring : « Elle irradiait la gaieté et la vivacité, qui donnaient à chacun de ses gestes la souplesse, la vie, la vigueur. La regarder était un délice, un bonheur. Je revois son visage chéri, lorsqu'elle dévalait l'escalier avec une pincée de tabac à priser qu'elle avait chipée pour moi, rayonnant tout entière du plaisir de faire plaisir... Dans les derniers moments de sa maladie, elle se montra tout bonnement angélique. Aucune plainte, aucune pleurnicherie. Toujours prévenante envers les autres, elle leur était reconnaissante de ce qu'ils faisaient pour elle de la façon la plus douce et la plus émouvante qui soit... Un jour que je lui donnais de l'eau, elle me dit : " Je te remercie beaucoup ", et ces mots sont, je crois, les derniers, les plus précieux que ses lèvres chéries m'aient adressés. » Il conclut en ces termes : « Nous avons perdu la joie de notre foyer et le réconfort de nos vieux jours. Elle a dû savoir à quel point nous l'aimions. Oh ! si elle pouvait savoir à présent combien nous l'aimons encore, combien nous l'aimons profondément, tendrement, et combien nous l'aimerons toujours, son si joyeux petit visage ! Qu'elle repose en paix [43]. »

Croyez-le ou non, il doit être possible d'ajouter au chagrin de Darwin un brin de cynisme. Il semble qu'Annie ait été l'enfant préférée du couple. Elle était intelligente et douée – « un second petit Mozart », dit un jour Darwin –, talents qui n'eussent pu qu'augmenter sa valeur sur le marché du mariage et, par conséquent, son potentiel reproductif. Elle était, qui plus est, une enfant exemplaire, un modèle de générosité, de politesse et d'éducation [44]. Ou, comme le dirait Trivers : Emma et Charles avaient réussi à la manipuler de telle sorte qu'elle poursuivît leur aptitude globale au détriment de la sienne propre. Peut-être une analyse relative aux « chouchous » confirmerait-elle qu'ils tendent tous à posséder de telles qualités – fort précieuses du point de vue des gènes parentaux, mais pas forcément du point de vue des gènes de l'enfant.

Quelques mois après la mort de son père, Darwin considère son deuil comme terminé, faisant allusion dans l'une de ses lettres à ce « cher père auquel je pense désormais avec le plus grand plaisir » [45]. En ce qui concerne Annie, jamais ce ne fut le cas, ni pour Emma, ni pour Charles. Henrietta, une autre de leurs filles, écrira plus tard : « On peut dire que ma mère ne s'est jamais vraiment remise de son chagrin. Elle parlait très rarement d'Annie, mais lorsqu'elle le faisait, le sentiment de perte demeurait une plaie vive. Mon père ne supportait pas de rouvrir cette plaie et, à ma connaissance, jamais il ne parlait d'elle. » Vingt-cinq ans après la mort d'Annie, Darwin note dans son autobiographie que le fait de penser à elle lui fait toujours monter les larmes aux yeux. Sa mort, écrit-il, a été le « seul chagrin véritable » qui eût affecté la famille [46].

En 1881, après la mort de son frère Erasmus, et moins d'un an avant la sienne, Darwin, dans une lettre à son ami Joseph Hooker, évoque une différence entre « la mort d'une personne âgée et celle d'une personne jeune » : « La mort dans ce dernier cas, alors qu'un avenir radieux s'annonçait, cause un chagrin qui jamais ne s'effacera complètement [47]. »

CHAPITRE VIII

DARWIN ET LES SAUVAGES

> *Mr. J. S. Mill, dans son célèbre ouvrage,* L'Utili-
> litarisme, *parle du sentiment social comme d'un
> « puissant sentiment naturel » et le considère comme
> « la base naturelle du sentiment dans la moralité utili-
> taire » ; mais, par ailleurs, il fait aussi remarquer que
> « si, comme je le crois, les sentiments moraux ne sont
> pas innés, mais acquis, ils n'en sont pas pour cela
> moins naturels ». Ce n'est pas sans hésitation que j'ose
> avoir un avis contraire à celui d'un penseur si profond,
> mais on ne peut guère contester que les sentiments
> sociaux sont instinctifs ou innés chez les animaux ;
> pourquoi ne le seraient-ils donc pas chez l'homme ?*
>
> La Descendance de l'homme (1871) [1]

Quand, pour la première fois de sa vie, Darwin se trouve en présence
d'une société primitive, il réagit à peu près comme le gentleman
anglais moyen du XIXe siècle. Alors que le *Beagle* pénètre dans une baie
de la Terre de Feu, Darwin aperçoit un groupe d'Indiens qui crient et
dont « les bras font des moulinets autour de leur tête ». Avec « leur
longue chevelure hirsute, écrit-il à son mentor John Henslow, ils
avaient l'air d'esprits égarés venus d'un autre monde ». Un examen
rapproché renforce cette impression de barbarie. Leur langage, « par
rapport au nôtre, est à peine articulé » ; leurs maisons « ressemblent
aux cabanes que les enfants font l'été ». L'affection entre mari et
femme ne semble pas non plus régner dans ces foyers, « à moins qu'on
ne puisse considérer comme tel le traitement qu'inflige un maître à un
esclave laborieux » [2].

Pour couronner le tout, les Fuégiens semblent avoir pour habitude de manger les vieilles femmes quand la nourriture fait défaut.

Lugubre, Darwin rapporte qu'un petit garçon fuégien à qui il demande pourquoi ils ne mangent pas plutôt leurs chiens, lui a répondu : « Les chiens attrapent des loutres – la femme ne sert à rien – les hommes ont très faim. » Darwin écrit à sa sœur Caroline : « Connais-tu chose plus atroce : ils les font travailler comme des esclaves l'été pour qu'elles rapportent de la nourriture et, l'hiver, il leur arrive de les manger. Mon cœur se lève au seul bruit de la voix de ces misérables sauvages [3]. »

L'histoire des femmes dévorées s'est révélée apocryphe. Mais Darwin a été témoin de plusieurs autres scènes de violence dans les nombreuses sociétés primitives qu'il rencontre au cours de son voyage. Des dizaines d'années plus tard, il écrira dans *La Descendance de l'homme* que le sauvage « adore torturer ses ennemis, offrir de sanglants sacrifices et [qu'] il pratique sans remords l'infanticide » [4]. Aussi, eût-il su que, finalement, les Fuégiens ne mangeaient pas leurs concitoyennes plus âgées, cela n'eût sans doute pas considérablement modifié sa vision de ces peuples primitifs, telle qu'il la livre dans son célèbre récit du voyage sur le *Beagle* : « Je n'arrivais pas à croire à quel point il y a une énorme différence entre un sauvage et un homme civilisé. Elle est plus grande encore qu'entre une bête sauvage et un animal domestiqué [5]... »

Et pourtant, la vie des Fuégiens comprend certains éléments qui sont au cœur de la vie civilisée de l'Angleterre victorienne. L'amitié, par exemple, qui se manifeste par une mutuelle générosité et qu'ils scellent grâce à un rituel de solidarité. Darwin écrit : « Après que nous leur avons offert quelques étoffes écarlates, qu'ils se sont empressés de nouer autour de leur cou, ils sont devenus bons amis. C'est ce que nous avons compris lorsqu'un vieil homme est venu nous tapoter la poitrine et s'est mis à émettre une sorte de glousse-ment, proche de celui que l'on pousse, dans une basse-cour, pour appeler les poules. Comme j'accompagnais le vieil homme, cette démonstration d'amitié se répéta à plusieurs reprises, avant de se conclure par trois tapes énergiques qui me furent distribuées simulta-nément sur la poitrine et dans le dos. Il a mis ensuite sa poitrine à nu pour que je lui retourne le compliment, ce que j'ai fait, et il en a paru hautement satisfait [6]. »

Darwin prend davantage conscience de l'humanité des sauvages à l'occasion de l'expérience suivante : lors d'un précédent voyage, le capitaine FitzRoy avait embarqué quatre Fuégiens pour l'Angleterre ; il en ramenait trois chez eux, fraîchement éduqués et civilisés (en même temps que décemment vêtus), afin de promouvoir les lumières de la civilisation et de la morale chrétienne dans le Nouveau Monde. Or, l'expérience est à bien des égards un échec, et un échec tout par-ticulièrement lamentable le jour où un Fuégien fraîchement civilisé s'empare de tous les biens d'un autre Fuégien fraîchement civilisé et s'enfuit, à la faveur de la nuit, à l'autre bout du continent [7]. Toutefois, l'expérience parvient au moins à produire trois Fuégiens capables de parler anglais, ce qui permet à Darwin de ne pas se contenter de contempler ces indigènes d'un air incrédule. Il écrira plus tard : « Les mentalités des indigènes américains, des Nègres et des Européens diffèrent autant que le laisse supposer le nom de leurs races ; cependant, lors de mon séjour à bord du *Beagle* avec les Fuégiens, je ne laissais d'être surpris du nombre de traits de caractère qui révélaient des similitudes entre leur esprit et le nôtre, et il en fut de même pour un nègre de race pure avec lequel je me liais d'amitié [8]. »

Cette perception d'une unité fondamentale entre les humains – d'une nature humaine – est la première étape sur la voie de la psychologie évolutionniste. Darwin franchit la deuxième, en essayant d'expliquer certains points de cette nature en termes de sélection naturelle. Il tente en particulier d'expliquer certains aspects du psychisme humain, dont – à en croire les lettres qu'il expédiait depuis le *Beagle* – on eût pu supposer que Fuégiens et autres « sauvages » étaient dépourvus : « Le sens moral, qui nous dit ce que nous devons faire, et [...] la conscience qui nous condamne si nous désobéissons [9]. »

Encore une fois, comme pour la stérilité chez les insectes, Darwin choisit de confronter un obstacle majeur à sa théorie de l'évolution. Il n'est pas évident, en effet, que les sentiments moraux soient le produit de la sélection naturelle.

Dans une certaine mesure, la réponse qu'apportait Darwin au problème de la stérilité *était aussi* une réponse au problème moral. Son concept de la sélection « familiale », ou sélection parentale, peut expliquer l'altruisme chez les mammifères et, de ce fait, la conscience. Mais la sélection parentale ne rend compte des actes de la conscience qu'au sein de la famille. Et les êtres humains sont très capables d'éprouver de la sympathie pour des individus qui n'appartiennent pas à leur famille, de les aider et de se sentir coupables s'ils ne le font pas. Au début du XXᵉ siècle, Bronislaw Malinowski notait que les habitants des îles Trobriand disposaient de deux mots pour dire « ami », selon que l'ami faisait partie ou non de leur propre clan. Il traduisait ces mots par « ami à l'intérieur de la barrière » et « ami à l'extérieur de la barrière » [10]. Même les Fuégiens, ces « misérables sauvages », ont été capables de se lier d'amitié avec un jeune homme à la peau blanche arrivant de l'autre bout du monde. La question demeure, même après la théorie de la sélection parentale : pourquoi avons-nous des amis « à l'extérieur de la barrière » ?

Elle est même plus vaste encore. Les humains peuvent éprouver de la sympathie pour des individus « à l'extérieur de la barrière » qui ne sont pas des amis – des gens qu'ils ne connaissent même pas. Pourquoi ? Pourquoi existe-t-il des bons Samaritains ? Pourquoi la plupart des gens ont-ils du mal à passer devant un mendiant sans éprouver, au moins, une impression de malaise ?

Darwin a trouvé une réponse à ces questions et, même si elle apparaît quelque peu erronée aujourd'hui, elle l'est d'une façon très éclairante. L'erreur repose sur une confusion qui a régulièrement entaché la biologie jusqu'il y a peu de temps encore, quand on a enfin pu la balayer et dégager la voie pour une psychologie évolutionniste moderne. De plus, l'analyse par Darwin de la moralité humaine, jusqu'au moment où il a fait fausse route est, à bien des égards, exemplaire ; par endroits, c'est un modèle de la méthode utilisée par la psychologie évolutionniste, même au regard des critères contemporains.

DES GÈNES DE LA MORALITÉ ?

Le premier problème auquel on est confronté lorsque l'on cherche à avoir une vision évolutionniste de la moralité réside dans l'infinie diversité de celle-ci. Il y a la pruderie et le bon ton de l'Angleterre victorienne, la barbarie que s'autorisent moralement les sauvages, et tout ce que l'on peut trouver entre ces deux extrêmes. Darwin évoque non sans perplexité les « règles de conduite absurdes » qu'illustrent, par exemple, « l'horreur que ressent un hindou à déroger aux lois de sa caste » et « la honte qu'éprouve une musulmane à dévoiler son visage » [11].

Si la moralité trouve son fondement dans la biologie humaine, comment les codes moraux peuvent-ils différer à ce point ? Les Arabes, les Africains et les Anglais auraient-ils des « gènes de moralité » différents ?

Ce n'est pas cette explication qu'accrédite la psychologie évolutionniste moderne ; ce n'est pas non plus celle que choisit Darwin. Certes, il croyait fermement qu'il existait entre les races des différences mentales innées, dont certaines n'étaient pas sans rapport avec la morale [12]. Cette conviction était courante au XIXe siècle, en un temps où certains savants (dont Darwin ne fait pas partie) défendaient vigoureusement la thèse selon laquelle les races n'étaient absolument pas des races, mais des *espèces*. Darwin croyait, quant à lui, que toutes les traditions morales, aussi variées fussent-elles, s'enracinaient – au moins au sens large du terme – dans une nature humaine commune.

Pour commencer, il remarque combien tous les êtres humains sont sensibles à l'opinion de leurs contemporains. « L'amour de l'approbation et la crainte de l'opprobre, de même que l'octroi de louanges ou de blâmes » sont, affirme-t-il, enracinés dans l'instinct. Un manquement par rapport à la norme peut faire souffrir le « martyre » à un individu, et l'infraction à quelque dérisoire règle de l'étiquette faire resurgir, même plusieurs années après, une « brûlante sensation de honte » [13]. L'adhésion à quelque règle morale que ce soit a donc un fondement inné. Seuls les contenus spécifiques des codes moraux ne sont pas innés.

Pourquoi ces contenus varient-ils autant? Selon Darwin, si des gens différents ont des règles différentes, c'est parce que, pour des raisons historiques qui leur sont propres, ils jugent que telle règle sera plus profitable que telle autre à leur communauté.

Toujours selon Darwin, ces appréciations sont souvent erronées et génèrent des types de comportement tout à fait gratuits, sinon « rigoureusement contraires au vrai bien-être et au vrai bonheur de l'humanité ». On a un peu l'impression que, pour lui, c'est en Angleterre, ou du moins en Europe, que l'on a commis le moins d'erreurs. Alors que les « sauvages » en ont commis davantage. Ils semblent avoir « d'insuffisantes capacités de raisonnement », qui ne leur permettent pas de discerner les liens peu évidents qui existent entre lois morales et bien public, et ils manquent, sans doute par atavisme, d'auto-discipline : « Le caractère extrêmement licencieux de leurs agissements, sans parler des crimes contre nature, est quelque chose d'ahurissant [14]. »

Cependant, pour Darwin, nulle sauvagerie ne peut nous détourner du deuxième trait universel de la moralité humaine. Fuégiens et Anglais ont en commun les « instincts sociaux » qui jouent un rôle essentiel dans leur sympathie à l'égard du prochain. « Les sentiments de sympathie et de gentillesse sont communs aux membres d'une même tribu, surtout en cas de maladie... » Et « l'on pourrait citer de nombreux exemples de barbares qui, [...] sans être guidés par aucun motif religieux, une fois prisonniers, ont bravement sacrifié leur vie plutôt que de trahir leurs compagnons ; il est évident qu'il faut voir là une conduite morale » [15].

En vérité, les barbares ont une fâcheuse tendance à considérer que tous ceux qui n'appartiennent pas à leur tribu n'ont aucune valeur morale, au point de voir dans les mauvais traitements qu'ils infligent aux étrangers un effort digne d'être honoré. « On connaît l'histoire de ce Thug, en Inde, qui regrettait en conscience de n'avoir pas étranglé et dévalisé autant de voyageurs que son père l'avait fait avant lui [16]. » La question ne porte pas sur l'existence de la sympathie, mais sur son étendue ; dans la mesure où tous les peuples sont, par essence, capable d'un sens moral, il n'en est pas un qui ne puisse connaître la sympathie. Dans *Le Voyage du Beagle*, Darwin écrit à propos d'une île au large des côtes chiliennes : « Il est heureux de constater que les indigènes ont atteint le même degré de civilisation, si modéré soit-il, que leurs conquérants blancs [17]. »

Tout sauvage qui se sentirait flatté que Darwin lui reconnût une entière aptitude à la sympathie et aux instincts sociaux ne devrait pas perdre de vue qu'il crédite d'autres formes de vie, non humaines celles-là, des mêmes qualités. Darwin voit de la sympathie chez les corbeaux qui nourrissent consciencieusement leurs congénères aveugles et chez les babouins qui sauvent avec héroïsme leurs petits des griffes d'une meute de chiens. « Qui peut dire ce qu'éprouvent les corbeaux lorsque, faisant cercle autour d'un compagnon mourant, ou déjà mort, ils le fixent attentivement [18] ? » Darwin décrit des manifestations de tendresse entre deux chimpanzés, qui lui ont été relatées par un gardien de zoo ayant observé leur première rencontre : « Ils étaient assis l'un en face de l'autre et se touchaient de leurs lèvres saillantes, puis l'un d'eux a mis sa main sur l'épaule de l'autre. Ensuite, ils sont tombés dans les bras l'un de l'autre. Après quoi, ils se sont redressés, chacun avec un bras sur l'épaule de l'autre, ont levé la tête, ouvert la bouche et poussé un grand cri de ravissement [19]. »

Il peut s'agir, dans l'un ou l'autre exemple, d'altruisme entre proches parents, auquel cas l'explication est simple : sélection parentale. Et la scène entre les chimpanzés faisant connaissance peut aussi avoir été enjolivée par un gardien de zoo aux penchants anthropomorphiques. Mais il n'en reste pas moins que les chimpanzés nouent vraiment des amitiés, ce qui suffit amplement à justifier l'argumentation de Darwin : aussi singulière que nous considérions notre espèce, elle n'est pas seule capable de faire preuve de sympathie, même au-delà du cercle familial.

Certes, Darwin remarque que les êtres humains développent de façon unique leur comportement moral. Ils peuvent, grâce à un langage complexe, savoir exactement quel type de conduite on attend d'eux au nom du bien commun. Ils peuvent aussi examiner leur passé, se rappeler que, lorsqu'ils laissent leurs « instincts sociaux » être dominés par des instincts plus élémentaires, les conséquences en sont douloureuses ; ils peuvent donc décider de faire mieux. Pour toutes ces raisons, Darwin suggère même que l'on réserve à notre espèce l'emploi du mot _moral_[20]. Il voit cependant, à l'origine de cette moralité pleinement développée, un instinct social bien antérieur à l'humanité, même s'il s'est enrichi avec l'évolution de l'homme.

Si l'on veut comprendre comment l'évolution a pu favoriser l'éclosion d'élans moraux (ou autres), il est capital de s'interroger sur les comportements qu'ont suscités ces élans. Après tout, ce ne sont ni les comportements, ni les pensées, ni les émotions qui importent à la sélection naturelle ; ce sont les actes, et non les sentiments, qui décident directement de la transmission des gènes. Darwin a parfaitement saisi ce principe. « On a souvent affirmé que les animaux sont d'abord sociables, et que, en conséquence, ils éprouvent du chagrin lorsqu'ils sont séparés les uns des autres et ressentent de la joie lorsqu'ils sont réunis ; mais il est plus probable que ces sensations se soient développées les premières, afin de déterminer les animaux qui pouvaient tirer un parti avantageux de la vie en société à s'associer les uns aux autres [...]. Car, chez les animaux pour lesquels la vie sociale est avantageuse, les individus qui trouvent le plus de plaisir à être réunis peuvent le mieux échapper à divers dangers, tandis que ceux qui s'inquiètent moins de leurs camarades et qui vivent solitaires périssent en plus grand nombre [21]. »

SÉLECTION PAR LE GROUPE

Dans son approche de la psychologie évolutionniste, Darwin a cédé à la tentation d'une théorie connue sous le nom de « sélection par le groupe » (*group selectionism*). Examinons son explication de l'évolution du sens moral. Dans *La Descendance de l'homme*, il écrit qu'une « amélioration du niveau de la moralité, et une augmentation du nombre des individus doués sous ce rapport, confèrent certainement à une tribu un avantage immense sur une autre tribu. Si une tribu renferme beaucoup de membres possédant à un haut degré l'esprit de patriotisme, de fidélité, d'obéissance, de courage et de sympathie, membres toujours prêts, par conséquent, à s'entraider et à se sacrifier au bien commun, elle doit évidemment l'emporter sur la plupart des autres tribus ; et c'est là que se situerait la sélection naturelle » [22].

En effet, c'est là que se situerait la sélection naturelle, si toutefois les choses se passaient ainsi. Mais, bien que cela ne semble pas *impossible*, plus on y réfléchit, plus la chose semble improbable. Darwin a lui-même perçu cet écueil quelques pages auparavant : « Il est fort douteux que les progénitures des parents les plus sympathiques et bienveillants, ou les plus loyaux envers leurs compagnons, aient surpassé en nombre celles des membres égoïstes et perfides de la même tribu. » Au contraire, les hommes les plus courageux, les plus portés à l'esprit de sacrifice, « périssent en moyenne davantage que les autres ». Une âme noble « ne laisse souvent pas d'enfants pour hériter de sa noble nature » [23].

Exactement. Ainsi, même si une tribu composée d'éléments généreux prenait le pas sur une tribu d'égoïstes, on voit mal, pour commencer, comment cette première tribu pourrait se composer d'éléments généreux. Dans la préhistoire, la vie quotidienne, avec son lot d'adversités, devait probablement favoriser les gènes d'individus qui thésaurisaient la nourriture plutôt qu'ils ne la partageaient, ou qui laissaient leurs voisins se battre plutôt que de risquer un mauvais coup. Et cet avantage intratribal aurait dû prospérer lorsque la compétition intertribale, au cœur de la théorie de la sélection par le groupe, se déchaînait, comme c'est le cas en temps de guerre ou de disette (à moins qu'une fois les guerres terminées, les sociétés ne prennent un soin particulier de la famille des héros morts au champ d'honneur). Aussi est-il possible que jamais des pulsions altruistes biologiquement fondées n'aient pu pénétrer un groupe. Même si on décidait d'implanter par magie des « gènes de sympathie » chez 90 % de la population, ils seraient progressivement surclassés par leurs moins ennoblissants rivaux.

Comme le dit Darwin, l'égoïsme qui va en résulter peut induire l'anéantissement de cette tribu par une autre. Mais toutes les tribus étant soumises à la même logique interne, les vainqueurs ne seront sans doute pas des parangons de vertu. Et auraient-ils en eux un brin d'altruisme, celui-ci devrait, en principe, décliner dès lors qu'ils savoureraient les fruits de leur victoire.

Le problème avec la théorie de Darwin est le même que celui que rencontrent toutes les théories de sélection par le groupe : on voit mal comment la sélection par le groupe pourrait répandre une caractéristique que la sélection individuelle ne favoriserait pas ; on voit mal, dans un conflit opposant intérêt collectif et intérêt individuel, la sélection naturelle trancher en faveur du collectif. Certes, on peut toujours échafauder des scénarios – migrations, extinction de certains groupes – dans lesquels la sélection par le groupe favoriserait le sacrifice individuel. Et quelques rares biologistes croient d'ailleurs que la sélection par le groupe a joué un rôle important dans l'évolution de l'humanité [24]. Cependant, les scénarios des partisans de la sélection par le groupe ont tendance à être un peu alambiqués. George Williams les a même trouvés si pénibles que, dans *Adaptation and Natural Selection*, il les disqualifie officiellement : « On ne devrait pas user du postulat de l'adaptation au-delà de ce qu'exigent les faits [25]. » En d'autres termes : on commencera par chercher comment les gènes qui soustendent une caractéristique ont pu être favorisés dans une compétition quotidienne entre individus. En cas d'échec, en cas d'échec seulement, et avec la plus grande circonspection, on aura recours à la compétition entre groupes distincts. C'est là le credo officieux du nouveau paradigme.

Dans le même livre, Williams mettra sa doctrine en application. Sans avoir recours à la sélection par le groupe, il proposera ce que l'on tient désormais pour l'explication des sentiments moraux humains. Au milieu des années 60, juste après qu'Hamilton eut expliqué l'origine de l'altruisme entre parents, Williams donna son point de vue sur la façon dont l'évolution a pu étendre l'altruisme au-delà des barrières de la parenté.

Chapitre IX

AMIS

> *Il est étonnant que la compassion pour le mal-*
> *heur des autres arrache plus volontiers les larmes que*
> *son propre malheur; et c'est souvent le cas. Il y a des*
> *hommes que leur souffrance personnelle n'ébranle pas,*
> *mais qui ne pourront se retenir de verser des larmes en*
> *voyant souffrir un ami.*

L'Expression des émotions
chez l'homme et chez les animaux (1872) [1]

Sans doute conscient de la faiblesse de sa théorie sur les sentiments moraux, et pour faire bonne mesure, Darwin en élabore une seconde. Au cours de l'évolution, écrit-il dans *La Descendance de l'homme*, « à mesure qu'augmentent la capacité de raisonnement et la prévoyance des membres de la tribu, l'expérience apprend bientôt à chacun que, s'il aide ses semblables, ceux-ci l'aideront à leur tour. Ce mobile peu élevé peut déjà lui faire prendre l'habitude d'aider ses semblables; et l'habitude des bonnes actions renforce certainement le sentiment de la sympathie, laquelle imprime la première impulsion à la bonne action. En outre, les habitudes observées sur plusieurs générations tendent probablement à devenir héréditaires » [2].

Naturellement, ce dernier point est faux. Nous savons maintenant que les habitudes ne passent du parent à l'enfant que par l'éducation ou l'exemple. En fait, aucune expérience vécue (excepté, par exemple, l'exposition aux radiations) n'affecte les gènes transmis à la progéniture. La beauté même de la théorie darwinienne de la sélection naturelle tient à ce que, contrairement aux théories évolutionnistes antérieures, telle celle de Jean-Baptiste de Lamarck, elle n'implique pas l'hérédité des traits acquis. Conscient de cette beauté, Darwin a surtout mis l'accent sur la version la plus pure de sa théorie. Cependant, il a été près, surtout vers la fin de sa vie, d'avoir recours à des mécanismes plus douteux pour résoudre des problèmes particulièrement délicats, tel celui de l'origine des sentiments moraux.

En 1966, George Williams propose une façon de rendre plus utiles les méditations de Darwin sur la valeur évolutionniste de l'aide réciproque : il suggère de retrancher non seulement la dernière phrase, mais aussi tout le passage concernant le « raisonnement », la « prévoyance » et le fait d'« apprendre ». Dans *Adaptation and Natural Selection,* Williams rappelle que Darwin parle du bien que nous prodiguons dans l'espoir d'une réciprocité comme d'un « mobile peu élevé ». Williams écrit : « Je ne vois pas pourquoi il s'agirait d'un mobile conscient. Il faut bien que l'aide apportée aux autres nous soit de temps en temps retournée, si elle est supposée être favorisée par la sélection naturelle. Il n'est pas nécessaire pour autant que ni le donneur, ni le bénéficiaire en soient conscients. » Et il ajoute : « Plus simplement, un individu qui augmente ses amitiés et réduit ses inimitiés aura un avantage dans l'évolution, et la sélection devrait favoriser ces caractères qui encouragent l'optimisation des relations personnelles [3]. »

Nous avons déjà rencontré cet argument fondamental de Williams (argument que Darwin a certainement compris et souligné dans d'autres contextes) [4]. Les animaux, humains compris, se conforment souvent à une logique évolutionniste, non sous l'effet d'un calcul conscient, mais parce qu'ils suivent leurs sentiments, lesquels ont été conçus pour que s'exécute cette logique. Dans ce cas, suggère Williams, les sentiments peuvent comprendre compassion et gratitude. La gratitude peut amener les gens à payer un service de retour, sans pour autant qu'ils réfléchissent longuement à ce qu'ils sont en train de faire. Et si on ressent une compassion plus profonde pour certaines personnes – celles envers lesquelles nous sommes reconnaissants, par exemple –, cette compassion peut nous conduire à rendre un bienfait, mais encore une fois, sans que nous en ayons vraiment conscience.

Les spéculations succinctes de Williams ont abouti, chez Robert Trivers, à une théorie accomplie. En 1971, exactement cent ans après que Darwin évoquait l'altruisme réciproque dans *La Descendance de l'homme,* Trivers publie dans *The Quarterly Review of Biology* un article intitulé *Évolution de l'altruisme réciproque.* Dans le résumé de son article, il écrit qu'« amitié, antipathie, agression moralisatrice, gratitude, sympathie, confiance, suspicion, loyauté et certaines formes de culpabilité, de malhonnêteté et d'hypocrisie peuvent s'expliquer comme des adaptations majeures servant à réguler le mécanisme de l'altruisme ». Aujourd'hui, soit plus de vingt ans après cette audacieuse assertion, des preuves toujours plus nombreuses et diverses viennent l'étayer.

THÉORIE DES JEUX ET ALTRUISME RÉCIPROQUE

Si d'aucuns s'avisaient de reprocher à Darwin de n'avoir ni conçu ni développé la théorie de l'altruisme réciproque, on pourrait, pour sa défense, arguer du fait qu'il était issu d'une culture intellectuellement défavorisée. Il manque en effet à l'Angleterre victorienne deux outils indispensables à l'analyse : la théorie des jeux et l'ordinateur.

La théorie des jeux s'est développée dans les années 20 et 30 comme une méthode permettant d'analyser les prises de décision [5]. À la mode en économie et autres sciences sociales, elle pâtit néanmoins de sa réputation : elle serait un peu trop... eh bien, un peu trop jolie. Les théoriciens du jeu ont habilement réussi à rendre propre et nette l'étude du comportement humain, mais ce au détriment du réalisme. Ils ont parfois tendance à penser que le but des gens dans la vie peut se résumer bien proprement à une unique devise psychologique : soit le plaisir, soit le bonheur, soit « l'utilité » ; et ils supposent aussi que ce but est poursuivi avec un rationalisme inébranlable. N'importe quel psychologue évolutionniste vous dira que ces suppositions sont fausses. Les êtres humains ne sont pas des machines à calculer ; ce sont des animaux, guidés en partie par la raison consciente, mais aussi par d'autres forces. Quant au bonheur à long terme, si séduisant puisse-t-il leur paraître, ils n'ont pas précisément été conçus pour en optimiser les possibilités.

Par ailleurs, les humains ont bien été conçus *par* une machine à calculer, un processus froid et éminemment rationnel. Et cette machine les a conçus afin qu'ils optimisent une seule chose : la prolifération génétique totale, l'aptitude globale [6].

Bien sûr, les plans ne marchent pas toujours. Il arrive souvent que les organismes individuels ne transmettent pas leurs gènes, et ce pour diverses raisons. (Certains organismes sont voués à l'échec. C'est la raison même de l'existence de l'évolution.) Qui plus est, dans le cas de l'être humain, le travail de conception s'est fait dans un environnement social différent du nôtre. Nous vivons dans des villes et des banlieues, nous regardons la télé et buvons de la bière, tout en étant en proie à des sentiments conçus pour propager nos gènes dans une petite population économiquement basée sur la chasse et sur la cueillette. Rien d'étonnant à ce que les gens semblent souvent n'obtenir aucun succès dans la poursuite de leurs objectifs : bonheur, aptitude globale, ou autres.

Si les théoriciens du jeu appliquent leurs outils à l'évolution humaine, ils doivent tenir compte de quelques règles élémentaires. Premièrement, le but du jeu devrait consister à optimiser la prolifération génétique. Deuxièmement, le contexte du jeu devrait refléter la réalité telle qu'elle se présentait dans l'environnement ancestral, un environnement à peu près semblable à celui d'une société primitive. Troisièmement, une fois découverte la stratégie optimale, l'expérimentation n'est pas terminée pour autant. L'étape finale – bouquet final – consiste à déterminer quels sont les sentiments qui pourraient conduire les êtres humains à suivre cette stratégie. Ces sentiments devraient théoriquement faire partie de la nature humaine ; ils devraient avoir évolué de génération en génération dans le jeu de l'évolution.

Suivant la suggestion de William Hamilton, Trivers utilise un jeu classique appelé le dilemme du prisonnier. Deux complices sont interrogés séparément et ont une délicate décision à prendre. L'instruction manque des preuves qui permettraient de les inculper pour un crime qu'ils ont commis ensemble, mais en a assez pour les accuser tous deux d'une faute moins grave et les condamner, par exemple, à un an de prison ferme chacun. Le procureur, qui veut obtenir la sentence la plus dure, harcèle séparément chacun des deux hommes pour qu'il avoue et compromette son complice. Il dit à chacun d'eux : « Si tu avoues et que ton complice n'avoue pas, je te rends la liberté et j'utilise ta déposition pour le faire coffrer pendant dix ans. » Le revers de l'offre est une menace : « Si tu n'avoues pas et que ton complice avoue, c'est *toi* qui en prends pour dix ans. En revanche, si vous avouez l'un et l'autre, je vous fais coffrer tous les deux, mais seulement pour trois ans [7]. »

À la place de l'un ou l'autre de ces prisonniers, tout bien pesé, il est quasiment sûr que vous décideriez de passer aux aveux et de « rouler » votre complice. Supposons d'abord que ce soit votre complice qui vous roule. Mieux vaut dans ce cas que vous en fassiez autant : vous en prendrez pour trois ans, au lieu des dix que vous récolterez si vous vous taisez et que lui parle. Supposons maintenant qu'il ne parle pas. Vous avez toujours intérêt à parler : passant aux aveux alors que lui se tait, vous retrouvez la liberté, tandis que vous en prenez pour un an si vous vous taisez aussi. En conséquence, la logique semble irréfutable : trahissez votre partenaire.

Toutefois, si les deux partenaires suivent cette logique quasi irréfutable et se roulent mutuellement, ils finissent par en prendre pour trois ans, tandis que tous deux auraient pu n'en prendre que pour un an s'ils étaient restés loyaux l'un envers l'autre et n'avaient pas parlé. Si seulement ils avaient le droit de communiquer, ils pourraient trouver un accord, coopérer et mieux s'en sortir. Mais ils n'ont pas le droit de communiquer, alors comment pourraient-ils coopérer ?

La question est à peu près parallèle à celle-ci : comment les bêtes, qui, muettes, ne peuvent se promettre la récompense d'un service, ni même saisir le concept de récompense, pourraient-elles évoluer vers un altruisme mutuel ? Trahir un complice qui, lui, reste loyal, c'est comme, pour un animal, bénéficier d'un geste d'altruisme et ne jamais le récompenser. La trahison réciproque, c'est aucun des deux animaux ne voulant rendre service le premier : bien que tous deux puissent tirer avantage d'un altruisme réciproque, aucun n'osera en prendre le risque. La loyauté réciproque, c'est un seul match gagné dans le tournoi de l'altruisme réciproque : on rend un service et un service nous est rendu. Mais une fois encore : pourquoi rendre le service s'il n'existe aucune garantie qu'il nous sera retourné ?

Il y a loin du modèle à la réalité [8]. Dans la réalité, l'altruisme et le moment de la réciprocité sont décalés dans le temps, alors que ceux qui jouent au dilemme du prisonnier se compromettent simultanément. Mais cette distinction ne change pas grand-chose. Parce qu'il est dans l'impossibilité de communiquer et de se concerter avec son complice, chacun des deux prisonniers se retrouve dans la situation à laquelle sont confrontés les animaux potentiellement altruistes : très incertains quant à une éventuelle contrepartie amicale. Plus tard, si on continue à opposer les mêmes joueurs l'un à l'autre, partie après partie – dans une sorte de « dilemme du prisonnier itératif » –, chacun pourra se référer à la conduite passée de l'autre pour prendre sa décision. Ainsi, chaque joueur risquera-t-il de récolter ce qu'il a semé, exactement comme dans le cas de l'altruisme réciproque.

Tout compte fait, il n'y a pas si loin du modèle à la réalité. La logique qui conduirait à la coopération dans un dilemme du prisonnier itératif est très précisément celle qui conduirait à l'altruisme réciproque dans la nature. L'essence de cette logique, dans les deux cas, c'est la somme non zéro.

LA SOMME NON ZÉRO

Mettez-vous dans la peau d'un chimpanzé qui vient de tuer un jeune singe et qui donne un peu de viande à un congénère en manque de nourriture. Mettons que vous lui en donniez cent cinquante grammes et appelons cela une perte de cent cinquante points. Le gain que fait votre congénère est plus important que la perte que vous subissez. Après tout, il se trouvait dans une période de manque exceptionnel, et la valeur réelle de la nourriture reçue – en termes de contribution à sa prolifération génétique – a donc été exceptionnellement élevée. Eût-il été un homme capable de réfléchir à la situation critique dans laquelle il se trouvait et obligé de signer un contrat, il aurait logiquement accepté de rendre cent cinquante grammes de viande et, par exemple, cent soixante-dix grammes tout de suite après la paie, vendredi prochain. Ainsi, cet échange lui rapporte cent soixante-dix points, bien qu'il ne vous en ait coûté que cent cinquante.

C'est cette asymétrie qui fait de la partie une somme non zéro. Le gain d'un joueur ne s'annule pas par les pertes de l'autre joueur. La caractéristique fondamentale de la somme non zéro, c'est donc que, grâce à la coopération ou à la réciprocité, les *deux* joueurs peuvent être gagnants [9]. Si l'autre chimpanzé vous rembourse au moment où il dispose de beaucoup de viande, alors que pour vous elle se fait rare, il sacrifie cent cinquante points et vous en recevez cent soixante-dix. Vous retirez tous deux de l'échange un bénéfice net de vingt points. Une série de sets au tennis ou de trous au golf n'aboutit qu'à un seul vainqueur. En tant que jeu à somme non zéro, le dilemme du prisonnier est un jeu différent. Les deux joueurs peuvent gagner s'ils coopèrent. Si l'homme des cavernes A et l'homme des cavernes B s'associent dans une partie de chasse où ils se refusent mutuellement le droit de chasser tout seul, leurs familles respectives vont faire un bon repas ; mais s'ils ne coopèrent pas, aucune des deux familles n'aura le bon repas.

La répartition du travail est très souvent la source de sommes non zéro : tu es passé expert dans l'assemblage des peaux et tu me donnes des vêtements ; je sais tailler le bois et je te donne des lances. La clef de voûte du système – comme dans l'exemple du chimpanzé, ainsi que dans la plupart des sommes non zéro –, c'est qu'un objet excédentaire pour un animal puisse être un bien précieux et rare pour un autre. Et c'est tout le temps le cas. Se remémorant un troc avec les Fuégiens, Darwin écrit : « Les deux parties riaient, s'émerveillaient et s'observaient bouche bée ; nous les considérions avec pitié parce qu'ils nous donnaient du bon poisson et des crabes en échange de chiffons, etc. ; eux saisissaient leur chance d'être tombés sur des gens assez fous pour échanger des ornements aussi précieux contre un bon dîner [10]. »

Si l'on en juge d'après ce qui se passe dans nombre de sociétés primitives, la répartition économique du travail ne devait pas être spectaculaire dans l'environnement ancestral. La monnaie d'échange la plus répandue était presque certainement l'information. Savoir où l'on a trouvé une grosse quantité de nourriture ou bien un serpent venimeux peut être une question de vie ou de mort. Savoir qui couche avec qui, qui est fâché avec qui, qui roule qui, etc. pouvait renseigner utilement sur les manœuvres sociales à opérer afin de se procurer toutes les ressources vitales, y compris le sexe. En effet, le genre de commérages dont ont soif les individus de toutes cultures – histoires de triomphe, tragédies, bonnes fortunes, malheurs, fidélité remarquable, épouvantable trahison, etc. – coïncident à la perfection avec les informations nécessaires à l'adaptation [11]. Le commerce des commérages constitue l'une des occupations principales des amis, et peut-être est-ce aussi en grande partie à cause de cela que l'amitié existe.

À l'inverse de la nourriture, des lances ou des peaux, l'information se partage sans vraiment s'épuiser, chose qui peut tout à fait faire de l'échange une somme non zéro [12]. Bien sûr, parfois l'information a de la valeur uniquement parce qu'elle est abondante. Mais, souvent, ce n'est pas le cas. À la suite de discussions scientifiques que Darwin avait eues avec son ami Joseph Hooker, écrit l'un de ses biographes, « chacun ne cessait de prétendre que les bénéfices qu'il avait tirés de la discussion dépassaient de beaucoup ce qu'il avait pu y apporter » [13].

La somme non zéro ne suffit pas, en tant que telle, à expliquer l'évolution de l'altruisme réciproque. Même dans une partie de sommes non zéro, la coopération n'a pas *nécessairement* un sens. Dans l'exemple de la nourriture partagée, même si vous gagnez vingt points en un match d'altruisme réciproque, vous en gagnez cent soixante-dix en trichant, c'est-à-dire en acceptant l'acte généreux sans jamais le retourner. Apparemment, la morale de l'histoire est la suivante : si vous pouvez passer votre vie à exploiter les autres, ne vous en privez pas ; la valeur de la coopération est bien faible en comparaison. Et si vous ne trouvez personne à exploiter, il est *encore* possible que la coopération ne soit pas la meilleure stratégie. Si vous êtes entouré d'individus qui essaient toujours de vous exploiter, alors l'exploitation réciproque sera un moyen de limiter vos pertes. Que la somme non zéro alimente véritablement ou non l'évolution de l'altruisme réciproque dépend largement de l'environnement social dominant. Si le dilemme du prisonnier doit se révéler d'une quelconque utilité, il faudra qu'il fasse davantage qu'illustrer le concept de somme non zéro.

Le principal problème des biologistes évolutionnistes consiste tout naturellement à mettre leurs théories à l'épreuve. Chimistes et physiciens vérifient une théorie grâce à des expériences soigneusement réglementées qui viennent soit corroborer la théorie, soit l'infirmer. Il arrive que les biologistes évolutionnistes puissent faire de même. Comme nous l'avons vu, des chercheurs ont privé de nourriture des mères rats pour voir si, comme on le supposait, elles allaient privilégier leur progéniture femelle. Mais les biologistes ne peuvent pas pratiquer sur les êtres humains les expériences qu'ils mènent avec les rats et ils ne peuvent pas non plus procéder à l'expérience finale : rembobiner la bande et se repasser l'évolution.

Cependant, de plus en plus, les biologistes peuvent se repasser des approximations de l'évolution. Lorsque, en 1971, Trivers a élaboré sa théorie de l'altruisme réciproque, les ordinateurs étaient encore d'énormes machines exotiques réservées à des spécialistes ; l'ordinateur personnel n'existait pas. Bien que Trivers ait fait un bon usage analytique du dilemme du prisonnier, il n'envisageait pas de l'*animer*, de créer sur ordinateur une espèce dont les membres, régulièrement confrontés au dilemme, auraient pu en vivre ou en mourir, et laisser alors la sélection naturelle jouer son rôle.

Vers la fin des années 70, Robert Axelrod, chercheur en sciences politiques américain, imagine pareil univers informatique et entreprend de le peupler. Sans référence à la sélection naturelle – qui n'est pas sa préoccupation initiale –, il invite des experts en théorie du jeu à lui soumettre un programme informatique concrétisant une stratégie pour le dilemme du prisonnier itératif : une règle par laquelle le programme décide ou non de coopérer à chaque nouvelle rencontre avec un autre programme. Il appuie alors sur un bouton et laisse ces programmes se mélanger. Le contexte de la compétition reflète bien le contexte social de l'évolution humaine et préhumaine. Il s'agit d'une toute petite société : plusieurs douzaines d'individus entretenant des rapports réguliers. Chaque programme se « souvient » si les autres ont coopéré lors des rencontres précédentes et adapte son comportement en conséquence.

Après que chaque programme a effectué deux cents rencontres avec chaque autre, Axelrod additionne les scores et proclame un vainqueur. Il entreprend ensuite une seconde génération de compétitions après élimination systématique : chaque programme est représenté en proportion du succès obtenu lors des épreuves de la première génération ; c'est le plus apte qui a survécu. Et ainsi de suite, de génération en génération. Si la théorie de l'altruisme réciproque est exacte, on peut alors s'attendre à ce que l'altruisme réciproque « évolue » dans l'ordinateur d'Axelrod jusqu'à progressivement dominer dans la population.

Et c'est ce qui se produit. Le programme gagnant, conçu par un Canadien, le théoricien du jeu Anatol Rapoport (qui a d'ailleurs publié un ouvrage intitulé *Le Dilemme du prisonnier*) est baptisé TIT FOR TAT *[14]. TIT FOR TAT a une règle du jeu des plus simples : son logiciel, le plus court qui ait été proposé, ne dépasse pas cinq lignes. (Donc, si les stratégies avait été créées par un programme plus aléatoire qu'intentionnel, il aurait sans doute été le premier à voir le jour.) TIT FOR TAT dit bien ce qu'il veut dire : il coopère dès la première rencontre avec n'importe quel autre programme. Après quoi il répète ce que l'autre programme a fait lors de la première rencontre. C'est un prêté pour un rendu, on rend les bons coups comme les mauvais.

Les vertus de cette stratégie sont presque aussi simples que l'est la stratégie elle-même. Si un programme fait mine de vouloir coopérer, TIT FOR TAT engage aussitôt une relation amicale, et tous deux bénéficient des fruits de leur collaboration. Si l'un des programmes manifeste une tendance à la tromperie, TIT FOR TAT limite ses pertes en s'abstenant de coopérer tant que le programme ne se sera pas amendé, et fait ainsi l'économie de passer pour un gogo. Ainsi TIT FOR TAT n'est-il jamais dupé deux fois de suite, comme c'est le cas pour les autres programmes qui coopèrent sans discernement. Par ailleurs, TIT FOR TAT évite aussi le sort réservé aux programmes qui, *refusant* de coopérer sans discernement, essaient d'abuser les programmes frères : le cercle vicieux et fort coûteux des trahisons réciproques entre pro-

* *N.d.T.* Que l'on pourrait traduire par *Donnant donnant* ou *Un prêté pour un rendu*.

grammes qui seraient ravis de coopérer si seulement l'autre voulait bien commencer... Bien sûr, Tit For Tat renonce aux gains exceptionnellement élevés que la tricherie pourrait lui assurer. Mais les stratégies visant à l'exploitation, qu'elles reposent sur une tricherie implacable ou sur des petites tricheries répétées, ont tendance à perdre au fur et à mesure que progresse le jeu, se voyant interdire à la fois les gros gains de l'exploitation et ceux, plus modérés, de la coopération mutuelle. Plus que les programmes régulièrement méchants, plus que les programmes tout aussi régulièrement bienveillants et plus que les différents programmes « intelligents » que des règles trop élaborées rendent difficiles à lire par les autres programmes, le très conditionnel Tit For Tat se révèle, à long terme, un programme très égoïste.

LES SENTIMENTS DE Tit For Tat

La stratégie de Tit For Tat – fais aux autres ce qu'ils t'ont fait – a beaucoup en commun avec l'humain moyen. Pourtant, elle n'a pas la prévoyance humaine. Elle ne *comprend* pas la valeur de la réciprocité. Elle la pratique seulement. En ce sens, elle est peut-être plus proche de l'*Australopithecus*, notre aïeul au petit cerveau.

Quels sentiments la sélection naturelle peut-elle bien avoir insufflé à un australopithèque pour que, malgré sa crétinerie, il use de l'intelligente stratégie de l'altruisme réciproque? La réponse va au-delà de la « sympathie » aveugle qu'évoquait Darwin. Certes, cette forme de sympathie serait d'abord d'ordre pratique, puisqu'elle déclencherait la bonne volonté d'un Tit For Tat. Mais ensuite la sympathie devrait être distribuée de façon sélective et complétée par d'autres sentiments. Un juste retour des faveurs de Tit For Tat devrait surgir d'un sentiment de gratitude, de reconnaissance. La suppression des largesses envers les australopithèques malveillants pourrait prendre la forme de la colère et de l'antipathie. Et se montrer gentil envers des individus jadis malveillants qui se sont amendés pourrait venir d'un sentiment de pardon : gomme permettant d'effacer une hostilité entravant la productivité. Autant de sentiments qui se retrouvent dans toutes les cultures.

Dans la vraie vie, la coopération ne repose pas sur un principe manichéen. On ne fonce pas sur quelqu'un que l'on connaît pour essayer de lui soutirer des informations utiles, avec ou sans succès. Plus fréquemment, on échange des données diverses, chacun fournissant à l'autre ce qui peut lui être utile, mais les contributions de l'un et de l'autre ne s'équilibrent pas nécessairement. Si bien que les règles humaines gouvernant l'altruisme réciproque sont un peu moins binaires que celles de Tit For Tat. Si un individu F s'est montré particulièrement agréable en plusieurs occasions, vous allez baisser un peu votre garde et rendre quelques services sans constamment le surveiller ; vous ne resterez attentif qu'aux manifestations flagrantes d'une méchanceté naissante et, de temps en temps – consciemment ou non –, vous relèverez les compteurs. De la même façon, si un individu E s'est montré désagréable pendant des mois, il est sans doute préférable de le rayer de vos tablettes. Les sentiments qui, en notre époque d'économie de temps et d'énergie, influenceraient votre conduite sont, respectivement, l'affection et la confiance (qui entraîne le concept d'« ami ») et l'hostilité et la méfiance (qui vont de pair avec le concept d'« ennemi »).

Amitié, affection et confiance sont des affects qui ont consolidé les sociétés, bien avant que les gens ne signent des contrats, bien avant qu'ils n'édictent des lois. Aujourd'hui encore, c'est notamment à cause de ces sentiments que les sociétés humaines sont plus grandes et plus complexes que les colonies de fourmis, même si le degré de parenté entre individus coopérant avoisine ordinairement zéro. Lorsque l'on observe la présence du bon mais rigoureux TIT FOR TAT au sein de la population, on voit comment le ciment social propre à l'espèce humaine, d'une subtilité unique, a pu naître de mutations génétiques fortuites.

Il est peut-être même encore plus remarquable de constater que les mutations fortuites se sont développées sans la « sélection par le groupe ». Tel était l'argument majeur de Williams, en 1966 : l'altruisme envers des individus étrangers à la famille, bien qu'il soit un ingrédient capital pour la cohésion du groupe, n'a aucune raison d'avoir été conçu pour le « bien de la tribu » et moins encore pour le « bien de l'espèce ». Il semble avoir surgi d'une simple compétition quotidienne entre individus. Williams écrit en 1966 : « Il n'existe en théorie aucune limite à l'étendue et à la complexité de conduite d'un groupe de parents que ce facteur pourrait produire, et le but immédiat d'une telle conduite serait toujours le bien-être d'autres individus, souvent sans parenté génétique. Cependant, au bout du compte, cela ne serait pas une adaptation bénéfique pour le groupe. Elle se développerait parce que les individus survivent différemment et serait conçue pour perpétuer les gènes de l'individu qui procure des bénéfices à un autre[15]. »

L'une des clefs de l'émergence de cette macro-harmonie issue d'un micro-égoïsme, c'est l'effet retour entre macro et micro. En même temps qu'augmente le nombre de créatures TIT FOR TAT – c'est-à-dire, en même temps que croît l'harmonie sociale –, les chances de chaque individu TIT FOR TAT augmentent. Après tout, le voisin idéal d'un TIT FOR TAT, c'est un autre TIT FOR TAT. Tous deux établissent rapidement et sans douleur une relation durable et fructueuse. Aucun n'est jamais blessé, ni obligé de distribuer des punitions coûteuses pour chacun. Donc, plus il y a d'harmonie sociale, mieux se porte chacun des Tit For Tat, et plus on gagne en harmonie sociale, etc. En fait, la coopération est capable de s'autoalimenter grâce à la sélection naturelle.

John Maynard Smith est le premier à s'être lancé dans l'étude moderne de cette autoconsolidation de la cohésion sociale, ainsi que dans une application évolutionniste de la théorie des jeux. Nous avons vu comment il utilisait l'idée d'une sélection « dépendante de la fréquence » pour montrer que deux genres de poissons-lunes – les vagabonds et les citoyens respectables – pouvaient maintenir leur équilibre : si le nombre des vagabonds augmentait par rapport à celui des citoyens respectables, les vagabonds devenaient génétiquement moins prolifiques, et leur nombre revenait à la normale. Le Tit For Tat est lui aussi soumis à la sélection dépendante de la fréquence ; mais ici, la dynamique fonctionne en sens inverse, avec un effet retour positif et non négatif ; plus il existe de Tit For Tat, plus le Tit For Tat est gagnant. Si un effet retour négatif produit parfois un « état évolutionnairement stable » – un équilibre entre différentes stratégies –, un effet retour positif peut produire, quant à lui, une « *stratégie* évolutionnairement stable » : une stratégie qui, une fois qu'elle a imprégné une population, reste imperméable à une invasion à petite échelle. Il n'existe aucune stratégie de rechange qui, introduite par un seul gène mutant, puisse se développer. Après avoir observé le triomphe du Tit For Tat et en avoir analysé la réussite, Axelrod a conclu qu'il était évolutionnairement stable [16].

La coopération peut commencer à s'autoalimenter très tôt dans le jeu. Même si seule une toute petite fraction de la population emploie le Tit For Tat, alors que toutes les autres créatures refusent fermement de coopérer, génération après génération, le cercle de la coopération va s'élargir dans la population. L'inverse n'est pas vrai. Même si de nombreux individus, résolument non-coopératifs, apparaissent simultanément dans le décor, ils ne pourront pas corrompre toute une population de Tit For Tat. Une coopération simple et conditionnelle est plus contagieuse qu'une méchanceté accomplie. Robert Axelrod et William Hamilton, coauteurs d'un chapitre de *The Evolution of Cooperation* qu'Axelrod publia en 1984, affirment que « les pignons de l'évolution sociale ont un rochet » [17].

Malheureusement, ce dispositif ne s'enclenche pas dès le tout début. Si *un seul* Tit For Tat se laisse entraîner dans une pure malveillance, il est voué à disparaître. Le refus opiniâtre de coopérer constitue apparemment lui-même une stratégie évolutionnairement stable ; dès lors qu'il a imprégné une population, il est immunisé contre l'invasion d'un seul mutant usant d'une autre stratégie, même s'il est vulnérable à un petit groupe de mutants conditionnellement coopératifs.

En ce sens, le tournoi d'Axelrod donnait au Tit For Tat une longueur d'avance. Même si, au début, sa stratégie n'appréciait guère la compagnie de quelque clone que ce soit, la plupart de ses voisins étaient conçus pour coopérer, au moins dans certaines circonstances, et donc pour accroître la valeur de son bon naturel. Eût-il été balloté entre quarante-neuf méchants, il y aurait eu quarante-neuf *ex aequo* pour la première place, et un seul vrai perdant. Aussi inéluctable qu'apparaisse le succès du TIT FOR TAT sur l'écran de l'ordinateur, le triomphe de l'altruisme réciproque n'était pas si évident il y a plusieurs millions d'années, quand la méchanceté pénétra dans notre lignée évolutive.

Comment l'altruisme réciproque a-t-il pu décoller? Si tout nouveau gène proposant sa coopération est appelé à se faire impitoyablement écraser, comment la petite population d'altruistes réciproques nécessaire pour que la balance penche en faveur de la coopération a-t-elle pu apparaître?

La réponse la plus séduisante nous est fournie par Hamilton et Axelrod : la sélection parentale a donné à l'altruisme réciproque un subtil coup de pouce. Comme nous l'avons vu, elle peut favoriser tout gène augmentant la précision de l'altruisme à l'égard de la parentèle. Du coup, un gène incitant des singes à aimer d'autres singes tétant leur mère – c'est-à-dire des frères et sœurs plus jeunes – pourrait se développer. Mais ces jeunes frères et sœurs, que sont-ils supposés faire? S'ils ne voient jamais leurs grands frères téter, qu'est-ce qui va les guider?

L'altruisme : quand les gènes dirigeant l'altruisme vers les nourrissons auront pris l'avantage en étant profitables à de jeunes frères et sœurs, les gènes dirigeant l'altruisme vers les altruistes seront profitables aux frères et sœurs plus âgés. Ces gènes – ceux de l'altruisme réciproque – vont donc se répandre, et tout d'abord par le biais de la sélection parentale.

Entre deux membres d'une même famille, tout déséquilibre dans l'information relative à leur degré de parenté constitue un milieu propre à susciter un gène de l'altruisme réciproque. Et il est fort probable que de tels déséquilibres se soient produits dans notre passé. Avant le langage, les oncles, les tantes et même les pères disposaient souvent d'indices évidents sur l'identité des plus jeunes membres de la famille, alors que l'inverse n'était pas vrai ; ainsi, l'altruisme aurait circulé des plus âgés vers les plus jeunes. Ce déséquilibre lui-même aurait pu constituer un indice fiable que les jeunes auraient utilisé pour orienter leur altruisme vers leurs proches parents – au moins cet indice-là eût-il été plus fiable que d'autres, et c'est tout ce qui compte. Un gène récompensant la gentillesse par la gentillesse a donc pu se répandre dans une grande famille et, par croisements, en gagner d'autres, où il a pu prospérer selon la même logique [18]. À un moment donné, la stratégie du TIT FOR TAT a été assez répandue pour continuer de s'épanouir même sans l'aide de la sélection parentale. Le rochet de l'évolution sociale était enclenché.

La sélection parentale a sans doute aussi ouvert la voie à des gènes de l'altruisme réciproque d'une autre manière : en mettant à leur disposition d'habiles agents psychologiques. Bien avant de faire montre d'altruisme mutuel, nos ancêtres étaient capables d'affection et de générosité familiales, capables de confiance (entre parents) et de culpabilité (le signal qui rappelle qu'il convient de ne pas maltraiter la parentèle). Ces composants de l'altruisme, ainsi que d'autres, figuraient dans la tête du singe, prêts à être reliés entre eux d'une façon nouvelle. Il est quasiment sûr que cela a dû faciliter les choses pour la sélection naturelle, qui fait souvent usage de ce qu'elle a sous la main.

Étant donné les liens vraisemblables existant entre sélection parentale et altruisme réciproque, on peut presque considérer les deux phases de l'évolution comme une seule poussée créative, dans laquelle la sélection naturelle a tissé une toile éternellement en expansion – celle de l'affection, de la reconnaissance et de la confiance – à partir d'un impitoyable égoïsme génétique. Cette ironie seule vaudrait que l'on savoure le processus, même si la toile n'offrait pas autant de ces expériences qui font que la vie vaut la peine d'être vécue.

MAIS EST-CE DE LA SCIENCE ?

La théorie du jeu et la simulation par ordinateur sont élégantes et drôles, mais qu'apportent-elles vraiment ? La théorie de l'altruisme réciproque est-elle une science véritable ? Parvient-elle vraiment à expliquer ce qu'elle se propose d'expliquer ?

On peut répondre : comparé à quoi ? Car on ne peut pas dire qu'il y ait vraiment beaucoup de théories concurrentes. À l'intérieur de la biologie, la seule alternative réside dans les théories de la sélection par le groupe, qui tendent à se heurter au même type de problèmes que ceux que rencontrait Darwin avec ses propres théories de sélection par le groupe. Et dans le domaine des sciences sociales, le sujet est complètement évacué.

Certes, les chercheurs en sciences sociales, comme l'anthropologue du début du siècle Edward Westermarck, ont reconnu que l'altruisme réciproque était essentiel à la vie de toutes cultures. Il existe une importante littérature consacrée à la « théorie de l'échange social », où le troc quotidien de richesses parfois impalpables – information, soutien social – est évalué avec soin [19]. Mais comme nombre de chercheurs en sciences sociales ont toujours résisté à l'idée même d'une nature humaine intrinsèque, ils ont souvent considéré l'échange comme une « norme » culturelle qui se trouve être universelle (sans doute du fait que des peuples distincts ont découvert son utilité indépendamment les uns des autres). Rares sont ceux qui ont souligné que

la vie quotidienne de toute société humaine repose non seulement sur
la réciprocité, mais sur un fonds de sentiments commun – sympathie,
gratitude, affection, engagement, culpabilité, aversion, etc. Ils sont
moins nombreux encore à avoir proposé une explication fondamentale
à ce fonds commun. Il doit bien pourtant *y en avoir une*. Y a-t-il
quelqu'un qui ait une alternative à opposer à la théorie de l'altruisme
réciproque?

Cette théorie l'emporte donc par défaut. Mais pas *seulement* par
défaut. Depuis la publication, en 1971, de l'article de Trivers, la théorie a été vérifiée et, jusqu'ici, s'est toujours fort bien portée [20].

Le tournoi d'Axelrod était un test. Si les stratégies non-
coopératives avaient prévalu sur les stratégies coopératives, ou si
celles-ci ne s'étaient révélées payantes qu'après avoir façonné la
majeure partie de la population, les choses auraient mal tourné pour
cette théorie. Mais on démontrait que la bienveillance conditionnelle
prenait le pas sur la méchanceté, et qu'elle était une force évolutive
quasi inexorable dès lors qu'elle acquiert un peu d'importance.

Cette théorie a également trouvé des renforts dans le monde de
la nature. On a en effet la preuve que l'altruisme réciproque peut évoluer sans que l'être humain comprenne abstraitement sa logique, dans
la mesure où les animaux sont suffisamment intelligents pour
reconnaître leurs voisins et se souvenir, consciemment ou non, de
leurs actes. En 1966, Williams remarque chez les rhésus (macaques)
l'existence d'alliances de longue durée fondées sur le soutien mutuel.
Et il avance l'idée que la « sollicitude » observée chez les marsouins
pourrait être réciproque – une supposition qui se confirmera ultérieurement [21].

Les chauves-souris vampires, que ne mentionnent ni Trivers ni
Williams, pratiquent également l'altruisme réciproque. Au cours de
ses expéditions nocturnes, une chauve-souris ira sucer avec plus ou
moins de succès le sang des bestiaux, des chevaux et autres victimes.
Le sang étant une denrée très périssable et les vampires ne disposant
pas de réfrigérateur, il y a souvent disette. Comme on l'a vu, la disette
chronique chez l'individu appelle la logique de la somme non zéro. En
tout cas, les chauves-souris vampires qui rentrent le ventre vide
reçoivent souvent l'aide de congénères qui leur régurgitent du sang –
et elles auront tendance à leur rendre le même service à l'avenir. Il
n'est pas surprenant que certains de ces partages se fassent entre
proches parents, mais beaucoup d'entre eux se pratiquent également
au sein d'associations comprenant deux chauves-souris, voire plus,
sans lien de parenté entre elles, qui se reconnaissent grâce à des
« appels de contact » caractéristiques et s'entraident fréquemment [22].
Les vampires ont des potes.

La preuve zoologique la plus capitale, en ce qui concerne l'évolution de l'altruisme réciproque chez les humains, nous vient de nos
proches parents les chimpanzés. Lors des premiers écrits de Trivers et

Williams sur la réciprocité, la vie sociale des chimpanzés venait tout juste d'être clairement révélée. Peu d'indices permettaient de savoir jusqu'où l'altruisme réciproque y prenait part. Désormais nous savons que les chimpanzés se donnent de la nourriture les uns aux autres et contractent des alliances durables. Les amis se portent des soins et s'entraident pour affronter ou repousser l'ennemi. Ils se prodiguent des caresses réconfortantes et s'embrassent affectueusement. Lorsqu'un ami se voit trahi, il peut faire montre d'une indignation apparemment sincère [23].

La théorie de l'altruisme réciproque a également réussi une épreuve scientifique fondamentale et essentiellement esthétique : l'épreuve de l'élégance ou de la parcimonie. Plus une théorie est simple, plus les choses qu'elle explique sont nombreuses et variées, plus elle est « parcimonieuse ». On imagine mal une autre force évolutionniste unique et simple, capable, comme celle qu'isolèrent Williams et Trivers, de rendre compte de façon vraisemblable d'affects aussi divers que la sympathie, l'aversion, l'amitié, l'inimitié, la gratitude, le lancinant sens du devoir, la sensibilité à la trahison, etc. [24].

L'altruisme réciproque a sans doute tissé la fibre non seulement de l'émotion humaine, mais aussi de la connaissance humaine. Leda Cosmides a montré que nous savons résoudre des énigmes logiques autrement déroutantes, lorsque ces énigmes se présentent sous la forme d'échanges sociaux – en particulier, lorsque le but du jeu consiste à voir si quelqu'un triche. Ce qui a suggéré à Cosmides l'idée qu'un module de « détection de la triche » devait exister parmi les organes mentaux gouvernant l'altruisme réciproque [25]. Nul doute que d'autres modules restent à découvrir.

LE SENS DE L'ALTRUISME RÉCIPROQUE

Les gens sont souvent saisis de malaise face à la théorie de l'altruisme réciproque. L'idée que leurs pulsions les plus nobles soient le fruit de stratagèmes rusés conçus par leurs gènes trouble certains. Il n'est pas nécessaire de réagir ainsi, mais pour ceux qui choisissent de le faire, le plongeon dans le malaise est garanti. Si les racines génétiquement égoïstes de la sympathie et de la bienveillance sont un motif de désespoir, alors le désespoir le plus absolu est tout à fait approprié. Car plus on réfléchit à ce qu'il y a de beau dans l'altruisme réciproque, plus les gènes font figure de mercenaires.

Revenons à la question de la sympathie, et tout particulièrement à cette proprension qu'elle a à croître en proportion de la détresse d'un individu. Pourquoi un homme qui meurt de faim nous attriste-t-il plus qu'un homme qui a juste un peu faim ? Parce que l'esprit

humain est une grande et belle chose, toute vouée à soulager les souffrances? Non, vous avez faux, cherchez encore.

Trivers aborde la question en se demandant pourquoi la gratitude varie en fonction de la détresse d'où les individus reconnaissants
ont été tirés. Pourquoi suis-je profondément reconnaissant d'un sandwich qui m'a sauvé la vie après trois jours de jeûne, et modérément
reconnaissant d'une invitation à dîner ce soir? La réponse de Trivers
est simple, crédible et pas vraiment renversante : en reflétant la valeur
du bénéfice obtenu, la gratitude calibre le remboursement à apporter.
La gratitude est une reconnaissance de dette; elle enregistre tout naturellement ce qui est dû.

Pour le bienfaiteur, la morale de l'histoire est claire : plus la
situation du bénéficiaire sera désespérée, plus la reconnaissance de
dette sera importante. Une sympathie extrêmement sensible n'est
qu'un conseil d'investissement très nuancé. Notre compassion la plus
profonde est notre meilleur conseiller en affaires. La plupart d'entre
nous regarderaient avec mépris un médecin qui quintuplerait ses
honoraires pour des patients à l'article de la mort. Nous le traiterions
de cynique exploiteur. Nous lui dirions : « Ne savez-vous donc pas ce
qu'est la *sympathie*? » Et s'il avait bien lu son Trivers, il répondrait :
« Si, je le sais fort bien. Simplement, je suis honnête quant à la nature
de ma sympathie. » Voilà qui pourrait tempérer notre indignation
morale.

Et puisque nous parlons d'indignation morale, reconnaissons
que, comme la sympathie, celle-ci prend une autre allure à la lumière
de l'altruisme réciproque. Trivers dit qu'il est important de se prému-
nir contre l'exploitation. Même dans l'univers simple de l'ordinateur
d'Axelrod et de ses discrètes interactions binaires, TIT FOR TAT devait
châtier les créatures qui l'abusaient. Dans la vraie vie, où, sous couvert
d'amitié, certaines personnes sont capables de contracter des dettes
non négligeables, puis de se volatiliser – ou de se livrer à du vol pur et
simple –, l'exploitation devrait se décourager encore davantage. D'où,
peut-être, la violence de notre indignation, cette certitude viscérale
d'avoir été traités de façon *déloyale* et que le coupable mérite d'être
châtié. L'idée, que l'intuition rend évidente, selon laquelle un individu
n'a que ce qu'il mérite, est au cœur de notre sens de la justice et, de ce
point de vue, elle est un produit dérivé de l'évolution, un simple stratagème génétique.

Ce qui intrigue, au premier abord, c'est l'intensité que peut
atteindre cette vertueuse indignation. Elle peut être à l'origine de querelles qui éclipseront l'affront et causeront parfois la mort de l'indigné.
Pourquoi les gènes nous conseilleraient-ils de nous mettre, fût-ce le
moins du monde, en danger de mort pour une chose aussi impalpable
que « l'honneur »? Trivers répond que « les petites iniquités qui se
répètent à longueur de vie peuvent exiger un lourd tribut », ce qui justifierait « une vive démonstration d'agressivité une fois la tricherie
découverte » [26].

Précision qu'il ne donne pas, mais qui a été apportée depuis : l'indignation a souvent plus de valeur encore lorsqu'elle se manifeste publiquement. Si la réputation de votre honneur farouche tient à une bagarre sanglante et si cela suffit à dissuader un grand nombre de voisins de vous tromper – fût-ce un peu ou à l'occasion –, alors cela valait la peine de vous battre. Et dans une société primitive, où chaque acte ou presque est public et où les ragots vont bon train, le public effectif d'un pugilat, c'est tout le monde. Il est tout aussi remarquable que, même dans nos sociétés industrielles modernes, lorsque des hommes en tuent d'autres, il y a généralement du public [27]. Un schéma qui peut paraître pervers – pourquoi donc commettre un meurtre devant témoins ? –, sauf en termes de psychologie évolutionniste.

Trivers a démontré à quelle tortueuse complexité le dilemme du prisonnier pouvait aboutir dans la vraie vie, à mesure que les sentiments évoluant dans un but s'adaptaient à d'autres buts. Ainsi, l'indignation vertueuse pourrait devenir une pose qu'affecteraient les tricheurs – consciemment ou non – afin d'écarter les soupçons (« Comment *osez*-vous mettre en doute mon intégrité ! »). Et la culpabilité qui, initialement, servait peut-être juste à accélérer le paiement des dettes en souffrance, pourrait commencer d'endosser une deuxième fonction : accélérer la confession d'une tricherie sur le point d'être découverte. (N'avez-vous pas remarqué la corrélation qui existe entre culpabilité et risques de se faire prendre ?)

L'une des caractéristiques d'une théorie élégante est sa capacité d'appréhender élégamment des données anciennes et déconcertantes. Lors d'une expérience faite en 1966, les individus qui croyaient avoir cassé une machine coûteuse se montrèrent plus enclins à se porter volontaires pour une expérience pénible, mais seulement si les dégâts avaient été découverts [28]. Si la culpabilité était ce que croient les idéalistes – un phare dans la conduite morale –, son intensité ne varierait pas selon que le méfait a été, ou non, découvert. Et, de même, si la culpabilité était ce que croient les tenants de la sélection par le groupe, c'est-à-dire un désir de réparation pour le bien du groupe. Mais si, comme le dit Trivers, la culpabilité n'est qu'une façon de rassurer tout le monde quant à notre aptitude à la réciprocité, son intensité devrait dépendre non de nos forfaits, mais de celui qui en prend ou qui va en prendre connaissance.

La même logique contribue à expliquer la vie quotidienne dans les villes. Lorsque nous passons à côté d'un sans-abri, nous éprouvons parfois un sentiment de malaise parce que nous ne l'aidons pas. Mais ce qui suscite véritablement le remords, c'est d'échanger un regard avec l'individu et de continuer à ne pas l'aider. Il semble que le fait d'être vus ne rien donner nous gêne davantage que le fait de ne rien donner. (Mais en quoi l'opinion de quelqu'un que nous ne reverrons jamais devrait-elle nous importer ? C'est que, peut-être, dans notre environnement ancestral, rencontrions-nous des gens que nous étions tous appelés à revoir [29].)

Il ne faudrait pas non plus que la triste fin de la logique du « bien du groupe » soit exagérée ou mal interprétée. On analyse classiquement l'altruisme réciproque dans des situations où les individus sont seul à seul, et il est presque sûr que c'est sous cette forme qu'il est apparu. Mais l'évolution du sacrifice a pu se compliquer avec le temps et stimuler un sens du devoir envers le groupe. Considérons (de façon pas trop littérale) un gène de « l'adhésion au club ». Il vous donne la faculté de penser à deux ou trois autres individus comme faisant partie d'une équipe unifiée ; en leur présence, vous ciblez votre altruisme de façon plus diffuse, en faisant des sacrifices pour le club dans son entier. Vous pouvez, par exemple, prendre un risque au cours d'un jeu dangereux et (consciemment ou non) espérer que chaque membre vous rendra un jour la pareille. Mais plutôt que d'escompter qu'il s'acquitte directement de sa dette envers vous, vous espérez qu'il se sacrifiera pour le « groupe », comme vous-même l'avez fait. Les autres membres du club en attendent tout autant, et ceux qui ne répondront pas à ces attentes risquent de se voir exclure, soit progressivement et implicitement, soit d'un seul coup et de façon très explicite.

Une infrastructure génétique poussant à la vie en club, plus complexe que l'infrastructure de l'altruisme entre deux individus, paraît aussi plus improbable. Mais, une fois qu'elle est établie, ses étapes évolutives ne seront pas toutes aussi contraignantes. Ni les étapes ultérieures, qui permettront l'allégeance à des groupes plus larges encore. En fait, au sein d'un village primitif, le succès grandissant d'un nombre croissant de groupuscules constituerait un encouragement darwinien à rejoindre des groupes plus importants et à gagner une manche dans la compétition ; les mutations génétiques favorisant pareils regroupements pourraient prospérer. On pourrait finalement imaginer une aptitude à la loyauté et au sacrifice pour le groupe qui serait aussi élargie que sont vastes les tribus évoquées dans la théorie darwinienne de la sélection par le groupe. Jusqu'alors, ce scénario ne souffre pas des complications que connaît celui de Darwin. Il n'implique pas que l'on se sacrifie pour quelqu'un qui ne paie pas un jour ou l'autre[30].

Le modèle classique, l'altruisme réciproque entre deux individus, peut, à lui seul, induire un comportement apparemment collectiviste. Chez une espèce dotée d'un langage, un moyen efficace et peu contraignant de récompenser les gentils et de punir les méchants, c'est de leur tailler une réputation en conséquence. Faire courir le bruit qu'un individu vous a trompé est une puissante revanche, puisque cela incite les gens à lui refuser l'altruisme. Ce qui peut contribuer à expliquer l'évolution des « griefs » : c'est-à-dire non seulement le sentiment d'avoir été trompé, mais aussi l'envie de l'exprimer publiquement. Nous passons beaucoup de temps à nous répandre en griefs, à en écouter, à décider s'ils sont justifiés et à modifier en conséquence notre attitude à l'égard de l'accusé.

Peut-être, en faisant de « l'indignation morale » le carburant des représailles, Trivers a-t-il pris une longueur d'avance. Comme l'ont noté Martin Daly et Margo Wilson, si le seul but est l'agression, un sentiment d'offense *morale* n'a rien de nécessaire : une pure hostilité suffit. C'est sans doute parce que les humains ont évolué parmi des spectateurs – des spectateurs dont l'opinion avait une importance – qu'est apparue une dimension morale que cristallisent les griefs.

Quant à savoir *pourquoi* l'opinion des spectateurs revêt une importance, c'est une autre question. Selon Daly et Wilson, il est possible que les spectateurs infligent des « sanctions collectives » relevant d'un « contrat social » (ou, du moins, d'un « contrat de club »). Ou, comme je viens de le suggérer, ils peuvent tout simplement, et dans leur propre intérêt, éviter les offenseurs notoires, créant ainsi *de facto* des sanctions sociales. Ils peuvent également adopter un peu et l'une et l'autre attitude. Quoi qu'il en soit, la publicité faite aux griefs peut induire des réactions très étendues qui *fonctionnent* comme des sanctions collectives, et cette publicité est devenue partie intégrante des systèmes moraux. On peut même dire qu'elle en est devenue le principal moteur. Rares sont les psychologues évolutionnistes qui s'opposeraient à la thèse centrale de Daly et Wilson, thèse selon laquelle « la moralité est le mécanisme d'un animal doté d'une exceptionnelle complexité cognitive, et qui poursuit ses intérêts dans un univers social d'une non moins exceptionnelle complexité » [31].

Ce qui est peut-être plus légitimement déprimant avec l'altruisme réciproque, c'est qu'il porte mal son nom. Alors qu'avec la sélection parentale, le « but » de nos gènes est véritablement d'aider un autre organisme, avec l'altruisme réciproque, le but consiste à donner à l'organisme l'impression qu'on l'a aidé ; l'impression seule suffit à provoquer la réciprocité. Ce second but entraîne toujours le premier dans l'ordinateur d'Axelrod, comme souvent dans la société humaine. Mais lorsque ce n'est pas le cas – nous pouvons avoir l'air gentil sans l'être vraiment, ou tirer profit d'une vilenie sans être démasqués –, ne soyons pas surpris de voir alors un aspect plutôt laid de la nature humaine faire surface. D'où les trahisons secrètes de tous ordres, des plus banales aux plus shakespeariennes. D'où aussi notre propension à polir notre réputation morale ; la réputation est bien l'enjeu de l'animal « moral ». D'où encore l'hypocrisie qui semble résulter de deux forces naturelles : la tendance aux griefs – c'est-à-dire la tendance à rendre publics les péchés d'autrui – et la tendance à occulter les nôtres.

Les réflexions que faisait George Williams en 1966 sur l'aide réciproque ont évolué jusqu'à former un irrésistible corpus d'explications, et c'est bien l'une des prouesses de la science du XXe siècle. Avec la mise en œuvre de méthodes analytiques modernes et ingénieuses, les résultats sont considérables. Bien que la théorie de l'altruisme réciproque ne soit pas *prouvée* au sens où peuvent l'être des théories physiques, elle suscite tout de suite une grande confiance au sein du monde de la biologie, confiance qui devrait croître dans les prochaines décennies, à mesure que les rapports entre les gènes et le cerveau humain deviendront plus clairs. Bien que cette théorie ne soit pas aussi mystérieuse ou hallucinante que celle de la relativité ou de la mécanique quantique, elle pourrait bien, au bout du compte, modifier d'une façon plus profonde et plus problématique encore notre vision de l'espèce humaine.

CHAPITRE X

LA CONSCIENCE DE DARWIN

> *En un mot, notre sens moral, ou notre conscience,*
> *se compose d'un sentiment essentiellement complexe,*
> *fondé sur les instincts sociaux, encouragé et dirigé par*
> *l'approbation de nos semblables, réglé par la raison,*
> *par l'intérêt, et, dans des temps plus récents, par de*
> *profonds sentiments religieux, renforcés par l'instruc-*
> *tion et par l'habitude.*

La Descendance de l'homme (1871) [1]

On imagine parfois Darwin comme un homme excessivement convenable. Souvenons-nous de l'appréciation de l'un de ses biographes, le
psychiatre John Bowlby. Bowlby dit de la conscience de Darwin
qu'elle est « suractive » et « impérieuse ». Tout en admirant son
absence de prétention et « la solidité de ses principes moraux »,
Bowlby croit que les qualités de Darwin « se développent, hélas, prématurément et à l'excès », le laissant « enclin à s'accabler de reproches
et à sombrer dans l'anxiété chronique et la dépression » [2].

L'autodénigrement est en effet une seconde nature chez Darwin.
Il se souvient que, petit garçon, il voulait « être admiré pour sa har-
diesse et sa persévérance à grimper aux arbres » et, en même temps, il
se « méprisait d'être aussi vain » [3]. En grandissant, l'autocritique
devient chez lui une sorte de manie, une humilité réfléchie ; une
bonne part de sa volumineuse correspondance s'excuse d'exister :
« C'est fou ce que cette lettre est mal rédigée », écrit-il adolescent. « Je
trouve que j'écris des absurdités très affectées », note-t-il à vingt ans.
Et à trente : « Cette lettre étant effroyablement longue et ennuyeuse,
je vous fais mes adieux [4]. » Et ainsi de suite.

La nuit est une bénédiction pour ses crises de doute. « Tout ce qui
l'avait contrarié ou troublé au cours de la journée revenait alors le han-

ter », nous dit son fils Francis. Il reste donc éveillé, à ressasser une conversation avec un voisin en se demandant s'il ne l'a pas blessé, à songer aux lettres qui attendent une réponse. Francis ajoute : « Il disait toujours que s'il n'y répondait pas, elles lui pesaient sur la conscience [5]. »

Les sentiments moraux de Darwin vont bien au-delà des simples obligations sociales. Plusieurs années après son voyage, il est toujours harcelé par le souvenir des esclaves torturés qu'il a vus au Brésil. (Il avait eu un différend avec le capitaine du *Beagle*, qu'il avait sondé de façon caustique sur les raisons qui le poussaient à défendre l'esclavage.) Darwin trouve même la souffrance des animaux insupportable. Francis revoit son père rentrant un jour de promenade « tout ému et très pâle. Il venait de se quereller violemment avec un cocher au sujet d'un cheval malade que l'homme avait maltraité sous ses yeux » [6]. L'assertion de Bowlby est irréfutable : Darwin avait une conscience douloureuse.

Encore une fois, la sélection naturelle ne nous a jamais promis les jardins d'Éden. Elle ne « veut » pas notre bonheur. Elle « veut » que nous soyons génétiquement prolifiques. Dans le cas de Darwin, cela n'a pas trop mal fonctionné. Il a eu dix enfants, dont sept ont atteint l'âge adulte. Puisque nous essayons de discerner quelques spécificités dont la sélection naturelle aurait outillé notre conscience, pourquoi ne pas utiliser la conscience de Darwin comme exemple ? L'exemple d'une bonne adaptation. Si elle l'a aiguillonné de façon à lui faire accomplir des choses qui ont augmenté son héritage génétique, sans doute a-t-elle fonctionné comme elle le devait, même si l'aiguillon l'a blessé [7].

Bien sûr, le bonheur est merveilleux. On a toutes les raisons de le rechercher. Les psychiatres ont toutes les raisons d'essayer de nous l'inculquer, plutôt que de vouloir nous conformer à ce que « veut » la sélection naturelle. Mais les thérapeutes seront mieux équipés pour rendre les gens heureux s'ils comprennent ce que la sélection naturelle « veut » *vraiment* et comment elle « tente » de l'obtenir avec les hommes. De quels pesants dispositifs sommes-nous chargés ? Comment peuvent-ils être désamorcés, si tant est que cela soit possible ? À quel prix – pour nous et pour les autres ? Distinguer ce qui, du point de vue de la sélection naturelle, est pathologique de ce qui ne l'est pas peut nous aider à affronter ce qui l'est de notre point de vue à nous. Nous pouvons nous y essayer en tentant de distinguer, dans la conscience de Darwin, les moments où elle fonctionnait bien de ceux où elle fonctionnait mal.

UN STRATAGÈME ÉHONTÉ

Ce qui est frappant avec les châtiments et les récompenses que dispense la conscience, c'est leur absence de sensualité. La conscience ne nous donne pas une impression de malaise, comme la faim, ni de

bien-être, comme la sexualité. Non, nous en retirons juste le sentiment d'avoir commis une bonne ou une mauvaise action. Coupable
ou non coupable. Il est étonnant qu'un processus aussi amoral et aussi
grossièrement pragmatique que l'est celui de la sélection naturelle ait
pu concevoir un organe mental qui nous donne l'impression d'être en
relation avec des vérités supérieures. C'est véritablement un stratagème éhonté.

Cependant il est efficace, et il l'est partout dans le monde. La
sélection parentale a fait en sorte que les gens se sentent profondément
coupables lorsque, par exemple, ils offensent ou négligent gravement
un frère ou une sœur, une fille ou un fils, même un neveu ou une
nièce. Et l'altruisme réciproque a élargi le sens du devoir – d'une
manière sélective – au-delà du cercle de la parenté. Existe-t-il une
seule culture où le fait de négliger un ami soit considéré comme une
conduite innocente et digne de susciter l'approbation générale ? Nous
serions tous sceptiques si un anthropologue prétendait avoir découvert
une telle culture.

L'altruisme réciproque peut aussi avoir laissé sur la conscience
une empreinte plus diffuse. Il y a plusieurs dizaines d'années, le psychologue Lawrence Kohlberg a essayé d'élaborer une séquence naturelle du développement de la morale humaine, allant de la simple
conception du « mal » chez le tout-petit (c'est-à-dire ce qui déclenche
la punition des parents) à la froide évaluation de lois abstraites. Les
échelons supérieurs de l'échelle de Kohlberg, ceux qu'occupent les
philosophes préoccupés d'éthique (et sans doute Kohlberg lui-même),
sont loin d'être caractéristiques de l'espèce. Mais la progression
jusqu'à ce qu'il nomme le « stade 3 » semble être la norme dans différentes cultures [8]. C'est le stade auquel on désire être reconnu comme
« gentil » et « bon ». C'est-à-dire passer pour un altruiste réciproque
fiable, une personne à laquelle on peut avoir intérêt à s'associer. C'est
notamment cette pulsion qui fait l'extraordinaire force des codes
moraux collectifs : nous voulons tous faire – ou, pour être plus précis,
nous voulons tous être vus en train d'accomplir – ce que chacun
affirme être bien.

Au-delà de cette dimension fondamentale et apparemment universelle du sentiment moral, les contenus de la conscience
commencent à varier. Non seulement les normes particulières, que
renforcent l'approbation et le blâme collectifs, diffèrent d'une culture
à l'autre (la nature humaine laisse place à d'innombrables variations) ;
mais, à l'intérieur d'une même culture, la rigueur de l'obéissance varie
aussi d'un individu à l'autre. Certaines personnes ont, à l'instar de
Darwin, un sens moral si aigu qu'il les tient éveillées des nuits
entières, pendant lesquelles elles réfléchissent à leurs fautes. D'autres
ne possèdent pas ce sens moral aigu.

Certains aspects de l'excès de scrupule darwinien ont indubi-
tablement à voir avec des gènes bien particuliers. Selon les généticiens

du comportement, l'héritabilité d'un ensemble de caractéristiques qu'ils nomment « droiture » se situe entre 30 et 40 [9]. Autrement dit : environ un tiers des différences entre individus peuvent être imputées au fait que leurs gènes sont différents. Il en reste tout de même encore deux tiers qui sont imputables à l'environnement. La conscience semble, pour une bonne part, exemplaire de ces commandes dont la nature humaine est génétiquement dotée et que l'environnement règle sur des programmes très variés. Tout le monde éprouve de la culpabilité, mais tout le monde ne l'éprouve pas aussi intensément que Darwin dans le cadre des conversations quotidiennes. Tout le monde ressent parfois de l'empathie pour la souffrance humaine et, d'autres fois, se dit (fût-ce rapidement) que la souffrance est méritée, le châtiment justifié. Mais le fait même que les esclaves aient été brutalement châtiés à l'époque où Darwin séjournait au Brésil laisse à penser que tout le monde ne partage pas ses sentiments sur les moments où il convient de faire preuve d'empathie ou de sévérité.

On peut se demander pourquoi la sélection naturelle nous a dotés d'une conscience si souple, alors qu'elle aurait pu en déterminer les contenus de façon innée, comment elle a procédé pour que se forme la conscience et, enfin, pourquoi et comment les commandes régissant la moralité de la nature humaine peuvent se régler.

Pour ce qui est du « comment », Darwin lui-même a vu son réglage moral s'opérer très tôt, sous la gouverne familiale. Il reconnaît avoir été ce qu'il appelle « un garçon humain » grâce à « l'instruction et à l'exemple de [ses] sœurs ». Et il ajoute : « Je doute vraiment que l'humanité soit une qualité naturelle, innée. » Son projet de commencer une collection d'insectes se complique lorsque, « après avoir consulté [sa] sœur, [il] aboutit à la conclusion qu'il n'est pas juste de tuer des insectes pour le seul plaisir de les collectionner » [10].

Caroline est son guide en moralité. De neuf ans son aînée, elle joue le rôle de mère de substitution après la mort de leur mère, survenue en 1817, alors que Darwin avait huit ans. Il se souvient que « Caroline mettait trop de zèle à essayer de [l]'améliorer : [...] dès [qu'il pénétrait] dans une pièce où elle se trouvait, [il se disait] : " De quoi va-t-elle bien encore pouvoir m'accuser ? " [11] ».

Le père de Darwin est aussi une autorité avec laquelle il faut compter : c'est un homme grand, imposant et souvent sévère. Cette sévérité a produit nombre de spéculations sur la dynamique psychologique qui unissait le père et le fils, et elles se sont souvent révélées peu flatteuses pour le père. Un biographe brosse ainsi le portrait de Robert Darwin : « Sa forme est celle d'un tyran domestique et son effet sur son fils un désastre continuel de névrose et d'infirmité [12]. »

L'influence morale des parents, sur laquelle Darwin avait insisté, a été confirmée depuis par les sciences du comportement. Les parents et autres figures d'autorité, y compris les membres plus âgés de la famille, tiennent le rôle de modèles, de tuteurs, et façonnent la conscience au gré de leurs éloges et de leurs blâmes. C'est ainsi que Freud décrit la formation du surmoi – qui, dans ce contexte, englobe la conscience –, et il semble qu'il ait eu fondamentalement raison. Les camarades d'un enfant aussi lui renvoient une image positive ou négative, qui l'encourage à se conformer aux normes en vigueur dans la cour de récréation.

Le fait que la famille se charge du développement moral d'un enfant a évidemment un sens. Parce qu'ils ont tant de gènes en commun avec l'enfant, les membres de la famille ont d'excellentes raisons, mais pas illimitées, de le guider utilement. De la même façon, l'enfant aura toutes les raisons de suivre. Comme le remarquait Trivers, les enfants peuvent se montrer sceptiques – par exemple, ne pas tenir compte des sermons que font leurs parents sur la nécessité d'un partage équitable entre frères et sœurs. Mais dans d'autres domaines – celui de la conduite à tenir envers les amis ou les étrangers –, les mobiles de manipulation parentale diminuent et, du même coup, les motifs d'obéissance des enfants augmentent. En tout cas, il est clair que la voix de la proche parenté a une résonance toute particulière. Darwin dit qu'il a réagi à l'exaspérante pédanterie de sa sœur Caroline en « décidant d'ignorer ce qu'elle pouvait dire » [13]. Qu'il y soit parvenu est une autre affaire. Dans les lettres qu'il lui envoie du collège, il lui demande d'excuser son écriture, s'évertue à la convaincre de sa profonde piété et se montre généralement très inquiet de tout ce qu'elle pourra dire.

Les vannes réglant la circulation de l'influence paternelle semblent aussi avoir été laissées largement ouvertes dans le cerveau de Darwin. Le jeune Darwin idolâtre son père et il se souviendra toute sa vie des sages conseils et des plus cruelles réprimandes de celui-ci : « Tu ne t'intéresses à rien d'autre qu'à la chasse, aux chiens et aux pièges à rats, et tu seras une honte pour toi-même et pour ta famille [14]. » Or, Darwin recherche avec dévotion l'approbation paternelle et se donne un mal fou pour l'obtenir. « Je crois que mon père était un peu injuste avec moi quand j'étais jeune, dit-il, mais, après coup, je lui ai été reconnaissant d'être devenu son favori. » Darwin fait cette réflexion à l'une de ses filles, et celle-ci garde « une image très nette de l'expression de rêverie heureuse qui accompagnait alors ces paroles », comme si « ce souvenir lui laissait une impression de paix et de gratitude » [15]. Tous ceux qui partagent cette impression de paix – ainsi que ceux qui, bien au contraire, souffrent jusqu'à l'âge adulte d'un irritant sentiment de réprobation paternelle – témoignent de la puissance de ce dispositif émotionnel.

Et qu'en est-il du « pourquoi » ? Pourquoi la sélection naturelle a-t-elle rendu la conscience malléable ? Certes, la famille de Darwin fut un gisement naturel de fort utiles conseils moraux ; mais qu'y avait-il en fait de si utile là-dedans ? Du point de vue des gènes, qu'y a-t-il de si précieux dans l'énorme culpabilité qu'ils ont inspirée au jeune Darwin? D'ailleurs, si un grand sens moral était aussi précieux, pourquoi les gènes n'en auraient-ils pas équipé définitivement notre cerveau?

La réponse, c'est d'abord que la réalité est plus complexe que l'ordinateur d'Axelrod. Dans le tournoi de celui-ci, un groupe d'organismes électroniques TIT FOR TAT triomphe et vit ensuite pour toujours dans une parfaite coopération mutuelle. Cette expérience était précieuse dans la mesure où elle montrait comment l'altruisme réciproque avait pu évoluer, et pourquoi nous sommes tous sujets aux émotions qui le gouverne. Mais, bien sûr, nous n'utilisons pas ces émotions avec la même constance qu'un TIT FOR TAT. Il arrive que les gens mentent, trichent ou volent – et, contrairement au TIT FOR TAT, ils sont capables d'adopter une telle conduite même envers des individus qui se sont montrés aimables à leur égard. Il arrive, en outre, que certains prospèrent de cette manière.

Le fait que nous ayons cette capacité à exploiter nos semblables, et qu'elle se révèle parfois payante, semble indiquer qu'il a dû y avoir, au cours de l'évolution, des périodes où user de bonté envers les êtres bons n'était pas la meilleure stratégie génétique. Peut-être que nous disposons tous du mécanisme du TIT FOR TAT, mais nous disposons également d'un mécanisme moins admirable. La question qui se pose à nous est alors de savoir lequel utiliser. D'où la valeur adaptative d'une conscience malléable.

C'est au moins ce que suggère Trivers dans l'article qu'il consacre en 1971 à l'altruisme réciproque. Il note que le bénéfice perçu en aidant quelqu'un – ou en le trompant – dépend de l'environnement social dans lequel nous nous trouvons. Or les environnements changent avec le temps. Ainsi, « on s'attendrait à ce que la sélection favorise un développement souple des caractéristiques régulant les tendances à l'altruisme et à la tromperie et à ce qu'elle favorise, chez les autres, les réactions à de telles tendances ». De cette façon, « le sentiment de culpabilité croissant de l'organisme » pourrait « s'éduquer, en partie grâce à la famille, afin d'autoriser les formes de tricherie que les circonstances rendent appropriées et de décourager celles dont les conséquences seraient plus dangereuses »[16]. En bref : « l'orientation morale » est un euphémisme. Les parents sont conçus pour orienter les enfants vers des conduites « morales » si – et seulement si – elles peuvent leur être profitables.

Il est difficile de déterminer quelles sont les circonstances qui, au cours de l'évolution, ont rendu certaines stratégies morales plus valables que d'autres. Il a pu exister des changements récurrents dans la taille des villages, dans la densité du gibier ou les menaces des prédateurs[17]. Autant de paramètres qui ont pu affecter la quantité et la valeur des efforts de coopération disponibles. De plus, chaque individu naît dans une famille qui occupe une niche particulière dans l'écologie sociale et chaque individu dispose d'un actif et d'un passif sociaux spécifiques. Certains peuvent prospérer sans prendre le risque de tricher, d'autres non.

Quelle que soit la raison pour laquelle la sélection naturelle a doté notre espèce de stratégies d'altruisme réciproque aussi souples, c'est l'apparition de cette souplesse qui allait augmenter la valeur de ces stratégies. Une fois que les vents dominants de la coopération se sont déplacés – d'une génération à l'autre, d'un village au village voisin, ou d'une famille à la suivante –, ces déplacements sont une force dont il faut tenir compte, et le moyen d'en tenir compte réside dans la souplesse de la stratégie. Comme l'a démontré Axelrod, la valeur d'une stratégie particulière dépend totalement des normes en vigueur dans le voisinage.

Si Trivers a raison, si une jeune conscience se façonne en partie en fonction de l'enseignement qu'on lui prodigue sur les bénéfices à tirer d'une tricherie (et aussi sur ceux que l'on peut tirer du fait de ne pas tricher), on peut s'attendre à ce que les jeunes enfants se montrent doués dans leur apprentissage de la tromperie. Et c'est bien le moins que l'on puisse dire. En 1932, dans son étude portant sur le développement moral, Jean Piaget écrit que « [...] la tendance au mensonge est une tendance naturelle, dont la spontanéité et la généralité montrent combien elle est constitutive de la pensée égocentrique de l'enfant » [18]. Des études postérieures ont prouvé qu'il avait raison [19].

Darwin semble avoir été un menteur-né, « tout particulièrement porté à inventer des mensonges délibérés ». Exemple : « Un jour, je cueillis beaucoup des très précieux fruits des arbres de mon père et les cachai dans un bosquet, puis je courus tout essoufflé répandre la nouvelle que j'avais découvert un stock de fruits volés. » (Dans un sens, ce n'était pas faux.) Il rentrait rarement de promenade sans déclarer avoir vu « un faisan ou quelque autre oiseau étonnant », que la chose fût vraie ou non. Il raconta un jour à un autre petit garçon qu'il pouvait « produire des primevères de différentes couleurs en les arrosant avec des colorants, ce qui était bien sûr une fable monstrueuse ; [il n'avait] même jamais essayé » [20].

L'idée est ici que les mensonges de l'enfance ne sont pas juste une période d'inoffensive délinquance que nous traverserions sans heurts, mais les premiers essais d'une série destinée à éprouver notre égoïste malhonnêteté. Par le biais de renforcements positifs (fructueux mensonges restés non découverts) et négatifs (mensonges découverts par nos semblables ou réprimandes familiales), nous apprenons ce que nous pouvons ou pas nous permettre, et ce que notre famille considère, ou non, comme une tromperie judicieuse.

Le fait que les parents chapitrent rarement les enfants sur les vertus du mensonge ne signifie pas qu'ils ne leur apprennent pas à mentir. À moins qu'on ne les en dissuade avec fermeté, les enfants continueront, semble-t-il, de mentir. Ce ne sont pas seulement les enfants dont les parents mentent souvent qui deviendront des menteurs chroniques, mais aussi les enfants auxquels manque une étroite surveillance parentale [21]. Si les parents s'abstiennent de détourner leurs enfants des mensonges qu'ils ont eux-mêmes trouvés utiles – et s'ils utilisent de tels mensonges en leur présence –, ils leur dispensent ainsi un cours de haut niveau.

Comme l'a écrit un psychologue, « aucun doute possible : mentir est excitant ; c'est-à-dire que la manipulation elle-même, plus encore que les bénéfices qui en résultent, peut inciter les enfants à mentir » [22]. Cette dichotomie est trompeuse. C'est probablement *à cause* des bénéfices que procure un mensonge habile que la sélection naturelle a fait du mensonge expérimental un exercice excitant. Une fois encore : c'est la sélection naturelle qui « pense », et nous, nous agissons.

Darwin se souvient d'avoir inventé des histoires pour « le seul plaisir d'exciter l'attention et la surprise ». D'un côté, « ces mensonges, lorsqu'ils n'étaient pas détectés, excitaient probablement mon attention [et], ayant produit beaucoup d'effet sur mon esprit, me procuraient un réel plaisir, comme une tragédie » [23]. D'un autre côté, ils le laissaient parfois rempli de honte. Darwin ne dit pas pourquoi, mais deux hypothèses viennent à l'esprit. L'une est qu'une partie de ses mensonges était découverte par des enfants soupçonneux. L'autre est que le mensonge lui valait d'être puni par ses parents.

Dans les deux cas, Darwin a obtenu de son environnement social des réactions quant à l'opportunité du mensonge. Et, dans les deux cas, cette réaction a eu une efficacité. Quand il eut atteint l'âge adulte, Darwin était devenu honnête selon tous les critères raisonnables.

La transmission de l'instruction morale des anciens aux plus jeunes est parallèle à la transmission de l'instruction génétique et, parfois, on ne saurait les distinguer dans leurs effets. Samuel Smiles écrit dans *Self-Help* : « Les traits de caractère des parents sont donc constamment répétés chez les enfants ; et les actes d'affection, de discipline, d'assiduité au travail et de maîtrise de soi, dont ils donnent chaque jour l'exemple, vont se perpétuer alors même que tout ce que l'enfant aura pu apprendre par la parole sera oublié depuis longtemps... Qui peut dire combien de mauvaises actions ont été évitées grâce au souvenir de bons parents, dont les enfants ne souilleraient pas la mémoire en commettant quelque indignité, ou en s'autorisant quelque pensée impure [24] ? »

Cette fidélité à la transmission morale fonctionne parfaitement chez Darwin. Lorsque, dans son autobiographie, il encense la mémoire de son père – sa générosité, sa bienveillance –, il pourrait tout aussi bien parler de lui-même. Et à son tour, il s'efforcera d'inculquer à ses enfants de solides compétences en altruisme réciproque, depuis la probité morale jusqu'à la bienveillance sociale. Il conseille ainsi l'un de ses fils : « Il faut que tu écrives à Mr. Wharton et que tu commences ta lettre par " cher monsieur ". [...] Conclus par ces mots : " Je vous remercie, ainsi que Mrs. Wharton, pour la gentillesse que vous m'avez toujours témoignée. Croyez en ma sincère gratitude. Votre dévoué. " [25] »

LA CONSCIENCE VICTORIENNE

La sélection naturelle ne pouvait pas prévoir ce que serait l'environnement social de Darwin. Le programme génétique humain pour une conscience sur mesure n'inclut pas l'option « homme riche dans l'Angleterre victorienne ». Pour cette raison (parmi d'autres), nous ne pouvons pas attendre des premières expériences de Darwin qu'elles aient modelé sa conscience d'une façon vraiment adaptative. Cependant, certaines choses que la sélection naturelle avait probablement « prévues » – par exemple, que le niveau de la coopération serait différent en fonction de l'environnement – sont utiles à toute époque et en tout lieu. Il serait intéressant de voir si le développement moral de Darwin l'a convenablement équipé pour son épanouissement.

Se demander en quoi la conscience de Darwin s'est révélée payante revient à se demander en quoi la conscience victorienne l'est elle-même. L'attitude morale de Darwin n'est, après tout, qu'une version plus pointue du modèle de base victorien. Les victoriens sont connus pour avoir accordé une importance particulière au « caractère », et nombre d'entre eux, s'ils étaient soudain projetés parmi nous, nous paraîtraient d'un sérieux et d'un sens moral insolites, quoique moins poussés que chez Darwin.

Si l'on en croit Samuel Smiles, l'essence du tempérament victorien tient dans « la sincérité, l'intégrité et la bonté ». « L'intégrité dans les mots et dans les actes est le squelette du caractère, écrit-il dans *Self-Help*, et une loyale adhésion à la vérité est sa marque principale [26]. » Remarquez le contraste avec la « personnalité », ce mélange de charme, de tape-à-l'œil, et autres ornements sociaux qui, dit-on, a au XXᵉ siècle largement remplacé le caractère. Certains laissent entendre parfois avec nostalgie que notre siècle est celui de la décadence morale et du triomphe de l'égoïsme [27]. Après tout, la « personnalité » attache peu de prix à l'honnêteté ou à l'honneur et semble plutôt servir de tremplin à l'ambition personnelle.

La personnalité en tant que culture donne une impression de superficialité telle que l'on regrette facilement l'époque où le bagou ne faisait pas le succès d'un individu. Cela ne signifie pas pour autant que le règne de l'homme de caractère ait été une ère de pure intégrité, vierge de tout égoïsme. Si Trivers a raison sur le pourquoi de la malléabilité de notre conscience, alors le « caractère » a sans doute servi de support à l'égoïsme.

Les victoriens eux-mêmes n'y allaient pas par quatre chemins lorsqu'il s'agissait d'utiliser le caractère. Samuel Smiles cite en l'approuvant un homme « d'une grande indépendance de principes et scrupuleusement respectueux de la vérité » qui affirmait qu'obéir à la conscience ouvre « la voie de la prospérité et de la richesse ». Smiles lui-même note que « le caractère fait le pouvoir » (« beaucoup plus que la connaissance »). Il cite les vigoureuses paroles de l'homme politique George Canning : « Ma route vers le pouvoir passe par le caractère ; je n'en emprunterai pas d'autre ; et je suis assez optimiste pour croire que ce chemin, à défaut d'être le plus rapide, est sans doute le plus sûr [28]. »

Si, à l'époque, le caractère contribuait aussi sûrement à l'avancement, pourquoi est-ce moins vrai de nos jours ? Ce n'est pas ici le lieu d'un traité darwinien d'histoire de la morale, mais reste une évidence : dans l'Angleterre victorienne, la plupart des gens habitaient des agglomérations ressemblant à nos petites villes. L'urbanisation était en bonne voie et, par conséquent, l'ère de l'anonymat approchait. Mais, comparé à celui d'aujourd'hui, le voisinage, même dans les zones urbanisées, demeurait stable. Les gens ne déménageaient pas et, d'année en année, côtoyaient les mêmes personnes. C'est exactement ce qui se passait à Shrewsbury, le pittoresque village natal de Darwin. Si Trivers a raison – si la jeune conscience est modelée, avec l'aide active de la famille, de façon qu'elle s'adapte à son environnement social –, alors Shrewsbury est bien le genre d'endroit où les scrupules de Darwin devaient se révéler payants.

Il existe au moins deux raisons qui rendent l'intégrité et l'honnêteté particulièrement justifiées dans un cadre social restreint et stable. La première, c'est que (comme le savent tous ceux qui ont vécu dans une petite ville), il n'y a aucun moyen d'échapper à son passé. Dans une partie de *Self-Help* intitulée « Soyez ce que vous paraissez », Smiles écrit : « Un homme doit réellement être ce qu'il paraît ou ce qu'il se propose d'être. [...] Les hommes dont les actes ne correspondent pas aux paroles n'inspirent pas le respect, et ce qu'ils disent n'a guère de poids. » Smiles rapporte l'anecdote d'un homme qui disait : « Je donnerais mille livres pour porter votre nom. – Pourquoi cela ? – Parce que je pourrais en faire dix mille avec un nom pareil [29]. » Le Charles Darwin que décrit la jeune Emma Wedgwood – « le plus ouvert, le plus transparent des hommes que j'aie jamais rencontrés, et dont chaque parole exprime ce qu'il pense vraiment » – est un homme parfaitement équipé pour prospérer dans Shrewsbury [30].

L'univers qui se trouvait dans l'ordinateur d'Axelrod ressemble beaucoup à Shrewsbury : le même petit groupe d'individus, jour après jour, et tous se souviennent de la façon dont vous vous êtes conduit la dernière fois que vous vous êtes vus. C'est bien la raison pour laquelle l'altruisme réciproque se révélait payant dans le cas de l'ordinateur. Si on fait ressembler davantage encore l'univers de l'ordinateur à celui d'une petite ville, en permettant à ses créatures de colporter des ragots sur les scrupules ou l'absence de scrupules de tel ou tel, les stratégies coopératives vont fleurir encore plus rapidement. Si bien qu'on évitera les tricheurs avant qu'ils aient pu multiplier leurs escroqueries [31]. (L'ordinateur d'Axelrod a de multiples fonctions. Une fois les individus dotés d'un équipement moral souple, la coopération peut se répandre – ou régresser – par-delà les générations sans pour autant provoquer de changements dans le patrimoine génétique. Ainsi, l'ordinateur, en enregistrant jour après jour de telles données, peut façonner le changement culturel, comme c'est le cas ici, plutôt que le changement génétique, comme nous l'avons vu au chapitre précédent.)

La seconde raison qui fait de la gentillesse un comportement fructueux dans une petite ville comme Shrewsbury, c'est que les gens envers lesquels on se montre gentil vont rester longtemps dans le coin. Même les petites dépenses d'énergie sociale, telles ces chaudes civilités que l'on lance à tout venant, peuvent être un bon placement. « Ces petites politesses qui changent un peu la vie peuvent paraître, en tant que telles, presque sans valeur, si on les considère séparément ; en revanche, elles tirent leur importance de la répétition et de l'accumulation, écrit Smiles. La bienveillance est l'élément prépondérant de toutes les relations mutuellement bénéfiques et agréables qu'entretiennent les humains. " La courtoisie, disait lady Montague, ne coûte rien et achète tout. " [...] " Gagnez le cœur des hommes, disait Burleigh à la reine Élisabeth, et vous aurez et leurs cœurs et leur argent. " [32] »

En réalité, la courtoisie coûte quelque chose : un tout petit peu de temps et d'énergie psychique. Et de nos jours elle n'achète pas grand-chose – à moins qu'elle ne soit comme ciblée au laser. Nombre de ceux, sinon la plupart de ceux que nous rencontrons chaque jour ne savent pas qui nous sommes et ne le sauront jamais. Même nos relations peuvent être éphémères. Les gens déménagent souvent, changent souvent de travail. Ainsi, une réputation d'intégrité a moins d'importance de nos jours, et les sacrifices en tout genre que nous pourrions faire – y compris pour nos collègues ou voisins – sont moins susceptibles d'être payés de retour dans le futur. De nos jours, un bourgeois aisé qui, par exemple, apprend à son fils à être superficiel, à manifester une sincérité de surface, à multiplier les petits mensonges et à faire plus de promesses qu'il n'en pourra tenir, l'équipe sans doute très convenablement pour le succès.

On retrouve cela dans l'ordinateur d'Axelrod. Si on modifie les règles et que l'on autorise des sorties et de nouvelles entrées dans le groupe, de façon qu'il y ait moins de chances de récolter ce que l'on a semé, la force du Tit For Tat décline sensiblement pendant que croît le succès des méchantes stratégies. (Ici, on utilise une fois encore l'ordinateur pour façonner l'évolution culturelle et non l'évolution génétique; la dimension de la conscience moyenne change, mais pas à cause de changements sous-jacents dans le capital génétique.)

Dans l'ordinateur, comme dans la vie, ces orientations sont auto-suffisantes. Lorsque les stratégies coopératives régressent, la coopération disponible diminue, dévaluant à terme la coopération en général, ce qui provoquera la régression des stratégies coopératives... Cela fonctionne également en sens inverse : plus les victoriens se montraient consciencieux, plus ils avaient de raisons de l'être. Mais lorsque, pour quelque raison que ce soit, le pendule finit par atteindre son point d'amplitude maximale et qu'il redescend, il reprend tout naturellement de la vitesse.

Dans une certaine mesure, cette analyse ne fait que mettre en évidence les vieux truismes relatifs aux effets de l'anonymat dans les grandes villes : les New-Yorkais sont grossiers et New York est rempli de pickpockets [33]. Mais cela ne va pas assez loin. L'idée ici n'est pas seulement qu'après un rapide coup d'œil, les gens voient des opportunités de tricherie et s'en emparent en toute conscience. D'une façon dont ils se rendent peu, sinon pas du tout, compte – et qui a commencé dès qu'ils ont appris à parler –, le profil de leur conscience a été rectifié par la famille (sans qu'elle comprenne non plus pourquoi) et par d'autres effets retour issus de l'environnement. L'influence culturelle peut être tout aussi inconsciente que l'influence génétique, ce qui n'a rien de surprenant lorsque l'on sait à quel point elles sont liées.

Le même raisonnement peut s'appliquer à un sujet qui suscite nombre de débats à l'heure actuelle : la criminalité dans les quartiers pauvres des grandes villes américaines. Les délinquants en herbe n'inspectent pas leur milieu afin d'évaluer la situation et d'opter très rationnellement pour une vie de délits. Si tel était le cas, la solution habituellement proposée pour lutter contre la criminalité – « modifier la structure incitatrice » en faisant en sorte que le crime ne soit plus payant – devrait mieux fonctionner. Les darwiniens avancent une vérité plus dérangeante : depuis leur plus jeune âge, la conscience de beaucoup d'enfants pauvres – c'est-à-dire l'aptitude même à la sympathie et à la culpabilité – est écrasée par l'environnement, et à mesure qu'ils grandissent, cette conscience s'enkyste dans sa forme entravée.

Les raisons de l'entrave vont probablement bien au-delà de la question de l'anonymat des villes. Beaucoup de gens des quartiers pauvres n'ont que peu l'occasion de coopérer « légitimement » avec le monde extérieur. Et les hommes, par essence plus enclins au risque, n'ont pas cette longue espérance de vie que tant de gens considèrent comme acquise. Martin Daly et Margo Wilson prétendent que ces « horizons à court terme », que l'on attribue d'ordinaire aux criminels, pourraient être une « réponse adaptative aux pronostics portant sur la longévité d'un individu et sur ses réussites éventuelles »[34].

« La richesse et le rang n'ont pas nécessairement de lien avec les qualités qui font un gentleman, écrit Samuel Smiles. Le pauvre peut être un vrai gentleman – dans son âme et dans sa vie quotidienne. Il peut être honnête, sincère, droit, poli, modéré, courageux, digne et indépendant – c'est-à-dire être un vrai gentleman. » Car, « du plus haut au plus bas de l'échelle, du plus riche au plus pauvre, quels que soient le rang ou la condition, la nature n'a refusé à personne sa plus haute faveur : le cœur »[35]. Voilà une belle pensée, qui doit rester vraie dans les tout premiers mois de l'existence. Mais – du moins dans les conditions de la vie moderne – elle devient de plus en plus fausse à mesure que le temps passe.

Certains trouveront étrange d'entendre des darwiniens décrire les criminels comme des « victimes de la société » plutôt que comme des victimes de gènes défecteux. Mais c'est là l'une des différences entre le darwinisme de cette fin de siècle et celui de la fin du siècle précédent. Dès lors que les gènes programment le *développement* du comportement, et non le comportement seul, dès lors qu'ils façonnent le jeune cerveau afin qu'il s'adapte au contexte dans lequel il se trouve, nous avons tous l'air victimes (ou bénéficiaires) de notre environnement tout autant que de nos gènes[36]. C'est pourquoi une différence (socio-économique, par exemple, ou même ethnique) entre deux groupes, peut s'expliquer par l'évolution, sans qu'il soit fait référence à des différences génétiques.

Il n'existe pas, bien sûr, de stade « classes défavorisées urbaines » dans le programme de développement qui façonne la conscience, pas plus qu'il n'existe un stade « victorien ». (En réalité, le village de Shrewsbury ressemble davantage au cadre « prévu » par la sélection naturelle que les grandes villes d'aujourd'hui.) Cependant, l'habileté avec laquelle les occasions de tromperie qu'offrent les villes ont été exploitées laisse à penser que l'environnement ancestral devait parfois, lui aussi, fournir l'occasion de crimes profitables.

C'est par un contact régulier avec les villages voisins que se seraient développées de telles opportunités. L'adaptation qui aurait aidé à saisir ces opportunités est précisément celle que l'on trouve dans l'esprit humain : un paysage moral binaire, comprenant un groupe de l'intérieur méritant la considération et un groupe de l'extérieur méritant, lui, d'être exploité[37]. Même les membres d'un gang urbain connaissent des gens qui peuvent leur faire confiance. Et même les très polis gentlemen victoriens partaient à la guerre, intimement convain-

cus de donner la mort pour une bonne cause. Le développement
moral dépend souvent non seulement de la force, mais aussi de la portée qu'aura la conscience.

JUGER LES VICTORIENS

Sujet litigieux : jusqu'à quel point les victoriens étaient-ils véritablement « moraux ». On les taxe généralement d'hypocrisie. Mais,
comme nous l'avons vu, une petite dose d'hypocrisie n'est que chose
naturelle dans notre espèce [38]. Et, bizarrement, une forte hypocrisie
peut être le signe d'une grande moralité. Dans une société éminemment « morale » – où la vie quotidienne implique de nombreux actes
de courtoisie et d'altruisme, où la méchanceté et la malhonnêteté sont
dûment punies par la sanction sociale –, une bonne réputation morale
est capitale et une mauvaise coûte assez cher. Ce poids de la réputation incite davantage les gens à agir comme ils le font naturellement
de toute façon : en faisant exagérément valoir leur bonté. Comme
l'écrit Walter Houghton dans *The Victorian Frame of Mind*, « bien
que tout un chacun se prétende parfois, et même à lui-même, meilleur
qu'il n'est, les victoriens étaient plus enclins à ce genre de supercherie
que nous ne le sommes. Ils vivaient à une époque où le niveau de
conduite morale était beaucoup plus élevé » [39].
    Même si nous acceptons l'idée que l'hypocrisie est l'expression
détournée de la moralité victorienne, il ne nous en faut pas moins
nous demander si *moralité* est bien le mot juste. Après tout, pour la
plupart des victoriens, l'éthique dominante ne demandait finalement
pas un gros sacrifice. Les gens étaient si régulièrement prévenants que
chacun recouvrait sa mise. Mais cela ne met pas la morale victorienne
en accusation. C'est l'idée qui sous-tend toute moralité solide : encourager les échanges *informels* en sommes non zéro et augmenter ainsi le
bien-être général ; c'est-à-dire encourager ce type d'échanges en
sommes non zéro hors des limites de la vie économique et des
contraintes légales. Un auteur, qui déplore un « égoïsme croissant » et
le déclin de « l'Amérique victorienne », fait observer que, sous
l'éthique victorienne, « la grande majorité des Américains vivaient
dans un système social prévisible, stable et fondamentalement bien-
séant. Et il en était ainsi parce que – nonobstant l'hypocrisie – la plupart des gens sentaient qu'ils avaient envers leur prochain des devoirs
et des obligations qui passaient avant leur satisfaction propre » [40]. Sans
mettre en doute son sens général, nous pouvons néanmoins nous
interroger sur la stricte véracité de cette phrase. En dernière analyse, le
sens du devoir de chacun ne se nourrissait pas d'abnégation personnelle, mais d'une adhésion tacite à un vaste contrat social, dans

lequel les devoirs accomplis envers les autres allaient être, fût-ce indirectement, payés de retour. Cependant, l'auteur a raison : on faisait à l'époque l'économie de beaucoup du temps et de l'énergie que nous consacrons à présent à être vigilants.

On pourrait formuler les choses ainsi : l'Angleterre victorienne était une *société* admirable, mais composée d'*individus* qui ne l'étaient pas forcément. Ils ne faisaient rien de plus que nous : ils agissaient consciencieusement, poliment et avec prévenance dans la mesure où cela payait. La différence, c'est que cela payait davantage à leur époque. Qui plus est, leur comportement moral, louable ou non, était plus un héritage qu'un choix délibéré ; la conscience victorienne s'est formée d'une façon que les victoriens n'ont jamais comprise et qu'ils eussent été incapables de modifier.

Grâce à tout ce que nous savons des gènes, nous pouvons désormais rendre notre verdict sur Darwin : il était le produit de son environnement. S'il fut bon, c'est en tant que passif reflet de la bonté de la société dans laquelle il vivait. Et, de toute façon, beaucoup de cette « bonté » fut payée de retour.

Pourtant Darwin semble parfois avoir devancé l'appel de l'altruisme réciproque, et être allé bien au-delà. En Amérique du Sud, il plante des jardins pour les Fuégiens. Et des années plus tard, habitant le village de Downe, il fonde la « Société des amis de Downe », qui met sur pied un plan d'épargne pour les ouvriers du cru ainsi qu'un « club » (où la moralité était perfectionnée grâce à un conditionnement skinnerien : blasphèmes, bagarres et états d'ivresse étaient soumis à l'amende [41]).

Certains darwiniens vont même jusqu'à réduire ce genre de gentillesses à des manifestations de l'égoïsme. Puisque l'on ne voit pas comment les Fuégiens auraient pu remercier Darwin (qui dit, d'ailleurs, qu'ils ne l'ont pas fait ?), en ultime recours on évoque les « effets de réputation » : si, une fois rentrés en Angleterre, les marins du *Beagle* se répandent en anecdotes sur la générosité de Darwin, celui-ci risquera d'en être récompensé. Mais les sentiments moraux de Darwin sont assez solides pour casser un tel cynisme. Le jour où il entend dire qu'un fermier voisin a laissé ses moutons mourir de faim, il se met en quête de toutes les preuves nécessaires et porte l'affaire en justice [42]. Les moutons morts ne sont pas en situation de le remercier, le fermier, n'y pensons pas ; quant aux « effets de réputation » d'une conduite aussi fanatique, ils peuvent ne pas avoir joué en sa faveur. Dans le même ordre d'idées, quelle gratification peut-il attendre pour les nuits d'insomnie passées à se tourmenter sur les souffrances des esclaves en Amérique du Sud ?

Le moyen le plus simple de rendre compte d'un comportement « excessivement » moral, comme celui-ci, consiste à rappeler que les êtres humains « n'optimisent pas l'aptitude », mais qu'ils sont des « exécutants de l'adaptation ». C'est l'adaptation en question – la

conscience – qui a été *conçue* pour optimiser l'aptitude et pour exploiter l'environnement ambiant au nom de l'égoïsme génétique. Mais le
succès d'une telle entreprise est loin d'être assuré, surtout dans des
contextes sociaux étrangers à la sélection naturelle.

Ainsi la conscience peut-elle pousser les gens à faire des choses
qui ne relèvent pas de leur intérêt propre, sauf en ceci qu'elles sou-
lagent leur conscience. Bienveillance, sens du devoir et culpabilité, s'ils
n'ont pas, durant l'enfance, été soumis à une véritable campagne
d'extermination, gardent toujours la possibilité de susciter des
conduites que leur « créateur », la sélection naturelle, « réprouverait ».

Nous avions ouvert ce chapitre sur une hypothèse de travail : la
conscience de Darwin était un dispositif adaptatif qui fonctionnait
sans heurts. Et, à bien des égards, ce fut le cas. Qui plus est, ce fut plutôt réconfortant : nous avons vu comment certains organes mentaux,
bien que conçus pour servir l'intérêt personnel, sont en même temps
conçus pour travailler en harmonie avec les organes mentaux d'autres
personnes, et peuvent, en chemin, générer beaucoup de bien-être
social. Pourtant, d'une certaine façon, la conscience de Darwin ne
fonctionnait pas de façon adaptative. Et cela aussi est réconfortant.

TROISIÈME PARTIE

CONFLITS SOCIAUX

CHAPITRE XI

LE RETARD DE DARWIN

Ma santé s'est bien améliorée depuis que je suis à la campagne, et bien qu'aux yeux d'un étranger je doive avoir l'air solide, je ne me sens pas prêt pour des travaux physiques. Je me fatigue à la moindre occasion... J'ai été amèrement mortifié d'avoir à digérer la conclusion suivante : « La course est réservée aux forts » – et même si j'y participe encore un peu, je dois me contenter d'admirer les progrès scientifiques des autres. Mais c'est ainsi...

Lettre à Charles Lyell (1841) [1]

Darwin découvre le principe de la sélection naturelle en 1838 et, pendant vingt ans, garde le silence sur sa découverte. Il ne commence à écrire l'ouvrage qui expose sa théorie qu'en 1855, ouvrage qu'il n'achèvera jamais vraiment. En 1858, lorsqu'il apprend qu'un autre naturaliste vient d'aboutir à une théorie identique, il décide de rédiger ce qu'il appelle un « abrégé », *L'Origine des espèces*, qu'il publie en 1859.

Pourtant, Darwin n'a pas passé les années 1840 dans l'oisiveté. Bien que ralenti par de fréquentes maladies – violents tremblements, vomissements, douleurs gastriques, flatulences, évanouissements et palpitations cardiaques –, il multiplie les publications [2]. Au cours des huits premières années de son mariage, il publie des articles scientifiques, met la dernière main à l'édition des cinq volumes de *The Zoology of the Voyage of H.M.S. Beagle* et écrit trois livres sur les observations faites lors de son voyage : *The Structure and Distribution of Coral Reefs* (1842), *Geological Observations on the Volcanic Islands* (1844) et *Geological Observations on South America* (1846).

Le 1ᵉʳ octobre 1846, il note dans son journal : « Ai fini de relire les dernières épreuves de mes observations géologiques ; ce volume, et l'article sur les îles Falkland pour la *Revue de géologie*, m'ont pris dix-huit mois et demi : en fait, le manuscrit n'était pas aussi parfait que celui des *Iles volcaniques*. Donc, ma *Géologie* m'a pris quatre ans et demi, et en voilà dix que je suis rentré en Angleterre. Que de temps perdu à cause de la maladie [3] ! »

Voilà bien Darwin ! Darwin et cette sombre résignation avec laquelle, à mesure que la maladie le gagne, il poursuit, souvent péniblement, son ouvrage. Et bien qu'il ait, ce jour-là, terminé une grande trilogie (dont un volume, au moins, est encore considéré comme un classique), il n'a manifestement pas l'intention de sabler le champagne. Darwin et sa sempiternelle autocritique : il ne saurait savourer la fin de l'entreprise, fût-ce une journée, avant de se pencher sur ses imperfections. Darwin et cette conscience aiguë du temps qui passe, et l'obsession d'en faire bon usage.

Peut-être vous dites-vous qu'il ne saurait trouver moment plus propice pour aller vers son destin. La hantise de la mort, toujours plus nette, est certainement pour lui une forte incitation au travail. En 1844, il confie à Emma, dans l'éventualité de sa mort, une ébauche de deux cent trente pages sur la théorie de la sélection naturelle, ébauche accompagnée d'instructions pour la publication : « Prends bien soin de la promouvoir. » Que les Darwin aient quitté Londres pour s'établir à la campagne, dans le petit village de Downe, atteste de la santé déclinante de Charles. Loin des distractions et des fatigues de la vie citadine, il reçoit toute l'affection d'une famille qui s'agrandit et, grâce à un emploi du temps très strict, ménageant travail, délassement et repos, s'efforce d'arracher à sa faible constitution quelques heures de rendement quotidien – sept jours par semaine – et ce, aussi longtemps qu'il sera en vie. Tel est l'environnement qu'il s'est créé lorsqu'il termine ses ouvrages sur la géologie de l'Amérique du Sud. Dans une lettre écrite le même jour (1er octobre 1846) au capitaine FitzRoy, il dit : « Mon existence passe, réglée comme une horloge, et je vis, fixé sur le moment où elle s'arrêtera [4]. »

Le lieu de travail est rassurant, la Faucheuse est encore loin, les travaux académiques qu'il devait fournir sur l'expédition du *Beagle* sont terminés, alors qu'est-ce qui peut différer encore la rédaction d'un ouvrage portant sur la sélection naturelle ?

En un mot : les bernaches * ! La longue histoire de Darwin avec les bernaches a commencé de façon plutôt anodine, comme une simple curiosité pour une espèce découverte le long des côtes du Chili. Mais une espèce conduisant à une autre, sa maison devient rapidement le QG des bernaches du monde entier, que les collectionneurs sollicités lui envoient par la poste. La vie de Darwin est si intensément et si longuement occupée par l'étude des bernaches, que l'un de ses

* *N.d.T.* Nom vulgaire de l'anatife. La bernache est un crustacé, de la famille des cirripèdes, qui se fixe aux objets flottant en mer.

jeunes fils, invité un jour chez des voisins, demande : « Alors, il les fait où ses cirripèdes [5] ? » Fin 1854 – soit huit ans après avoir déclaré que son travail sur les bernaches lui prendrait à peine quelques mois, un an au maximum –, Darwin a publié deux livres sur les bernaches vivantes, deux autres sur les bernaches fossiles, et s'est forgé une solide et durable réputation dans le domaine de la bernache. Ses ouvrages font aujourd'hui encore référence pour les biologistes qui étudient la sous-classe *Cirripedia* des crustacés inférieurs (en un mot, les bernaches).

Bien sûr, il n'y a aucune honte à être une autorité en matière de bernaches. Mais ont peut être appelé à de plus grands desseins. On s'est longtemps demandé pourquoi Darwin avait mis si longtemps à s'en rendre compte. L'opinion la plus répandue sur le sujet est aussi la plus fondée : écrire un livre qui remet en question les croyances religieuses de tout un chacun dans cette partie du monde – y compris celles de nombreux confrères et de son épouse – est une tâche à laquelle on ne s'attelle qu'avec circonspection.

Rares étaient ceux qui l'avaient déjà fait, et jamais leurs résultats n'avaient suscité de louanges inconditionnelles. Le grand-père de Darwin, Erasmus, poète et naturaliste éminent, avait lui-même avancé en 1794 une théorie de l'évolution dans un ouvrage intitulé *Zoonomia*. Il avait d'abord souhaité que le livre ne parût qu'après sa mort, puis il changea d'avis, quelque vingt ans plus tard, affirmant qu'il était « trop âgé et trop endurci pour craindre quelques petites insultes » ; et c'est bien ce qu'il récolta [6]. En 1809, année de la naissance de Darwin, Jean-Baptiste de Lamarck publie un vaste exposé sur la chaîne évolutive : il est taxé d'immoralité. Et, en 1844, un ouvrage intitulé *Vestiges of the Natural History of Creation* trace les grandes lignes d'une théorie de l'évolution et sème la consternation. Son auteur, l'Écossais Robert Chambers, préfère sagement garder l'anonymat. On parlera notamment de ce livre comme d'une « chose immonde et obscène, dont le contact impur est une contagieuse souillure » [7].

Et aucune de ces théories hérétiques n'est aussi impie que l'est celle de Darwin. Chambers avait placé un « Divin Gouverneur » à la tête de l'évolution. Erasmus Darwin, déiste, prétendait que Dieu avait remonté la grande horloge de l'évolution pour la laisser ensuite tourner toute seule. Et bien que Chambers eût dénoncé Lamarck comme « manquant de respect envers la Providence » [8], l'évolution vue par Lamarck apparaît d'une haute spiritualité, comparée à celle de Darwin ; elle tend à suggérer une inexorable tendance à une complexité organique plus grande, à une vie consciente supérieure. Songez un peu : si ces hommes-là avaient été si sévèrement tancés, qu'allait-il advenir de Darwin ? Sa théorie n'impliquait ni Divin Gouverneur, ni suprême horloger (encore qu'il ait délibérément laissé l'option ouverte), ni tendance naturelle au progrès – rien que la lente addition de changements fortuits [9].

Il ne fait aucun doute que, depuis le début, Darwin s'inquiète de ce que sera la réaction du public. Bien avant que sa foi en l'évolution ne cristallise autour d'une théorie de la sélection naturelle, il met au point une tactique rhétorique destinée à tempérer la critique. Au printemps 1838, il note dans ses carnets : « Mentionner les persécutions dont furent victimes les premiers astronomes [10]. » Dans les années qui suivent, la crainte de la critique transparaît dans sa correspondance. La lettre à son ami Joseph Hooker, dans laquelle il confesse son hérésie, est l'un de ses écrits les plus défensifs – ce qui, de sa part, n'est pas un mince exploit : « Je suis presque convaincu (contrairement à ce que je croyais lorsque j'ai commencé) que les espèces ne sont pas immuables (c'est presque confesser un meurtre) », écrit-il en 1844. « Le ciel me préserve des absurdités de Lamarck sur la " tendance au progrès " ou " les adaptations dues à la lente volonté des animaux ", etc. – mais les conclusions auxquelles je parviens ne sont pas très différentes des siennes, bien que le soient nos conceptions de la mutation. Je crois avoir découvert (attention, présomption !) la manière simple par laquelle l'espèce s'adapte parfaitement à des finalités diverses. Vous devez gémir et vous dire : " Pourquoi diable ai-je perdu mon temps à écrire à cet homme-là ? " Il y a cinq ans que j'aurais dû y penser [11]. »

MALADIE ET FATIGUE

La thèse selon laquelle Darwin a été freiné par un climat social hostile revêt divers aspects, du plus baroque au plus complexe, et tous donnent à son retard différents motifs, du plus pathologique au plus sage.

Dans les versions les plus élaborées, la maladie de Darwin – qui n'a d'ailleurs jamais été clairement diagnostiquée et demeure une énigme – est décrite comme une suite d'effets psychosomatiques dus à la procrastination. En septembre 1837, soit deux mois après avoir ouvert le premier carnet qu'il consacre à l'évolution, Darwin est atteint de palpitations cardiaques ; et, à mesure que se déploie sa théorie de la sélection naturelle, les évocations de ses malaises se font de plus en plus fréquentes [12].

On a prétendu qu'Emma, femme fort pieuse et peinée des théories que défend son époux, n'a fait qu'aggraver les tensions existant entre ses travaux scientifiques et son milieu social, et que, le soignant avec tant de dévouement, elle lui aurait rendu l'indisposition plus facile. Ce passage d'une lettre qu'elle adresse à Charles juste avant leur mariage est assez révélateur : « Rien ne *pourrait* me rendre plus heureuse que de savoir que je peux être, si peu que ce soit, utile ou réconfortante pour mon cher Charles lorsqu'il ne se sent pas bien. Si tu savais combien j'aspire à être à tes côtés lorsque tu es malade! [...] Alors ne tombe plus malade, mon Charles chéri, tant que je ne suis pas auprès de toi pour te soigner [13]. » Ces phrases marquent sans doute le niveau des hautes eaux dans l'ardeur prénuptiale d'Emma.

Les théories qui établissent un lien entre la maladie de Darwin et ses idées n'impliquent pas toutes un complot subconscient visant à dissimuler ces mêmes idées. Il se peut que Darwin ait simplement été l'objet de ce que l'on appelle de nos jours des troubles émotifs. Après tout, l'angoisse du rejet social a, au bout du compte, des manifestations physiologiques; Darwin aurait sans doute été le premier à le souligner. Cette angoisse prend un tribut physiologique [14].

D'aucuns admettent que Darwin a eu une véritable maladie, contractée probablement en Amérique du Sud (peut-être la maladie de Chagas ou un syndrome de fatigue chronique), mais prétendent que les bernaches lui servaient d'alibi inconscient pour différer le jour du Jugement. Il est certain que Darwin, entrant dans sa période bernaches et affirmant qu'elle sera brève, conçoit quelques appréhensions sur ce qui l'attend. En 1846, il écrit à Hooker : « Je vais commencer des articles sur les crustacés, ce qui va me prendre quelques mois, peut-être un an, puis je commencerai de passer en revue dix années de notes accumulées sur les espèces et les variétés qui, je crois pouvoir l'affirmer, recevront, une fois publiées, un mauvais accueil de tous les naturalistes patentés – tels sont mes projets pour le futur [15]. » Des dispositions de ce genre sont bien de nature à encourager huit années de recherches sur les bernaches.

D'autres observateurs, parmi lesquels des contemporains de Darwin, ont prétendu que les bernaches lui avaient été d'un grand secours [16]. Elles lui ont permis d'explorer à fond la taxonomie (expérience utile à qui se propose d'échafauder une théorie expliquant l'élaboration de toutes les taxonomies valables) et lui ont fourni le modèle idéal d'une sous-classe animale qu'il put examiner à la lumière de la sélection naturelle.

Qui plus est, il lui reste encore d'autres domaines que la taxonomie à maîtriser –, ce qui conduit à la plus simple des hypothèses concernant ce retard. En effet, en 1846 – et en 1856, et même en 1859, lorsque paraît *L'Origine des espèces* –, Darwin n'a pas encore totalement compris la sélection naturelle. Et il n'y a rien d'illogique, avant de dévoiler une théorie qui va susciter haine et calomnie, à tenter de mieux la cerner.

L'une des énigmes que Darwin se doit de résoudre en ce qui concerne la sélection naturelle, c'est celle de l'altruisme extrême : la stérilité chez certains insectes. Il n'y parvient qu'en 1857, avec la théorie qui annonce celle de la sélection parentale [17].

Autre mystère jamais éclairci, celui de l'hérédité en tant que telle [18]. L'une des grandes vertus de la théorie de Darwin est qu'elle ne dépend pas, contrairement à celle de Lamarck, de l'hérédité des caractères acquis ; pour que la sélection naturelle fonctionne, il n'est pas nécessaire que l'étirement du cou d'une girafe, visant à attraper les feuilles les plus hautes, affecte la longueur du cou de sa progéniture. Mais l'évolution darwinienne dépend d'une *certaine* forme de modification dans les caractères héréditaires ; la sélection naturelle a besoin de « choisir » dans un menu toujours renouvelé. De nos jours, n'importe quel bon étudiant en biologie peut vous dire comment le menu continue de changer – par la recombinaison sexuelle et la mutation génétique. Mais ni l'un ni l'autre de ces mécanismes n'avait de sens évident avant que l'on ne connaisse les gènes. Si Darwin avait parlé de « mutations fortuites » lorsqu'on lui demandait comment se modifie le patrimoine des caractères, il aurait aussi bien pu dire : « Puisque je vous le dis, croyez-moi sur parole [19]. »

On peut juger le retard pris par Darwin à la lumière de la psychologie évolutionniste. Elle ne produit pas une théorie entièrement nouvelle sur le sujet, mais permet de lever un peu du mystère de l'épisode. On l'appréciera mieux lorsque l'on aura éclairci les racines évolutionnistes des ambitions et des craintes de Darwin. Pour le moment, restons-en à l'année 1854 : Darwin vient de publier son dernier ouvrage sur les bernaches et le temps est venu pour lui de rassembler tout son enthousiasme pour l'apogée de son œuvre. Il écrit à Hooker : « Je me sentirais horriblement à plat si, après avoir réuni toutes mes notes sur les espèces, etc., je voyais la chose exploser comme un ballon de baudruche [20]. »

Chapitre XII

STATUT SOCIAL

> *Lorsque l'on sait à quel point ces expressions sont
> anciennes, il n'est pas étonnant qu'elles soient si diffi-
> ciles à dissimuler – un homme offensé peut pardonner
> à son ennemi et ne pas désirer l'attaquer, mais il trou-
> vera beaucoup plus difficile d'avoir l'air calme. Il
> pourra mépriser un homme et ne rien dire, mais sans
> un effort de volonté particulier, il aura du mal à
> s'empêcher de serrer les dents. Il pourra se sentir satis-
> fait de lui-même et, n'osant pas le dire, il allongera le
> pas et marchera, raide comme un dindon.*

> Carnet de notes (1838) [1]

Les Fuégiens laissent Darwin perplexe, et notamment parce qu'il
n'existe apparemment pas, chez eux, d'inégalité sociale. « Même un
bout de tissu sera mis en pièces pour être distribué, écrit-il en 1839, et
aucun individu ne devient plus riche qu'un autre. » Darwin craint
qu'une « si parfaite égalité ne retarde longtemps leur civilisation ». Il
cite l'exemple des « habitants d'Otaheite qui, à l'époque où ils furent
découverts, étaient gouvernés par des rois héréditaires. Ils étaient arrivés à un degré de civilisation bien plus élevé que celui des Néo-
Zélandais, autre branche du même peuple qui, bien qu'ayant tiré parti
de l'obligation qui leur était faite de se tourner vers l'agriculture,
étaient des républicains au sens le plus absolu ». Conclusion : « En
Terre de Feu, à moins que n'apparaisse un chef suffisamment puissant
pour garantir la sécurité des biens acquis, comme les animaux domestiques ou autres présents de valeur, la situation politique du pays ne
semble guère pouvoir s'améliorer. »
     Darwin ajoute alors : « D'un autre côté, il est difficile d'imaginer
qu'un chef puisse surgir sans que naisse un semblant de notion de

propriété, grâce auquel il serait à même de manifester et d'accroître son autorité [2]. »

Darwin eût-il médité un peu plus longuement cette idée, il aurait commencé à se demander si les Fuégiens étaient vraiment un peuple où régnait une « parfaite égalité ». Naturellement, aux yeux d'un riche Anglais, élevé parmi des domestiques, une société toujours au bord de la famine peut paraître fortement égalitaire. Il n'y verra aucune riche démonstration de standing, ni de disparités criantes. Mais la hiérarchie sociale peut prendre plusieurs formes, et il semble bien qu'il en existe une dans toutes les sociétés humaines.

On a mis longtemps à prendre conscience du phénomène. Notamment parce que, comme Darwin, nombre d'anthropologues du XXe siècle, issus de sociétés à fort clivages sociaux, ont été saisis et parfois charmés par la relative absence de classes sociales dans les sociétés primitives. Ces anthropologues étaient également soumis à une foi pleine d'espérance en la malléabilité presque infinie de l'esprit humain, foi essentiellement nourrie par Franz Boas et ses célèbres disciples, Ruth Benedict et Margaret Mead. Le préjugé de Boas contre la nature humaine était, à certains égards, louable : c'était une réaction bien intentionnée, allant à l'encontre des grossières extensions politiques du darwinisme, qui avaient admis pauvreté et autres maladies sociales comme des phénomènes « naturels ». Mais un préjugé bien intentionné n'en demeure pas moins un préjugé. Boas, Benedict et Mead ont écarté des pans entiers de l'histoire de l'humanité [3]. Et, parmi eux, la profonde aspiration de l'homme à avoir un statut, et la présence, apparemment universelle, de la hiérarchie.

Plus récemment, des anthropologues darwinisants se sont penchés sur la question de la hiérarchie sociale. Ils l'ont trouvée partout, même là où elle paraissait la plus improbable.

Les Aches, une tribu d'Amérique du Sud économiquement basée sur la chasse et sur la cueillette, semblent à première vue respecter entre eux une égalité idyllique. La réserve de viande est commune, de sorte que les meilleurs chasseurs peuvent aider leurs voisins moins chanceux. Cependant, à y regarder de plus près, dans les années 80, les anthropologues ont découvert que les meilleurs chasseurs, bien que généreux en viande, accumulaient par ailleurs un bien beaucoup plus essentiel. Ils avaient davantage de liaisons extraconjugales et d'enfants illégitimes que les chasseurs moins doués. Et leur progéniture avait davantage de chances de survivre, parce qu'elle faisait apparemment l'objet d'un traitement de faveur [4]. En d'autres termes, une réputation de bon chasseur confère à celui qui en jouit un grade informel, dont l'influence joue aussi bien sur les hommes que sur les femmes.

À première vue, les Akas, pygmées du centre de l'Afrique, semblent aussi ne pas connaître de hiérarchie : ils n'ont ni « chef » ni dirigeant politique suprême. Mais il existe chez eux un homme qu'ils appellent *kombeti*, et qui influence subtilement mais fortement les grandes décisions du groupe (et il doit souvent cette fonction à ses prouesses de chasseur). Et il s'avère que c'est au *kombeti* qu'échoient le meilleur de la nourriture, mais aussi les femmes et les enfants [5].

Ainsi, plus on réexamine toutes ces sociétés à la lumière, peu flatteuse, de l'anthropologie darwinienne, plus on doute qu'aucune société humaine véritablement égalitaire ait jamais existé. Certaines sociétés sans sociologues peuvent ne pas connaître le *concept* de statut, et pourtant elles ont des statuts. Certains individus y occupent une position élevée, d'autres non, et tout le monde sait qui est qui. En 1945, l'anthropologue George Peter Murdock, luttant contre le courant dominant des théorie de Boas, publie un essai intitulé *The Common Denominator of Cultures*, dans lequel il hasarde l'idée que la « différenciation des statuts » (avec les cadeaux, la propriété, le mariage et une foule d'autres choses) serait universelle chez les humains [6]. Et plus on y regarde de près, plus il semble avoir raison.

L'omniprésence de la hiérarchie est, en un sens, une énigme darwinienne. Pourquoi les perdants continuent-ils de jouer le jeu ? En quoi est-il dans l'intérêt génétique des hommes qui se trouvent en bas du mât totémique de traiter avec déférence ceux qui sont en haut ? Pourquoi placer de l'énergie dans un système qui nous laisse moins riche que le voisin ?

On peut imaginer certaines raisons à cela. Peut-être la hiérarchie donne-t-elle au groupe une telle cohésion que la plupart de ses membres, voire tous, en bénéficient, fût-ce de façon inégale – exactement ce que Darwin souhaite voir arriver un jour aux Fuégiens. Autrement dit, peut-être les hiérarchies servent-elles « le bien du groupe » et sont-elles donc favorisées par la « sélection par le groupe ». C'est cette théorie qu'a soutenue le populaire Robert Ardrey, membre influent des tenants de la sélection par le groupe, dont le déclin a marqué l'avènement du nouveau paradigme darwinien. Si les gens n'étaient pas naturellement capables de soumission, écrit-il, « toute société organisée serait impossible et nous ne connaîtrions que l'anarchie » [7].

Peut-être. Mais, à en juger par le nombre impressionnant des espèces fondamentalement asociales, il semble que la sélection naturelle ne partage pas le même souci de l'ordre social que Robert Ardrey. Elle ne s'oppose nullement à ce que les organismes poursuivent leur quête de l'aptitude globale dans un cadre anarchique. D'ailleurs, dès que l'on commence à réfléchir sérieusement à ce scénario basé sur la sélection par le groupe, les problèmes ne tardent pas à surgir. Certes, lorsque deux tribus s'affrontent ou se disputent les mêmes richesses, la tribu la plus soudée et la mieux hiérarchisée a des chances de l'emporter. Mais comment est-elle devenue soudée et hiérarchisée ? Comment des gènes conseillant la soumission, et diminuant donc par là l'aptitude, réussiraient-ils à s'imposer dans la compétition quotidienne entre gènes à l'intérieur d'une société ? Ne seraient-ils pas rejetés du patrimoine génétique avant d'avoir eu la chance de prouver leurs effets bénéfiques sur le groupe ? Telles sont les questions auxquelles les théories de la sélection par le groupe – tout comme celle des sentiments moraux élaborée par Darwin – se heurtent fréquemment et auxquelles, tout aussi fréquemment, elles ne peuvent apporter de réponse.

L'explication darwinienne de la hiérarchie est simple, directe et agréablement compatible avec la réalité observée. C'est avec cette seule théorie – et seulement après un examen minutieux des statuts sociaux humains, hors de toute préoccupation morale ou politique – que nous pourrons revenir aux questions morales et politiques. Dans quel sens l'inégalité sociale est-elle inhérente à la nature humaine ? L'inégalité est-elle, comme le suggère Darwin, le préalable à tout progrès économique ou politique ? Certains seraient-ils « nés pour servir » et d'autres pour « diriger » ?

LA THÉORIE MODERNE DES HIÉRARCHIES DE STATUTS

Prenez quelques poules, mettez-les ensemble et, après quelques émois et pas mal de bagarres, l'affaire va s'arranger. Les disputes (pour la nourriture, par exemple) seront alors brèves et décisives, puisque chaque poule, d'un simple coup de bec, peut vite provoquer l'ajournement des hostilités. La chose constitue un modèle du genre. La hiérarchie est simple, linéaire, et chaque poule sait où est sa place. A donne impunément un coup de bec à B, qui donne un coup de bec à C, etc. Dans les années 20, le biologiste norvégien Thorleif Schjelderup-Ebbe décrit ce schéma qu'il baptise « *pecking order* * ». (Il observe aussi, dans une frénésie extrapolatrice lourde de sens politique : « Le despotisme est l'idée fondatrice de l'univers, idée indissociablement liée à toute forme de vie. [...] Il n'est pas une chose au monde qui n'ait son despote [8]. » Rien de suprenant à ce que les anthropologues se soient si longtemps méfiés des interprétations évolutionnistes de la hiérarchie sociale...)

L'ordre transmis par le coup de bec n'a rien d'arbitraire. B a manifesté par le passé une nette tendance à vaincre C, et A avait, quant à lui, plutôt tendance à dominer B. Il n'est donc pas si difficile, après tout, d'expliquer l'apparition de la hiérarchie sociale comme la simple addition d'intérêts personnels. Chaque poule s'incline devant celles qui auraient sans doute de toute façon le dessus, et fait ainsi l'économie d'une bataille.

* *N.d.T.* Littéralement, *l'ordre du coup de bec.* Le terme désigne aussi à présent l'ordre hiérarchique chez les oiseaux et, au sens figuré, celui des préséances chez les hommes...

Si vous passez beaucoup de temps en compagnie des poulets, vous aurez probablement du mal à concevoir qu'ils puissent élaborer une pensée aussi complexe que « le poulet A aura de toute façon le dessus, alors à quoi bon se battre? », et vous aurez raison. Une fois encore, c'est la sélection naturelle qui « pense »; l'organisme lui-même n'a pas besoin de le faire. L'organisme doit être capable de distinguer ses voisins et d'éprouver une saine frayeur face à ceux qui l'ont brutalisé, mais il n'est pas nécessaire qu'il comprenne la logique qui soustend sa frayeur. Tout gène dotant un poulet de cette peur sélective, qui réduit le temps passé en combats inutiles et coûteux, devrait prospérer.

Dès lors que de tels gènes se répandent dans une population, la hiérarchie fait partie de l'architecture sociale. La société peut en effet sembler avoir été conçue par quelqu'un qui aurait davantage apprécié l'ordre que la liberté. Mais cela ne signifie pas que ce fut le cas. Comme l'a écrit George Williams dans *Adaptation and Natural Selection*, « la hiérarchie dominant-dominé, observée chez les loups et chez une grande variété de vertébrés et d'arthropodes, n'est pas une organisation fonctionnelle. Elle est la conséquence statistique d'un compromis passé par chaque individu dans le cadre d'une compétition pour la nourriture, l'accouplement et autres ressources. C'est chaque compromis qui est adaptatif, et non l'addition statistique de tous les compromis »[9].

Cette façon d'expliquer la hiérarchie n'est pas la seule qui permette d'éviter les écueils de la sélection par le groupe. Il en existe une autre, basée sur le concept d'état évolutionnairement stable, qu'élabora John Maynard Smith – et plus exactement sur son analyse « faucon-colombe » d'une hypothétique espèce d'oiseaux. Imaginez que domination et soumission soient deux stratégies génétiquement fondées, le succès de chacune dépendant de leur fréquence respective. Être un dominant (par exemple, intimider les soumis afin qu'ils vous cèdent la moitié de leur nourriture) est une bonne affaire tant qu'il existe beaucoup de soumis dans la région. Mais plus la stratégie se répand, moins elle est profitable : il y a de moins en moins de soumis à exploiter et, parallèlement, les dominants se rencontrent de plus en plus et se livrent de coûteux combats. C'est pourquoi la stratégie de la soumission peut se développer; un animal soumis va souvent devoir céder une partie de sa nourriture, mais il va éviter des combats qui font de plus en plus de victimes chez les dominants. La population devrait théoriquement s'équilibrer avec une stable proportion de dominants et de dominés. Et, comme c'est le cas dans tous les états évolutionnairement stables (souvenons-nous du poisson-lune du chapitre III), c'est au point d'équilibre des proportions que chaque stratégie jouit des mêmes succès reproductifs[10].

Cette explication semble bien convenir à certaines espèces. Chez certains passereaux, les oiseaux aux couleurs les plus sombres sont agressifs et dominants, tandis que les plus clairs sont passifs et soumis. Maynard Smith a découvert la preuve indirecte que les deux stratégies sont également favorables à l'adaptation – caractéristique d'un état évolutionnairement stable [11]. Mais, dès lors que l'on passe à l'espèce humaine – et, en réalité, dès lors que l'on passe à d'autres espèces hiérarchisées –, cette explication de la hiérarchie sociale soulève certains problèmes. Celui-ci n'est pas le moindre : chez les Aches, les Akas, ainsi que chez beaucoup d'autres sociétés humaines et chez beaucoup d'autres espèces, on a constaté qu'un faible statut social entraînait de faibles succès en matière de reproduction [12]. Ce qui n'est pas la caractéristique d'un combiné de stratégies évolutionnairement stable. Ce serait plutôt la caractéristique d'animaux ayant un faible statut social et essayant néanmoins de tirer le meilleur parti possible d'une situation peu favorable.

Pendant des décennies, alors que de nombreux anthropologues minimisaient l'importance de la hiérarchie sociale, psychologues et sociologues étudiaient sa dynamique et observaient l'aisance avec laquelle les membres de notre espèce s'en accommodent. Réunissez un groupe d'enfants et vous verrez qu'avant peu, ils occuperont tous des échelons différents. Les enfants du haut de l'échelle seront les favoris, ceux qu'on imite le plus souvent, et lorsqu'ils essaieront d'exercer une influence, ils seront aussi les mieux obéis [13]. Cette tendance a été observée, à l'état rudimentaire, chez des enfants âgés d'un an seulement [14]. Pour commencer, statut égale dureté – les enfants d'un rang supérieur sont ceux qui ne se dégonflent pas –, et il est vrai que la dureté compte beaucoup chez les mâles, et ce au moins jusqu'à la fin de l'adolescence. Pourtant, dès le jardin d'enfants, certains grimpent dans la hiérarchie grâce à une habile coopération [15]. D'autres talents – intellectuels, artistiques – ont aussi leur importance, surtout lorsque nous grandissons.

De nombreux savants ont étudié ces motifs sans donner à leurs travaux une orientation darwinienne ; on aurait pourtant du mal à ne pas soupçonner quelque fondement inné à des schémas d'apprentissage aussi automatiques. D'ailleurs, la hiérarchie des statuts fonctionne aussi dans notre famille. Elle apparaît très clairement et d'une façon fort complexe chez nos plus proches parents, les chimpanzés et les bonobos, et se rencontre aussi, quoique sous une forme simplifiée, chez les gorilles, autres très proches parents, ainsi que chez nombre d'autres primates [16]. Prenez un zoologue venu d'une autre planète, montrez-lui l'arbre généalogique de notre famille et faites-lui remarquer que les trois espèces qui sont les plus proches de nous sont naturellement hiérarchisées : il va probablement supposer que nous le sommes aussi. Dites-lui alors que la hiérarchie se rencontre chez toutes les sociétés humaines ayant fait l'objet d'un examen minutieux, ainsi que chez des enfants qui n'étaient pas encore en âge de parler : nul doute qu'il considère alors la question comme résolue.

Il existe encore d'autres preuves. Certaines façons qu'ont les gens de manifester leur statut, et celui des autres, semblent se rencontrer dans bon nombre de cultures. Après avoir amplement interrogé missionnaires et autres voyageurs, Darwin lui-même arrive à la conclusion que « raillerie, dédain, mépris et dégoût s'expriment de multiples et différentes façons dans les traits du visage et dans les gestes ; et ce sont les mêmes dans le monde entier ». Il note aussi qu'« un homme fier manifeste sa supériorité en tenant sa tête et son corps bien raides » [17]. Un siècle plus tard, des études révéleront que la posture se raidit aussitôt après un succès social – par exemple, lorsqu'un étudiant obtient un excellent résultat à un examen [18]. Et l'éthologue Irenaüs Eibl-Eibesfeldt va découvrir que, dans diverses cultures, les enfants baissent la tête, en signe de mortification, après avoir perdu une bataille [19]. L'universalité de telles expressions se retrouve en nous. Dans toutes les cultures les gens éprouvent de la fierté après un succès social, de l'embarras – voire de la honte – après un échec et, parfois, en attendant l'un ou l'autre, de l'anxiété [20].

Les primates envoient, sur leur statut, des signaux du même genre que les humains. Les mâles dominants chez les chimpanzés – et, en général, tous les primates dominants – se pavanent en bombant le torse avec fierté. Et, après un combat entre deux chimpanzés, le perdant s'accroupit servilement. Cette courbette sera répétée par la suite afin d'exprimer pacifiquement la soumission.

STATUT, ESTIME DE SOI ET BIOCHIMIE

Sous le parallèle entre comportement des primates humains et non-humains, on trouve également un parallèle biochimique. Chez les vervets, les mâles dominants ont plus de sérotonine que leurs subordonnés. Et une étude a permis de découvrir que, dans les confréries d'étudiants, les gradés ont, en moyenne, plus de sérotonine que leurs moins puissants confrères [21].

Saisissons ici l'occasion d'en finir avec une idée fausse, jadis très répandue, aujourd'hui sur le déclin, et qui a bien mérité de périr. Il est *faux* que tout comportement sous « contrôle hormonal » ou autre « contrôle biologique » soit « déterminé génétiquement ». Certes, il existe une corrélation entre la sérotonine (une hormone, comme tous les neurotransmetteurs) et le statut social. Mais cela ne signifie pas que le statut social d'une personne soit « dans ses gènes », réglé d'avance à la naissance. Si l'on vérifie le taux de sérotonine du président d'une confrérie étudiante bien avant son ascension politique, ou celui d'un vervet dominant bien avant la sienne, on a toutes les chances de découvrir qu'il n'a rien d'exceptionnel [22]. Le taux de sérotonine, bien que « biologique », est en grande partie produit par l'environnement social. Ce n'est pas ainsi que la nature prédestine certains au pouvoir dès leur naissance ; mais c'est ainsi que la nature les équipe pour l'exercer une fois qu'ils l'ont conquis (et, comme semblent l'indiquer certaines preuves, ainsi qu'elle les encourage à tenter de s'en emparer à un moment politiquement opportun [23]). Vous pouvez, vous aussi, avoir un fort taux de sérotonine, si vous arrivez à vous faire élire président d'une confrérie étudiante.

Bien sûr que les différences génétiques ont de l'importance. Les gènes de certains individus les disposent à être exceptionnellement ambitieux, intelligents, sportifs, artistes ou autres – et exceptionnellement riches en sérotonine. Mais, pour s'épanouir, ces caractéristiques dépendent de l'environnement (et dépendent aussi parfois les unes des autres) ; quant à leur éventuelle transformation en statut social, c'est essentiellement une question de chance. Personne n'est né pour commander et personne pour obéir. Et si certaines personnes semblent (et c'est sûrement le cas) nées avec une longueur d'avance, c'est probablement au moins autant grâce à un avantage culturel que génétique. En tout cas, nous avons de bonnes raisons darwiniennes de croire que *tout le monde* est né avec un fort taux de sérotonine potentiel – c'est-à-dire avec l'équipement qui permet de fonctionner comme un primate haut placé, si le contexte social est favorable à notre ascension. Tout l'intérêt du cerveau humain tient à sa souplesse de comportement. C'est pourquoi, étant donné cette souplesse, il paraît fort improbable que la sélection naturelle refuse à quiconque, si l'occasion se présente, une chance de jouir des bénéfices génétiques que procure un haut statut social.

Mais la sérotonine, que fait-elle au juste ? L'effet des neurotransmetteurs est si subtil et dépend tellement du contexte chimique, qu'une simple généralisation serait risquée. Mais au moins constate-t-on fréquemment l'effet apaisant de la sérotonine sur les gens ; elle les rend plus sociables, leur donne davantage d'assurance en société, un peu comme le ferait un verre de vin. Du reste, l'un des effets de l'alcool est de libérer la sérotonine. On pourrait dire, en simplifiant un peu, que la sérotonine augmente l'estime de soi ; elle nous fait agir comme il sied à un primate qui se respecte. Des taux de sérotonine extrêmement faibles peuvent accompagner non seulement un manque de confiance en soi, mais aussi de sévères dépressions pouvant conduire au suicide. Des antidépresseurs comme le Prozac font monter le taux de sérotonine [24].

Si, jusqu'ici, ce livre a peu évoqué les neurotransmetteurs, comme la sérotonine, ou la biochimie en général, c'est en partie parce que les liens biochimiques existant entre les gènes, le cerveau et le comportement demeurent pour une bonne part inexplorés. C'est aussi parce que l'élégante logique de l'analyse évolutionniste nous fait souvent comprendre le rôle des gènes, sans se soucier de nous livrer les détails pratiques de leur influence. Pourtant, bien entendu, il y a *toujours* un aspect pratique. Chaque fois que nous parlons de l'influence des gènes (ou de l'environnement) sur le comportement, sur la pensée ou sur l'émotion, nous parlons d'une chaîne d'influences bio-chimiques.

En devenant plus claires, ces chaînes peuvent donner forme à quelques données rudimentaires et contribuer à les greffer sur la structure darwinienne. Il y a quelques dizaines d'années, des psychologues ont découvert qu'un abaissement artificiel de l'estime de soi (en donnant de faux résultats lors d'un test de personnalité, par exemple) pouvait parfois conduire les individus concernés à tricher aux cartes. Une étude plus récente montre que les individus dont le taux de sérotonine est faible sont davantage susceptibles de commettre des crimes sur un coup de tête [25]. Peut-être ces deux conclusions, traduites en termes évolutionnistes, disent-elles la même chose : la « tricherie » est une réponse adaptative, qui se déclenche lorsque l'on est tombé si bas qu'il semble impossible d'obtenir les ressources désirées par des voies légitimes. Il y a peut-être quelque vérité dans ce refrain si ostensiblement simpliste qui veut que la criminalité des quartiers pauvres provienne d'un « manque d'estime de soi » des enfants pauvres, auxquels télévision et cinéma se chargent de rappeler qu'ils sont loin d'approcher le sommet de l'échelle. Nous voyons là, encore une fois, comment le darwinisme, si souvent caricaturé comme génétiquement déterministe et politiquement à droite, peut concorder avec cette sorte de déterminisme environnemental que favorise la gauche.

Nous voyons aussi un nouveau moyen de mettre à l'épreuve les théories de la sélection par le groupe. Si le consentement à un statut inférieur avait évolué comme un facteur de succès pour le groupe, succès qui rejaillirait même sur les plus humbles, on serait en droit d'attendre des animaux au statut modeste qu'ils ne passent pas leur temps à bouleverser l'ordre du groupe [26].

Confirmer l'existence d'un lien entre sérotonine et statut chez les primates est une tâche complexe, que personne n'a tenté d'entreprendre avec nos cousins chimpanzés. Mais quelque chose me dit que le lien existe. En fait, le parallèle entre la quête d'un statut chez le chimpanzé et la même quête chez l'homme est si frappant, nous sommes si étroitement liés aux chimpanzés, qu'il se pourrait bien que nous partagions, du fait de notre généalogie commune, beaucoup de mécanismes biochimiques – correspondant aussi à nos états mentaux et émotionnels. Les efforts des chimpanzés pour acquérir un statut méritent le coup d'œil.

Une grande part de l'attention considérable que les chimpanzés accordent au statut est purement rituelle : des saluts humblement adressés à un supérieur social. Les chimpanzés se prosternent souvent et vont même jusqu'à baiser les pieds de leur maître [27]. (Ce baiser du pied semble une excentricité culturelle et ne se rencontre pas dans toutes les colonies de chimpanzés.) Mais, dans le cas des mâles au moins, ces rangs sociaux si pacifiquement entérinés ont été conquis par des batailles. Si vous rencontrez un chimpanzé qui inspire régulièrement de grands hommages, vous pouvez être sûr qu'il a gagné quelques batailles décisives.

Les enjeux sont très réels. Les richesses sont allouées en fonction du statut, et le mâle dominant a tendance à se tailler la part du lion. En particulier, il veille jalousement sur les désirables femelles en chaleur, période visible de fertilité.

Une fois qu'existe cette échelle hiérarchique, dont les échelons supérieurs apportent des bénéfices reproductifs, les gènes aidant le chimpanzé à la gravir à un prix raisonnable vont prospérer. Les gènes peuvent opérer en suscitant des instincts que, chez les humains, nous appelons « ambition » et « compétitivité »; ou en inspirant des sentiments tels que la « honte » (qui s'accompagne d'une aversion pour cette même honte et d'une propension à la ressentir après un échec patent); ou la « fierté » (qui s'accompagne d'une attirance pour cette même fierté et d'une propension à la ressentir après une action d'éclat). Mais quelle que soit la nature exacte des sentiments, s'ils augmentent l'aptitude, ils deviendront partie intégrante de la psychologie de l'espèce.

Les chimpanzés mâles semblent plus spectaculairement esclaves de ces forces que les chimpanzés femelles; ils œuvrent davantage pour obtenir un statut. Pour cette raison, les hiérarchies mâles sont instables. Il semble toujours possible qu'apparaisse un jeune-turc capable de provoquer le mâle dominant, et les mâles dominants passent beaucoup de temps à repérer ces menaces et à essayer de les écarter. Les femelles trouvent leur place au sein de la hiérarchie avec moins de conflits (l'ancienneté joue souvent beaucoup) et, par la suite, s'inquiètent moins de leur statut. En fait, la hiérarchie femelle est si discrète que seul un œil expérimenté peut la distinguer, alors que reconnaître un mâle dominant pompeux et autoritaire est à la portée de n'importe quel écolier. Les coalitions sociales entre femelles – les amitiés – durent souvent toute une vie, alors que les coalitions mâles varient en fonction des nécessités stratégiques [28].

HOMMES, FEMMES ET STATUTS

Vous avez l'impression d'entendre un air connu, n'est-ce pas? Les mâles humains aussi sont réputés ambitieux, égoïstes et opportunistes. La linguiste Deborah Tannen, auteur de *You Just Don't Understand*, observe que, pour les hommes, et à l'inverse des femmes, la conversation est « d'abord le moyen de préserver l'indépendance, de négocier et de maintenir son statut dans un ordre social hiérarchisé » [29]. Nombreux sont ceux qui ont prétendu, surtout pendant la seconde moitié de ce siècle, qu'il s'agissait là d'une différence entièrement culturelle, ce que Tannen admet dans son livre. Or, il est quasiment certain que c'est faux. La dynamique évolutive qui se cache derrière la fiévreuse quête de statut du chimpanzé mâle est bien connue et a aussi été à l'œuvre au cours de l'évolution de l'homme.

Cette dynamique est la même que celle qui explique les approches de la sexualité masculine et féminine : l'énorme potentiel reproductif d'un mâle, le potentiel limité d'une femelle, et la disparité des succès reproductifs qui en résulte chez les mâles. À un extrême, un mâle de statut inférieur peut n'avoir aucune progéniture – fait qui, par le biais de la sélection naturelle, pourrait vite induire une énergique prévention contre tout statut inférieur. À l'autre extrême, un statut dominant peut signifier la prise en charge de douzaines d'enfants par de multiples mères – fait qui, par le biais de la sélection naturelle, pourrait graver chez les mâles un désir de pouvoir illimité. Pour les femelles, les enjeux reproductifs liés au statut sont moindres. Un chimpanzé femelle en période d'ovulation, quel que soit son statut, n'est pas en peine de prétendants. Elle n'est pas vraiment en compétition sexuelle avec les autres femelles.

Bien sûr, les femelles de *notre* espèce *sont en concurrence* pour les mâles – pour des mâles qui offriront le meilleur investissement parental. Mais rien ne prouve qu'au cours de l'évolution, le statut social ait été un outil primordial dans cette compétition. D'ailleurs, la pression évolutionniste qui se trouve derrière la concurrence que se livrent les mâles pour le sexe semble avoir été plus forte que celle qui se trouve derrière la compétition que se livrent les femelles pour l'investissement. Une fois encore, la raison en est que les différences d'aptitude potentielles sont beaucoup plus importantes chez les mâles que chez les femelles.

Le Guinness des records illustre ce point de façon éclatante. Le père humain le plus prolifique du monde a eu huit cent quatre-vingt-huit enfants – soit environ huit cent soixante enfants de plus qu'une femme pourra jamais rêver en avoir, à moins qu'elle n'ait un don pour les naissances multiples. Ses nom et titre étaient respectivement Moulay Ismail l'Assoiffé de sang, sultan du Maroc dans la dynastie chérifienne [30]. Songer que les gènes d'un homme surnommé « l'Assoiffé de sang » se sont répandus dans près d'un millier d'enfants fait un peu froid dans le dos. Mais c'est ainsi que fonctionne la sélection naturelle : ce sont souvent les gènes qui font froid dans le dos qui gagnent. Bien sûr, il n'est pas certain que la soif de sang de Moulay Ismail provienne de gènes spécifiques ; peut-être a-t-il simplement eu une enfance difficile. Quoi qu'il en soit, vous avez saisi : les gènes *sont* parfois responsables de la pulsion excessive d'un mâle pour le pouvoir, et aussi longtemps que ce pouvoir se transmet dans une progéniture viable, ces gènes prospèrent [31].

Peu de temps après son voyage sur le *Beagle*, Darwin écrit à son cousin Fox : [mon] travail a été « favorablement accueilli par les grandes pointures, ce qui me donne beaucoup de confiance et, je l'espère, pas trop de vanité ; cependant, je le confesse, je me sens souvent comme un paon en train d'admirer sa queue » [32]. À ce moment-là, bien avant qu'il ait la révélation de la sélection sexuelle et même avant celle de la sélection naturelle, Darwin ne peut soupçonner à quel point cette comparaison est appropriée. Mais, plus tard, il constatera que l'énorme ego des hommes est produit par la même force qui a créé la queue du paon : la compétition sexuelle entre mâles. « La femme semble différer de l'homme dans ses dispositions mentales, surtout par le fait d'une plus grande tendresse et d'un moindre égoïsme », écrit-il dans *La Descendance de l'homme*. « L'homme est le rival des autres hommes ; il adore la compétition, et celle-ci le conduit à l'ambition qui, trop aisément, le mène à l'égoïsme. Ces dernières facultés semblent faire partie de son malheureux héritage naturel [33]. »

Darwin voit aussi que cet héritage n'est pas seulement un vestige du temps où nous étions singes, mais le produit de forces qui furent à l'œuvre longtemps après que notre espèce devint humaine. « Les hommes les plus forts et les plus vigoureux – ceux qui pouvaient le mieux défendre leur famille et subvenir, grâce à la chasse, à ses besoins, puis ceux qui furent les chefs –, ceux qui avaient les meilleures armes et possédaient le plus de biens, comme des chiens ou d'autres animaux, ont dû parvenir à élever un plus grand nombre d'enfants que les individus plus pauvres et plus faibles, membres des mêmes tribus. Sans doute ces hommes ont-ils aussi dû pouvoir choisir les femmes les plus attirantes. À l'heure actuelle, les chefs de presque toutes les tribus du globe parviennent à posséder plus d'une seule femme [34]. » En vérité, les études portant sur les Aches, les Akas, les Aztèques, les Incas, les habitants de l'ancienne Égypte, et sur bien d'autres cultures, laissent à penser que, jusqu'à l'avènement de la contraception, le pouvoir du mâle se traduisait par une nombreuse progéniture. Et maintenant encore, alors que la contraception a brisé ce rapport, on en établit encore un entre le statut d'un homme et la richesse sa vie sexuelle [35].

La compétition entre mâles a certainement un fondement culturel autant que génétique. Bien que les petits garçons aient, en général, plus d'assurance naturelle que les petites filles, on leur offre aussi des pistolets et on les inscrit chez les scouts. Évidemment, cette façon de les traiter peut elle-même se retrouver en partie dans les gènes. Peut-être les parents sont-ils programmés pour faire de leurs enfants des machines reproductrices optimales (ou, plus exactement, des machines qui auraient été capables d'une reproduction optimale dans l'environnement de notre évolution). Margaret Mead a fait un jour, au sujet des sociétés primitives, une observation qu'on doit pouvoir, dans une certaine mesure, appliquer à toutes les sociétés : « La petite fille apprend qu'elle est une femelle et qu'il lui suffit d'attendre pour, un jour, devenir mère. Le petit garçon apprend qu'il est un mâle et que, s'il réussit dans ses actions viriles, un jour il sera un homme et pourra montrer combien il en est un [36]. » (La force de l'un et l'autre de ces messages dépend sans doute de la portée darwinienne qu'ils auront localement. Il a été prouvé que, dans les sociétés pratiquant la polygynie – où les mâles haut placés sont extraordinairement prolifiques –, les parents cultivent avec un soin particulier la compétitivité de leurs fils [37].)

Rien de tout cela ne signifie que les mâles aient le monopole de l'ambition. Pour les femelles primates – singes ou humaines –, le statut peut être source de bénéfices : un supplément de nourriture ou un traitement de faveur pour la progéniture ; aussi mettent-elles *un certain* enthousiasme à le rechercher. D'ordinaire, les chimpanzés femelles dominent les jeunes adolescents mâles et, s'il y a un vide dans la hiérarchie mâle, elles peuvent même accéder aux plus hautes fonctions politiques. Lorsque des colonies de chimpanzés en captivité ne comportent pas d'adultes mâles, une femelle peut assumer le statut du dominant et, ensuite, défendre habilement son rang lorsque surgissent des rivalités mâles. Chez les bonobos – nos autres cousins germains –, le désir de pouvoir des femelles est encore plus sensible. Dans plusieurs petites populations captives, les femelles sont des chefs incontestés. Même dans la vie sauvage, les femelles les plus redoutables peuvent avoir l'avantage sur les mâles adultes les plus modestes [38].

Ainsi, en examinant les batailles que se livrent les chimpanzés pour leur statut, nous constatons que l'observation s'applique aussi – au moins en partie – aux femelles. Nous nous attacherons aux batailles que se livrent les mâles, parce que les mâles se battent de façon exemplaire. Mais les énergies mentales qui alimentent ces batailles, si elles existent aussi chez les humains, se retrouvent sans doute autant chez les femmes que chez les hommes, bien qu'à doses plus faibles.

La hiérarchie chimpanzé et la hiérarchie humaine sont l'une et l'autre plus subtiles que la hiérarchie des poulets. Quel tel animal s'incline devant tel autre est une chose qui peut changer du jour au lendemain – non seulement parce que les hiérarchies se réorganisent (ce qu'elles font), mais aussi parce que la domination peut dépendre du contexte ; le fait qu'un primate accède ou non au pouvoir dépendra des autres primates qui l'entourent. Tout cela parce que les humains et les chimpanzés ont quelque chose que les poulets n'ont pas : l'altruisme réciproque. Vivre dans une société où se pratique l'altruisme réciproque signifie avoir des amis. Et les amis s'entraident en période de conflits sociaux.

Cela peut sembler évident. Sinon, à quoi serviraient les amis ? Mais en réalité, c'est tout à fait extraordinaire. Le mélange évolutif qui a généré cela – à partir de l'altruisme réciproque et du sens de la hiérarchie – est extrêmement rare dans les annales de la vie animale.

Ce qui catalyse ce combiné, c'est que, une fois que les hiérarchies existent, le statut devient une ressource [39]. Si le statut facilite l'accès à la nourriture ou au sexe, alors il est logique de le rechercher en tant que tel, de la même façon qu'il est logique de rechercher l'argent, même si on ne le mange pas. Aussi, deux animaux qui s'assistent mutuellement pour accroître le statut de l'un ou de l'autre ne font guère autre chose qu'échanger de la nourriture : tant que l'échange est une somme non zéro, la sélection naturelle va l'encourager si elle en a l'occasion. En fait, après examen attentif de la société des chimpanzés et de celle des hommes, on est en droit de soupçonner que, du point de vue de la sélection naturelle, l'assistance en matière de statut social est bien le véritable moteur de l'amitié.

La fusion évolutive entre hiérarchie et altruisme réciproque représente une bonne part de la vie ordinaire de l'homme. Nombre, sinon la plupart, de nos sautes d'humeur, fidèles engagements, modifications affectives à l'égard des gens, institutions, et même nombre de nos idées, sont gouvernés par des organes mentaux forgés par cette fusion. Elle a fait beaucoup pour former la texture de la vie quotidienne.

Elle a aussi formé une grande part de la *structure* de l'existence. La vie intra- et interentreprises, États et universités – tout cela est gouverné par les mêmes organes mentaux. L'altruisme réciproque, comme les hiérarchies, a évolué pour aider les gènes individuels à survivre, et ce sont eux qui soutiennent le monde.

Ce que l'on peut constater dans la vie quotidienne des chimpanzés. Regardez la structure de leur société, puis imaginez une soudaine poussée de leur intelligence – sur le plan de la mémoire, de l'astuce, de la prévoyance à long terme, du langage –, et tout d'un coup vous pouvez vous représenter des immeubles entiers pleins de chimpanzés tirés à quatre épingles : bureaux, ministères, campus, tous fonctionnant à peu près comme ils le font aujourd'hui, pour le meilleur et pour le pire.

LA POLITIQUE DES CHIMPANZÉS

Le statut pour les chimpanzés, tout comme le statut pour les humains, ne dépend pas uniquement de l'ambition et de la force brute. Il est vrai que l'ascension d'un chimpanzé dominant suppose presque toujours qu'il tabasse au moins une fois le dominant titulaire. Et le nouveau dominant peut, par la suite, prendre l'habitude d'intimider son prédécesseur ainsi que tous les autres sujets ; il parcourt toute la colonie, martèle le sol et met le cap sur un groupe de singes qui, s'inclinant devant lui, reconnaissent sa suprématie – et il peut aussi distribuer çà et là une ou deux gifles, histoire de faire bonne mesure.

Pourtant, il lui faut souvent pas mal de jugeote stratégique pour accéder au pouvoir et pour s'y maintenir.

C'est à Mike, l'un des chimpanzés que Jane Goodall étudia en Afrique, que nous devons le plus célèbre exemple d'une intelligente quête de statut. Sans être spécialement costaud, Mike découvrit que, s'il courait en direction de mâles plus virils que lui en poussant bruyamment un bidon d'essence vide, il parvenait à gagner leur respect. Jane Goodall écrit : « Parfois Mike répétait l'action jusqu'à quatre fois consécutives, attendant que ses rivaux se soient remis à leur toilette pour les charger à nouveau. Quand il finissait par s'arrêter (souvent à l'endroit précis où s'étaient tenus les autres), ceux-ci revenaient parfois vers lui et, avec des gestes soumis, entreprenaient de lui faire sa toilette [...]. Mike mettait une grande détermination à récolter d'autres objets fabriqués par l'homme afin d'améliorer son exhibition – chaises, tables, boîtes, trépieds, tout ce qui était accessible. Nous avons fini par mettre tous ces articles en sûreté [40]. »

Le génie spécifique de Mike n'a rien de particulièrement caractéristique, et peut-être est-il sans grand rapport avec l'évolution humaine. Chez les chimpanzés, l'astuce mise en œuvre dans la quête d'un statut n'a rien à voir avec une quelconque ingéniosité technologique, mais plutôt avec la jugeote sociale : il s'agit bien de manipuler des allégeances réciproquement altruistes à des fins personnelles. Machiavélisme.

Après tout, à l'instar des êtres humains, les chimpanzés gouvernent rarement tout seuls. Être à la tête d'un groupe de singes, dont certains sont de jeunes mâles ambitieux, est une situation précaire, et les mâles dominants essaient en général de s'assurer un gisement de soutiens réguliers. Ce soutien peut reposer surtout sur un unique et solide lieutenant, qui aidera le dominant à écarter les challengers et obtiendra, en retour, certaines faveurs, tel l'accès sexuel aux femelles en période d'ovulation. Le soutien peut aussi reposer sur une étroite relation avec la femelle dominante : elle se portera à la défense du mâle et obtiendra peut-être en retour un traitement préférentiel pour elle et sa progéniture. Mais les soutiens peuvent aussi être plus complexes et diffus.

On trouve la meilleure illustration de la fluidité du pouvoir chez les chimpanzés, et de la complexité émotionnelle et cognitive qui l'accompagne, dans les récits, presque mélodramatiques, de Frans De Waal. Ce spécialiste des primates a vécu parmi les chimpanzés sur une île de un hectare, dans le zoo de Arnhem, aux Pays-Bas. Certains trouvent son livre – en fait, le titre même de son livre, *Chimpanzee Politics* – discutable. Ces lecteurs pensent qu'il attribue trop facilement aux chimpanzés une nature quasiment humaine. Mais personne ne peut nier que ce livre est unique dans le récit minutieusement détaillé qu'il fait de la vie parmi les singes. Je raconterai l'histoire comme le fait De Waal, sans en retrancher le ton anthropomorphique, et nous examinerons ensuite la question de son interprétation.

Yerœn, l'un des personnages principaux de la pièce, savait bien ce qu'était la précarité du pouvoir. Mâle dominant, il s'appuyait sur l'allégeance de diverses femelles, et surtout sur Mama, femelle très influente qui occupe le créneau de la femelle dominante à travers tout le récit de Frans De Waal. Et ce fut vers les femelles que Yerœn se tourna lorsque Luit, plus jeune et plus fort que lui, vint le provoquer.

Luit défiait chaque jour davantage Yerœn. D'abord, ce fut un rapport sexuel qu'il eut avec une femelle non loin de sa période d'ovulation, forfait accompli au vu et au su du possessif et jaloux (comme le sont tous les dominants) Yerœn ; puis une série de « démonstrations » agressives, ou de menaces, dirigées contre Yerœn ; et, enfin, l'assaut physique : Luit se laissa tomber d'un arbre sur Yerœn, le frappa et s'enfuit. Ce n'est pas là le genre de traitement auquel sont habitués les mâles dominants. Yerœn se mit à crier.

Il courut alors en direction d'un groupe de chimpanzés, en majorité des femelles, prit chacune d'elles dans ses bras et, ayant ainsi consolidé ses liens stratégiques, les lança à la poursuite de Luit. Yerœn et sa bande encerclèrent Luit, qui entra alors dans un accès de colère. Il avait perdu la première bataille.

Yerœn semblait avoir pressenti cette attaque. Dans son récit, De Waal montre qu'au cours des semaines précédant le premier défi de Luit, Yerœn avait passé deux fois plus de temps dans l'amicale compagnie des femelles adultes. N'est-ce pas en période électorale que les politiciens battent le record des caresses distribuées aux bébés ?

Hélas pour le pauvre Yerœn, sa victoire fut de courte durée. Luit décida de saper la coalition au pouvoir. Pendant des semaines et des semaines, il châtia les partisans de Yerœn. Lorsqu'il voyait une femelle s'occuper de la toilette de Yerœn, il s'approchait d'eux, les menaçait ou bien attaquait la femelle, parfois en lui sautant dessus à pieds joints. Après quoi, on pouvait le voir toiletter la même femelle ou jouer avec ses enfants – du moment qu'elle n'était pas avec Yerœn. Les femelles comprirent le message.

Si Yerœn avait mieux défendu ses alliées, peut-être aurait-il pu conserver son statut de mâle dominant. Mais cette option était devenue hasardeuse depuis que Luit avait fait alliance avec un jeune mâle nommé Nikkie. Nikkie accompagnait désormais Luit dans ses virées contre les femelles, y allant lui-même parfois de sa correction. Leur association était naturelle : Nikkie, qui sortait tout juste de l'adolescence, devait se battre pour imposer sa domination aux femelles – rite de passage chez les jeunes chimpanzés mâles – et l'association avec Luit lui facilitait les choses. Pour finir, et non sans quelques hésitations, Luit accorda à Nikkie un surcroît d'encouragements sous la forme de privilèges sexuels particuliers.

Ayant isolé Yerœn, Luit pouvait accéder au rang de mâle dominant. La transition se fit au fil de nombreuses hostilités mais ne se conclut que lorsque Yerœn se fût résolu à assez d'humilité pour saluer Luit avec soumission.

Luit se révéla un chef intelligent et mûr. Sous son commande-
ment, ordre et justice régnaient. Si deux chimpanzés se battaient, il
s'interposait et mettait fin aux hostilités avec une tranquille autorité,
sans user de terreur ni de favoritisme. Et lorsqu'il se rangeait du côté
de l'un des belligérants, il s'agissait presque toujours du perdant. Cette
forme de soutien à l'opprimé – que nous appelons populisme – avait
été également utilisée par Yerœn. Ce qui paraissait impressionner surtout les femelles ; étant moins attachées que les mâles à la quête du statut, elles semblaient en revanche accorder une importance capitale à la
stabilité sociale. Luit pouvait désormais compter sur leur appui.

Pourtant, à long terme, le populisme fut insuffisant. Luit affron-
tait toujours, d'un côté, la passion persistante de Yerœn pour le pouvoir (et peut-être aussi quelques restes d'inimitié, bien qu'ils se fussent
tous deux généreusement réconciliés dans une toilette mutuelle, une
fois que Yerœn eut admis sa défaite) ; et, de l'autre côté, l'ambition
manifeste de Nikkie. Luit dut considérer cette dernière comme la plus
menaçante, car il chercha à faire alliance avec Yerœn, écartant ainsi
Nikkie du cercle des dirigeants. Mais Yerœn, apparemment conscient
de la position centrale qu'il occupait dans l'équilibre du pouvoir, se
révéla un allié timide et les monta habilement l'un contre l'autre. Pour
finir, il pesa du côté de Nikkie et, à eux deux, ils détrônèrent Luit. Le
statut de dominant échut à Nikkie, mais Yerœn continua de jouer sa
carte si adroitement que, l'année suivante, ce fut lui, et non Nikkie,
qui devint le meneur des autres mâles dans les activités sexuelles. Pour
De Waal, Nikkie était un « homme de paille » et Yerœn le véritable
pouvoir, dans la coulisse.

L'histoire eut un morbide épilogue. Après la publication du livre
de De Waal, Nikkie et Yerœn se brouillèrent. Mais leur sens de l'intérêt commun se raviva sitôt que Luit eût repris un statut de mâle dominant. Une nuit, au cours d'un combat féroce, ils blessèrent mortellement Luit – allant même jusqu'à lui arracher les testicules, dans une
démonstration gratuite de symbolisme darwinien. De Waal n'eut
guère de doutes quant à savoir lequel des deux était le plus coupable.
« Nikkie, de dix ans plus jeune, semblait n'être qu'un pion dans les
mains de Yerœn, observa-t-il ultérieurement. Je m'efforce de lutter
contre ce jugement moral, mais il est vrai que, depuis lors, je ne peux
m'empêcher de voir en Yerœn un assassin [41]. »

QUEL EFFET ÇA FAIT D'ÊTRE UN CHIMPANZÉ ?

Telle est l'histoire des chimpanzés d'Arnhem, si on la raconte comme
s'il s'agissait d'êtres humains. De Waal mérite-t-il d'être condamné
pour anthropomorphisme ? Curieusement, même un jury de psycho-

logues évolutionnistes se prononcerait pour la condamnation – sur un chef d'accusation au moins.

De Waal suppose que, juste avant que Luit brigue le statut de dominant, Yerœn, commençant à passer davantage de temps en compagnie des femelles, avait « déjà senti un changement dans l'attitude de Luit et savait que sa position était menacée » [42]. Yerœn « sentit » probablement un changement d'attitude, lequel peut sans doute rendre compte de son soudain regain d'intérêt pour les femelles essentielles sur un plan politique. Mais devons-nous présumer pour autant, comme le fait De Waal, que Yerœn « connaissait » – anticipait consciemment – le défi qui l'attendait, prenant de très rationnelles mesures pour le contrer ? Pourquoi les prétentions grandissantes de Luit n'auraient-elles pas tout simplement déclenché chez Yerœn des craintes répétées pour sa sécurité, craintes qui l'auraient amené à se rapprocher de ses amies ?

Les gènes encourageant une réponse inconsciemment rationnelle aux menaces peuvent certainement se développer dans la sélection naturelle. Quand un bébé chimpanzé ou humain aperçoit un animal à l'aspect effrayant et court se réfugier dans les bras de sa mère, il a une réaction logique, mais n'est vraisemblablement pas conscient de cette logique. De même que, lorsque je suggérais plus haut que la maladie chronique de Darwin pouvait avoir périodiquement ravivé son affection pour Emma, je n'entendais pas par là qu'il reconsidérait la valeur de son épouse en fonction de sa pauvre santé (encore que c'eût pu être le cas). Des menaces de toutes sortes semblent nourrir notre affection pour les personnes qui nous aident à les affronter – parents et amis.

Le fait est qu'en imputant une trop brillante stratégie aux chimpanzés, on risque d'oblitérer un thème fondamental de la psychologie évolutionniste : le comportement quotidien de l'être humain est souvent le produit de forces souterraines – forces rationnelles, sans doute, mais pas consciemment rationnelles. Ainsi, De Waal risque-t-il de créer une trompeuse dichotomie lorsqu'il évoque les « revirements politiques, les décisions rationnelles et l'opportunisme » de Yerœn et de Luit, et affirme ensuite qu'« il n'y a de place dans cette politique ni pour la sympathie ni pour l'antipathie » [43]. Ce qui a l'air politique peut être le produit de la sympathie et de l'antipathie ; le responsable politique suprême est la sélection naturelle, et elle calibre ces sentiments de sorte qu'ils exécutent sa politique.

Une fois rendu ce verdict, notre jury de psychologues évolutionnistes acquitterait probablement De Waal de nombreux autres chefs d'accusation portant sur son anthropomorphisme. Car, souvent, il impute aux chimpanzés non pas des calculs, mais des sentiments humains. Dans la première phase, peu concluante, des provocations de Luit envers Yerœn, tous deux combattirent périodiquement. Et, à une bataille (chez les chimpanzés et chez bon nombre d'autres primates, y compris nous) succèdent, tôt ou tard, des rituels de réconciliation. De Waal remarque combien chaque chimpanzé répugne à faire le premier pas et il attribue cette hésitation à un « sens de l'honneur » [44].

Il n'était pas forcément nécessaire de placer l'expression entre guillemets, comme il a pris la précaution de le faire. Dans la société chimpanzé, comme dans la société humaine, une ouverture pacifique peut comporter des indices de soumission ; et, dans une bataille pour le pouvoir, en termes darwiniens la soumission peut coûter cher, car elle peut induire un statut secondaire, voire encore moindre. Ainsi, la répugnance génétiquement fondée que l'on ressent pour une telle soumission (du moins jusqu'à un certain point) a un sens au regard de l'évolution. Notre espèce appelle cette répugnance « sens de l'honneur » ou « fierté ». Pour quelle raison n'emploierions-nous pas les mêmes termes pour les chimpanzés ? Comme l'observe De Wall, vu la proche parenté unissant les deux espèces, supposer entre elles une profonde communauté mentale est scientifiquement économique : une hypothèse unique qui peut rendre compte de manière plausible de deux phénomènes bien distincts.

On sait ce que les femmes disent de leur mari : « Il ne peut *jamais* reconnaître qu'il a tort », ou « il n'est *jamais* le premier à faire des excuses », ou encore « il a *horreur* de demander son chemin ». Les hommes détestent, semble-t-il, admettre la supériorité d'un autre être humain, fût-ce dans le cadre insignifiant de la géographie d'une ville. Sans doute parce que, au cours de l'évolution humaine, les mâles trop prompts à se réconcilier après une bagarre, ou soumis aux autres sans raison valable, voyaient s'effondrer leur statut et, avec lui, leur aptitude globale. C'était probablement aussi le cas des femelles ; tout comme les hommes, les femmes sont peu disposées à s'excuser ou à admettre qu'elles ont tort. Mais si on en croit la sagesse populaire, la femme moyenne est moins irréductible sur ce point que l'homme moyen. Et cela ne devrait pas nous surprendre, puisque l'aptitude de nos ancêtres femelles dépendait moins d'une telle disposition que celle de nos ancêtres mâles.

De Waal parle aussi de « respect ». Une fois la domination de Luit incontestable, lorsque Yerœn feint un rapprochement, Luit l'ignore tant qu'il n'a pas entendu quelques « respectueux grognements », signes d'une soumission sans équivoque [45]. Un chimpanzé de second rang peut éprouver pour un dominant quelque chose d'analogue à ce qu'éprouve un boxeur face à un vainqueur qu'il dit désormais « respecter ». Et, chez les singes, dans les moments de forte domination, lorsque le vaincu s'accroupit dans une misérable soumission, c'est bien de *crainte respectueuse* qu'il s'agit.

Comme De Waal, Jane Goodall a vu du « respect » chez les singes qu'elle a connus, encore qu'elle emploie le mot d'une façon un peu différente. Racontant l'apprentissage d'un jeune chimpanzé nommé Goblin sous la conduite du mâle dominant Figan, elle écrit :

« Très respectueux de son " héros ", Goblin le suivait partout, regardait ce qu'il faisait et faisait fréquemmentsa toilette [46]. » Quiconque a eu, dans son adolescence, un père spirituel peut imaginer ce que ressentait Goblin. En fait, on pourrait suggérer le mot « révérencieux », peut-être plus approprié que « respectueux ».

Tout cela peut sembler spécieux – un grand saut, depuis de superficiels parallèles entre nous et les singes, jusque dans les profondeurs de la psychologie des primates. Peut-être, en effet, tout cela se révélera-t-il spécieux ; peut-être cette mystérieuse ressemblance entre la vie du chimpanzé et la nôtre ne relève-t-elle nullement ni d'une origine commune dans l'évolution, ni d'une biochimie commune. Cependant, si respect, déférence, crainte respectueuse, honneur, fierté opiniâtre, mépris, dédain, ambition, etc., ne s'expliquent pas comme la façon dont la sélection naturelle nous équipe pour la vie en hiérarchie, comment s'expliquent-ils donc ? Pourquoi les retrouve-t-on dans toutes les cultures ? Existe-t-il une autre théorie ? Si oui, explique-t-elle aussi comment la fierté et l'ambition, par exemple, semblent généralement atteindre chez les hommes des degrés plus élevés que chez les femmes ? Le darwinisme moderne a une explication à tout cela, et elle est simple : la sélection naturelle dans un contexte de hiérarchie des statuts.

LA FORCE ET LE DROIT

L'un des anthropomorphismes présumés de De Waal donne corps au squelette d'une théorie spéculative qu'échafaudait Trivers dans l'article de 1971 consacré à l'altruisme réciproque. De Waal croit que le comportement des chimpanzés entre eux peut être « gouverné par le même sens de la droiture morale et de la justice que celui qui existe entre les humains ». C'est Puist, un chimpanzé femelle qui donna cette idée à De Waal : « Puist avait aidé Luit à chasser Nikkie. Quand, par la suite, Nikkie tenta de l'intimider, elle se tourna vers Luit et lui tendit la main pour lui demander de l'aide. Mais Luit ne fit rien pour la protéger des attaques de Nikkie. Aussitôt, Puist se mit à crier furieusement contre Luit, le poursuivit rageusement à travers tout l'enclos et finit même par le frapper [47]. » Nul besoin d'une imagination débordante pour reconnaître dans cette fureur l'indignation avec laquelle on châtierait un ami qui nous aurait manqué en cas de besoin.

Ce « sens de la justice » trouve, comme l'indique Trivers, sa source profonde dans l'altruisme réciproque. Inutile d'y mêler la notion de hiérarchie. En réalité, deux des règles fondamentales qui, selon De Waal, régissent le comportement du chimpanzé – « un prêté pour un rendu » et « œil pour œil, dent pour dent » – ne sont pas sans rappeler le Tit For Tat, lequel a évolué en l'absence de toute idée de statut.

Cependant, c'est bien la compétition pour le statut social – et ses corollaires que sont l'alliance sociale, l'inimitié collective – qui a donné beaucoup de leur poids à ces profondes intuitions philosophiques. Les coalitions humaines dans la course au statut mettent souvent en avant une vague autorité morale, autorité morale que la coalition ennemie *mérite* de perdre. Le fait que notre espèce ait évolué à la fois dans l'altruisme réciproque et dans la hiérarchie sociale soustend peut-être non seulement nos rancunes et nos représailles personnelles, mais aussi les émeutes raciales et les guerres mondiales.

Qu'en ce sens la guerre puisse être « naturelle » ne signifie pas qu'elle soit une bonne chose, bien entendu, ni même qu'elle soit inévitable. Et l'on pourrait en dire autant de la hiérarchie sociale. Que la sélection naturelle ait opté pour l'inégalité sociale entre les membres de notre espèce ne justifie certainement pas l'inégalité et ne la rend inévitable que dans une mesure limitée. De fait, lorsque les individus – surtout les mâles – passent un certain temps ensemble, une sorte de hiérarchie, aussi implicite et discrète soit-elle, a de fortes chances d'apparaître. Que nous le sachions ou non, nous avons naturellement tendance à nous classer les uns par rapport aux autres, chose que nous manifestons par des marques d'attention, d'agrément et de déférence envers ceux à qui nous témoignons de l'attention, ceux avec lesquels nous sommes d'accord, ceux dont les plaisanteries nous font rire, ceux dont nous suivons les conseils [48]. Mais l'inégalité sociale dans sa plus large acception – flagrantes disparités de richesses et de privilèges dans toute une nation – est une autre question. Elle est le produit de la politique, ou de l'absence de politique, d'un gouvernement.

Bien sûr, l'intérêt public doit, en fin de compte, se conformer à la nature humaine. Si les individus sont fondamentalement égoïstes – et ils le sont –, leur demander de travailler dur pour, finalement, ne pas gagner davantage que leur improductif voisin, c'est leur demander plus qu'ils ne peuvent donner. Mais ça, nous le savions déjà : le communisme a été un échec. Nous savons aussi que des impôts légèrement redistributifs ne sapent pas la volonté de travail. Entre ces deux extrêmes, il existe une large éventail d'attitudes politiques. Chacune a son prix, mais ce prix est bien le produit du bon vieil égoïsme humain – la chose n'est pas vraiment nouvelle –, et non celui de l'appétit des hommes pour le statut lui-même.

En fait, l'appétit de statut peut diminuer le prix de la redistribution. Les humains ont, semble-t-il, tendance à se comparer à leurs voisins immédiats dans la hiérarchie des statuts – et en particulier à ceux qui sont juste au-dessus d'eux [49]. En tant que technique d'escalade de l'échelle sociale, cela a un sens évolutionniste, mais telle n'est pas la question qui nous occupe. Non, la question est : si l'État prend mille dollars de plus à chaque membre de la classe moyenne de votre entourage, vous allez vous trouver par rapport à eux à peu près dans la même position qu'auparavant. De sorte que, si votre moteur dans la vie, c'est de vous maintenir au niveau des Dupont, votre motivation au travail ne devrait pas faiblir, comme ce serait le cas si elle était calibrée uniquement financièrement.

La vision moderne de la hiérarchie sociale porte également une sérieuse atteinte à une justification philosophique de l'inégalité des plus rudimentaires. Comme j'ai tenté de le souligner, nous n'avons aucune raison d'aller puiser nos valeurs dans les « valeurs » de la sélection naturelle, aucune raison de juger « bon » ce que la sélection naturelle a « jugé » opportun. Pourtant, c'est bien ce que font certains, qui voient dans la hiérarchie la façon dont la nature maintient la force du groupe : ainsi l'inégalité peut-elle se justifier au nom d'un bien supérieur. Puisqu'il apparaît désormais que la nature *n'a pas* inventé les hiérarchies humaines pour le bien du groupe, cette idée se trouve deux fois plus fausse qu'elle ne l'était déjà.

L'anthropomorphisme suprême de l'ouvrage écrit par De Waal réside (prétendument) dans son titre : *Chimpanzee Politics*. Si la politique est, comme le disent les chercheurs, le processus par lequel se répartissent les ressources, alors, du point de vue de De Waal, les chimpanzés montrent bien que les origines de la politique humaine sont bien antérieures à l'humanité elle-même. En réalité, De Waal n'a pas seulement vu un processus politique, mais « même une structure démocratique » dans la colonie de chimpanzés du zoo de Arnhem [50]. Les mâles dominants avaient du mal à faire la loi sans le consentement des gouvernés.

Nikkie, par exemple, manquait du sens commun de Luit et il n'eut jamais la popularité dont avaient pu jouir Luit ou Yerœn dans leur fonction. Avec lui, les femelles se montraient particulièrement économes de salutations soumises, et lorsqu'il se montrait violent sans raison, elles le poursuivaient massivement. Un jour, ainsi pourchassé par toute la colonie, il dut se réfugier dans un arbre. Il resta assis là, tout seul, encerclé et hurlant – mâle dominant dominé. Sans doute n'était-ce pas là une démocratie parlementaire moderne, mais ce n'était pas non plus une très confortable dictature. (On ne peut savoir combien de temps Nikkie serait resté piégé dans son arbre, si Mama, médiatrice en chef de la troupe, n'y avait grimpé pour lui donner un baiser et le faire redescendre. Après quoi il quémanda humblement le pardon de tous [51].)

Voici un exercice utile : vous regardez un homme politique faire un discours à la télé, baissez le volume. Faites attention à ses gestes. Remarquez qu'ils sont semblables à ceux de tous les hommes politiques du monde : exhortation, indignation, etc. Puis montez le son. Écoutez ce que dit l'homme politique. Il y a fort à parier qu'il (ou, plus rarement, elle) lance un appel à voter pour le porter au pouvoir ou pour l'y maintenir. C'est l'intérêt des gouvernés – ou d'une frange essentielle d'entre eux – qui gouverne les propos des politiciens humains, tout comme il gouverne les actes des politiciens chimpanzés. Dans les deux cas, le but ultime du politicien (qu'il le sache ou non) n'est autre que le statut. Et dans les deux cas, nous pouvons observer une certaine souplesse dans ce qu'il veut faire, ou dire, pour obtenir ce statut et le conserver. Même les discours les plus exaltants peuvent se ramener à une coalition commode. En montant le son, vous avez parcouru plusieurs millions d'années d'évolution.

LA MÉTHODE ZUNI

Malgré tous les parallèles significatifs qui existent entre les luttes des singes et celles des humains pour le statut, d'importantes différences demeurent. Le statut humain a souvent relativement peu à voir avec la force brute. Il est vrai qu'une suprématie physique évidente est souvent la clef de la hiérarchie sociale entre garçons. Mais, chez les adultes, la question du statut est beaucoup plus complexe et, dans certaines cultures, ses aspects purement politiques ont été plutôt contenus. Voici la description que fait un spécialiste de la vie chez les Navajos : « On n'accorde aucune confiance à qui recherche activement le pouvoir. Ce sont l'émulation et l'exemple qui font les chefs. Si quelqu'un réussit dans la culture du maïs, il va faire des émules et, dans cette mesure, il sera un chef. Si un autre connaît plusieurs couplets d'un chant de guérison, on va le respecter pour ce talent, et son statut en tant que " chanteur " sera considérable. Politique politicienne, poignées de main [...] n'ont pas leur place dans la société traditionnelle navajo [52]. »

Ce qui ne veut pas dire que les Navajos ne recherchent pas le pouvoir – seulement ils le font de façon plus subtile. Ce qui ne veut pas dire non plus que le statut soit dissocié de l'objectif : l'avantage reproductif. L'expert dans la culture du maïs et le chanteur sont probablement des partenaires sexuels très recherchés. Et l'on devine aisément pourquoi : l'un a un don pour pourvoir aux besoins matériels, et tous deux montrent des signes d'intelligence. Cependant, ces deux Navajos n'ont gagné leur avantage reproductif ni grâce à l'intimidation physique, ni grâce à tout autre contrôle sur leurs semblables ; ils ont simplement trouvé leur voie et ils y excellent.

L'éventail des choses qui peuvent conférer un statut dans différentes cultures et sous-cultures est littéralement ahurissant. Savoir faire des colliers, de la musique, des sermons, des bébés, inventer des potions, des contes, accumuler des pièces de monnaie, des scalps. Et pourtant, la mécanique mentale qui préside à ces diverses activités est fondamentalement la même. Les êtres humains sont conçus pour évaluer leur environnement social et, une fois qu'ils ont découvert ce qui impressionne l'entourage, ils le font; ou bien, une fois qu'ils ont remarqué ce qui déplaît, ils évitent de le faire. Ils n'ont aucun *a priori* sur la nature de ce « le ». L'essentiel, pour eux, c'est d'être capables d'y réussir; partout, les gens veulent éprouver de la fierté et non de la honte, inspirer le respect et non le mépris.

Et c'est cette tendance de l'unité psychique humaine à se dissimuler derrière une grande diversité de conduites qui a autorisé les anthropologues de l'école de Boas à minimiser l'importance de la nature humaine. En 1934, Ruth Benedict écrit : « Nous devons accepter toutes les implications de notre héritage humain, et l'une des plus importantes est le faible éventail des conduites biologiquement transmises et le rôle énorme que joue le processus culturel dans la transmission des traditions [53]. » *Stricto sensu*, elle avait raison. Au-delà des actions stéréotypées – marcher, manger, téter –, les « comportements » ne se transmettent pas biologiquement. À l'inverse des organes mentaux, et ceux-ci sont suffisamment souples pour produire nombre de conduites différentes selon les circonstances.

On voit aisément comment la mécanique mentale à l'œuvre dans la quête de statut échappe à Benedict. Elle a étudié les Zunis qui, comme leurs voisins navajos, laissent peu de place à la compétition et à la lutte ouvertement politique. « Chez les Zunis, écrit-elle, l'homme idéal est un individu digne et affable qui n'a jamais cherché à être le chef [...]. Aurait-il tous les droits de son côté, il ne laisserait aucun conflit avoir prise sur lui [...]. Le plus grand compliment qu'on puisse lui faire [...] est : " C'est un homme gentil et courtois. " [54] » Lisons entre les lignes : il y a un « homme idéal », et quiconque approche de l'idéal reçoit des « compliments », alors que celui qui échoue voit son échec « avoir prise sur lui ». Autrement dit : les Zunis reconnaissent un statut à ceux qui ne recherchent pas trop le pouvoir et le refusent à ceux qui le recherchent trop. C'est la force même du mécanisme de la quête de statut qui fait que les hiérarchies restent discrètes chez les Zunis. (De même, comme nous l'avons vu, l'infrastructure sociale de l'altruisme réciproque tend, dans toutes les cultures, à influer sur la bienveillance, la générosité et l'honnêteté. La culture zuni a peut-être géré cette influence avec une efficacité inhabituelle, renforçant le lien naturel entre amabilité et statut.)

On peut voir la vie chez les Zunis comme un hommage rendu au pouvoir de la culture ou à la souplesse des adaptations mentales. Il s'agit bien des deux, mais réfléchissons plutôt au second : les organes mentaux semblent souples au point de pouvoir engager une rébellion virtuelle contre la logique darwinienne qui les sous-tend. Bien que le mécanisme de la quête de statut ait longtemps encouragé pugilats et machisme, il peut également être utilisé pour supprimer et l'un et l'autre. Dans un monastère, sérénité et ascétisme peuvent procurer un statut. Dans certaines couches de la société victorienne anglaise, une quantité ridicule de distinction et d'humilité pouvait aider à gagner un statut (un peu comme chez les Zunis, peut-être).

Autrement dit, ce que nous appelons des « valeurs » culturelles ne sont que des expédients pour atteindre au succès social [55]. Certains en usent parce que d'autres les admirent. En contrôlant l'environnement social d'un enfant, en distribuant à bon escient respect et mépris, nous pouvons programmer ses valeurs comme s'il s'agissait d'un robot. Certes, d'aucuns trouveront l'idée dérangeante. Eh bien, c'est juste la preuve que l'on ne peut pas plaire à tout le monde. La controverse autour de la sociobiologie qui agita les années 70 reposait sur la crainte que, si les sociobiologistes étaient dans le vrai, les individus ne pourraient être programmés comme B. F. Skinner et d'autres behavioristes l'avaient prédit.

Le nouveau paradigme laisse place au conditionnement skinnerien, à ses renforcements positifs et négatifs. Soit, certaines pulsions et émotions – le désir et la jalousie, par exemple – risquent de ne jamais pouvoir s'effacer complètement. Pourtant, la grande diversité morale entre les cultures – c'est-à-dire la diversité dans les *expressions* tolérées du désir et de la jalousie, par exemple – laisse à penser qu'il existe une bonne marge d'action dans le domaine des valeurs. Tel est le pouvoir de l'approbation et de la réprobation sociales.

La grande question reste celle-ci : jusqu'à quel point approbation et réprobation peuvent-elles elles-mêmes être fabriquées ? Ou, pour dire les choses autrement : jusqu'à quel point la société s'accommodera-t-elle de ce qu'elle trouvera plaisant ?

On doit sans aucun doute pouvoir relever ici quelques tendances persistantes. Les atouts sociaux, qui ont eu une importance constante au cours de l'évolution, risquent fort de continuer à peser. Dans la course au statut, les hommes grands et forts et les belles femmes auront toujours des chances d'avoir une longueur d'avance. La stupidité ne provoquera probablement jamais l'admiration des foules. La maîtrise des ressources – c'est-à-dire de l'argent – tendra à conserver son attrait. Pourtant, on peut résister. Il *existe* des cultures et des sous-cultures qui essaient de mettre davantage l'accent sur le spirituel que sur le matériel. Et leur réussite est parfois impressionnante, sinon totale. En outre, il n'y a pas de raison de croire qu'aucune de ces cultures ait atteint les limites de son potentiel biologique.

Même notre propre culture, malgré son matérialisme excessif, commence à sembler presque admirable comparée à d'autres. Chez les Yanomamos d'Amérique du Sud, un jeune homme, pour accéder au statut social, doit en tuer beaucoup d'autres des villages voisins [56]. Et si, en cours de route, il peut se mêler à des bandes qui enlèvent et violent les femmes de ces villages, ce n'en est que mieux. Si sa femme essaie de le quitter pour un autre homme, il peut se sentir parfaitement libre de lui couper les oreilles, par exemple. Au risque de paraître manquer de relativisme moral, je dirais que nous revenons de loin !

Dans certains voisinages urbains modernes, les valeurs se sont récemment rapprochées de celles des Yanomamos. Les jeunes gens qui tuent inspirent le respect – du moins à l'intérieur du cercle de jeunes dont l'opinion leur importe. C'est la preuve que le pire de la nature humaine n'est jamais loin d'affleurer à la surface, prêt à se développer dès lors que faiblit la contrainte culturelle. Nous ne sommes pas des « pages blanches » comme l'ont imaginé jadis certains behavioristes. Nous sommes des organismes dont les penchants les plus énormes peuvent être considérablement, même parfois laborieusement, refrénés. Et ce qui motive fondamentalement mon fragile optimisme, c'est la vile souplesse avec laquelle se poursuit la quête de statut. Nous ferions presque n'importe quoi pour gagner le respect, y compris ne pas nous conduire comme des animaux.

Chapitre XIII

TROMPER LES AUTRES
ET SE TROMPER SOI-MÊME

*À quelles misérables actions nous conduit la soif
de renommée! Le seul amour de la vérité n'inciterait
jamais un homme à en attaquer un autre avec autant
d'âpreté.*

Lettre à J. D. Hooker (1848)[1]

La sélection naturelle méprise de toute évidence le principe de vérité
en publicité. Certaines lucioles femelles du genre *Photuris* imitent le
signal amoureux des femelles du genre *Photinus* afin d'attirer un mâle
photinus et de le dévorer. Certaines orchidées ressemblent tant à des
guêpes femelles qu'elles leurrent les guêpes mâles qui vont alors sans le
savoir répandre leur pollen. Certains serpents inoffensifs ont développé une coloration identique à celle de serpents venimeux, gagnant
ainsi un respect immérité. Il existe des chrysalides qui arborent une
étrange ressemblance avec une tête de serpent – fausses écailles, faux
yeux – et qui, lorsqu'elles sont inquiétées, émettent un râle menaçant[2]. Bref, les organismes peuvent se présenter eux-mêmes sous le
jour qui servira le mieux leur intérêt génétique.

Les humains semblent ne pas faire exception. Entre la fin des
années 50 et le début des années 60, Erving Goffman, chercheur (non
darwinien) en sciences sociales, provoqua quelques remous avec *The
Presentation of Self in Everyday Life*, ouvrage qui met l'accent sur le
temps que nous passons tous en scène, à jouer pour un public ou
l'autre, en cherchant à produire notre effet. Mais il existe une différence entre nous et bon nombre d'autres acteurs du règne animal.
Alors que la femelle *photuris* ne se leurre probablement pas sur sa véritable identité, les êtres humains ont un don pour se laisser abuser par
leurs actes. Un individu est « sincèrement convaincu que l'impression
de réalité qu'il met en scène est bien la réalité »[3], s'étonne Goffman.

La contribution du darwinisme moderne à la remarque de Goffman réside, entre autres choses, dans une théorie sur la fonction de la confusion : nous nous trompons nous-mêmes afin de mieux tromper les autres. Telle est l'hypothèse avancée par Richard Alexander et Robert Trivers au milieu des années 70. Dans sa préface au *Gène égoïste* de Richard Dawkins, Trivers souligne que Dawkins insiste sur le rôle de la tromperie dans la vie animale et il ajoute, dans un passage fréquemment cité, que, si « la tromperie est essentielle à la communication animale, alors il doit exister dans la sélection un principe visant à la détecter. Ce principe a dû se doubler d'un autre, permettant de se tromper soi-même, qui fait passer dans l'inconscient certains faits et certaines motivations, afin de ne pas trahir – par des signes subtils de connaissance de soi – la tromperie qu'on est en train de commettre ». Donc, hasarde Trivers, « l'opinion conventionnelle, qui veut que la sélection naturelle « favorise des systèmes nerveux produisant des images du monde de plus en plus exactes, est une vision bien naïve de l'évolution mentale »[4].

Que l'étude de la tromperie pratiquée sur soi-même soit une science opaque ne devrait pas nous surprendre[5]. La « conscience » est un domaine aux frontières perméables et mal définies. Une vérité flottante, ou certains de ses aspects, peut entrer et sortir de la conscience, planer à sa périphérie, être présente, mais sans être distincte. En supposant même que l'on puisse affirmer qu'un individu n'a absolument pas conscience d'une information, savoir s'il se trompe lui-même ou non est une tout autre question. L'information se trouve-t-elle quelque part dans le cerveau, isolée de la conscience par une censure conçue à cet effet ? Ou bien l'individu n'a-t-il simplement pas réussi à recevoir l'information ? Si tel est le cas, cette perception sélective est-elle elle-même le fruit d'un dessein évolutionniste bien particulier qui favoriserait l'autoaveuglement ? Ou bien l'esprit ne peut-il recevoir plus d'informations qu'il n'en peut contenir (et la conscience encore moins) ? Ce sont de telles difficultés d'analyse qui expliquent pourquoi la science qu'imagina Trivers il y a vingt ans – une étude rigoureuse de l'autoaveuglement, pouvant finalement aboutir à une image claire de ce qu'est l'inconscient – n'a toujours pas vu le jour.

Pourtant, les études de ces dernières années vont plutôt dans le sens de la vision du monde qu'avaient Trivers, Alexander et Dawkins : l'exactitude dans notre description de la réalité – aux autres, et parfois à nous-mêmes – ne figure pas sur la liste des priorités de la sélection naturelle. Le nouveau paradigme va nous aider à tracer le relevé, fût-il d'une faible lisibilité, des tromperies que nous infligeons aux autres et à nous-mêmes.

Nous avons déjà exploré un domaine où s'exerce la tromperie : le sexe. Hommes et femmes peuvent mutuellement se leurrer – et même se leurrer eux-mêmes – sur la durée supposée de leur engagement ou de leur fidélité. Il existe deux autres domaines dans lesquels la présentation de soi, et la perception des autres, sont lourds de conséquences darwiniennes : l'altruisme réciproque et la hiérarchie sociale. Ici, comme en matière sexuelle, l'honnêteté peut se révéler une bourde majeure. En fait, altruisme réciproque et hiérarchie sociale sont peut-être conjointement, et en grande partie, responsables de la mal-honnêteté au sein de notre espèce – laquelle représente à elle seule une bonne part de la malhonnêteté de l'ensemble du règne animal. Nous sommes loin d'être la seule espèce malhonnête, mais nous sommes certainement la *plus* malhonnête, ne serait-ce que parce que c'est nous qui sommes les plus bavards.

FAIRE BONNE IMPRESSION

On ne recherche pas le statut pour le statut. On ne dessine pas la courbe de l'ascension désirée pour en suivre le tracé aussi méthodique-ment qu'un général suit un plan de campagne. Certains le font, je vous le concède. Et peut-être le faisons-nous tous, une fois ou l'autre. Mais la quête du statut est aussi plus subtilement ancrée dans le psy-chisme. Dans toutes les cultures, qu'ils en aient ou non pleinement conscience, les hommes veulent susciter l'enthousiasme de leurs voi-sins, monter dans l'estime locale.

La soif d'approbation se manifeste dès le plus jeune âge. Darwin se souvient très nettement avoir voulu impressionner son monde par ses talents de grimpeur : « Mes admirateurs supposés étaient Peter Hailes, le vieux maçon, et le grand frêne de la pelouse [6]. » Le revers de la médaille fut une précoce et durable aversion pour toute forme de dédain ou de ridicule. Darwin écrit que son fils aîné, à l'âge de deux ans et demi, était devenu « extrêmement sensible au ridicule, et si soupçonneux qu'il croyait souvent que les gens qui riaient et parlaient entre eux étaient en train de se moquer de lui » [7].

Peut-être le fils de Darwin était-il anormal à cet égard, mais là n'est pas la question. (Encore qu'il soit intéressant de noter que bon nombre de psychopathologies, paranoïa comprise, sont peut-être sim-plement des tendances enracinées en nous par l'évolution et devenues quelque peu envahissantes [8].) Le fait est que, si le fils de Darwin avait une conduite anormale, c'était une question de degré et non de nature. Pour chacun d'entre nous, depuis l'enfance, éviter le ridicule frise l'obsession. Souvenons-nous de la remarque de Darwin à propos de « la brûlante sensation de honte que la plupart d'entre nous ont ressentie, même plusieurs années après, à l'évocation d'une infraction accidentelle à quelque dérisoire, mais ferme, règle de l'étiquette » [9]. Un mécanisme aussi sensible suppose des enjeux importants. Et, en effet, de même qu'une excellente réputation peut apporter de fortes

récompenses génétiques, une mauvaise réputation peut se révéler
génétiquement désastreuse. Dans beaucoup de communautés de primates – ainsi que dans bon nombre de communautés humaines –, des
individus très impopulaires sont repoussés en marge de la société,
voire au-delà, là où survivre et se reproduire deviennent des questions
périlleuses [10]. C'est pourquoi une baisse de statut coûte cher, quel que
soit l'échelon d'où l'on tombe. Quelle que soit votre place dans la
société, donner une impression qui contribuera à vous propulser, si
peu que ce soit, vers le haut, vaudra (en termes darwiniens) le déran-
gement.

Que l'impression soit juste ou non n'a, en soi, aucune importance. Lorsqu'un chimpanzé menace un rival, ou répond à la menace
d'un autre chimpanzé (ou à celle d'un prédateur), ses poils se hérissent
et le font paraître plus gros qu'il ne l'est en réalité. Il existe encore des
vestiges de cette illusion chez les gens dont les cheveux ou les poils se
hérissent lorsqu'ils sont effrayés. Mais, en règle générale, c'est plutôt
verbalement que les humains font leur gonflette. Darwin, se demandant à quel moment de l'évolution on avait pu commencer d'attacher
une telle importance à l'opinion publique, remarque que « les sauvages les plus farouches » manifestent semblable préoccupation « en
conservant les trophées de leurs prouesses » et « en se vantant exagérément » [11].

Dans l'Angleterre victorienne, on réprouvait la vantardise, et
Darwin était passé maître dans l'art de ne pas fanfaronner. Nombre de
cultures contemporaines partagent si bien ce goût que, chez elles, la
« vantardise exagérée » est seulement une phase de la vie enfantine [12].
Mais quelle est la phase suivante? Toute une vie de vantardise plus
pondérée. Darwin lui-même n'était pas mauvais à ce petit jeu. Dans
son autobiographie, il explique que ses livres « ont été traduits dans de
nombreuses langues et ont connu plusieurs éditions à l'étranger. J'ai
entendu dire que le succès d'un livre à l'étranger est le meilleur moyen
de vérifier s'il durera. Je doute que cela soit vrai; mais, au regard de ce
critère, on devrait encore entendre parler de moi pendant quelques
années » [13]. S'il doute vraiment de la validité du critère, pourquoi se
l'applique-t-il?

Sans doute la vantardise affichée dépend-elle, quantitativement,
de la crédibilité de l'autopromotion dans un environnement social
donné (et sans doute a-t-elle été calibrée en fonction de l'effet retour
préalable émis par la famille et par les pairs). Mais si vous n'éprouvez
pas même une *quelconque* envie de répandre la nouvelle de vos succès,
fût-ce discrètement, ni une *quelconque* répugnance à évoquer ouvertement vos échecs, c'est que vous ne fonctionnez pas comme prévu.

L'autopromotion est-elle souvent synonyme de tromperie? Non,
pas au sens le plus grossier du terme. Raconter sur soi d'énormes mensonges, et y croire, serait dangereux. Les mensonges peuvent être
découverts et ils nous contraignent à consacrer beaucoup de temps et

d'énergie à nous rappeler ceux que nous avons racontés à tel ou tel. Samuel Butler, lui-même évolutionniste victorien (l'homme qui a dit de la poule qu'elle n'était jamais que le moyen, pour un œuf, de produire un autre œuf), fait observer que « le meilleur menteur est celui qui pousse le plus loin possible la plus petite quantité possible de mensonges » [14]. C'est vrai. Certains mensonges, légers ou difficiles à mettre en doute, sont de ceux dans lesquels on ne risque pas de s'empêtrer, et on s'attendrait à ce que tout le monde en use. Chez les pêcheurs, la fameuse et sincère fanfaronnade du plus beau poisson, « celui qui a filé », est devenue un classique de l'humour.

Il est possible qu'au début, une telle distorsion soit consciente ou, du moins, à demi consciente. Mais si personne ne la conteste, la vague conscience de l'exagération risque de s'affaiblir à force de répétitions. Des psychologues de la connaissance ont montré comment, à force de répétitions, les détails d'une histoire, même fausse, se fixent dans la mémoire [15].

Il va sans dire que, si le poisson a filé, le pêcheur n'y est pour rien. La distribution des bons et des mauvais points, domaine où la vérité objective est insaisissable, offre un terrain fertile à l'hypertrophie de l'ego. Cette propension que nous avons à imputer nos succès à nos talents et nos échecs aux circonstances – malchance, ennemis, Satan – a été démontrée en laboratoire, et est, de toute façon, tout à fait évidente [16]. Dans les jeux de hasard, nous sommes enclins à attribuer nos pertes à la malchance et nos victoires à notre intelligence.

Et nous ne nous contentons pas de le *dire* ; nous le croyons. Darwin adorait le jacquet et gagnait évidemment très souvent lorsqu'il jouait contre ses enfants. L'une de ses filles se souvient : « Nous notions tous les doublets faits par chacun de nous, tant j'étais convaincue qu'il jetait mieux les dés que moi [17]. » Conviction fréquente chez les perdants du monde entier. Elle nous permet de continuer à croire en notre compétence et, ainsi, nous aide à en convaincre les autres. C'est aussi une régulière source d'arnaque.

On se magnifie toujours aux dépens des autres. Si vous dites que vous avez perdu parce que vous n'avez pas eu de chance, vous sous-entendez que votre adversaire a gagné parce qu'il en a eu. Oublions les jeux et autres entreprises ouvertement concurrentielles ; lorsque l'on chante ses propres mérites, on tait toujours ceux des autres, car le statut est une chose toute relative. On gagne toujours ce qu'un autre a perdu.

Et vice versa : ce qu'un autre perd, c'est ce que nous gagnons. C'est là que l'inconsciente quête d'un statut peut devenir mauvaise. Dans un petit groupe (par exemple, un groupe de la taille d'un village primitif), un individu a tout intérêt à flétrir la réputation d'autres individus, en particulier ceux du même sexe et du même âge, avec lesquels existe une rivalité naturelle. Et une fois encore, la meilleure façon de convaincre les gens de quelque chose, y compris des défauts de leurs voisins, c'est d'y croire soi-même. On peut donc s'attendre à ce que les organismes, dans une espèce hiérarchisée dotée d'un langage, mettent en valeur leurs propres prouesses et minimisent celles des autres, et le tout avec conviction. En réalité, dans le laboratoire de psychologie sociale, les gens n'ont pas seulement tendance à imputer un succès à leurs talents et un échec aux circonstances ; non, ils ont aussi une propension à inverser les choses dès lors qu'il s'agit des autres [18]. Le hasard est ce qui vous fait perdre et ce qui fait gagner les autres ; et pour le talent, c'est l'inverse.

L'atteinte portée aux autres est souvent facilement détectable et risque de disparaître s'ils font partie de la famille ou des amis. Mais attendons-nous à ce qu'elle atteigne des sommets lorsque deux personnes sont en concurrence pour un objet unique : telle femme, tel homme ou telle distinction professionnelle [19]. Richard Owen, éminent zoologue et paléontologue, qui avait son idée sur la mutation des espèces, éreinta *L'Origine des espèces* lorsque l'ouvrage parut. Darwin note après cette critique : « On dit à Londres qu'il est fou de jalousie parce qu'on parle de mon livre [20]. » Owen s'est-il commodément convaincu (convainquant, du même coup, d'autres personnes) de l'infériorité de l'œuvre d'un concurrent ? Ou est-ce Darwin qui s'est commodément convaincu (convainquant, du même coup, d'autres personnes) qu'un homme menaçant sa position avait des motivations intéressées ? Probablement l'un ou l'autre, et très vraisemblablement les deux.

Les gens ont, en ce qui concerne leurs concurrents, un détecteur de défauts extrêmement sensible, et c'est l'un des miracles de la nature. La maîtrise consciente de cette tendance demande des efforts herculéens, et régulièrement renouvelés. Certains réussissent à faire preuve d'une retenue suffisante pour ne pas *parler* de la médiocrité de leurs rivaux ; ils peuvent prononcer quelques bonnes paroles victoriennes sur leur « valeureux adversaire ». Mais refréner la sensibilité elle-même – la quête incessante, inconsciente et globale des signes de médiocrité chez l'autre – est une mission digne d'un moine bouddhiste. Le jugement honnête est tout simplement hors de portée du commun des mortels.

AUTODÉNIGREMENT

Si l'autopromotion est si profondément ancrée chez les êtres humains, pourquoi en est-il qui se déprécient ? Certes, se déprécier ne coûte rien lorsque tout le monde sait de quoi il retourne, et peut même rapporter quelque bénéfice : une réputation d'humilité augmente la crédibilité d'une discrète forfanterie – témoin Darwin. Autre hypothèse : le programme génétique du développement mental est très complexe et se déroule dans un monde rempli d'incertitudes (et fort différent de ce qu'était l'environnement ancestral) ; n'attendons pas de toutes les conduites humaines qu'elles servent l'intérêt génétique. La troisième hypothèse est la plus intéressante : la hiérarchie sociale, a, via la sélection naturelle, quelques effets ironiques sur le cerveau humain. À certains moments, avoir une opinion de soi sincèrement faible, et la partager avec d'autres, entre dans la bonne logique évolutionniste.

Rappelons-nous que le statut tire son origine du fait que certains voisins – les voisins poulets d'un poulet, par exemple – sont trop redoutables pour qu'il soit profitable de les défier. Les gènes ayant formé un cerveau qui dit à l'animal quels sont les congénères qui valent la peine d'être défiés et quels sont les autres vont prospérer. Comment le cerveau va-t-il exactement transmettre ce message ? Pas avec des sous-titres « À défier » ou « À éviter » qui s'inscriraient dans l'œil de l'animal. Non, le message transite probablement par la sensation : les animaux se sentent ou ne se sentent pas de lancer un défi. Et ceux qui se trouvent tout en bas de la hiérarchie – ceux qui prennent des raclées de tous les côtés – ne se sentiront pas de lancer le défi. On pourrait appeler cela une faible estime de soi. Et on pourrait dire que cette faible estime de soi a évolué afin que les gens se résignent à un statut subalterne lorsqu'il est dans leur intérêt génétique de le faire.

Ne nous attendons pas à ce qu'ils dissimulent cette faible estime d'eux-mêmes. Il est peut-être dans leur intérêt génétique non seulement d'accepter un statut inférieur mais aussi, du moins dans certaines circonstances, de manifester cette acceptation – c'est-à-dire d'afficher leur soumission afin de ne pas être perçus, par erreur, comme une menace, et traités comme tels [21].

Avoir une faible estime de soi n'implique pas nécessairement que l'on se trompe soi-même. En effet, toute sensation conçue pour empêcher les gens d'aspirer à plus qu'ils ne peuvent obtenir devrait, en théorie, correspondre sommairement à la réalité. Mais pas toujours. Si l'une des fonctions d'une faible estime de soi consiste à satisfaire les individus haut placés, alors son intensité devra dépendre de la dose de déférence nécessaire pour aboutir à ce résultat ; vous pouvez, en présence de quelque puissant personnage, vous sentir plus humble – sur le plan de l'intelligence, par exemple – qu'un observateur objectif ne jugerait nécessaire de l'être. L'anthropologue John Hartung a, en 1988, émis l'hypothèse qu'une faible estime de soi pouvait être le fait d'un aveuglement – il appelle cela « se tromper soi-même à la baisse ». Il propose un autre genre d'exemples en suggérant que les femmes puissent parfois se subordonner à tort aux hommes. Si, par exemple, les revenus d'un foyer dépendent en partie d'un mari qui a, sur le plan professionnel, une haute estime de lui, l'épouse risque, sans le vouloir, de « rendre le mari trop sûr de lui en se cantonnant dans un niveau de moindre compétence » [22].

Une expérience ingénieuse a montré à quelle profondeur peut s'enfouir la vérité sur nous-mêmes. Lorsque l'on fait écouter à des gens une voix enregistrée, la réponse de leurs récepteurs sensoriels (RRS en sensorimétrie) augmente, et elle augmente davantage encore lorsque cette voix est la leur. De façon surprenante, lorsqu'on leur demande si la voix entendue est la leur, ils se trompent généralement plus souvent que leurs RRS. Ce qui est fascinant, c'est la façon dont se manifeste cette erreur. Si on s'arrange pour que les sujets « échouent » dans une tâche qui leur est assignée, leur estime d'eux-mêmes baisse, et ils ont alors tendance à nier que la voix est la leur, bien que leurs RRS montrent que, d'une certaine façon, ils « savent » la vérité. Lorsque l'estime de soi augmente, ils se mettent à revendiquer d'autres voix comme la leur, bien que, encore une fois, leurs RRS aient montré qu'ils avaient correctement reçu l'information. Rendant compte de cette expérience, Robert Trivers écrit : « Tout se passe comme si nous dilations la présentation de notre moi [...] en cas de succès et comme si nous la rétrécissions en cas d'échec, alors que nous sommes largement inconscients du processus [23]. »

Ne pas se sentir fier de soi peut avoir une fonction autre que celle d'envoyer aux autres des messages intéressés. Pour commencer, il y a la fonction, déjà évoquée, de la cuisante honte : petit coup de semonce sanctionnant les gaffes commises en société, façon de décourager la répétition de conduites pouvant diminuer le statut. Et, comme l'a fait remarquer le psychiatre évolutionniste Randolph Nesse, l'humeur peut efficacement canaliser l'énergie [24]. Quel que soit leur statut, les gens peuvent devenir léthargiques et moroses le jour où perspectives sociales, sexuelles ou professionnelles s'assombrissent, et ils peuvent retrouver optimisme et énergie lorsque des opportunités se présentent. Comme s'ils avaient pris des forces avant un grand match. Si aucune opportunité ne se présente, et que la léthargie se transforme en une légère dépression, cette humeur peut les amener à un fructueux changement de cap : à changer de carrière, à se débarrasser des amis ingrats ou à renoncer à un amour impossible.

Darwin offre un bon exemple de la grande utilité des sentiments négatifs. En juillet 1857, deux ans avant la publication de L'Origine des espèces, il écrit à son ami Joseph Hooker : « Je fais certains calculs à propos des variétés, etc. Et, comme j'en parlais hier à Lubbock, il m'a fait remarquer la plus grosse maladresse que j'ai commise, ce qui fait deux ou trois semaines de travail perdues. » Après quoi Darwin est moins enclin que jamais à souligner sa valeur. « Je suis le plus bel abruti de toute l'Angleterre, ajoute-t-il, et je suis prêt à pleurer d'humiliation sur mon aveuglement et sur ma prétention [25]. »

Voyons en quoi cette morosité peut être précieuse. Premièrement : elle dégonfle l'estime de soi. Darwin a subi une humiliation sociale. Lors d'un face-à-face, on lui montre qu'il a commis une erreur grave dans un domaine où il est supposé être expert. Sans doute, à long terme, un déficit dans l'estime de lui-même était-il inévitable ; sans doute Darwin eût-il dû modérer ses ambitions de savant, afin de ne pas être perçu comme une menace par les grandes vedettes intellectuelles de l'Angleterre qui, de toute façon, allaient finir par l'éclipser.

Deuxièmement : elle est un *renforcement négatif.* La douleur persistante causée par cet incident peut être utile à décourager Darwin de répéter une erreur (une analyse erronée, dans le cas présent) source d'humiliation. Peut-être se montrera-t-il plus prudent à l'avenir.

Et troisièmement : elle est un *changement de cap.* Si le dépit avait persisté, ou avait même confiné à la dépression, cela aurait pu modifier la conduite de Darwin plus radicalement encore, en détournant son énergie dans des directions totalement nouvelles. « C'est suffisant pour me faire déchirer tout mon manuscrit et pour que, de désespoir, j'abandonne tout », écrit-il le même jour à Lubbock, en le remerciant de l'avoir corrigé et en s'excusant d'être aussi « embrouillé » [26]. Comme nous le savons, Darwin n'a pas déchiré son manuscrit. Mais eût-il rencontré une succession de revers de cette ampleur, il eût très bien pu tout abandonner. Et, s'il avait effectivement été trop embrouillé pour pouvoir écrire un imposant ouvrage sur l'origine des espèces, c'eût probablement été, à long terme, une bonne affaire pour son statut social.

Ces trois explications de la morosité de Darwin ne s'excluent pas l'une l'autre. La sélection naturelle est un processus économe et plein de ressources, qui fait de multiples usages de la chimie existante et des sentiments que véhicule cette chimie. C'est pourquoi il faut se méfier de toute déclaration péremptoire sur la fonction d'un neurotransmetteur, quel qu'il soit – la sérotonine, par exemple –, ou d'une humeur – morosité ou autre. C'est aussi pourquoi un darwinien ne se sent pas dans l'impasse lorsque quelque chose comme une faible (ou une haute) opinion de soi se révèle avoir plusieurs motifs possibles, et tous également plausibles. Ils peuvent tous être vrais.

Où trouver la vérité sur l'échelle de l'estime de soi ? Si, ce mois-ci, vous enchaînez réussites professionnelles et succès mondains, que vous vous sentez tout débordant de sérotonine, indéfectiblement compétent, aimable et attirant, et si, le mois suivant, après quelques revers et un déficit en sérotonine, vous vous trouvez indéfectiblement nul, vous ne pouvez pas avoir eu raison dans les deux cas. Quand donc avez-vous eu tort ? La sérotonine est-elle un sérum de vérité ou un narcotique qui paralyse l'esprit ?

Peut-être ni l'un ni l'autre. Quand vous pensez soit beaucoup de bien, soit beaucoup de mal de vous-même, cela signifie probablement qu'une bonne partie de l'iceberg est immergée. Les moments les plus véridiques se situent entre les extrêmes.

De toute façon, peut-être vaut-il mieux laisser la « vérité » hors de toute cette affaire. Que vous soyez un « bon » ou un « nul » est une question dont l'objectivité est, au mieux, insaisissable. Et même lorsque la « vérité » peut être clairement définie, son concept laisse la sélection naturelle parfaitement indifférente. Certes, si une peinture exacte de la réalité, faite à soi-même ou aux autres, pouvait contribuer à la diffusion des gènes de quelqu'un, alors l'exactitude dans la perception ou dans la communication évoluerait peut-être. Et ce sera souvent le cas (quand, par exemple, vous vous souvenez de l'endroit où l'on garde la nourriture et communiquez l'information à vos enfants ou à vos frères et sœurs). Mais il faut se rappeler que l'adéquation entre un récit exact et l'intérêt génétique n'est qu'une heureuse coïncidence. Vérité et honnêteté ne sont jamais favorisées par la sélection naturelle. La sélection naturelle ne « préfère » ni l'honnêteté ni la malhonnêteté. Ce n'est pas son problème [27].

COSTAUD MAIS SENSIBLE

L'altruisme réciproque impose son propre programme à la présentation du moi, et donc à l'autoaveuglement. Alors que la hiérarchie sociale attache de l'importance au fait que nous ayons l'air compétent, séduisant, fort, intelligent, etc., l'altruisme réciproque met, quant à lui, l'accent sur la gentillesse, l'intégrité et l'honnêteté. Telles sont les choses qui nous font apparaître comme de dignes altruistes réciproques. C'est elles qui font que les gens ont envie de nouer des relations avec nous. Vanter notre réputation d'individus convenables et généreux ne peut pas faire de mal et peut souvent être utile.

Richard Alexander a insisté sur l'importance évolutionniste de l'autopromotion morale. Dans *The Biology of Moral Systems*, il écrit que « la société moderne est pleine de mythes » sur notre bonté : « Les scientifiques seraient humbles et se consacreraient à la quête de la vérité ; les médecins passeraient leur vie à soulager des souffrances ; les professeurs consacreraient la leur à leurs étudiants ; nous serions tous fondamentalement respectueux de la loi, tous des âmes bonnes et altruistes qui font passer avant le leur l'intérêt de l'autre [28]. »

L'exagération de nos qualités morales n'implique pas que nous nous trompions sur nous-mêmes. Mais sans aucun doute, la chose est possible. Les circonvolutions inconscientes grâce auxquelles nous parvenons à nous convaincre de notre bonté ont été étudiées en laboratoire bien avant que la théorie de l'altruisme réciproque ne vienne les expliquer. Au cours de diverses expériences, on a demandé à certains sujets de faire preuve de cruauté à l'égard d'un tiers, de l'insulter et même de lui infliger ce qu'ils pensaient être des décharges électriques. Les sujets se mettaient alors à critiquer vivement leur victime, comme pour se convaincre eux-mêmes de ce que celle-ci méritait bien un tel traitement – même s'ils savaient que leur victime n'avait commis aucun forfait et, en outre, même s'ils ne connaissaient d'elle que ce que l'on sait d'une personne lorsqu'on la maltraite pendant quelques instants dans un laboratoire. Mais lorsque l'on expliqua aux sujets que leurs victimes allaient leur infliger un peu plus tard le même traitement, ils eurent tendance à *ne pas* les critiquer [29]. Tout se passe comme si le cerveau était programmé suivant une loi très simple : tant que l'on règle des comptes, aucune rationalisation particulière n'est de mise ; la symétrie de l'échange constitue une défense suffisante pour expliquer notre comportement. Mais si nous trichons ou trompons quelqu'un qui n'a pas triché, qui ne nous a pas trompés, nous essayons de trouver toutes sortes de bonnes raisons pour prouver qu'il le méritait. D'un côté, nous sommes prêts, en cas de confrontation, à défendre la conduite que nous avons adoptée ; de l'autre, nous sommes prêts à combattre avec indignation ce qui pourrait laisser supposer que nous sommes mauvais, que nous sommes indignes de confiance.

Notre répertoire de justifications morales est fort large. Des psychologues ont découvert que nous nous excusons de n'avoir pas aidé autrui en minimisant, de diverses manières, ses difficultés (« ce n'est pas une dispute, juste une querelle d'amoureux »), notre responsabilité et la compétence de la personne même en matière d'aide [30].

On n'est jamais vraiment sûr que les autres vont réellement croire de telles excuses. Mais une célèbre série d'expériences montre (dans un contexte assez différent) à quel point la conscience peut être oublieuse de sa vraie motivation et les efforts qu'elle peut fournir pour justifier les résultats de cette motivation.

Ces expériences ont été réalisées sur des patients au « cerveau divisé » – malades dont on a séparé l'hémisphère gauche de l'hémisphère droit du cerveau afin d'empêcher la récidive de graves crises d'épilepsie. L'opération a curieusement peu d'effets sur la conduite quotidienne, mais provoque d'étranges réactions lorsque l'on soumet le patient à des tests précis. Si on projette rapidement le mot *noix* devant l'œil gauche (qui conduit à l'hémisphère droit), mais pas devant l'œil droit (qui conduit à l'hémisphère gauche), le sujet ne fait état d'aucune perception consciente du signal ; l'information n'a jamais pénétré l'hémisphère gauche qui, chez la plupart des gens, commande le langage et semble aussi contrôler la conscience. Dans le même temps, cependant, si on place la main gauche du sujet – que contrôle l'hémisphère droit – au-dessus d'une boîte remplie d'objets divers, la main va s'emparer d'une noix. Le sujet ne fait état d'aucune conscience de cet acte, à moins qu'on ne lui permette de voir ce que sa main gauche est en train de faire [31].

Quand le sujet est amené à justifier sa conduite, l'hémisphère gauche du cerveau passe de l'ignorance avérée à la mauvaise foi inconsciente. Exemple : la commande *marcher* est envoyée à l'hémisphère droit du cerveau d'un individu, et celui-ci s'exécute. Quand on lui demande où il va, l'hémisphère gauche, qui n'est pas au courant de la véritable raison de l'action, va en trouver une autre : « Je vais chercher à boire », dit l'homme, convaincu. Autre exemple : l'image d'un corps nu est projetée rapidement vers l'hémisphère droit du cerveau d'une femme, qui part alors d'un rire embarrassé. Lorsqu'on lui demande pourquoi elle rit, elle fournit une explication moins osée que ne l'est la vérité [32].

Michael Gazzaniga, qui a dirigé quelques-unes de ces expériences sur les cerveaux divisés, dit du langage qu'il n'est que « l'attaché de presse » d'autres parties du cerveau ; il justifie tout acte provoqué par ces parties du cerveau, persuadant le monde extérieur que l'acteur est un être raisonnable, rationnel et honnête [33]. Il est possible que tout le domaine de la conscience soit lui-même, en grande partie, pareil attaché de presse, qu'il soit le lieu où nos communiqués de presse inconsciemment rédigés s'inspirent d'une conviction qui leur donnera leur force. La conscience trouve une grande variété d'innocents déguisements à la froide et égoïste logique des gènes. « On peut dire que la principale fonction évolutionniste du soi, écrit l'anthropologue darwinien Jerome Barkow, c'est d'être l'organe qui administre les impressions (plutôt que l'organe décideur, comme le prétend notre psychologie populaire) [34]. »

On pourrait aller plus loin et dire que la psychologie populaire trouve elle aussi ses racines dans nos gènes. Autrement dit, non seulement le sentiment de contrôler « consciemment » notre conduite est une illusion (comme le suggèrent également d'autres expériences neurologiques) ; mais c'est aussi une illusion intentionnelle, conçue par la sélection naturelle pour donner de la conviction à nos propos. Pendant des siècles, on a abordé le débat philosophique portant sur le libre arbitre avec la vague, mais puissante, intuition que le libre arbitre existait ; *nous* (le « nous » conscient) sommes responsables de notre conduite. Il n'est pas interdit de penser que cette tranche non négligeable de l'histoire intellectuelle peut elle-même être directement portée au compte de la sélection naturelle – que l'une parmi les plus sacrées d'entre toutes les positions philosophiques est essentiellement une adaptation.

COMPTABILITÉ DOUTEUSE

Les effets pervers de l'altruisme réciproque vont bien au-delà de la foi commune que nous avons en notre droiture. Ils sont également discernables dans notre tortueux système de comptabilité sociale. Au centre de l'altruisme réciproque se trouve le contrôle des échanges : à qui l'on doit, qui nous doit et combien. Du point de vue des gènes, contrôler les deux parties de cette comptabilité avec une égale diligence serait stupide. Si, pour finir, vous percevez un peu plus que vous ne donnez, c'est tant mieux. Mais si vous donnez plus que vous ne recevez, si minime soit la différence, cette différence est une perte.

Le fait que l'on se souvienne mieux de ce que l'on nous doit que de ce que nous devons n'est pas une révélation dans le monde des sciences comportementales. C'est même depuis si longtemps une évidence qu'il y a un siècle et demi, elle constitua le tacite fondement d'une petite plaisanterie racontée par Darwin à sa sœur Caroline. Dans une lettre envoyée du *Beagle*, il lui écrit que « lord Byron [*sic*] mentionne dans l'une de ses lettres un homme dont on disait qu'il avait été à ce point transformé par la maladie, que ses *plus vieux créanciers* n'allaient plus le reconnaître » [35]. Darwin avait lui-même contracté quelques dettes au collège, et l'un de ses biographes rapporte qu'« il supportait assez mal d'être ainsi endetté, et chaque fois qu'il eut l'occasion d'évoquer ces extravagances, dans les années qui suivirent, il semble qu'il ait toujours eu tendance à les minorer de moitié » [36].

Darwin a aussi une mémoire sélective en ce qui concerne ses dettes intellectuelles. Assez jeune, il a lu les écrits que son grand-père Erasmus avait consacré à l'évolution. Y figure une phrase qui annonce de façon frappante la sélection sexuelle, cette variante de la sélection naturelle qui a rendu les mâles si combatifs : « La cause ultime de cette compétition entre les mâles réside, semble-t-il, dans le fait que ce sera le plus fort, le plus actif des animaux qui propagera l'espèce, celle-ci s'en trouvant donc améliorée. » Cependant, lorsque Darwin inclut dans sa préface à la troisième édition de *L'Origine des espèces* quelques lignes concernant ses prédécesseurs, il relègue son grand-père dans une note en bas de page, faisant de lui l'annonciateur prélamarckien de la confusion de Lamarck. Et, dans son *Autobiographie*, il évoque sans complaisance la *Zoonomia* d'Erasmus, ouvrage qui, si on en juge d'après la citation ci-dessus, a fort bien pu planter dans l'esprit de Darwin la graine, non seulement de l'évolutionnisme, mais aussi de la théorie de la sélection naturelle. On peut parier sans risque que la toujours vigilante conscience de Darwin ne l'aurait pas laissé traiter *consciemment* son grand-père avec tant de désinvolture [37].

De manière générale, Darwin ne néglige pas de mentionner ceux dont la pensée l'a influencé. Mais il le fait sélectivement. Comme l'écrit l'un de ses biographes : « Darwin est généreux envers ceux dont il trouve les observations empiriques utiles et salue à peine ceux dont les idées l'ont influencé [38]. » La méthode est commode. On prodigue des remerciements aux chercheurs de moindre envergure et on minimise l'importance des rares prédécesseurs qui auraient pu, même de loin, prétendre à la couronne. Darwin reconnaît donc sa dette envers plusieurs jeunes scientifiques d'avenir et ne prend que le risque d'offenser des savants âgés ou morts. Tout ceci ressemble fort à une bonne formule permettant d'obtenir un statut élevé. (Bien sûr, la formule elle-même – « Oublie les précurseurs de ta théorie » – n'est pas inscrite dans les gènes. Mais il se pourrait bien que soit ancrée en nous une tendance qui nous dissuaderait d'octroyer à des gens dont le statut menace le nôtre des bénéfices pouvant augmenter encore leur statut.)

Cette comptabilité égocentrique peut prendre des formes majeures ou mineures. Les guerres créent habituellement, dans les deux camps, un profond sentiment d'injustice et la ferme croyance en la culpabilité de l'ennemi. Des voisins de palier, même bons amis, peuvent mettre une conviction comparable dans des récits historiques différents. Ce phénomène peut disparaître dans certaines couches de la société moderne, où un vernis de cordialité recouvre la vie quotidienne. Mais tout porte à croire que, dans l'histoire et la préhistoire, l'altruisme réciproque a véhiculé une tension quotidienne, un marchandage implicite ou explicite. Bronislaw Malinowski a remarqué que les habitants des îles Trobriand semblaient très préoccupés par les cadeaux qu'ils faisaient et étaient « enclins à vanter leurs propres cadeaux, qu'ils trouvaient toujours très satisfaisants, alors qu'ils discutaient la valeur et allaient jusqu'à se quereller sur ceux qu'on leur offrait » [39].

A-t-il jamais existé une seule culture au monde, où les individus n'aient eu de fréquents désaccords – sur les denrées au marché, les salaires au travail, la répartition des territoires, ou les conflits entre les enfants ? Les disputes qui en résultent peuvent avoir de graves conséquences. Elles sont rarement, en tant que telles, des questions de vie ou de mort, mais elles affectent le bien-être matériel. Or, au cours de l'évolution, un petit peu de bien-être matériel en plus ou en moins a pu parfois faire la différence entre la vie et la mort, entre le fait de séduire ou non un partenaire, ou d'avoir trois enfants survivants au lieu de deux. Tout porte donc à croire qu'une comptabilité sociale biaisée a un fondement inné. Le biais en question a tout l'air d'être universel et, intuitivement, il nous semble le corollaire de la théorie de l'altruisme réciproque.

Cependant, lorsque l'on examine la situation autrement qu'intuitivement, tout s'obscurcit. Dans l'ordinateur d'Axelrod, la clef du succès du TIT FOR TAT était qu'il ne cherchait jamais à tromper son voisin : il voulait toujours établir un échange strictement équitable. Les créatures qui n'étaient pas aussi aisément satisfaites – celles qui essayaient de « tricher » pour obtenir plus qu'elles ne donnaient – disparaissaient peu à peu. Si l'évolution punit ainsi la cupidité, pourquoi les humains semblent-ils inconsciemment tenus de donner un peu moins qu'ils ne reçoivent ?

Voici un début de réponse : obtenir plus qu'on ne donne n'est pas « tricher »[40]. L'ordinateur d'Axelrod réunissait ces deux aspects en faisant de la vie une chose binaire : soit tu coopères, soit tu ne coopères pas ; soit tu es gentil, soit tu es un tricheur. La vraie vie est plus subtile. Les bénéfices d'une somme non zéro sont si vastes, que des échanges légèrement inégaux peuvent néanmoins être profitables aux deux contractants. Si vous rendez quarante-neuf services à votre ami et que vous en recevez cinquante et un en échange, l'amitié reste toujours valable pour votre ami. Vous ne l'avez pas vraiment « trompé ». Vous avez reçu plus que lui, mais pas au point qu'il préfère renoncer à tout échange avec vous plutôt que de poursuivre celui-là.

Il est donc théoriquement possible de se montrer un peu plus pingre que le TIT FOR TAT sans véritablement tricher, ni déclencher de pénibles représailles. Cette sorte de ladrerie, enracinée en nous par la sélection naturelle, peut aussi bien prendre la forme d'une comptabilité douteuse : un profond sens de la justice qui penche légèrement vers soi.

Pourquoi serait-il si capital que ce biais soit inconscient ? On peut trouver un indice de réponse dans *The Strategy of Conflict*, ouvrage de l'économiste et théoricien du jeu Thomas Schelling. Dans un chapitre intitulé « Un essai de marchandage » – qui ne concerne pas l'évolution mais pourrait s'y appliquer –, Schelling relève une ironie : dans un jeu à somme non zéro, « la capacité de contraindre un adversaire peut dépendre de la capacité de se contraindre soi-même ». L'exemple classique est celui du jeu à somme non zéro du « froussard ». Deux voitures foncent l'une sur l'autre. Le premier conducteur qui fait un écart pour éviter l'autre a perdu la partie, ainsi qu'un peu de son prestige auprès de ses camarades adolescents. D'un autre côté, si aucun des conducteurs ne change de direction, tous deux perdent encore plus gros. Que faire ? Schelling vous suggère de jeter le volant par la fenêtre, de sorte que l'autre conducteur voie bien la manœuvre. Ainsi convaincu que vous ne pourrez plus jamais changer de direction, s'il est raisonnable, il vous évitera de lui-même.

La même logique fonctionne dans des situations plus courantes, comme l'achat d'une voiture. Il y a une gamme de prix à l'intérieur de laquelle vendeur et acheteur ont tous deux intérêt à traiter. Cependant, à l'intérieur de cette gamme de prix, les intérêts divergent : l'acheteur préfère le plus bas, le vendeur le plus élevé. La voie du succès, dit Schelling, est essentiellement la même que dans le jeu du froussard : soyez le premier à convaincre l'autre que vous ne fléchirez pas. Si le vendeur croit que vous partez pour de bon, il va céder. Mais si c'est lui qui attaque préventivement en disant : « Je ne peux absolument pas descendre en dessous de tant », et s'il a vraiment l'air de quelqu'un que sa fierté empêcherait de revenir sur de telles paroles, c'est lui qui gagne. La clef du succès, dit Schelling, c'est de faire « le sacrifice volontaire et irréversible de la liberté de choix » – et de le faire le premier.

Pour ce qui nous intéresse, supprimons le mot *volontaire*. La logique sous-jacente peut avoir disparu de la conscience afin de donner au sacrifice une allure plus « irréversible » encore. Ce n'est peut-être pas le cas lorsque nous négocions une voiture d'occasion. Comme les théoriciens du jeu, les vendeurs de voitures réfléchissent à la dynamique du marchandage et les acheteurs expérimentés aussi. Pourtant, dans toute tractation quotidienne – accrochage en voiture, demande d'augmentation ou territoire contesté –, chacune des parties en présence a souvent au début la ferme conviction d'être dans son bon droit. Et une telle conviction, sentiment vite acquis et passionnément exprimé de ce qui nous est dû, nous conduit rapidement à l'attaque préventive recommandée par Schelling. L'inflexibilité viscérale est la plus persuasive des convictions.

Demeurent néanmoins certaines énigmes. Une rigidité inflexible pourrait aller à l'encontre du but recherché. À mesure que des gènes de la « comptabilité douteuse » se répandent dans la population, les calculateurs douteux vont se rencontrer de plus en plus souvent. Chacun tenant à obtenir le meilleur du marché, tous deux échoueront à conclure quelque marché que ce soit. En outre, dans la vraie vie, l'inflexibilité ne saurait où intervenir, tant il est difficile de savoir à l'avance quel marché la partie adverse acceptera de conclure. Quelqu'un qui veut acheter une voiture ne sait pas combien le véhicule a effectivement coûté au vendeur, ni combien en offrent les autres acheteurs. Et dans des situations moins structurées – un échange de services, par exemple –, ces calculs sont plus aléatoires encore, car les choses sont moins quantifiables. Et c'est ce qui s'est passé pendant toute l'évolution : il a toujours été difficile d'évaluer précisément la marge de tractations à l'intérieur de laquelle il est dans l'intérêt de la partie adverse de conclure. Si vous commencez à marchander en vous accrochant irréversiblement à une offre qui se trouve hors de cette marge, vous ne conclurez rien du tout.

La stratégie idéale se trouve peut-être dans une inflexibilité de façade, une fermeté flexible. Vous commencez par insister sur ce à quoi vous avez droit. Puis vous battez un peu en retraite – au moins jusqu'à un certain point – lorsque vous avez la preuve de la fermeté de l'autre. De quel genre de preuve peut-il s'agir ? Eh bien, d'une preuve probante. Si les gens peuvent expliquer ce qui motive leur conviction, et si les raisons alléguées ont l'air crédibles (et sincères), le repli est naturel. S'ils parlent de tout ce qu'ils ont fait pour vous par le passé, et si la chose vraie, vous devez céder le point. Bien sûr, si vous pouvez apporter avec conviction une preuve qui équilibre l'échange, vous devez le faire. Voilà comment ça fonctionne.

Nous venons de décrire la dynamique du discours humain. C'est exactement de cette façon que les gens débattent. (En fait, c'est bien le sens propre du mot *débattre*.) Bien qu'ils oublient souvent ce qu'ils font et pourquoi ils le font. Nous avons si constamment à l'esprit toutes les preuves qui viennent à l'appui de notre position qu'il est souvent nécessaire de nous rappeler toutes les preuves qui les contredisent. Darwin parle dans son autobiographie d'une habitude qu'il dit être une « règle d'or » : noter immédiatement toute observation qui semble aller à l'encontre de sa théorie – « car l'expérience m'a montré que de tels faits ou de telles pensées s'échappent bien plus facilement de la mémoire que les observations favorables » [41].

Si le style général du débat humain semble si facile, c'est parce que, au moment où il commence, le travail est déjà fait. Robert Trivers écrit à propos des disputes chroniques – que l'on pourrait appeler des renégociations contractuelles – qu'elles font souvent partie d'une relation étroite : amitié ou mariage. Le débat, note-t-il, « peut sembler éclater spontanément, avec peu de préavis, voire aucun ; et cependant, à mesure qu'il progresse, deux paysages d'information se dessinent, qui sont déjà organisés, attendant seulement l'éclair de la colère pour se dévoiler » [42].

Ici, l'hypothèse est que le cerveau humain serait, en grande partie, une machine à fabriquer des discussions gagnantes, une machine à convaincre les autres que son propriétaire a raison – et, par conséquent, une machine à convaincre ledit propriétaire de la même chose. Le cerveau est comme un bon avocat : on lui donne n'importe quels intérêts à défendre, et il se met en devoir de convaincre le monde de leur valeur morale et logique, sans s'occuper de savoir s'ils ont l'une ou l'autre. Comme un avocat, le cerveau humain veut la victoire, pas la vérité ; et comme un avocat, il est souvent plus remarquable pour son adresse que pour sa vertu.

Bien avant que Trivers ne décrive les usages égoïstes de l'auto-aveuglement, les chercheurs en sciences sociales avaient rassemblé des données qui allaient venir à l'appui de sa thèse. Au cours d'une expérience, on a exposé quatre arguments (deux pour et deux contre) à des individus ayant des positions très tranchées sur une question de société. Les arguments pour et contre étaient de deux sortes : les uns plausibles, et les autres peu plausibles, proches de l'absurde. Les sujets ont eu tendance à se souvenir des arguments plausibles qui allaient dans le sens de leurs opinions, ainsi que des autres qui n'allaient pas dans le sens de leurs opinions, le résultat final étant qu'ils insistaient sur la justesse de leur position et sur la sottise de la position contraire [43].

On pourrait penser que, en tant que créatures rationnelles, nous allons un jour finir par nous méfier de notre infaillible rectitude, de cette façon que nous avons de nous trouver toujours du bon côté dans toute discussion relative à l'honneur, à l'argent, aux bonnes manières ou à quoi que ce soit d'autre. Pas du tout. Immanquablement – qu'il s'agisse d'une place dans une file d'attente, d'une promotion jamais obtenue ou d'un accrochage en voiture – nous sommes choqués par l'aveuglement d'individus qui osent sous-entendre que notre indignation est injustifiée.

AMITIÉ ET MALHONNÊTETÉ COLLECTIVE

Dans toute la littérature psychologique qui a précédé et soutenu la vision darwinienne moderne de la tromperie, il est un mot remarquable par sa précise économie : le mot *beneffectance* (la « bénéfficacité »). Il a été inventé en 1980 par le psychologue Anthony Greenwald pour décrire cette tendance qu'ont les hommes à se présenter comme des êtres à la fois bienfaisants et efficaces. Les deux composantes de ce mot-valise incarnent respectivement l'héritage de l'altruisme réciproque et celui des hiérarchies de statuts [44].

Cette distinction est un peu simplifiée à l'extrême. Dans la vie, les mandats de l'altruisme réciproque et du statut – à savoir, avoir l'air bienfaisant et efficace – peuvent se recouper. Au cours d'une expérience où l'on demandait à des gens ayant participé aux efforts d'une équipe quel rôle ils y avaient tenu, ils eurent tendance à répondre avec enthousiasme, si on leur disait au préalable que l'effort en question avait été couronné de succès. Si, en revanche, on leur disait que c'était un échec, ils évoquaient davantage le rôle tenu par coéquipier [45]. Cette thésaurisation des louanges et ce partage des blâmes font sens dans la logique de l'évolution. Ils font apparaître quelqu'un comme bienfaisant, ayant aidé d'autres personnes du groupe à la réussite de l'entreprise, et méritant par conséquent une récompense future ; ils la font également apparaître efficace, et méritant donc un statut élevé.

L'une des plus belles victoires des partisans de la théorie darwinienne survint en 1860, lorsque Thomas Huxley, *alias* le « bulldog de Darwin », s'en prit à l'évêque Samuel Wilberforce au cours d'une discussion portant sur *L'Origine des espèces*. Sarcastique, l'évêque avait demandé à Huxley par quelle branche de sa famille il descendait du singe ; à quoi Huxley avait répondu qu'il préférait avoir un singe pour ancêtre plutôt qu'un homme « riche de moyens et d'influence, qui fait usage de ces capacités et de cette influence pour introduire le ridicule dans une grave discussion scientifique ». C'est du moins ainsi que Huxley raconte son histoire à Darwin – et c'est cette histoire qui est restée dans les livres d'histoire. Mais Joseph Hooker, proche ami de Darwin, était aussi présent, et ses souvenirs sont différents. Il lui rapporta que la voix de Huxley « ne parvenait pas à couvrir le brouhaha de l'assemblée, et [qu'] il ne maîtrisait pas son public ; il ne releva pas la faible boutade de *Sam* [l'évêque Wilberforce], pas plus qu'il ne donna à la question un tour propre à emporter l'adhésion du public ».

Heureusement, poursuit Hooker, il s'en prit lui-même à Wilberforce : « Je lui administrai une bonne claque sous les applaudissements. » Il lui dit qu'« il ne pouvait prétendre avoir lu le livre » et qu'il « était totalement ignorant » en matière de biologie. Wilberforce « ne trouva rien à répondre, et la réunion *fut aussitôt dissoute*, vous laissant maître du terrain après quatre heures de bataille ». Depuis cette rencontre, ajoute Hooker, « j'ai été félicité et remercié par les meilleurs notables d'Oxford ». Pendant ce temps-là, Huxley racontait qu'il était devenu « l'homme le plus populaire d'Oxford au cours des vingt-quatre heures qui avaient suivi cette réunion »[46]. Huxley et Hooker racontent tous deux ces histoires dans le double but de monter dans l'estime de Darwin et de faire de lui leur débiteur.

Altruisme réciproque et statut se recoupent aussi d'une autre façon. Lorsque les autres bénéficient d'une position sociale élevée, notre penchant à minimiser leurs contributions tolère une exception. Que nous ayons un ami un tant soit peu célèbre, et nous apprécierons même ses plus petits cadeaux, pardonnerons ses petits travers et ferons particulièrement attention à ne pas le laisser tomber. D'une certaine façon, il s'agit là d'un amendement bienvenu à l'égocentrisme ; nos bilans sont peut-être plus honnêtes pour les gens haut placés que pour les autres. Mais la médaille a son revers. Ces gens haut placés nous voient d'une façon encore plus déformée qu'à l'ordinaire, puisque nous avons fait subir une sévère décote à notre partie du grand-livre, afin de mieux refléter notre humilité.

Quoi qu'il en soit, il semble que nous tenions néanmoins la relation pour valable. Un ami haut placé peut, en cas de besoin et sur notre requête, exercer une influence décisive, et souvent à peu de frais. De même qu'un singe dominant peut protéger un allié en regardant de travers tout agresseur potentiel, un parrain haut placé peut, d'un seul bref coup de fil, tout changer dans la vie de l'arriviste.

Vus sous cet angle, hiérarchie sociale et altruisme réciproque non seulement se recoupent, mais se fondent dans une dimension unique. Le statut est tout simplement un autre atout à poser sur la table des négociations. Ou, plus exactement, il est un atout qui produit un effet de levier sur tous les autres ; il signifie que quelqu'un peut rendre de grands services à peu de frais.

Le statut peut également faire partie de ces services. Lorsque nous demandons de l'aide à nos amis, nous leur demandons souvent non seulement d'user de leur statut, mais de rehausser le nôtre. Chez les chimpanzés d'Arnhem, l'échange de soutiens dans la quête d'un statut était parfois très simple : le chimpanzé A aidait le chimpanzé B à écarter un concurrent et à conserver son statut ; le chimpanzé B rendait la pareille ultérieurement. Chez les êtres humains, le soutien dans la défense du statut est moins tangible. Excepté dans les bars, les cours de collèges et autres lieux de rendez-vous de la testostérone, le soutien se manifeste sous forme d'informations, et non sous une forme musculaire. Soutenir un ami signifie prendre verbalement sa défense lorsque ses intérêts sont en jeu – et, plus généralement, dire sur lui des choses positives, propres à rehausser son statut. Que ces choses soient vraies ou fausses n'a pas vraiment d'importance. Ce sont juste celles que des amis sont censés dire. Les amis s'engagent dans une inflation mutuelle. Être le véritable ami de quelqu'un, c'est souscrire aux contrevérités qui lui sont les plus chères.

On n'a pas encore entrepris de recherches visant à déteminer si ce parti pris pour les intérêts d'un ami était profondément inconscient. Une réponse purement positive serait en contradiction avec cette déloyauté dont on a vu qu'elle infestait les rapports d'amitié. Cependant, il se peut que partager profondément le même préjugé soit la marque de la plus solide et de la plus durable des amitiés ; les meilleurs amis sont ceux qui ont l'un de l'autre la vision la moins claire. Mais, que les mensonges soient ou non conscients, l'un des effets de l'amitié consiste à s'emparer de l'égoïste mauvaise foi individuelle pour tisser la toile d'une mauvaise foi collective. L'amour de soi se transforme en une société à admiration mutuelle.

L'inimitié se transforme, en revanche, en deux sociétés à détestation mutuelle. Si votre ami a un ennemi, vous êtes supposé considérer cet ennemi comme le vôtre ; c'est ainsi que vous soutenez le statut de votre ami. De la même manière, cet ennemi et les amis de cet ennemi sont supposés détester non seulement votre ami, mais vous-même. Il ne s'agit pas là d'un schéma inévitable, mais d'une tendance. Maintenir une étroite relation d'amitié avec deux ennemis déclarés équivaut à se trouver dans une position viscéralement embarrassante.

La conspiration malveillante entre altruisme réciproque et hiérarchies de statuts va encore plus loin. Car l'inimitié elle-même est une création collective des conspirateurs. D'un côté, l'inimitié se nourrit de la rivalité et d'une mutuelle et incompatible quête de statut. De l'autre, elle est le revers de l'altruisme réciproque. Être un altruiste réciproque qui réussit, dit Trivers, c'est être accrocheur : ne pas perdre de vue ceux qui acceptent votre aide, mais ne vous rendent pas la pareille, avec l'idée, soit de ne pas leur renouveler votre soutien, soit de vigoureusement les châtier.

Encore une fois, toute cette inimitié peut s'exprimer non pas directement et physiquement, comme chez les chimpanzés, mais verbalement. Lorsque des gens sont nos ennemis, ou lorsqu'ils soutiennent nos ennemis, ou lorsqu'ils ne nous soutiennent pas alors que nous, nous les avons aidés, la riposte de base consiste à tenir sur eux des propos malveillants et convaincus. Et là encore, le meilleur moyen de dire de telles choses avec conviction, c'est d'y croire – c'est-à-dire croire la personne incompétente ou stupide, mieux encore, la croire *mauvaise*, moralement déficiente, une menace pour la société. Dans *L'Expression des émotions chez l'homme et chez les animaux*, Darwin a saisi la nature profondément morale de l'inimitié : « Rares sont les individus [...] qui peuvent penser longtemps à une personne haïe, sans éprouver et manifester des signes d'indignation ou de colère [47]. »

Les jugements que Darwin porte sur certaines personnes ont parfois un goût de représailles. À Cambridge, il rencontre un certain Leonard Jenyns, entomologiste et gentleman qui, comme lui, collectionne les coléoptères. Il semblerait possible que, en dépit d'une rivalité naturelle entre eux, les deux hommes pussent devenir amis et alliés. De fait, c'est Darwin qui fait le premier pas, offrant à Jenyns « un bon lot d'insectes », ce dont, toujours d'après Darwyn, Jenyns semble « fort reconnaissant ». Mais quand vient l'heure de rendre la pareille, Jenyns « refuse de [lui] donner un nécrophore [...] alors qu'il en possède sept ou huit spécimens ». En racontant cela à son cousin, Darwin commente non seulement l'égoïsme de Jenyns, mais aussi son « esprit simplet ». Dix-huit mois plus tard, cependant, il tiendra Jenyns pour « un excellent naturaliste ». Peut-être doit-on cette révision de son jugement au fait que, dans l'intervalle, Jenyns lui a offert un « magnifique diptère » [48].

Quand les rancœurs se répandent, quand les amis forment des coalitions visant à soutenir mutuellement leur statut, le résultat est un vaste réseau d'autoaveuglement et de violence potentielle. Voici une phrase tirée du *New York Times* : « En l'espace d'une semaine, les protagonistes des deux camps ont bâti des histoires hautement émouvantes pour expliquer leurs rôles respectifs, toutes livrées avec une conviction passionnée, bien que ni dans un cas, ni dans l'autre, elles ne résistent à un examen approfondi [49]. » Des soldats israéliens avaient tiré sur des civils palestiniens, et chaque camp considérait que l'autre avait déclenché l'incident. Pourtant, la phrase pourrait s'appliquer avec la même exactitude à toutes sortes de luttes, grandes ou petites, menées depuis des siècles. À elle seule, cette phrase rend compte d'une bonne part de l'histoire de l'humanité.

Le mécanisme mental qui opère dans les guerres modernes – ferveur patriotique, autosatisfaction des masses, fureur contagieuse – a souvent été débusqué par les évolutionnistes dans une multitude de conflits entre tribus ou bandes rivales. Incontestablement, notre espèce a vécu un nombre considérable d'agressions à grande échelle. Et il est indubitable que les guerriers ont souvent obtenu quelques récompenses darwiniennes grâce au viol ou à l'enlèvement de femmes ennemies [50]. Cependant, même si la psychologie de la guerre s'est bien formée dans d'écrasants conflits, ceux-ci peuvent très bien ne revêtir qu'une importance secondaire [51]. Les sentiments d'inimitié, d'injustice et de légitime indignation – inimitié, injustice et légitime indignation *collectives* – trouvent probablement leurs racines les plus profondes dans d'anciens conflits *au sein* de groupes humains et préhumains. Et, en particulier, dans des conflits entre coalitions masculines pour l'obtention du statut.

ASSOCIATIONS

Cette tendance des amis à ne pas aimer les ennemis de l'un et de l'autre n'est pas nécessairement qu'un échange de services. Il s'agit souvent d'une simple redondance. L'un des liens les plus solides qui puisse unir deux amis – qui fait naître l'amitié et qui l'alimente –, c'est l'ennemi commun. (Deux individus jouant au dilemme du prisonnier agiront de façon beaucoup plus coopérative en présence de quelqu'un qu'ils n'apprécient ni l'un ni l'autre [52].)

Cette commodité stratégique est fréquemment voilée dans la société moderne. Les amitiés peuvent reposer non pas sur des ennemis, mais sur des intérêts communs : passe-temps, goûts pour certains films ou certaines activités sportives. Les affinités naissent des plus innocentes passions partagées. Mais cette réaction a vraisemblablement évolué dans un contexte où les passions partagées avaient tendance à être moins innocentes : un contexte d'opinions franchement politiques (qui devait diriger la tribu, comment répartir la viande, etc.). Autrement dit, les affinités d'intérêts communs ont pu évoluer de façon à cimenter de fructueuses alliances politiques, et ce n'est que plus tard qu'elles s'attachèrent à des affaires sans importance. Voilà qui permettrait en tout cas d'expliquer l'absurde gravité qui caractérise les débats portant sur des affaires apparemment insignifiantes. Pourquoi l'atmosphère d'une soirée entre amis peut-elle soudain devenir pesante, sous prétexte que l'on n'est pas d'accord sur les mérites des films de John Huston ?

Qui plus est, après examen attentif, ces « affaires insignifiantes » se révèlent souvent comporter de véritables enjeux. Prenons l'exemple de deux darwiniens, chercheurs en sciences sociales. L'intérêt qui les lie est « purement intellectuel » – une fascination pour les racines évolutionnistes du comportement humain. Mais ils ont aussi un intérêt politique commun. Ces deux savants en ont assez d'être ignorés ou attaqués par l'establishment universitaire, ils sont fatigués du dogme du déterminisme culturel, fatigués de son opiniâtre prédominance dans tant de domaines de l'anthropologie et de la sociologie. Ces deux savants veulent être publiés dans les revues les plus estimées. Ils veulent une chaire dans les meilleures universités. Ils veulent le pouvoir et le statut. Ils veulent destituer le régime en place.

Bien sûr, s'ils le font, qu'ils deviennent célèbres et qu'ils écrivent des livres à succès, peut-être n'y aura-t-il pas de profit darwinien. Peut-être ne convertiront-ils pas leur statut sur un plan sexuel, et si tel était le cas, ils utiliseraient sans doute une contraception. Mais dans l'environnement où nous avons évolué – en fait, il y a quelques petites centaines d'années encore –, le statut pouvait se convertir plus efficacement dans une monnaie darwinienne. Chose qui semble avoir profondément affecté la structure du discours intellectuel, surtout chez les hommes.

Nous allons en explorer un exemple dans le chapitre suivant, décrire la spécificité du discours intellectuel qui rendit Darwin célèbre. Pour le moment, contentons-nous de noter avec quel plaisir Darwin se découvre, en 1846, des intérêts scientifiques partagés avec Joseph Hooker qui, plus de dix ans plus tard, le rejoindra dans la bataille scientifique du siècle et consacrera beaucoup de son énergie à élever le statut social de son ami. « Quelle bonne chose qu'une communauté de goûts, écrit Darwin à Hooker. J'ai l'impression de vous connaître depuis cinquante ans [53]... »

CHAPITRE XIV

LE TRIOMPHE DE DARWIN

Mon sujet me captive au plus haut point ; je voudrais bien attacher moins de prix à cette marotte de la renommée, présente ou posthume, mais sans excès : car je me connais assez, je travaillerais avec autant d'acharnement, mais avec moins de goût, si je savais que mon livre devait rester à jamais anonyme.

Lettre à W. D. Fox (1857) [1]

Darwin est l'un de nos spécimens les plus raffinés. Il a superbement accompli ce pour quoi les êtres humains sont conçus : manipuler l'information sociale à leur avantage personnel. En l'occurrence, l'information n'est autre que cette question capitale : comment les êtres humains, et tous les organismes, ont-ils pu exister ? Et Darwin a remanié cette information d'une façon qui a définitivement élevé son statut social. À sa mort, en 1882, on salue son génie dans tous les journaux du monde, et il est inhumé à Westminster, non loin d'Isaac Newton [2]. Territoire des mâles dominants.

Et, pour couronner le tout, Darwin est quelqu'un de bien. Le *Times* de Londres note : « Aussi grand fut-il, aussi vaste son intelligence, la raison pour laquelle ses nombreux amis le chérissaient, ce qui charmait tous ceux qui eurent l'occasion, même brève, de le rencontrer, c'était la beauté de son caractère [3]. » La légendaire absence de prétention de Darwin a persisté jusqu'à la fin de sa vie, où elle échappa à son contrôle. Le fabriquant de cercueils local se souvient : « J'avais fait son cercueil exactement comme il me l'avait demandé, tout brut, juste comme s'il sortait de l'établi, ni poncé ni rien. » Mais ensuite, après cette subite décision de l'enterrer à l'abbaye de Westminster, « on n'a plus voulu de mon cercueil et on me l'a renvoyé. L'autre, on aurait pu se raser devant » [4].

Tel est bien le paradoxe fondamental, et souvent mentionné, de Charles Darwin. Il est devenu mondialement célèbre, alors qu'il lui manquait les caractéristiques qui, d'ordinaire, nourrissent les ascensions sociales foudroyantes. Comme l'écrit l'un de ses biographes, il semble « un improbable gagnant dans la course à l'immortalité, car il dispose de ces honnêtes qualités qui dissuadent un homme de se battre bec et ongles » [5].

On ne peut résoudre ce paradoxe en disant simplement que Darwin a été l'auteur de la bonne théorie sur l'avènement du genre humain car, dans cette affaire, il ne fut pas le seul. Alfred Russel Wallace – qui a lui aussi découvert la sélection naturelle – commence à en faire circuler une description écrite avant que Darwin soit célèbre. Les deux versions de la théorie ont été officiellement dévoilées le même jour, à la même tribune. Mais aujourd'hui, Darwin est Darwin, et Wallace une note en bas de page. Pourquoi Darwin a-t-il triomphé?

Nous avons vu, au chapitre X, comment la civilité de Darwin se conciliait partiellement avec sa notoriété, car il vivait dans une société où faire le bien était la condition préalable à la réussite. La réputation morale comptait énormément, et pratiquement tout ce que faisait quelqu'un pesait sur sa réputation.

Mais l'histoire est encore plus complexe. Examiner le long et sinueux parcours de Darwin vers la renommée remet en question quelques jugements communs le concernant – et, par exemple, le fait qu'il ait eu peu d'ambition et pas du tout de machiavélisme, que son goût de la vérité ne fût jamais entamé par sa soif de reconnaissance. Vu au travers du nouveau paradigme, Darwin ressemble un peu moins à un saint et un peu plus à un primate mâle.

ASCENSION SOCIALE

Très tôt, Darwin fait preuve d'une qualité qui va ordinairement de pair avec le succès social : l'ambition. Il est en compétition avec certains pour l'obtention d'un statut, aspirant à l'estime qu'il procure. « J'ai eu beaucoup de succès [...] avec les coléoptères aquatiques [*sic*], écrit-il de Cambridge à un cousin. Je pense avoir battu Jenyns sur le chapitre des colymbètes. » Lorsque sa collection d'insectes lui vaut d'être cité dans *Illustrations of British Insects*, il écrit : « Tu verras mon nom dans le dernier numéro de Stephens. J'en suis ravi, ne serait-ce que pour damer le pion à Mr. Jenyns [6]. »

La vision d'un Darwin avide de conquête, comme tout jeune mâle qui se respecte, semble contredire pas mal d'idées reçues. Le Darwin dépeint par John Bowlby – « exaspérant mépris de soi », « tendance à dénigrer ses propres contributions », « crainte constante de la critique, qu'elle provienne de lui-même ou des autres », « respect exagéré de l'autorité et de l'opinion d'autrui »[7] – n'évoque pas un mâle dominant accompli. Mais n'oublions pas que, souvent, dans les sociétés de chimpanzés, et presque toujours dans les sociétés humaines, on ne peut gravir seul l'échelle sociale ; la premier étape consiste à se lier avec un primate au statut plus élevé, ce qui implique un acte de soumission, un aveu d'infériorité. Un biographe a décrit la prétendue pathologie de Darwin en des termes particulièrement évocateurs : « Un manque de confiance en lui, une absence de certitudes qui l'ont amené à accentuer ses défauts lorsqu'il avait affaire aux autorités[8]. »

Darwin rappelle, dans son autobiographie, l'« accès de fierté » qu'il ressentit lorsque, adolescent, il apprit qu'après une conversation avec lui, un éminent savant avait dit : « Ce jeune homme a quelque chose qui m'intéresse. » Le compliment, dit Darwin, « devait surtout être dû au fait que j'écoutais avec un vif intérêt tout ce qu'il disait, car j'étais un âne en histoire, en politique et en éthique »[9]. Ici, comme à son habitude, Darwin se montre un peu trop humble, mais il a sans doute raison de supposer que c'est son humilité même qui a joué un rôle. (Darwin poursuit avec ces mots : « Je crois qu'une louange venant d'un éminent personnage, bien que très certainement de nature à exciter la vanité, a quelque chose de bon pour un jeune homme, car elle l'aide à se maintenir dans la bonne voie[10]. » Oui : celle qui monte...)

Dire de l'humilité de Darwin qu'elle est tactique ne signifie pas qu'elle soit hypocrite. La propension des êtres humains à considérer avec respect ceux qui, sur l'échelle sociale, se trouvent au-dessus d'eux, est tout particulièrement efficace lorsqu'ils lui obéissent aveuglément, inconscients de son but : nous éprouvons sincèrement une crainte respectueuse devant des gens face auxquels, le cas échéant, nous nous prosternerions avec profit. Thomas Carlyle, contemporain (et relation) de Darwin, a probablement raison de dire que le culte du héros constitue une part essentielle de la nature humaine. Et ce n'est sûrement pas une coïncidence si ce culte du héros prend de l'importance dans la vie d'un individu, au moment où celui-ci s'engage très sérieusement dans la compétition sociale. « L'adolescence, remarque un psychiatre, est le moment d'une nouvelle recherche d'idéaux [...]. L'adolescent est en quête d'un modèle, d'une personne parfaite dont il serait l'émule. Une période qui ressemble beaucoup à celle où, dans l'enfance, on n'a pas encore pris conscience des défauts des parents[11]. »

Oui, la crainte mêlée de respect que l'on ressent pour ces modèles ressemble beaucoup à celle, précoce, que l'on éprouve pour les parents – et peut avoir pour origine la même neurochimie. Sa fonction n'est pas seulement d'encourager l'émulation éducative, mais aussi de contribuer à établir le pacte tacite qui unit, dans une coalition, jeunes et moins jeunes. Les jeunes, manquant du statut social qui pèse lourdement dans l'altruisme réciproque, vont compenser ce manque par la déférence.

À l'époque où Darwin étudie à Cambridge, il traite le professeur (et révérend) John Stevens Henslow avec la plus extrême déférence. Il tient de son frère aîné que Henslow est « un homme qui connaît tous les domaines scientifiques et [il s'est] donc préparé à le respecter » [12]. Après avoir fait sa connaissance, il dit : « C'est l'homme le plus parfait que j'aie jamais rencontré [13]. »

À Cambridge, Darwin finit par être connu comme « celui qui se promène avec Henslow ». Leur relation est à l'image de millions d'autres, analogues, dans l'histoire de notre espèce. Darwin bénéficie de l'exemple et des conseils de Henslow et profite de ses relations sociales. En retour, il fait preuve, entre autres choses, d'obséquiosité, et arrive de bonne heure aux leçons du maître pour l'aider à préparer son matériel [14]. On se souvient de l'ascension sociale de Goblin, relatée par Jane Goodall : il était « respectueux » envers son mentor, Figan, « le suivait partout, observait ce qu'il faisait et, souvent, faisait sa toilette » [15].

Après avoir gagné l'approbation de Figan et avoir fait sienne sa sagesse, Goblin se retourna contre son maître et le supplanta dans son rôle de mâle dominant. Mais il se peut que Goblin ait été sincèrement déférent à l'égard de Figan, jusqu'au jour où un plus grand détachement devint nécessaire. Et il en va de même pour nous : notre évaluation de la valeur des gens – leur envergure professionnelle, leur moralité, etc. – est en partie le reflet de la place qu'ils occupent, à un moment donné, dans notre univers social. Nous sommes aveugles aux qualités qu'il nous serait incommode de reconnaître.

Dans la mesure où Henslow jouit de l'admiration générale, l'adoration que lui porte Darwin n'est pas le meilleur exemple de son aveuglement. Mais souvenons-nous de Robert FitzRoy, le capitaine du *Beagle*. Quand Darwin le rencontre pour l'entretien qui doit décider de sa participation au voyage, la situation est simple : il y a là un homme au statut important, dont l'agrément peut, au bout du compte, élever considérablement le statut de Darwin. Il n'est donc pas surprenant que ce dernier se soit, semble-t-il, préparé à manifester de la « déférence » à l'égard de FitzRoy. Après l'entrevue, il écrit à sa sœur Susan : « Il est inutile que j'essaie de le couvrir ici des éloges que je lui réserve, car tu ne me croirais pas... » Il note dans son journal que Fitz-Roy est « aussi parfait que la nature a pu le faire ». À Henslow (l'un des échelons qui ont permis à Darwin de grimper jusqu'au *Beagle*), il écrit : « Le capitaine FitzRoy est un personnage délicieux [16]... »

Des années plus tard, Darwin décrira FitzRoy comme un homme ayant « l'art consommé de regarder toute chose et toute personne de façon perverse ». Mais alors, c'est-à-dire des années plus tard, il peut se permettre de telles remarques. Pour le moment, il ne s'agit pas de traquer les défauts de FitzRoy, ni de fouiller derrière la façade polie communément adoptée lors des premières rencontres. L'heure est à la déférence et à la bonne intelligence, et l'usage de l'une et de l'autre se révélera une réussite. Le soir où Darwin écrit ces lettres, de son côté, FitzRoy écrit à un officier de marine : « J'aime beaucoup ce que je vois et ce qu'on me dit de Mr. Darwin. » Et il demande que celui-ci soit nommé naturaliste du bateau. Darwin dit, dans un passage plus calme de sa lettre à Susan : « J'espère juger raisonnablement le capitaine FitzRoy, et non au travers de préjugés [17]. » En fait, il fait les deux : il poursuit rationnellement un intérêt personnel à long terme grâce à un préjugé à court terme.

Vers la fin de son voyage sur le *Beagle*, Darwin goûte pour la première fois l'estime professionnelle. C'est sur l'île de l'Ascension (comme par hasard) qu'une lettre de Susan lui apprend l'intérêt croissant suscité par ses observations scientifiques, qui ont été lues devant la Société géologique de Londres. Le plus remarquable est que l'éminent géologue de Cambridge, Adam Sedgwick, vient de déclarer que Darwin sera un jour « un grand nom parmi les naturalistes européens ». On ne sait pas encore très exactement quels neurotransmetteurs se libèrent lors de nouvelles rehaussant, comme celle-ci, le statut social (la sérotonine est, on l'a vu, une possible candidate), mais Darwin en décrit nettement les effets : « Après avoir lu cette lettre, j'escaladai d'un bond les montagnes de l'île de l'Ascension, et fis résonner les roches volcaniques sous les coups de mon marteau de géologue ! » Dans sa réponse à Susan, il affirme qu'il n'aura plus désormais qu'un seul credo : « Un homme qui ose perdre une heure de son temps n'a pas découvert la valeur de la vie [18]. »

Un statut qui s'élève peut amener une réévaluation de la constellation sociale d'un individu. Les positions respectives des étoiles ont changé. Ceux qui se trouvaient au centre sont maintenant en périphérie, et il s'agit désormais de refaire la mise au point, cette fois sur des éléments plus brillants, qui auparavant semblaient inaccessibles. Darwin n'est pas du genre à effectuer cette manœuvre sans élégance ; jamais il n'oubliera les petites gens. Pourtant, à l'époque du *Beagle*, on trouve trace chez lui d'un changement dans les calculs sociaux. Son cousin William Fox, plus âgé que lui, lui a fait connaître l'entomologie (et Henslow) ; à Cambridge, Darwin a beaucoup profité de leurs échanges continuels de spécimens et de connaissances. Dans ce courrier, cherchant chez Fox conseils et renseignements, Darwin adoptait sa coutumière et pitoyable soumission : « Je ne devrais pas vous adresser cette lettre honteusement stupide, écrit-il, mais je suis très impatient de recevoir de votre part quelques *miettes* d'informations sur vous-même et sur les insectes. » De temps en temps, il rappelle à Fox qu'« il y a longtemps qu'[il attend] une lettre de [son] vieux maître » et l'enjoint de se « souvenir qu'[il est son] élève » [19]...

Six ans plus tard, les recherches de Darwin à bord du *Beagle* commencent de lui donner une envergure, et Fox ressent de façon frappante une nouvelle asymétrie dans leur amitié. C'est lui qui, tout à coup, se met à s'excuser de la « médiocrité » de son courrier, lui qui souligne : « Il ne se passe pas un jour sans que je pense à vous. » C'est lui encore qui réclame des lettres : « Il y a si longtemps que je n'ai vu votre écriture, et je ne saurais vous dire à quel point une lettre de vous me ferait plaisir. Je sens bien que votre temps est précieux et que le mien n'a aucune valeur, ce qui fait une belle différence [20]. » Ce mouvant équilibre de l'affection est un phénomène courant dans les amitiés, lorsque d'importantes modifications de statut se produisent : le contrat d'altruisme réciproque fait l'objet d'une renégociation tacite. Pareilles renégociations étaient peut-être moins fréquentes dans l'environnement ancestral où, à en juger d'après les sociétés primitives, les hiérarchies de statut étaient moins fluctuantes après le passage à l'âge adulte qu'elles ne le sont aujourd'hui [21].

AIMER LYELL

Au cours du voyage sur le *Beagle*, c'est Henslow, le mentor de Darwin, qui demeure son lien principal avec le milieu scientifique britannique. Les comptes rendus géologiques qui ont tant impressionné Sedgwick étaient extraits de lettres adressées à Henslow, que celui-ci a consciencieusement rendues publiques. C'est à Henslow que Darwin écrit vers la fin du voyage pour lui demander de préparer le terrain, afin qu'il puisse devenir membre de la Société de géologie. Et, de bout en bout, les lettres de Darwin ne laissent aucun doute sur la constance de son allégeance à son « Président et Maître ». Débarquant du *Beagle* et arrivant à Shrewsbury, Darwin écrit : « Mon cher Henslow, j'ai tellement hâte de vous voir ; vous avez été pour moi le meilleur ami qu'un homme ait jamais eu [22]. »

Mais les jours de Henslow, en tant que premier mentor, sont comptés. Sur le *Beagle* (et à l'instigation de Henslow), Darwin a lu *Principles of Geology*, de Charles Lyell. C'est dans ce livre que Lyell se fait le champion d'une théorie très contestée, déjà avancée par James Hutton, et selon laquelle les formations géologiques résultent essentiellement d'une usure progressive et continuelle, et non de catastrophes naturelles, comme les inondations. (La version catastrophiste de l'histoire naturelle avait trouvé des partisans au sein du clergé, puisqu'elle laissait supposer, semblait-il, certaine intervention divine.) Le travail de Darwin sur le *Beagle* – sa démonstration, par exemple, que les côtes du Chili s'étaient imperceptiblement surélevées depuis 1822 – va plutôt dans le sens de la thèse du processus graduel, et c'est pourquoi il se dira bientôt un « disciple zélé » de Lyell [23].

Comme le note John Bowlby, il n'est pas surprenant que Lyell soit appelé à devenir un conseiller en chef et un modèle pour Darwin : « Leur adhésion militante aux mêmes principes géologiques leur donnait une cause commune qui faisait défaut à Darwin dans ses relations avec Henslow [24]. » On l'a vu, les causes partagées scellent souvent les amitiés, et ce pour des raisons manifestement darwiniennes. Une fois que Darwin aura souscrit aux vues de Lyell sur la géologie, c'est en fonction du succès de celles-ci que le statut des deux hommes s'élèvera ou sombrera.

Cependant, le lien d'altruisme réciproque entre Lyell et Darwin va au-delà de la seule « cause commune ». Chacun y va de ses atouts. Darwin apporte des montagnes de preuves toutes fraîches venant étayer les thèses auxquelles est indissolublement liée la réputation de Lyell. Et Lyell, outre qu'il fournit à Darwin un solide socle théorique sur lequel déployer ses recherches, lui procure également conseils et parrainage social qui sont l'apanage des mentors. Dans les semaines qui suivent le retour du *Beagle*, Lyell invite Darwin à dîner, lui conseillant d'user du temps avec sagesse, et lui assurant que, dès qu'un fauteuil se libérerait dans le très fermé club Athenaeum, il pourrait l'obtenir [25]. Darwin, dit Lyell à un confrère, « va venir enrichir ma société de géologues » [26].

Bien qu'occasionnellement un observateur cynique et détaché des motivations humaines, Darwin paraît ne pas voir tout le pragmatisme des intérêts de Lyell. « De tous les grands scientifiques, aucun n'a été aussi amical et gentil que Lyell, écrit-il à Fox un mois après son retour. Vous n'imaginez pas dans quelles bonnes dispositions il m'a suivi dans tous mes projets [27]. » Le brave homme !

Mais, rappelons-le, une conduite intéressée n'implique pas nécessairement un calcul conscient. Dans les années 50, des sociopsychologues ont montré que nous avons tendance à aimer les personnes que nous pensons pouvoir influencer. Et nous tendons à les aimer d'autant plus qu'elles ont un statut social élevé [28]. Cela ne signifie pas obligatoirement que nous pensions : « Si je peux l'influencer, il pourrait être utile ; je me dois donc d'entretenir cette amitié », ou : « Me l'être concilié sera particulièrement utile le jour où il aura du pouvoir ». Une fois encore, il semble que ce soit la sélection naturelle qui ait « pensé » les choses.

Bien sûr, les gens peuvent compléter cette « pensée » par la leur. Darwin et Lyell ont bien dû avoir certaine *conscience* de la façon dont ils pouvaient mutuellement se servir. Mais, en même temps, ils ont certainement aussi éprouvé l'un pour l'autre une solide et innocente concorde. Ce fut sans doute vraiment, comme Darwin l'écrit à Lyell, « un *immense* plaisir [...] d'échanger avec lui lettres ou propos sur la géologie ». Et il est sans aucun doute sincèrement comblé par « l'*extrême* bonne volonté » avec laquelle Lyell lui prodigue ses conseils, « presque sans qu'on le lui ait demandé » [29].

Darwin est probablement tout aussi sincère lorsque, plusieurs dizaines d'années plus tard, il se plaint de ce que Lyell se soit montré « très mondain, adorant en particulier la fréquentation des hommes éminents et de haute position sociale. Cette surestimation de la position d'un homme dans le monde [...] semble son plus gros défaut »[30]. Mais Darwin, désormais mondialement célèbre, a pris, disons, un certain recul. Avant, il était lui-même bien trop ébloui par la position de Lyell dans le monde pour se préoccuper de ses défauts.

ET SI ON REPARLAIT DU RETARD DE DARWIN ?

Nous avons vu à quoi Darwin consacre les vingt années qui suivent son retour en Angleterre : il découvre le principe de la sélection naturelle et se plonge ensuite dans des études qui l'éloignent de la divulgation de sa découverte. Nous avons également examiné plusieurs théories concernant ce retard. Le point de vue darwinien sur le retard de Darwin ne constitue pas vraiment une alternative aux théories existantes, mais leur sert plutôt d'arrière-plan. La psychologie évolutionniste fait se profiler les deux forces qui tiraillent Darwin, celle qui le pousse à publier et l'autre, qui le retient de le faire.

D'abord, il y a cet amour naturel de la considération, et Darwin en a sa part. Être l'auteur d'une théorie révolutionnaire peut mener à la considération.

Mais que faire si la théorie ne révolutionne rien ? Que faire si elle est globalement rejetée — rejetée parce qu'elle menace la structure même de la société ? Face à une telle éventualité (éventualité que Darwin est bien du genre à imaginer), notre histoire évolutionniste penchera plutôt contre la publication. Les prises de position profondément impopulaires se sont rarement révélées génétiquement payantes au cours des âges, surtout lorsqu'elles se sont opposées au pouvoir en place.

Les humains aiment dire des choses plaisantes à leurs interlocuteurs, et cette tendance s'est manifestée avec évidence bien avant son fondement évolutionniste. Au cours d'une célèbre expérience datant des années 50, on a pu constater qu'un nombre surprenant d'individus émettaient volontiers des opinions fausses — c'est-à-dire ouvertement, ostensiblement fausses — quant aux longueurs respectives de deux lignes, si on les plaçait dans une pièce où se trouvaient d'autres individus émettant les mêmes opinions[31]. Il y a des dizaines d'années, des psychologues ont également découvert qu'on peut inciter ou dissuader une personne de donner une opinion, en fonction du rythme auquel son interlocuteur manifeste son approbation[32]. Une autre expérience, réalisée dans les années 50, montre que les souvenirs de quelqu'un varient en fonction de l'auditoire auquel il s'apprête à les faire partager : on soumet au sujet une liste comportant des colonnes pour et contre une augmentation de salaires des enseignants, et il se souviendra davantage de l'un ou de l'autre, selon qu'il s'attendra à rencontrer des enseignants ou des contribuables. Les auteurs de cette expérience ont conclu : « Beaucoup de l'activité mentale d'un individu consiste vraisemblablement, en tout ou partie, à imaginer une communication adressée à des auditoires, fictifs ou réels, et cela peut avoir un effet considérable sur ce dont l'individu se souvient et sur ce qu'il croit, quel que soit le moment [33]... » Voilà qui coïncide parfaitement avec un point de vue darwinien sur l'esprit humain. Le langage a évolué en tant que moyen de manipuler l'autre à notre avantage (notre avantage étant ici de jouir d'une certaine popularité face à un auditoire aux convictions solidement ancrées) ; la connaissance, source du langage, se trouve déformée en conséquence.

À la lumière de tout cela, l'énigme du retard de Darwin en devient de moins en moins une. Sa fameuse disposition à douter face à la contradiction (surtout, dit-on, lorsque celle-ci émane d'une autorité) est fondamentalement humaine – inhabituelle sans doute dans l'intensité qu'elle recouvre chez Darwin, mais pas inhabituelle en tant que telle. Rien d'extraordinaire, par conséquent, à ce qu'il passe des années à étudier les bernaches, plutôt qu'à dévoiler une théorie généralement considérée comme hérétique – hérétique dans un sens qu'il est difficile de saisir aujourd'hui, où le mot *hérésie* est presque toujours employé ironiquement. Rien d'extraordinaire non plus à ce que Darwin se soit souvent senti anxieux ou même légèrement déprimé pendant toutes les années de gestation de *L'Origine des espèces*; la sélection naturelle « veut » que nous soyons inquiets quand nous envisageons des actions qui risquent de nous valoir une énorme perte de considération.

Mais ce qui est stupéfiant, d'une certaine manière, c'est que Darwin ait pu avoir une *foi* aussi inébranlable en l'évolution, étant donné l'hostilité que l'idée rencontrait de toute part. À la tête de l'assaut lancé contre *Vestiges*, pamphlet évolutionniste de Robert Chambers paru en 1844, on trouve Adam Sedgwick, le géologue (et révérend) de Cambridge, dont les compliments avaient tant ému Darwin lorsqu'il se trouvait sur l'île de l'Ascension. Dans sa critique du livre de Chambers, Sedgwick ne dissimule rien de ses intentions : « Le monde ne saurait tolérer d'être mis sens dessus dessous, et nous sommes prêts à nous lancer dans une guerre sans merci contre toute violation de nos humbles principes et de nos usages sociaux [34]. » Voilà qui n'est guère encourageant.

Que va donc faire Darwin ? La version la plus répandue est qu'il a hésité, comme un rat de laboratoire qui, s'il s'empare du morceau de fromage, va recevoir une décharge électrique. Mais il existe aussi une version moins répandue : durant son fameux détour par les bernaches, s'il néglige de publier sa théorie sur l'évolution, il entre-prend pourtant de lui préparer le terrain. Sa stratégie se développe sur trois fronts.

Tout d'abord, Darwin consolide son argumentation. Alors qu'il est plongé dans l'étude des bernaches, il n'en continue pas moins de réunir des preuves à l'appui de sa théorie, notamment en interrogeant par courrier des experts de la faune et de la flore. L'une des raisons du succès final de L'Origine des espèces tient à l'anticipation méticuleuse de la critique par son auteur, et aux réponses qu'il lui prépare. Deux ans avant la parution du livre, il écrit à juste titre : « Je crois que je suis allé aussi loin qu'on peut aller dans la prise de conscience des graves difficultés que peut rencontrer ma doctrine [35]. »

Cette minutie vient des doutes que Darwin conçoit sur lui-même, de sa légendaire humilité et de sa profonde crainte de la cri-tique. Frank Sulloway, qui fait autorité aussi bien sur Freud que sur Darwin, remarque, après avoir comparé les deux hommes : « Bien qu'ils aient été tous deux des personnages révolutionnaires, Darwin était extraordinairement inquiet de ses propres erreurs et modeste à l'excès. Il a également élaboré une théorie qui a résisté avec succès à l'épreuve du temps. Freud, à l'inverse, était formidablement ambitieux et avait une grande confiance en lui – il était, disait-il, un « conquista-dor » de la science. Pourtant, il a développé sur la nature humaine une approche qui devait beaucoup à ces fantaisies psychobiologiques du XIXe siècle qui se faisaient passer pour de la science [36]. »

Dans son compte rendu de l'ouvrage que John Bowlby consacre à la vie de Darwin, Sulloway souligne un aspect que Bowlby n'a pas relevé : « Il semble raisonnable d'avancer que ce raisonnable manque d'estime de soi – qui, chez Darwin, s'accompagne d'une persévérance obstinée, d'un labeur infatigable – est en fait une précieuse qualité chez un scientifique ; il l'empêche de surestimer ses propres théories. Ainsi, un doute constant sur soi-même est-il la caractéristique métho-dologique d'une bonne science, même s'il n'est pas particulièrement propice à une bonne santé psychologique [37]. »

On se demande naturellement si des doutes aussi utiles, bien que douloureux, peuvent faire partie du répertoire mental humain, s'ils ont été préservés par la sélection naturelle parce qu'ils facilitent, dans certaines circonstances, l'ascension sociale. La question devient plus fascinante encore si l'on considère le rôle joué par le père de Darwin dans la formation des doutes de son fils. Bowlby se pose la question : Charles est-il « le déshonneur de sa famille, comme son père l'avait prédit avec emportement, ou est-il sur la bonne voie ? [...] D'un bout à l'autre de sa carrière scientifique, si incroyablement féconde et dis-tinguée fût-elle, Charles fut travaillé par une peur omniprésente de la critique, qu'elle vienne de lui-même ou des autres, et par un besoin d'être rassuré toujours insatisfait ». Bowlby note également qu'« une attitude soumise et apaisante à l'égard de son père devint, chez

Charles, une seconde nature », et il laisse entendre que son père est au moins en partie responsable de son respect « exagéré » de l'autorité et de sa « tendance à dénigrer ses propres contributions »[38].

On ne peut s'empêcher de penser que le vieux Darwin, en inspirant à son fils cette source éternelle de malaise, faisait ce pour quoi il avait été conçu. Il se peut en effet que les parents soient – qu'ils le sachent ou non – programmés pour adapter le psychisme de leurs enfants, fût-ce dans la douleur, aux moyens de conquérir un statut social. C'est pourquoi le jeune Darwin, assimilant cette douloureuse adaptation, a pu lui aussi faire ce pour quoi il était conçu. Nous sommes fabriqués pour être des animaux efficaces, pas des animaux heureux[39]. (Bien sûr, nous sommes conçus pour *poursuivre* le bonheur ; et atteindre aux objectifs darwiniens – sexe, statut, etc. – apporte souvent le bonheur, du moins pour quelque temps. Pourtant, la fréquente *absence* du bonheur est bien ce qui nous pousse à en continuer la quête, et ce qui, par conséquent, nous rend productifs. Sa crainte exacerbée de la critique empêche chroniquement Darwin d'accéder à la sérénité et l'encourage donc à en poursuivre la quête.)

Ainsi, Bowlby a sans doute raison pour ce qui est de la douloureuse influence paternelle sur le caractère de Darwin, même s'il a tort de la supposer à ce point pathologique. Bien sûr, même des phénomènes non pathologiques, au sens strict, peuvent se révéler regrettables et fournir des motifs valables d'intervention psychiatrique. Mais sans doute les psychiatres peuvent-ils intervenir plus efficacement, une fois déterminées les souffrances qui sont « naturelles » et celles qui ne le sont pas.

Deuxième front sur lequel s'exerce la triple stratégie de Darwin : celui qui consiste à gonfler ses références. Le fait que la crédibilité augmente avec le prestige est un truisme de la sociopsychologie[40]. Quand, sur certaines questions de biologie, nous avons le choix entre croire un professeur d'université ou un enseignant dans un lycée, nous penchons généralement pour le professeur. Dans la mesure où le professeur a plus de chances d'avoir raison, on peut dire que le choix est judicieux. Mais, par ailleurs, ce choix n'est qu'un autre dérivé arbitraire de l'évolution – une considération réfléchie pour le statut de quelqu'un.

Quoi qu'il en soit, rien de tel qu'un air d'autorité lorsqu'on veut essayer de changer les mentalités. D'où les bernaches : indépendamment même de ce que Darwin *apprend* en les étudiant, il sait que le poids de ses quatre volumes sur la sous-classe des cirripèdes donnera un certain prestige à sa théorie de la sélection naturelle.

C'est en tout cas ce que suppose Peter Brent, l'un de ses biographes : « Peut-être [...] Darwin ne s'entraînait-il pas sur les cirripèdes, peut-être était-il en train de *se qualifier*[41]. » Brent cite un échange entre Darwin et Joseph Hooker. En 1845, Hooker émet cavalièrement des doutes sur les grandes déclarations d'un naturaliste français qui ne sait pas ce « qu'être un naturaliste spécifique veut dire ». Comme on peut s'y attendre, Darwin s'applique à lui-même la remarque, évoquant « la présomption [...] avec laquelle [il] accumule les faits et [...] spécule sur le sujet de la variation, sans [s'] être préalablement acquitté de [son] lot de travail sur les espèces » [42]. Un an plus tard, Darwin se met à étudier les bernaches.

Brent dit peut-être vrai. Plusieurs années après la parution de *L'Origine des espèces*, Darwin donne ce conseil à un jeune botaniste : « *Laissez la théorie guider vos observations*, mais, tant que votre réputation n'est pas solidement établie, évitez de publier une théorie. Certains douteraient de vos observations [43]. »

Troisième front dans la stratégie de Darwin : rassembler de puissantes forces sociales afin d'organiser une coalition incluant des hommes d'envergure, de bons orateurs, et d'autres cumulant les deux qualités. Il y a Lyell, qui va lire le premier article de Darwin sur la sélection naturelle à la Linnean Society de Londres, lui apportant ainsi le soutien de son autorité [44]. (Même si Lyell avait alors une attitude agnostique quant à la sélection naturelle.) Il y a Thomas Huxley, et sa fameuse controverse avec l'évêque Wilberforce lors du débat autour de l'évolution qui agita Oxford. Il y a Hooker, dont la controverse avec Wilberforce est moins fameuse, et qui se joindra à Lyell pour révéler la théorie de Darwin. Il y a enfin Asa Gray, le botaniste de Harvard qui, par ses écrits dans l'*Atlantic Monthly*, va devenir le meilleur agent publicitaire de Darwin aux États-Unis. L'un après l'autre, ils auront été initiés à la théorie de Darwin par son auteur.

Ce rassemblement des troupes était-il calculé ? Lors de la publication de *L'Origine des espèces*, Darwin sait sans aucun doute que la bataille pour la vérité ne se fait pas qu'avec des idées, mais aussi avec des hommes. « Nous formons désormais un groupe d'hommes solide et cohérent, des hommes vraiment bien, et jeunes pour la plupart », assure-t-il à l'un de ses partisans quelques jours seulement après la parution de l'ouvrage. « Nous gagnerons sur la durée. » Trois semaines après la sortie de *L'Origine des espèces*, il écrit à son jeune ami John Lubbock, auquel il a envoyé un exemplaire, et lui demande : « L'avez-vous terminé ? Si oui, dites-moi, je vous en prie, si vous êtes pour ou contre ma conclusion *générale*. » Dans un post-scriptum, il ajoute : « J'ai – je souhaite, j'espère pouvoir dire que *nous* avons avec nous bon nombre d'hommes de qualité [45]. » Traduction : si vous agissez maintenant, vous pourrez faire partie d'une coalition gagnante de primates mâles.

Les appels de Darwin à Charles Lyell afin d'obtenir son soutien total – presque pathétiques dans leur insistance – sont tout aussi pragmatiques. Darwin voit bien que c'est le prestige de ses alliés, et pas seulement leur nombre, qui influencera l'opinion publique. Le 11 septembre 1859 : « Votre verdict, ne l'oubliez pas, aura probablement plus d'influence que mon livre [...] sur l'admission ou le rejet de mes vues. » Le 20 septembre : « Comme votre verdict est de beaucoup plus important à mes yeux, et, je le crois, aux yeux du monde, que celui d'une douzaine d'hommes réunis, quels qu'ils soient, j'en suis naturellement très inquiet [46]. »

Lyell diffère longtemps le moment d'accorder à Darwin un soutien sans équivoque, et celui-ci en conçoit une certaine amertume. En 1863, il écrit à Hooker : « Je suis profondément déçu (pas personnellement, j'entends) de constater que sa timidité l'empêche de porter le moindre jugement. [...] Et le meilleur de l'histoire, c'est qu'il est persuadé d'avoir agi avec le courage d'un martyr d'autrefois [47]. » Mais, en termes d'altruisme réciproque, Darwin en demande trop. Lyell, alors âgé de soixante-cinq ans, jouit d'une autorité intellectuelle qui ne tirerait guère profit d'une adhésion à la théorie d'un autre homme, et qui pourrait pâtir considérablement du fait d'être identifiée à une doctrine aussi radicale et pouvant, à l'avenir, se révéler fausse. En outre, Lyell s'est opposé à l'évolutionnisme sous sa forme lamarckienne et risquerait donc d'avoir l'air de se rétracter. Si bien que la théorie de Darwin n'est pas une « cause commune » pour les deux hommes, comme l'était celle de Lyell vingt ans auparavant, lorsque Darwin avait besoin d'une vitrine où exposer ses dernières découvertes. Et, ayant payé de retour le soutien de Darwin de diverses manières, Lyell n'a plus ou peu de dettes à son égard. Darwin semble ici avoir souffert d'une conception bizarrement prédarwinienne de ce qu'est l'amitié. À moins qu'il ne soit sous l'emprise d'un système comptable égocentrique.

Qu'à partir de 1859, Darwin ait recruté d'urgence des alliés ne signifie pas, bien sûr, qu'il ait passé des années à fomenter une stratégie. L'origine de son alliance avec Hooker semble assez sincère. Leur lien a mûri dans les années 1840 jusqu'à devenir une amitié de type classique – amitié fondée sur des valeurs et des intérêts communs, et consacrée par l'affection [48]. Lorsqu'il apparaît clairement que l'un de ces intérêts communs tient à l'acceptation de la théorie de l'évolution, l'affection de Darwin ne peut que se renforcer. Mais nul besoin de supposer que Darwin envisage alors Hooker comme un ardent défenseur potentiel de sa théorie. L'affection qu'inspirent des intérêts communs n'est autre que la manière *implicite* dont la sélection naturelle reconnaît l'utilité politique des amis.

On peut en dire autant de la façon dont Darwin vante le caractère solide de Hooker. (« On voit au premier coup d'œil qu'il est honnête jusqu'à l'os [49]. ») Certes, la loyauté de Hooker allait se révéler essentielle : Darwin essaiera sur lui, en toute confiance, ses nouvelles idées, bien avant que l'on ne débatte publiquement de la sélection naturelle. Mais, encore une fois, cela ne signifie pas que, depuis le début, il ait évalué la valeur de la loyauté de Hooker. La sélection naturelle nous a dotés d'affinités avec ceux qui pourront se révéler des partenaires fiables en altruisme réciproque. Dans toutes les cultures, la confiance s'ajoute à l'intérêt commun en tant que condition *sine qua non* de l'amitié.

On peut voir cette irrésistible envie de Darwin d'*avoir* un confident – et, à mesure qu'approche le moment de rendre publique sa théorie, d'en avoir davantage, tels Lyell, Gray, Huxley et d'autres – comme le produit d'un calcul évolutionniste, et pas seulement d'un calcul conscient. « Je ne me crois pas assez courageux pour pouvoir m'exposer à la haine sans quelque soutien », écrit-il après la parution de *L'Origine des espèces* [50]. Qui aurait ce courage ? Il serait littéralement inhumain de se lancer dans une attaque en règle de la pensée dominante, sans rechercher au préalable quelques soutiens sociaux. En fait, ce serait presque non humain.

Songeons au nombre de fois où, depuis notre passé de singes, les défis sociaux ont reposé sur la capacité du challenger à forger une coalition solide. Songeons au nombre de fois où les challengers ont dû pâtir de leur précipitation, ou d'avoir trop ouvertement révélé leurs machinations. Et songeons à l'importance des enjeux reproductifs. Est-il étonnant que toutes les mutineries, de toutes sortes, dans toutes les cultures, aient toujours commencé par des murmures ? Que, même à six ans, un gamin sente intuitivement qu'avant de le défier, il est sage de réunir discrètement quelques informations sur le gros dur du coin ? Lorsque Darwin confie sa théorie à un petit nombre d'élus – usant, en cette occasion, d'une défensive typique (à Asa Gray : « Je sais qu'après cela vous allez me mépriser [51] ») –, c'est probablement autant l'émotion qui le guide que la raison.

L'AFFAIRE WALLACE

La plus grosse crise de la carrière de Darwin débute en 1858. Alors qu'il peine sur son énorme manuscrit, il constate qu'il n'a que trop attendu. Alfred Russel Wallace vient de découvrir la théorie de la sélection naturelle – vingt ans après Darwin – et peut penser l'avoir devancé. En réponse, Darwin va poursuivre avec acharnement son intérêt personnel, mais il va le faire si doucement, avec tant de scrupules que, depuis, les observateurs ont porté cet épisode-là aussi au compte de son surhumain respect des convenances.

Wallace est un jeune naturaliste britannique qui, comme Darwin au même âge, a navigué vers de lointains pays pour y étudier les formes de la vie. Il y a quelque temps que Darwin connaît l'intérêt de Wallace pour l'origine et la répartition des espèces. Les deux hommes ont même entretenu une correspondance à ce sujet, dans laquelle Darwin n'a pas manqué de signaler qu'il a déjà une « idée claire et tangible » sur le sujet et d'affirmer qu'il lui est « totalement *impossible* d'expliquer [ses] vues dans une simple lettre ». Mais Darwin continue de se refuser à publier fût-ce un bref article donnant les grandes lignes de sa théorie. « Je déteste l'idée de devoir écrire pour avoir une priorité, écrit-il à Lyell, qui le presse d'exposer officiellement ses vues. Néanmoins, je serais certainement fâché que quelqu'un publiât avant moi mes idées [52]. »

Et c'est ce qui se produit le 18 juin 1858, lorsqu'il trouve dans son courrier une lettre de Wallace. Darwin l'ouvre et découvre une ébauche précise de la théorie de Wallace sur l'évolution : la ressemblance avec la sienne est stupéfiante. « Je retrouve même ses termes en tête de mes chapitres », remarque-t-il [53].

L'affolement qui a dû saisir Darwin ce jour-là témoigne de l'ingéniosité de la sélection naturelle. L'essence biochimique de l'affolement remonte probablement à notre existence reptilienne. Pourtant, ici, elle n'est pas provoquée par son principal déclencheur – une menace pour la vie –, mais plutôt par une menace pour le statut, préoccupation plus caractéristique du temps où nous étions singes. Qui plus est, la menace n'est pas ici de nature physique, comme elle l'est communément chez nos cousins primates. Elle surgit au contraire comme une abstraction : mots, phrases – autant de symboles dont la compréhension dépend de tissus cérébraux acquis seulement au cours de ces derniers millions d'années. C'est ainsi que l'évolution utilise d'anciens matériaux bruts qu'elle continue d'adapter aux nécessités actuelles.

Sans doute Darwin n'a-t-il pas marqué une pause pour méditer sur la beauté naturelle de son affolement. Il envoie la lettre de Wallace à Lyell – Wallace ayant demandé à Darwin de solliciter l'avis de celui-ci – et lui demande conseil. En réalité, le mot « demander » est un peu fort ; je lis entre les lignes. Darwin propose un vertueux plan d'action et attend de Lyell qu'il en propose un moins vertueux. « S'il vous plaît, renvoyez-moi ce manuscrit qu'il ne me demande pas de publier, mais il va falloir, bien sûr, que je réponde et que je lui offre de l'envoyer à quelque revue. Ainsi, toute mon originalité, si grande soit-elle, sera ruinée. S'il a jamais la moindre valeur, mon livre n'en pâtira point ; car tout mon travail porte sur l'application de la théorie [54]. »

La réponse de Lyell – dont on a curieusement perdu trace, alors que Darwin conservait religieusement toute sa correspondance – semble avoir réussi à enrayer les scrupules de Darwin, qui lui répond à son tour : « Il n'y a rien dans l'ébauche de Wallace qui ne soit davantage développé dans la mienne, copiée en 1844 et lue par Hooker il y a une douzaine d'années. Il y a environ un an, j'en ai envoyé une brève ébauche, dont j'ai copie [...], à Asa Gray, de sorte que je suis véritablement en mesure de dire et de prouver que je n'ai rien emprunté à Wallace. »

Puis Darwin entre avec sa conscience dans une lutte épique dont Lyell est le témoin. Au risque de paraître cynique, je vous donne entre parenthèses quelques sous-titres à sa lettre, telle que je l'interprète : « Je devrais être extrêmement heureux de publier une ébauche d'une douzaine de pages sur ma théorie, mais je n'arrive pas à me persuader de pouvoir le faire honorablement. (Peut-être pouvez-vous, vous, m'en persuader.) Wallace ne parle pas de publier ; je vous joins sa lettre. Mais comme je n'avais nulle intention de publier quelque ébauche que ce soit, puis-je le faire honorablement, à présent que Wallace m'a envoyé les grandes lignes de sa théorie ? (Dites oui. Dites oui.) [...] Ne croyez-vous que le fait qu'il m'ait envoyé cette ébauche me lie les mains ? (Dites non. Dites non.) [...] J'enverrai à Wallace une copie de ma lettre à Asa Gray afin de lui montrer que je ne lui ai pas volé sa théorie. Mais je ne sais vraiment pas si publier maintenant serait un acte indigne et méprisable. (Dites que ce ne serait ni indigne ni méprisable, dites-le.) » Dans un post-scriptum ajouté le lendemain, Darwin se met en touche et nomme Lyell arbitre de l'affaire : « Je me suis toujours dit que vous feriez un lord chancelier de premier ordre ; c'est à ce titre que je m'adresse aujourd'hui à vous [55]. »

Son angoisse est accentuée par des problèmes familiaux. Sa fille Etty a une diphtérie, et son fils Charles Waring, handicapé mental, vient juste de contracter la scarlatine qui va l'emporter.

Lyell consulte Hooker, que Darwin a aussi mis au courant du drame, et les deux hommes décident de traiter les deux théories à égalité. Ils présenteront l'article de Wallace lors de la prochaine réunion de la Linnean Society, en même temps que l'ébauche envoyée par Darwin à Asa Gray et certaines parties du brouillon confié à Emma en 1844. Le tout sera publié conjointement. (Darwin avait envoyé à Asa Gray une ébauche de mille deux cents mots, quelques mois seulement après avoir dit à Wallace qu'il lui serait « *impossible* » de résumer sa théorie dans une lettre. A-t-il ainsi cherché à produire une preuve indubitable de sa priorité, lorsqu'il a senti que Wallace gagnait du terrain ? On ne le saura jamais.) Wallace séjournant alors dans l'archipel malais, et la réunion de la société étant imminente, Lyell et Hooker décident d'agir sans le consulter. Darwin laisse faire.

Lorsqu'il apprend ce qui se passe, Wallace est dans une situation semblable à celle de Darwin sur le *Beagle*, quand l'atteint l'exaltant message de Sedgwick. Wallace est un jeune naturaliste désireux de se faire un nom, isolé de tout écho professionnel, et qui ne semble pas encore vraiment convaincu d'avoir beaucoup à apporter à la science. Il découvre soudain que son travail est lu par des personnages éminents, et devant une éminente société scientifique. Avec fierté, il écrit à sa mère : « J'ai envoyé à Mr. Darwin un essai sur un sujet auquel il travaille pour un grand ouvrage. Il l'a montré au docteur Hooker et à Sir Charles Lyell, qui en ont pensé tant de bien qu'ils en ont immédiatement donné lecture à la Linnean Society. Voilà qui m'assure d'être reconnu et soutenu par ces éminents personnages à mon retour au pays [56]. »

LA PLUS GROSSE FAUTE MORALE DE DARWIN ?

C'est l'un des passages les plus poignants de l'histoire des sciences. Wallace vient de se faire avoir. Son nom, bien que figurant en tête d'affiche avec celui de Darwin, est désormais sûr d'être éclipsé par ce dernier. Après tout, qu'un jeune ambitieux se déclare évolutionniste et propose un mécanisme évolutif n'a rien de nouveau ; en revanche, ce qui l'*est*, c'est que le célèbre et respecté Charles Darwin le fasse. Et s'il subsiste encore un doute quant au nom qui devra rester attaché à la théorie, le livre – que Darwin va désormais se dépêcher de rédiger – l'effacera. Afin que les statuts respectifs des deux hommes n'échappent à personne, Hooker et Lyell, en présentant les articles à la Linnean Society, soulignent : « Alors que le monde scientifique attend la parution de l'œuvre complète de Mr. Darwin, quelques-uns des résultats majeurs de ses travaux, ainsi que ceux de son talentueux correspondant, devaient être livrés ensemble au public [57]. » « Talentueux correspondant » n'est pas le genre de formule qui vous propulse vers les sommets.

Que Darwin, qui a réuni les éléments de la théorie tant d'années avant Wallace, obscurcisse la destinée de celui-ci, n'est peut-être que justice [58]. Mais il se trouve que, à l'inverse de Darwin, en juin 1858, Wallace a écrit un article sur la sélection naturelle qu'il s'apprête à publier, même s'il n'a pas demandé à Darwin de le faire. Si Wallace avait envoyé son article à une revue et non à Darwin – en fait, s'il l'avait envoyé à *n'importe qui*, ou presque, sauf à Darwin –, peut-être se souviendrait-on de lui aujourd'hui comme de l'homme qui, le premier, avança la théorie de l'évolution par la sélection naturelle [59]. Techniquement parlant, le grand ouvrage de Darwin eût été un développement et une vulgarisation de l'idée d'un autre scientifique. Quel nom aurait alors été indissociablement lié à la théorie ? La question demeure à jamais ouverte.

Si légitime que soit la notoriété mondiale de Darwin, on peut difficilement prétendre que, dans l'épreuve morale la plus rude de sa vie, il porta hautement les couleurs. Considérons les options qui s'offrent à Lyell, à Hooker et à Darwin lui-même. Ils peuvent publier uniquement la version de Wallace. Ils peuvent lui écrire pour lui proposer de publier sa version, comme Darwin l'avait initialement suggéré – sans peut-être même mentionner la version de Darwin. Ils peuvent lui écrire pour lui expliquer la situation, en suggérant une publication conjointe. Ou bien ils peuvent faire ce qu'ils ont fait. Puisque Wallace risque, selon eux, de refuser la publication conjointe, l'option qu'ils choisissent est la seule qui garantisse que le nom de Darwin reste attaché à la théorie de la sélection naturelle. Et cette option implique de publier l'article de Wallace sans son accord – acte qui devrait normalement poser question à qui, comme Darwin, est animé de scrupules considérables.

Il est remarquable que les observateurs aient une fois encore dépeint ce stratagème comme un tribut à la moralité humaine. Julian Huxley, petit-fils de Thomas Huxley, a appelé cette fin « un monument à la générosité naturelle des deux grands biologistes » [60]. Loren Eiseley a parlé d'un exemple « de cette mutuelle noblesse si justement célébrée dans les annales de la science » [61]. Ils ont tous deux à moitié raison. Wallace, toujours courtois, insistera longtemps – avec correction, mais aussi avec générosité et noblesse – sur le fait que Darwin avait bien mérité le titre de premier évolutionniste, en raison de la portée et de la profondeur de sa pensée sur l'évolution. Il va même jusqu'à donner à l'un de ses livres le titre de *Darwinisme*.

Il défendra la théorie de la sélection naturelle jusqu'à la fin de ses jours, mais en réduira considérablement la portée en commençant de douter que la théorie puisse rendre compte de toute la puissance de l'esprit humain ; il est vrai que les hommes ont l'air plus intelligents qu'ils n'ont *besoin* de l'être pour survivre. Il en conclut que, si le corps de l'homme est bien le produit de la sélection naturelle, ses capacités mentales ont, quant à elles, été créées grâce à l'intervention divine. Il serait sans doute trop cynique (même au regard de critères darwiniens) de supposer que cette révision eût été improbable si la théorie de la sélection naturelle s'était appelée le « wallacisme ». Quoi qu'il en soit, l'homme dont le nom est bien synonyme de la théorie déplore ce fléchissement dans les convictions de Wallace. « J'espère que vous n'avez pas complètement assassiné votre enfant et le mien [62] », lui écrira Darwin. (Pourtant, après avoir mentionné Wallace dans son introduction à *L'Origine des espèces*, Darwin, dans les chapitres suivants, parle de la sélection naturelle en disant « ma théorie ».)

L'idée communément admise, selon laquelle Darwin se serait comporté en parfait gentleman dans l'affaire Wallace, repose, en partie, sur le mythe qu'il existait une option autre que celles évoquées plus haut : Darwin aurait pu se dépêcher de faire imprimer sa théorie sans même mentionner le nom de Wallace. Mais, à moins que Wallace n'eût été plus saint encore qu'il ne paraît l'avoir été, le scandale eût été tel qu'il aurait entaché le nom de Darwin jusqu'à compromettre toute relation entre son nom et la théorie. Autrement dit : cette option n'en était pas une. Ce biographe qui, admiratif, observe que Darwin « détestait perdre sa priorité, mais détestait encore davantage être soupçonné d'un manque de courtoisie ou d'une déloyauté » [63], introduit une distinction là où il n'en existe aucune :

Darwin eût-il été considéré comme déloyal, sa priorité en eût été menacée. Le jour où il reçoit l'ébauche de Wallace, il écrit à Lyell : « Je préférerais brûler tout mon livre, plutôt que lui ou quiconque puisse penser que je me suis conduit avec mesquinerie [64]. » Il montre là plus de jugeote que de scrupules. Ou, plus exactement, dans son environnement social, être scrupuleux, c'est avoir de la jugeote. La jugeote est la fonction de la conscience.

Autre source de naïveté rétrospective concernant la conduite de Darwin : sa brillante décision de remettre l'affaire entre les mains de Lyell et de Hooker. Comme l'écrit complaisamment l'un de ses biographes, « désespéré, il abdiqua » [65]. Darwin allait user jusqu'à la fin de cette « abdication » comme d'un camouflage moral. Quand Wallace fait savoir qu'il approuve l'affaire, Darwin lui écrit : « Bien que je n'aie absolument rien fait pour amener Lyell et Hooker à ce qu'ils ont jugé une solution équitable, je ne peux qu'être anxieux de connaître votre sentiment [66]. » Soit, mais s'il n'était pas certain de recevoir l'approbation de Wallace, pourquoi n'a-t-il pas cherché à s'en assurer plus tôt ? Darwin, qui a mis vingt ans à se décider à publier sa théorie, ne pouvait-il attendre encore quelques mois ? Wallace a demandé que son article soit envoyé à Lyell, mais il n'a pas demandé que celui-ci décide de son sort.

Quand Darwin prétend n'avoir « rien fait » pour influencer Hooker et Lyell, il déforme les faits et, de toute façon, sa réflexion est hors de propos ; les deux hommes comptent parmi ses amis les plus proches. Darwin n'eût certainement pas imaginé pouvoir prendre son frère Erasmus comme un arbitre impartial. Pourtant, tout porte à croire que l'évolution, en plaçant l'amitié au cœur de l'espèce humaine, a tiré un parti ingénieux de l'affection, du dévouement et de la loyauté qu'elle utilisait initialement pour souder les familles.

Bien sûr, Darwin ne le sait pas ; en revanche, il ne peut ignorer que les amis ont tendance à faire preuve de partialité – qu'un ami est quelqu'un qui partage, au moins en partie, nos partis pris intéressés. Qu'il désigne Lyell comme un homme impartial – « un lord chancelier » – est tout à fait extraordinaire. Et cela n'apparaîtra davantage que plus tard, quand Darwin, au nom de l'amitié qui le lie à Lyell, lui demandera pratiquement comme un service personnel d'adhérer à la théorie de la sélection naturelle.

ANALYSE D'APRÈS LE MATCH

Assez d'indignation. Qui suis-je pour juger ? J'ai fait pis dans ma vie, pis que l'unique grosse faute jamais commise par Darwin. En fait, ma capacité à réunir toute cette vertueuse indignation et à me prétendre

moralement supérieur témoigne de l'aveuglement sélectif dont l'évolution nous a tous dotés. Je vais maintenant essayer de transcender la
biologie et de trouver en moi assez de détachement pour apprécier
efficacement les caractéristiques darwiniennes les plus marquantes de
l'épisode Wallace.

Remarquons tout d'abord l'exquise flexibilité des valeurs de Darwin. En principe, il éprouve un profond mépris pour toute territoria-
lité universitaire. Que des scientifiques se protègent d'un rival pouvant
leur couper l'herbe sous le pied, montre, pense-t-il, qu'ils sont
« indignes de rechercher la vérité » [67]. Et bien qu'il soit trop perspicace
et trop honnête pour nier que la renommée ait jamais exercé sur lui
ses tentations, il tient ses effets pour minimes. Il prétend que, même
sans elle, il eût travaillé avec le même acharnement à son livre sur les
espèces [68]. Pourtant, lorsque son territoire est menacé, il prend des
mesures pour le défendre – jusqu'à produire L'Origine des espèces à un
rythme accéléré, dès lors que plane un doute sur le nom qui deviendra
synonyme de l'évolutionnisme. Darwin voit bien la contradiction.
Des semaines après l'épisode Wallace, il écrit à Hooker que, s'agissant
de la priorité, il a toujours « souhaité avoir une grandeur d'âme telle
qu'[il] puisse ne pas [s]'en préoccuper ; mais [il s'est] trompé et [s]'en
trouve puni » [69].

Cependant, à mesure que le temps éloigne la crise, les anciennes
vertus de Darwin refont surface. Il prétend, dans son autobiographie,
qu'il se « préoccupe fort peu de savoir à qui, de Wallace ou de [lui-
même], l'on attribue le plus d'originalité » [70]. Quiconque a lu les
lettres affolées que Darwin adressait à Lyell et à Hooker ne peut que
s'émerveiller d'une telle aptitude à l'autoaveuglement.

L'épisode Wallace met en lumière une division fondamentale au
sein de la conscience : la frontière qui existe entre la sélection parentale et l'altruisme réciproque. Lorsque nous nous sentons coupables
d'avoir blessé ou trompé un frère ou une sœur, c'est parce que la sélection naturelle « veut » que nous soyons gentils avec nos frères et sœurs,
puisqu'ils partagent un si grand nombre de nos gènes. Lorsque nous
nous sentons coupables d'avoir blessé ou trompé un ami, ou une
simple connaissance, c'est parce que la sélection naturelle « veut » que
nous *ayons l'air* gentils ; c'est la perception de l'altruisme, et non
l'altruisme lui-même, qui déclenche la réciprocité. Aussi, dans les rapports que nous entretenons avec ceux qui n'appartiennent pas à notre
famille, le but de la conscience est-il de cultiver une réputation de
générosité et de gentillesse, quelle que soit la réalité de la chose [71].
Bien sûr, pour gagner et conserver cette réputation, il faudra parfois
faire preuve d'une générosité et d'une gentillesse authentiques. Mais
d'autres fois, non.

Ainsi la conscience de Darwin fonctionne à la perfection. Elle
fait de lui un être généralement fiable, du fait de sa générosité et de sa
gentillesse – dans un environnement social si restreint que générosité

et gentillesse véritables sont indispensables au maintien d'une bonne réputation morale. Mais sa bonté se révèle ne pas être d'une constance *absolue*. Cette conscience tant vantée, rempart apparent contre toute corruption, dispose cependant d'un discernement suffisant pour se laisser un peu fléchir le jour où la longue quête d'un statut exige une légère défaillance morale. Ce qui permet à Darwin, fût-ce inconsciemment, de tirer subtilement certaines ficelles et d'utiliser ses nombreuses relations sociales aux dépens d'un jeune et impuissant rival.

Certains darwiniens ont suggéré que l'on pouvait voir la conscience comme l'administrateur d'un compte d'épargne où se trouverait conservée la réputation morale[72]. Des dizaines d'années durant, Darwin a consciencieusement amassé son capital, la preuve large et manifeste qu'il est un homme à scrupules ; l'épisode Wallace est le moment où il faut risquer une part de ce capital. Même s'il en perd un peu – même si l'affaire fait naître quelques soupçonneuses rumeurs sur l'opportunité de publier sans l'autorisation de celui-ci le texte de Wallace –, du point de vue de l'augmentation de statut, le jeu en vaut la chandelle. La conscience humaine est conçue pour former de tels jugements sur l'affectation des ressources et, dans l'épisode Wallace, c'est ce que fait, très bien, celle de Darwin.

En définitive, Darwin ne perdit rien de son capital. Il se sortit de l'affaire frais comme la rose. Hooker et Lyell ont décrit devant la Linnean Society ce qui s'est passé après que Darwin reçut le texte de Wallace. « Mr. Darwin a pensé tant de bien de la thèse présentée, qu'il a proposé, dans une lettre à Sir Charles Lyell, d'obtenir de Mr. Wallace qu'il autorise dès que possible la publication de son essai. Nous avons totalement approuvé cette idée, à condition que Mr. Darwin ne dissimule pas plus longtemps au public, comme il était enclin à le faire (par égard pour Mr. Wallace), le mémoire qu'il a lui-même écrit sur le sujet, texte que l'un de nous, comme nous l'avons dit, a déjà parcouru en 1844 et dont nous connaissons tous deux le contenu depuis des années[73]. »

Plus d'un siècle plus tard, cette version aseptisée des événements était la norme : un Darwin totalement scrupuleux, pratiquement contraint de faire figurer son nom aux côtés de celui de Wallace. L'un de ses biographes écrit : « Il semble que Hooker et Lyell aient laissé fort peu de liberté à Darwin lorsqu'ils le pressèrent de publier[74]. »

On ne saurait dire que Darwin a sciemment éclipsé Wallace. Considérons la judicieuse promotion de Lyell au rang de « lord chancelier ». L'élan naturel qui nous pousse, en temps de crise, à rechercher le conseil de nos amis, semble parfaitement innocent. Nous ne nous disons pas nécessairement : « J'appelle un ami plutôt qu'un étranger, parce qu'un ami partagera mes vues biaisées sur ce que je mérite et sur ce que méritent mes rivaux. » Il en est ainsi de l'angoisse morale qu'affectait Darwin : elle a fonctionné parce qu'il ne savait pas que c'était une affectation – autrement dit, *ce n'était pas* une affectation ; il était véritablement angoissé.

Et ce n'était pas la première fois. La culpabilité de Darwin lorsqu'il s'agit pour lui d'affirmer sa priorité – d'en imposer hiérarchiquement à Wallace dans la quête d'un statut toujours plus élevé – n'est que la dernière d'une longue série de comparables angoisses. (Souvenons-nous du diagnostic de John Bowlby : Darwin « se méprisait d'être aussi vain ». « Tout au long de sa vie, son désir d'attention et de gloire s'est doublé de la honte profonde d'abriter en lui de telles motivations [75]. ») C'est précisément l'authenticité avérée de cette angoisse qui a contribué à convaincre Hooker et Lyell que Darwin résistait « fortement » à la gloire, et qui, du même coup, a fait qu'ils en ont convaincu le monde. Le capital moral que Darwin a amassé, au prix d'années de vives souffrances psychologiques, a fini par produire des dividendes.

Rien de tout cela n'implique qu'il se soit comporté d'une manière parfaitement adaptative, toujours en harmonie avec l'objectif de la prolifération génétique, justifiant la moindre de ses grandes et douloureuses batailles. La différence fondamentale entre l'Angleterre du XIXᵉ siècle et le (ou les) environnement(s) de notre évolution, fait de cette perfection fonctionnelle la dernière des choses à laquelle nous attendre. En effet, comme nous l'avons suggéré il y a quelques chapitres, les sentiments moraux de Darwin ont manifestement été plus prononcés que ne l'exigeait son intérêt personnel ; après tout, il disposait, sur son compte d'épargne moral, d'un capital suffisant pour ne pas perdre le sommeil dès lors qu'il n'avait pas répondu à son courrier, ni partir en croisade pour un mouton mort. Il s'agit simplement ici d'affirmer que nombre de ces curieux phénomènes, si souvent débattus à propos de l'esprit et du caractère de Darwin, peuvent revêtir une signification essentielle dès lors qu'on les examine à la lumière de la psychologie évolutionniste.

En réalité, toute la carrière de Darwin présente une certaine cohérence. Elle ressemble moins à une quête erratique, fréquemment entravée par le doute et une excessive déférence, qu'à une implacable ascension, subtilement enveloppée de scrupules et d'humilité. Sous les affres de Darwin, il y a une vraie prise de position morale. Sous son profond respect des hommes accomplis, un désir d'ascension sociale. Sous sa douloureuse et récurrente façon de douter de lui, une fiévreuse défense contre l'agression sociale. Sous sa sympathie envers ses amis, de judicieuses alliances politiques. Quel animal !

QUATRIÈME PARTIE

MORALE DE L'HISTOIRE

CHAPITRE XV

CYNISME DARWINIEN (ET FREUDIEN)

*La possibilité qu'a le cerveau d'avoir des pensées,
des sentiments et une perception parfaitement indépendants du cours ordinaire de l'esprit est probablement
analogue à la double individualité qu'implique l'habitude, lorsque l'on agit inconsciemment...*

Carnet de notes (1838) [1]

Jusque-là, l'image de la nature humaine n'est guère flatteuse.

Nous passons notre vie à rechercher désespérément un statut ;
dans un sens quasi littéral, nous sommes accros à la considération
sociale et dépendants des neurotransmetteurs que nous libérons en faisant impression sur les autres. Beaucoup d'entre nous se prétendent
autosuffisants et détenteurs d'un gyroscope moral qui leur permet, en
toutes circonstances, le ferme respect de certaines valeurs. Mais ceux
qui oublient vraiment de quêter l'approbation de leurs pairs sont qua-
lifiés de sociopathes. Quant aux épithètes réservées aux autres qui, à
l'inverse, recherchent l'estime avec ardeur – ceux qui font leur « autopromotion », les « arrivistes » –, elles ne font que révéler notre consti-
tutionnel aveuglement : nous faisons tous notre autopromotion, nous
sommes tous des arrivistes. Si certains sont gratifiés des épithètes en
question, c'est qu'ils se sont montrés si efficaces qu'ils ont provoqué la
jalousie, ou si maladroits que leurs efforts pour arriver sont devenus
visibles, ou encore les deux.

Générosité et affection ont des objets très proches. Elles visent
soit la famille, qui partage nos gènes, soit des étrangers de l'autre sexe
qui peuvent nous aider à transmettre nos gènes à la génération suivante, soit des étrangers des deux sexes qui semblent capables de ne
pas oublier un service qu'on leur a rendu. Qui plus est, le service en
question suppose souvent malhonnêteté ou méchanceté : nous ren-

dons à nos amis le service de fermer les yeux sur leurs défauts et de voir (sinon d'exagérer) les défauts de leurs ennemis. L'affection est un outil de l'hostilité. Nous formons des alliances pour élargir des fissures [2].

En amitié comme en toute autre chose, nous vivons dans une profonde inégalité. Nous apprécions surtout l'affection des personnes haut placées et nous sommes prêts à payer davantage pour l'obtenir – c'est-à-dire à attendre moins d'elles, à les juger avec plus d'indulgence. L'affection que nous portons aux amis risque de décliner si leur statut décline, ou tout simplement, si leur statut n'augmente pas autant que le nôtre. Pour rendre plus aisé ce rafraîchissement des relations, nous pouvons trouver des justifications : « Lui et moi n'avons plus grand-chose en commun. » Quelque chose comme un statut social élevé, par exemple.

On peut taxer cette vision de la conduite humaine de cynisme. Et alors, qu'y a-t-il de nouveau là-dedans ? Le cynisme n'a rien de révolutionnaire. De fait, certains diraient que c'est là l'histoire de notre époque – succédant majestueusement à la gravité victorienne [3].

Entre la gravité du XIXᵉ siècle et le cynisme du XXᵉ, il y a eu Freud. À l'instar du nouveau darwinisme, la pensée freudienne a découvert des visées sournoisement inconscientes dans nos actes les plus innocents. Et à l'instar du nouveau darwinisme, elle a perçu un fond d'animalité au cœur de l'inconscient.

Ce n'est pas là l'unique point commun entre pensée freudienne et pensée darwinienne. En dépit de toutes les critiques qu'il a suscitées au cours de ces dernières décennies, le freudisme demeure le paradigme comportemental le plus influent – intellectuellement, moralement, spirituellement – de notre temps. Et c'est à cette position qu'aspire le nouveau paradigme darwinien.

Cette rivalité seule justifierait que l'on tente de démêler ce qui ressortit à la psychologie freudienne de ce qui relève de la psychologie évolutionniste. Mais il existe d'autres raisons de le faire, et sans doute plus importantes : les formes de cynisme qu'entraînent les deux écoles divergent, en dernier ressort, et sur des points essentiels.

Darwinien ou freudien, le cynisme suppose moins d'amertume que dans sa variété ordinaire. Soupçonnant les motivations d'un individu d'être en grande partie *inconscientes*, l'un et l'autre considèrent l'individu – l'individu conscient du moins – comme un genre de complice involontaire. En effet, dans la mesure où la souffrance est le prix payé pour ce subterfuge intérieur, l'individu peut mériter aussi bien la compassion que la méfiance. Bref, tout le monde s'en tire avec des allures de victime. Et, dans l'explication du pourquoi et du comment, se crée ce rôle de victime sur lequel les deux écoles de pensée divergent.

Freud se voit comme un darwinien. Il essaie de considérer l'esprit humain comme un produit de l'évolution, chose qui – en tant que telle, du moins – devrait à tout jamais le faire apprécier des psychologues évolutionnistes. Un homme qui voit dans les êtres humains des animaux guidés par des instincts grossiers, sexuels ou autres, ne peut pas être vraiment mauvais. Mais Freud a mal compris l'évolution, et ce de façon fondamentale, élémentaire [4]. Il insiste beaucoup, par exemple, sur cette idée lamarckienne, selon laquelle les traits acquis d'expérience se transmettraient biologiquement. On peut dire pour sa défense que c'étaient là les méprises communes de son époque – et que certaines d'entre elles avaient été entretenues par Darwin ou, du moins, encouragées par ses équivoques. Il n'en demeure pas moins qu'elles ont amené Freud à exprimer des idées qui, pour les darwiniens d'aujourd'hui, sont des inepties.

Pourquoi aurait-on un instinct de mort (« thanatos ») ? Pourquoi les filles voudraient-elles des organes génitaux masculins (« désir de phallus ») ? Pourquoi les garçons voudraient-ils coucher avec leur mère et tuer leur père (« complexe d'Œdipe ») ? Imaginer des gènes encourageant ces pulsions, c'est imaginer des gènes qui ne seraient pas destinés à s'épanouir tout de suite dans la population d'un village primitif.

Certes, il est indéniable que Freud s'est montré fort perspicace en ce qui concerne la tension psychique. Il est très possible qu'existe entre pères et fils quelque chose de l'ordre du conflit œdipien. Mais quelles en sont les véritables racines ? Martin Daly et Margo Wilson ont dit que Freud mêlait sur ce point plusieurs dynamiques darwiniennes distinctes, dont certaines sont fondées sur le conflit parent-enfant tel que le décrit Robert Trivers [5]. Par exemple, lorsqu'ils atteignent l'adolescence, les garçons peuvent fort bien – surtout dans une société où se pratique la polygynie (comme celle de notre environnement ancestral) – se retrouver en concurrence avec leur père pour les mêmes femmes. Mais la mère du garçon *ne figure pas* parmi ces femmes : l'inceste a souvent pour fruit une progéniture déficiente, et il n'est pas dans l'intérêt génétique du fils de voir sa mère assumer les risques et la charge d'une grossesse pour donner naissance à un frère ou une sœur sans valeur reproductive. (D'où, finalement, le peu de garçons qui tentent de séduire leur mère.) Plus jeune, le garçon (ou la fille dans le même cas) peut se trouver avec son père dans un conflit dont l'objet *est* la mère – mais pas sur un plan sexuel. Père et fils se disputent plutôt le temps et la précieuse attention de la mère. Si leur lutte devait avoir quelque tonalité sexuelle, ce serait celle-ci : l'intérêt génétique du père le pousserait à vouloir féconder la mère, alors que celui de l'enfant le pousserait plutôt à retarder l'arrivée d'un frère ou d'une sœur (en continuant, par exemple, à téter, ce qui diffère l'ovulation).

Les théories darwiniennes de cet ordre sont souvent spéculatives et, à ce stade précoce de la psychologie évolutionniste, elles ont été peu vérifiées. Mais, contrairement aux théories freudiennes, elles sont attachées à une certitude : la compréhension du processus qui a conçu le cerveau humain. La psychologie évolutionniste a emprunté une voie

dont le tracé est, dans l'ensemble, bien défini, et à mesure qu'elle pro-
gressera, ce tracé devrait continuer d'être corrigé grâce à une dialectique scientifique.

DARWIN, SES COMMANDES ET SES RÉGLAGES

Or, ces progrès passent par l'identification des commandes à l'œuvre
dans la nature humaine – et ces commandes, Charles Darwin, par
exemple, les partage avec l'humanité tout entière. Il s'occupe de sa
famille dans certaines limites. Il est en quête d'un statut. Et d'une vie
sexuelle. Il tente d'impressionner ses pairs et de leur plaire. Il essaie de
paraître bon. Il forme des alliances qu'il entretient. Il tente de neutra-
liser ses rivaux. Il se leurre lui-même si les objectifs évoqués ci-dessus
lui imposent de le faire. Et il ressent tous les sentiments – amour,
désir, compassion, respect, ambition, colère, peur, tourments de la
conscience, de la culpabilité, du devoir, de la honte, etc. – qui
poussent les êtres humains vers ces objectifs.

Une fois qu'il a localisé – chez Darwin comme chez quiconque –
les principales commandes de la nature humaine, le darwinien pose la
question suivante : qu'y a-t-il de caractéristique dans ce réglage ?
Darwin a une conscience exceptionnellement active. Il entretient ses
alliances avec un soin exceptionnel. Il s'inquiète de l'opinion des
autres avec une attention exceptionnelle, etc.

Soit, mais d'où viennent les caractéristiques du réglage ? Bonne
question. Mais aucun psychologue du développement humain, ou
presque, n'ayant utilisé les outils du nouveau paradigme, nous
sommes un peu à court de réponses. Pourtant, la route qui y conduit
se dessine nettement, du moins dans ses grandes lignes. Jeune et malléable, le cerveau se forme en fonction d'indices qui, dans l'environnement de notre évolution, lui désignent les stratégies comportementales
les plus aptes à faire prospérer ses gènes. Ces indices reflètent vraisemblablement deux choses : l'environnement social dans lequel se trouve
l'individu et l'actif et le passif qu'il y apporte.

Certains de ces indices sont fournis par la famille. Freud a raison
de dire que les proches – et en particulier les parents – jouent un
grand rôle dans la formation du psychisme. Il a aussi raison de dire
que les parents ne sont pas totalement bienfaisants et que de graves
conflits peuvent s'élever entre eux et leurs enfants. Selon la théorie de
Trivers sur le conflit parent-enfant, le subtil réglage du psychisme
s'opérerait moins dans l'intérêt génétique de celui que l'on règle
(l'enfant) que dans l'intérêt génétique de ceux qui le règlent (les
parents). Démêler ce qui, dans l'influence parentale, ressortit à l'éducation ou à l'abus de pouvoir n'est jamais chose facile. Et, dans le cas

de Darwin, l'affaire est encore plus complexe dans la mesure où certains de ses grands traits de caractère – immense respect de l'autorité, lourds scrupules –, outre qu'ils lui sont utiles dans un contexte social plus étendu, l'amènent également à faire des sacrifices pour sa famille.

Si les scientifiques qui étudient le comportement désirent utiliser le nouveau darwinisme pour retrouver le cheminement du développement mental et émotionnel, il leur faudra abandonner un présupposé souvent implicite dans la pensée de Freud et dans celle des psychiatres en général (et, en fait, dans celle de tout un chacun) : que la souffrance est symptomatique d'une anomalie, d'une chose qui n'est pas naturelle – bref, le signe que les choses ont mal tourné. Comme l'a souligné le psychiatre évolutionniste Randolph Nesse, la souffrance fait partie du dessein de la sélection naturelle (elle n'en est pas pour autant une bonne chose, naturellement) [6]. Beaucoup de nos souffrances sont le fait de ces traits de caractère qui ont contribué à faire de Darwin un animal efficace : sa conscience « suractive », son autocritique implacable, son « insatiable besoin d'être rassuré », son respect « exagéré » de l'autorité. Si le père de Darwin a bien, comme on le prétend, suscité chez son fils certaines de ces souffrances, ce serait une erreur de se demander quel démon aura pu le pousser à agir ainsi (sauf, peut-être, si l'on répond : « Des gènes qui fonctionnaient comme une montre suisse. »). En outre, il serait sans doute tout aussi erroné de supposer que le jeune Darwin n'a pas lui-même, d'une manière ou d'une autre, provoqué cette douloureuse influence : il se pourrait que les individus soient conçus pour assimiler une douloureuse gouverne dès lors qu'elle conduit à la prolifération génétique (ou dès lors qu'elle y aurait conduit dans l'environnement ancestral). Beaucoup de phénomènes qui ressemblent à de la cruauté parentale peuvent *ne pas* témoigner du conflit parent-enfant évoqué par Trivers.

Tant que les psychologues ne jugeront pas l'anxiété dont souffrait Darwin comme un phénomène naturel, elle restera inexplicable. Il y a des millénaires, les gens qui ne pouvaient gravir la hiérarchie sociale par la voie classique (force brute, physique attrayant, charisme) ont peut-être dû se concentrer sur d'autres moyens. L'un d'eux serait de redoubler d'engagement dans l'altruisme réciproque – d'où une conscience sensible, voire douloureuse, et une peur chronique de n'être pas apprécié. Ces stéréotypes qui dépeignent des sportifs arrogants et goujats et des mauviettes obséquieuses, s'ils forcent le trait, reflètent aussi peut-être une corrélation statistiquement exacte et peuvent recouvrir une signification darwinienne. En tout cas, ils rendent bien compte, semble-t-il, de l'expérience de Darwin – adolescent de bonne taille, mais maladroit et introverti. Au collège, il écrit : « Je n'ai pas pu rassembler mon courage et me battre [7]. » Bien que sa réserve soit interprétée à tort comme du dédain par certains enfants, il a aussi la réputation d'être gentil – « heureux de faire des petites choses agréables à ses camarades », se souvient l'un d'eux [8]. Le capitaine FitzRoy s'émerveillera plus tard de la façon dont Darwin « se fait de chacun un ami » [9].

Un examen intellectuel de soi rigoureux peut aussi être le fruit de frustrations sociales précoces. Les enfants auxquels le statut n'est pas échu naturellement risquent de devoir travailler davantage pour devenir de riches sources d'informations, surtout s'ils semblent avoir pour cela des facilités. Darwin a transformé ses crises de doutes intérieurs en une série de travaux scientifiques impeccables qui ont élevé son statut social en même temps qu'ils ont fait de lui un altruiste réciproque apprécié.

Si ces spéculations sont justifiées, alors les deux formes essentielles que prend le doute – moral et intellectuel – chez Darwin, sont les deux faces d'une même médaille ; elles témoignent l'une et l'autre d'un manque d'assurance en société et sont toutes deux conçues pour faire de lui un bien social prisé, alors que d'autres moyens semblent lui faire défaut. « Sa sensibilité aiguë aux éloges et aux blâmes », qu'évoque Thomas Huxley, peut expliquer la minutie avec laquelle il reçoit les uns et les autres, et trouver son origine dans un unique principe de développement mental [10]. Et le père de Darwin a sans doute fait beaucoup – avec l'implicite assentiment de son fils – pour nourrir cette sensibilité aiguë.

Lorsque l'on dit de quelqu'un qu'il « manque d'assurance », on veut généralement dire qu'il s'inquiète beaucoup : de savoir s'il est apprécié, s'il ne va pas perdre ses amis, s'il n'a pas offensé quelqu'un ou s'il n'a pas livré une information fausse. On a communément tendance à rattacher avec désinvolture ce manque d'assurance à l'enfance : à des exclusions du temps de la cour de récréation, à des échecs sentimentaux adolescents, à un foyer instable, au décès d'un membre de la famille, à des déménagements trop fréquents pour que puissent se forger des amitiés durables, etc. Une vague présomption, généralement inexprimée, veut que les divers échecs ou remous ayant agité l'enfance soient à l'origine du manque d'assurance chez l'adulte.

On peut imaginer des raisons (telles celles que je viens d'écarter) pour lesquelles la sélection naturelle aurait pu forger certains liens entre les premières expériences et la personnalité de l'adulte. (La mort prématurée de la mère de Darwin offre un terrain fertile aux spéculations : dans l'environnement ancestral, un enfant sans mère ne pouvait s'offrir le luxe d'être content de lui.) Les données de la psychologie sociale peuvent aussi apporter un soutien, fût-il approximatif, dans l'établissement de telles corrélations. La lumière se fera lorsque se rencontreront les deux côtés de cette dialectique : c'est-à-dire lorsque les psychologues commenceront de se demander quelles sont précisément les théories du développement qui ont une signification darwinienne et lorsqu'ils concevront des expériences capables de vérifier ces théories.

La même démarche nous aidera aussi à comprendre comment se

sont forgées nombre d'autres tendances : réserve ou légèreté sexuelle, tolérance ou intolérance sociale, forte ou faible estime de soi, cruauté ou gentillesse, etc. Si ces tendances sont vraiment systématiquement liées aux causes communément évoquées – degré et nature de l'amour parental, présence ou non des deux parents dans le foyer, premières rencontres amoureuses, dynamique des rapports entre frères et sœurs, entre amis, entre ennemis –, c'est sans doute qu'un tel lien a eu un sens au regard de l'évolution. Si les psychologues veulent comprendre quels processus façonnent l'esprit humain, il faut d'abord qu'ils comprennent celui qui a façonné l'espèce humaine [11]. Et alors, probablement, le progrès suivra. Et un progrès sans équivoque – une confirmation croissante et objective de théories toujours plus précises – fera la différence entre le darwinisme du XXIe siècle et le freudisme du XXe.

Lorsqu'il s'agit de l'inconscient, les divergences entre les pensées freudienne et darwinienne persistent ; et une fois encore, quelques-unes d'entre elles tournent autour de la fonction de la souffrance. Rappelons-nous la « règle d'or » de Darwin : noter tout de suite une observation qui semble en contradiction avec ses théories – « car l'expérience m'a montré que de tels faits ou de telles pensées s'échappent bien plus facilement de la mémoire que les observations favorables » [12]. Freud cite cette observation comme une preuve de la tendance freudienne « à éloigner du souvenir tout ce qui est désagréable » [13]. Pour lui, cette tendance est largement répandue : on la retrouve autant chez les esprits sains que chez les malades, et elle est au centre de la dynamique de l'inconscient. Cependant, cette prétendue généralité pose un problème : parfois, les souvenirs douloureux sont précisément ceux qu'il est *le plus difficile* d'oublier. En fait, quelques phrases seulement après avoir cité la règle d'or de Darwin, Freud admet qu'on a insisté auprès de lui sur la douloureuse persistance des « souvenirs d'offenses et d'humiliations ».

Finalement, la tendance à oublier ce qui est déplaisant ne serait-elle pas si générale ? Non. Freud opte pour une autre explication : la tendance à se débarrasser des souvenirs douloureux est parfois couronnée de succès et parfois non ; « la vie psychique est un champ de bataille et une arène où luttent des tendances opposées », et il est difficile de dire laquelle d'entre elles va l'emporter [14].

Les psychologues évolutionnistes peuvent aborder la question avec davantage d'adresse, parce que, à l'inverse de Freud, ils n'ont pas une vision simple, schématique, de l'esprit humain. Pour eux, le cerveau a été bricolé à la va-comme-je-te-pousse pendant des millénaires pour accomplir une foule de tâches différentes. N'ayant jamais essayé de réunir sous une même rubrique le souvenir des griefs, des humiliations et des événements désagréables, les darwiniens n'ont pas à distribuer des exemptions spéciales aux cas qui refusent de rentrer dans le cadre. Confrontés aux trois questions relatives au souvenir et à l'oubli

– 1° pourquoi nous oublions des données qui viennent contredire nos théories; 2° pourquoi nous nous souvenons des griefs; 3° pourquoi nous nous souvenons des humiliations –, ils peuvent tranquillement avancer une explication différente pour chacune.

Nous avons déjà évoqué les trois explications possibles. Oublier des événements désagréables permet d'avoir force et conviction dans une dispute, or dans l'environnement de notre évolution, les disputes avaient souvent des enjeux génétiques. Se remémorer les griefs peut venir étayer certaine négociation, nous permettant de rappeler aux gens qu'ils nous doivent réparation; par ailleurs, un grief bien conservé, c'est l'assurance de punir ceux qui nous ont abusés. Quant au souvenir des humiliations, il sert, par son inconfortable persistance, à nous dissuader de répéter des conduites capables de réduire notre statut social; et, si les humiliations sont d'une ampleur suffisante, leur souvenir peut, d'une manière adaptative, diminuer l'estime de soi (ou, du moins, la diminuer d'une manière qui eût été adaptative dans l'environnement de notre évolution).

Croyez-le ou non, le modèle freudien de l'esprit humain n'est peut-être pas assez labyrinthique. L'esprit a plus de zones d'ombre et nous joue plus de tours encore que ne l'imagine Freud.

LE MEILLEUR DE FREUD

Le meilleur, chez Freud, c'est sa compréhension de notre paradoxe : être un animal éminemment social, être au fond de nous libidineux, rapaces et, de manière générale, égoïstes, tout en ayant à vivre en parfaite civilité avec d'autres êtres humains – c'est-à-dire devoir atteindre nos objectifs animaux par de tortueux sentiers de coopération, de compromis et de retenue. C'est de ce point de vue que découle l'idée la plus essentielle de Freud sur l'esprit : il est le lieu des conflits entre pulsions animales et réalité sociale.

Paul D. MacLean nous offre une vision biologique de ce type de conflits. Il qualifie le cerveau humain de cerveau « trin », dont les trois parties fondamentales résument notre évolution : un noyau reptilien (siège de nos instincts élémentaires), entouré d'un cerveau « paléo-mammifère » (qui a notamment doté nos ancêtres de l'affection pour la progéniture), lui-même entouré d'un cerveau « néomammifère ». Le volumineux cerveau néomammifère nous apporte le raisonnement abstrait, le langage et, peut-être, l'affection (sélective) pour des personnes étrangères à la famille. Il est, écrit MacLean, « un domestique qui rationalise, justifie et donne une expression verbale aux parties protoreptiliennes et [paléomammifères] limbaires de notre cerveau » [15]. Comme beaucoup de schémas bien pensés, celui-ci peut être d'une trompeuse simplicité, mais il saisit bien une (peut-être *la*) caractéristique décisive de notre trajectoire évolutive : trajectoire qui va de la solitude au social, et au cours de laquelle la quête de la nourriture et de la sexualité deviennent des entreprises de plus en plus subtiles et élaborées.

Le « ça » freudien – monstre tapi dans les fondations – s'est probablement développé à partir du cerveau reptilien, produit de l'histoire évolutive présociale. Le « surmoi » – *grosso modo* la conscience – est une invention plus récente. Elle est la source de différentes formes d'inhibition et de culpabilité, destinées à maîtriser le ça d'une façon génétiquement rentable : c'est le surmoi qui nous empêche, par exemple, de porter tort à nos frères et sœurs ou de négliger nos amis. Le « moi » est la partie qui se trouve au milieu. Ses objectifs ultimes inconscients sont ceux du ça, et pourtant il les poursuit en calculant à long terme, attentif aux avertissements et aux réprimandes du surmoi.

Randolph Nesse et le psychiatre Alan T. Lloyd ont mis en évidence une adéquation entre les vues freudienne et darwinienne du conflit psychique. Ils voient dans le conflit un affrontement entre des avocats concurrents, affrontement conçu par l'évolution pour produire de bons conseils, tout comme la tension entre les membres d'un gouvernement est conçue pour produire une bonne administration. Le conflit fondamental – le discours fondamental – se situe « entre motivation égoïste et altruiste, entre recherche du plaisir et conduite normative et entre intérêts individuels et collectifs. Les fonctions du ça correspondent au premier terme de chacun de ces doublets, tandis que les fonctions du moi/surmoi correspondent au second ». Et la vérité fondamentale, dissimulée derrière la seconde moitié de la proposition, réside dans « les bénéfices que l'on tire, *a posteriori*, des relations sociales » [16].

Décrivant cette tension entre égoïsme à court terme et égoïsme à long terme, les darwiniens ont parfois utilisé l'image de la « répression ». Le psychanalyste Malcolm Slavin suggère que les motivations égoïstes peuvent être réprimées par les enfants afin de conserver les bonnes grâces des parents – et qu'elles peuvent être réendossées ultérieurement, lorsque la nécessité de plaire est passée [17]. D'autres ont souligné la répression des pulsions égoïstes envers les amis. Nous pouvons même réprimer le souvenir des fautes d'un ami – procédé particulièrement sage si l'ami en question a un statut social élevé ou s'il peut se révéler utile de quelque autre façon [18]. La mémoire peut nous revenir pour peu que l'ami voie son statut social dégringoler ou si, pour une raison quelconque, il mérite une plus sincère appréciation. Et, bien sûr, l'arène de la sexualité est très propice aux répressions tactiques. Un homme réussira certainement mieux à convaincre une femme de son amour futur s'il ne s'est pas imaginé de façon trop suggestive un rapport sexuel avec elle. Cette pulsion pourra s'épanouir plus tard, une fois le terrain préparé.

Comme l'ont noté Nesse et Lloyd, la répression n'est qu'une des nombreuses « défenses de l'ego » qui sont devenues partie intégrante de la théorie freudienne (ceci en grande partie grâce à Anna, la fille de Freud, qui a écrit l'ouvrage portant sur les défenses de l'ego). Et, ajoutent-ils, beaucoup d'autres défenses de l'ego peuvent être comprises en termes darwiniens. Par exemple, « l'identification » et « l'introjection » – cette assimilation des valeurs et des caractéristiques des autres, y compris lorsque ces autres sont puissants – peuvent être un moyen de flagorner une personne haut placée qui « distribue statuts et récompenses à ceux qui partagent ses convictions » [19]. Quant à la « rationalisation », cette élaboration de pseudo-explications qui dissimulent nos vrais motifs – est-il vraiment nécessaire de développer ?

Cela dit, Freud affiche de bons scores : lui (et ses successeurs) ont identifié un grand nombre de dynamiques mentales qui peuvent avoir de profondes racines évolutionnistes. Il a, à juste titre, vu l'esprit comme un lieu de turbulences, souterraines pour la plupart. Et, en général, il a bien identifié la source de ces turbulences : un animal, d'une nature au bout du compte impitoyable, né dans une complexe toile d'araignée sociale d'où il n'existe pas d'issue.

Mais, lorsqu'il devient moins général, le diagnostic de Freud se révèle parfois trompeur. Il dépeint souvent la tension qui se trouve au centre de la vie humaine comme une tension qui se manifeste essentiellement non pas entre le soi et la société, mais entre le soi et la civilisation. Dans *Malaise dans la civilisation*, il décrit ainsi le paradoxe : les gens sont obligés de vivre avec leurs semblables, on leur dit de juguler leurs pulsions sexuelles et d'avoir « [...] la plus grande quantité possible de libido inhibée quant au but sexuel » et non seulement de se montrer coopératifs avec leurs voisins, mais aussi « d'aimer leurs prochains comme eux-mêmes ». Freud observe tout de même que les humains ne sont pas de douces créatures : « [...] le prochain n'est pas seulement un auxiliaire et un objet sexuel possibles, mais aussi un objet de tentation. L'homme est, en effet, tenté de satisfaire son besoin d'agression aux dépens de son prochain, d'exploiter son travail sans dédommagements, de l'utiliser sexuellement sans son consentement, de s'approprier ses biens, de l'humilier, de lui infliger des souffrances, de le martyriser et de le tuer. *Homo homini lupus.* » Pas étonnant que les hommes soient si malheureux. « En fait, l'homme primitif était mieux loti, qui ne connaissait pas de restrictions à son instinct » [20].

Cette dernière phrase recèle un mythe qu'une grande part de la psychologie évolutionniste vise à corriger. Il y a très, très longtemps que nos ancêtres n'ont pu goûter sans « restrictions » à ces « instincts ». Même les chimpanzés doivent mesurer leurs pulsions prédatrices, car un autre chimpanzé peut être, comme le dit Freud, un « auxiliaire potentiel » et, par conséquent, on peut avoir intérêt à le traiter avec mesure. Et les mâles chimpanzés (et bonobos) voient leurs pulsions sexuelles contrariées par des femelles qui réclament des contreparties en nourriture et autres faveurs. Dans notre propre lignée, un investissement parental mâle croissant a fait se développer ces exigences, et les mâles se sont retrouvés considérablement « restreints » dans leurs pulsions sexuelles, et cela bien avant que les normes culturelles modernes ne rendent la vie moins épanouissante encore.

C'est que répression et inconscient sont les produits de millions d'années d'évolution et, longtemps avant que la civilisation ne vienne encore compliquer la vie mentale, ils étaient déjà bien développés. Le nouveau paradigme permet d'envisager clairement la façon dont tout cela s'est conçu sur des millions d'années. Les théories de la sélection par la parenté, du conflit parent-enfant, de l'investissement parental, de l'altruisme réciproque et de la hiérarchie de statut nous disent quel type d'autoaveuglement est ou n'est pas susceptible d'être favorisé par l'évolution. Si les freudiens d'aujourd'hui commencent à prendre en considération ces indications et remanient leurs thèses en conséquence, ils épargneront peut-être au nom de Freud l'éclipse qu'il devra probablement subir si les darwiniens s'attellent à cette tâche.

L'ESPRIT POSTMODERNE

Tout bien pesé, le concept darwinien de l'inconscient est plus radical que le concept freudien. Les sources de l'autoaveuglement y sont plus nombreuses, diverses et profondément enracinées, et la frontière entre conscient et inconscient y est moins marquée. Freud décrit le freudisme comme une tentative de « montrer au *moi* qu'il n'est seulement pas maître dans sa propre maison, qu'il en est réduit à se contenter de renseignements rares et fragmentaires sur ce qui se passe, en dehors de sa conscience, dans sa vie psychique » [21]. Dans une perspective darwinienne, cette formulation accorde presque trop de crédit au « moi ». Elle suggère, semble-t-il, quelque entité mentale autrement clairvoyante qui, çà et là, se laisserait illusionner. Mais, pour un psychologue évolutionniste, l'illusion est à ce point omniprésente qu'il est sans doute inutile d'imaginer quelque lucidité centrale.

La façon dont nous pensons communément la relation existant entre nos pensées et nos sentiments, d'une part, et la poursuite de nos objectifs de l'autre, n'est pas seulement fausse : elle est arriérée. Nous avons tendance à nous considérer comme des êtres qui émettent des opinions et agissent ensuite en conséquence : « nous » décidons qui sont les gentils et nous lions d'amitié avec eux ; « nous » décidons qui est honnête pour ensuite l'applaudir ; « nous » jugeons qui a tort et nous nous opposons à lui ; « nous » jugeons quelle est la vérité et nous

nous y conformons. Freud ajouterait que, souvent, nous avons des objectifs dont nous ne sommes pas conscients, des objectifs que nous pouvons poursuivre de façon détournée, qui vont même parfois à l'encontre du but recherché – et que notre perception du monde peut s'en trouver faussée.

Mais si la psychologie évolutionniste est sur la bonne voie, tout le tableau doit être inversé. Nous croyons en des choses – sur la moralité, la valeur personnelle et même la vérité objective – qui nous amènent à des conduites autorisant la transmission de nos gènes à la génération suivante. (Ou, du moins, nous croyons en des choses qui, dans l'environnement de notre évolution, auraient été susceptibles d'autoriser la transmission de nos gènes à la génération suivante.) Ce sont les objectifs du comportement – statut social, sexe, coalition efficace, investissement parental, etc. – qui demeurent stables, tandis que notre vision de la réalité s'ajuste pour s'adapter à cette constance. C'est ce qui est dans l'intérêt de nos gènes qui semble « juste » – moralement juste, objectivement juste, quelle que soit la justesse en question.

Bref, si Freud insiste sur le fait que les hommes ont du mal à voir la vérité sur eux-mêmes, les nouveaux darwiniens insistent, quant à eux, sur le fait qu'ils ont du mal à voir la vérité tout court. En effet, le darwinisme n'est pas loin de mettre en question le sens même du mot *vérité*. Car les discours sociaux censés conduire à la vérité – discours moraux, discours politiques et même parfois discours intellectuels – sont, à la lumière du darwinisme, de simples luttes pour le pouvoir. Il en sortira un vainqueur, mais il n'y a souvent aucune raison d'attendre de ce vainqueur qu'il représente la vérité. Il a pu sembler difficile autrefois d'imaginer cynisme plus profond que le cynisme freudien, et pourtant en voilà un.

Cette marque de fabrique darwinienne qu'est le cynisme ne remplit pas exactement un vide culturel béant. Déjà, divers intellectuels d'avant-garde – anthropologues et théoriciens de la littérature « déconstructionnistes », adeptes de « l'étude authentiquement critique » – voient toute la communication humaine comme un « discours de pouvoir ». Beaucoup croient déjà ce que le nouveau darwinisme met en évidence : que tout (ou, du moins, beaucoup) des affaires humaines est artifice, manipulation intéressée de l'image. Et cela contribue à nourrir un aspect central de la condition postmoderne : une forte incapacité à prendre les choses au sérieux[22].

L'autodérision est à l'ordre du jour. Les talk-shows sont incisifs et font massivement référence à eux-mêmes, avec des blagues sur les prompteurs inscrites sur des prompteurs, des caméras filmant des caméras et une présentation qui a généralement tendance à se miner elle-même. Désormais, l'architecture *parle* d'architecture, puisque, par jeu et parfois non sans condescendance, les architectes incorporent des motifs de différentes époques à des structures qui nous invitent à en rire avec eux. Ce que l'on veut éviter à tout prix dans l'ère postmoderne, c'est le sérieux, sérieux qui trahit une naïveté embarrassante.

Alors que le cynisme moderne désespérait l'espèce humaine sur sa capacité de réaliser de louables idéaux, ce n'est pas le cas du cynisme postmoderne – non qu'il soit optimiste, mais simplement parce qu'il est tout d'abord incapable de prendre les idéaux au sérieux. C'est le sens de l'absurde qui règne en maître. Un magazine postmoderne pourra être irrévérencieux, mais pas amèrement irrévérencieux, car son irrévérence n'a pas de but précis : elle ne vise personne en particulier, car tout le monde est également ridicule. Et, de toute façon, c'est un jugement passager, qui ne repose sur aucun fondement moral. Restez donc assis et profitez du spectacle.

On peut penser que l'attitude postmoderne a déjà puisé quelque force dans le nouveau paradigme darwinien. La sociobiologie, bien qu'ayant reçu un accueil sévère chez les intellectuels, a commencé de s'infiltrer dans la culture populaire il y a une vingtaine d'années. En tout cas, les progrès futurs du darwinisme risquent de renforcer l'humeur postmoderne. Il est certain que, parmi les intellectuels, les tenants du déconstructionnisme et ceux de la critique authentique trouveront beaucoup à glaner dans le nouveau paradigme. Et il n'est pas moins certain que, hors de ces milieux, la psychologie évolutionniste entraînera une conscience de soi si aiguë et un cynisme si profond, qu'un ironique détachement face à toute entreprise humaine risque fort d'être l'unique recours possible.

Ainsi, la difficile question de savoir si l'animal humain peut être un animal moral – question que le cynisme moderne tend à accueillir par le désespoir – peut paraître de plus en plus désuète. On se demanderait plutôt si, une fois le nouveau darwinisme établi, le mot *moral* pourra encore être autre chose qu'une vaste plaisanterie.

CHAPITRE XVI

ÉTHIQUE ÉVOLUTIONNISTE

> *Ainsi, ce sont bien nos ancêtres qui sont à l'origine de nos mauvaises passions!! – Le diable, sous l'apparence du babouin, est notre grand-père.*

Carnet de notes (1838)

> *Ce qu'il serait souhaitable d'enseigner est une autre question – tout a été déclaré d'utilité publique.*

« Vieilles notes inutiles » (sans date) [1]

En 1871, douze ans après la parution de *L'Origine des espèces*, Darwin publie *La Descendance de l'homme*, dans laquelle il présente sa théorie des « sentiments moraux ». Il se garde bien de crier sur les toits quelles sont les dérangeantes implications de sa théorie; il n'insiste pas sur le fait que le sens même du bien et du mal, qui semble providentiel et tire sa force de cela même, est un produit arbitraire issu de notre singulier passé évolutif. Mais l'ouvrage prend, par endroits, un air de relativisme moral. Si la société humaine avait été calquée sur celle des abeilles, écrit Darwin, « sans doute nos femelles non mariées considéreraient-elles, à l'instar des ouvrières, comme un devoir sacré de tuer leurs frères, et sans doute les mères s'efforceraient-elles de tuer leurs filles fécondes; et personne ne songerait à intervenir » [2].

Certains comprennent où Darwin veut en venir. L'*Edinburgh Review* observe que, si la théorie de Darwin se révèle exacte, « la plupart des individus parmi les plus sérieux seront contraints d'abandonner ces principes par lesquels ils ont tenté de mener de nobles et vertueuses existences, puisqu'ils sont fondés sur une erreur; notre sens moral se révélera n'être qu'un instinct développé [...]. Si ces thèses sont exactes, une révolution de la pensée est imminente, qui ébranlera la société jusque dans ses racines, détruisant le caractère sacré de la conscience et le sentiment religieux » [3].

Aussi hâtif que paraisse ce pronostic, il n'est pas totalement dépourvu de fondement. Le sentiment religieux a en effet diminué, surtout au sein de l'intelligentsia, chez des gens qui lisent aujourd'hui l'équivalent de l'*Edinburgh Review*. Et la conscience ne semble pas non plus avoir le même poids qu'à l'époque victorienne. Chez les philosophes préoccupés d'éthique, on est bien loin du consensus sur la question de savoir de quel côté nous devrions chercher des valeurs morales – sinon, peut-être, du côté du néant. Il est à peine exagéré de dire que le nihilisme est bien la philosophie morale dominante au sein de nombreux courants philosophiques. Bien qu'inconnue, une bonne part du phénomène est imputable au double crochet du droit de Darwin : celui qu'il porta, dans *L'Origine des espèces*, au récit biblique de la Création, auquel succédèrent les doutes sur le sens moral de *La Descendance de l'homme*.

Si le darwinisme ancienne version a véritablement sapé la force morale de la civilisation occidentale, qu'arrivera-t-il lorsque l'on aura pleinement compris le nouveau paradigme ? Les spéculations, parfois diffuses, de Darwin concernant les « instincts sociaux » ont cédé la place à des théories solidement enracinées dans la logique et dans les faits, celles de l'altruisme réciproque et de la sélection par la parenté. Et elles ne donnent pas une vision aussi séraphique qu'auparavant de nos sentiments moraux. Sympathie, empathie, compassion, conscience, culpabilité, remords et jusqu'au sens même de la justice – ce sens qui veut que le bien mérite récompense et que le mal soit châtié –, on peut désormais regarder tout cela comme des vestiges de l'histoire organique sur une planète particulière.

En outre, nous ne pouvons pas nous consoler, comme le fit à tort Darwin, en nous disant que ces choses ont évolué pour le bien suprême – le « bien du groupe ». Nos sublimes intuitions sur le bien et le mal sont des armes conçues pour servir le corps à corps quotidien qui nous oppose à l'autre.

Ce ne sont pas les *sentiments* moraux seuls que l'on suspecte désormais, mais tout le discours moral. Vu sous l'angle du nouveau paradigme darwinien, un code moral est un compromis politique modelé par des associations concurrentes, qui pèsent sur lui de tout leur poids. C'est en ce sens seulement que l'on peut dire des valeurs morales qu'elles viennent d'en haut : elles sont démesurément façonnées par les diverses parties de la société qui détiennent le pouvoir.

Alors, où cela nous mène-t-il ? Abandonnés dans un univers froid, sans gyroscope moral ni aucune chance d'en trouver un, profondément privés de tout espoir ? Est-il possible que la moralité n'ait plus de sens, dans un monde post-darwinien, pour une personne qui réfléchit ? C'est là une sombre et trouble question, qui (et les lecteurs seront soulagés de l'apprendre) ne sera pas rigoureusement traitée dans cet ouvrage. Mais nous pouvons au moins nous donner la peine de voir comment Darwin traite celle du sens de la morale. Bien qu'il n'ait pu connaître le nouveau paradigme, ni tous ses aspects si singulièrement déprimants, il a compris, aussi sûrement que le fit l'*Edinburgh Review*, la portée moralement déroutante du darwinisme. Pourtant, il persiste à employer les mots *bien* et *mal*, *juste* et *faux*, avec la même imperturbable gravité. Comment a-t-il pu continuer de prendre la moralité au sérieux ?

CONDAMNÉS À ÊTRE RIVAUX

Le darwinisme se popularise, les craintes de l'*Edinburgh Review* pénètrent les esprits, et plusieurs penseurs se précipitent pour prévenir un effondrement de tous les fondements moraux. La plupart d'entre eux contournent la menace évolutionniste qui pèse sur les traditions morales et religieuses par une manœuvre simple : ils redirigent leur respectueuse crainte religieuse sur l'évolution elle-même, la transformant en pierre de touche du bien et du mal. Pour avoir une idée de la morale absolue, disent-ils, il suffit d'observer le processus qui nous a créés ; la « bonne » façon de se conduire est en harmonie avec la direction fondamentale de l'évolution : nous devons tous nous laisser porter par son courant.

Et ce courant, quel est-il ? Sur ce point, les opinions varient. Une école, que l'on appela plus tard darwinisme social, insiste sur l'impitoyable, quoique finalement créatrice, tendance de la sélection naturelle à éliminer les inaptes. La morale de l'histoire est, semble-t-il, que la souffrance est au service du progrès, tant chez les êtres humains que dans l'histoire de l'évolution. Nous devons la version « almanach » du darwinisme social à celui que l'on considère généralement comme son père, Herbert Spencer : « La pauvreté de l'incapable, le désarroi qui guette l'imprudent, la famine qui attend le paresseux, ces coups d'épaule par lesquels les forts écartent les faibles et qui laissent tant d'individus " dans les bas-fonds et la misère ", sont les décrets d'une immense et clairvoyante bienveillance. »

En réalité, Spencer a écrit cela en 1851, soit huit ans avant la parution de *L'Origine des espèces*. C'est pourquoi, nombreux sont ceux qui ont longtemps cru que le progrès par la souffrance était chose naturelle. Cela participa de la foi en l'économie de marché qui a apporté à l'Angleterre une rapide croissance matérielle. Mais, aux yeux de beaucoup de capitalistes, la théorie de la sélection naturelle ajoutait à cette façon de voir une bonne dose de certitude cosmique. John D. Rockefeller disait que, si les entreprises faibles déclinaient, dans une économie libérale, c'était « l'aboutissement d'une loi de la nature et d'une loi de Dieu »[4].

Darwin trouve risibles les grossières charges morales dont sa théorie fait l'objet. Il écrit à Lyell : « Je suis tombé, dans un journal de Manchester, sur un excellent pétard mouillé qui explique que, puisque j'ai prouvé que " la force fait le droit ", dans ce cas Napoléon est dans son droit, tout comme n'importe quel escroc est dans le sien[5]. » Sur ce point, Spencer lui-même eût désavoué le « pétard mouillé ». Il n'était pas l'homme sans cœur que laissent deviner ses sévères assertions et ne méritait pas cette réputation qu'il a encore aujourd'hui. C'était un pacifiste, et il a beaucoup insisté sur le bien-fondé de l'altruisme et de la sympathie.

La façon dont Spencer a abouti à ces valeurs plus nobles et généreuses illustre une seconde approche permettant de cerner la nature du « courant » de l'évolution. L'idée était de se laisser guider par la *direction* de l'évolution et pas seulement par sa dynamique ; ainsi, pour savoir comment les hommes devaient se conduire, fallait-il d'abord se demander quelle était la finalité de l'évolution.

Il existe de nombreuses réponses à cette question. Aujourd'hui, les biologistes disent communément que l'évolution n'a pas de finalité identifiable. Spencer pense, quant à lui, qu'elle tend à donner aux espèces une vie toujours plus longue et confortable, leur permettant d'élever leur progéniture avec une sécurité croissante. Notre mission consisterait alors à nourrir ces valeurs. Et le meilleur moyen d'y parvenir serait de coopérer avec son prochain, d'être bon – de vivre dans des « sociétés toujours paisibles »[6].

Tout cela gît désormais dans les poubelles de l'histoire de la pensée. En 1903, le philosophe G. E. Moore donne l'assaut final à cette idée selon laquelle nous devrions calquer nos valeurs sur l'évolution ou sur *n'importe quel* phénomène observé dans la nature. Il la baptise « l'erreur naturaliste »[7]. Depuis, bien des philosophes se sont donné beaucoup de mal pour ne pas la commettre.

Moore n'a pas été le seul à s'interroger sur la façon d'inférer ce qui « devrait être » de ce qui « est ». John Stuart Mill avait fait de même quelques dizaines d'années auparavant[8]. Mill écartait l'erreur naturaliste d'une façon plus naturellement convaincante que celle de Moore, bien que beaucoup moins technique et intellectuelle. Son idée était d'éclairer l'hypothèse, d'ordinaire tacite, qui sous-tend toute tentative d'utilisation de la nature comme guide de bonne conduite : à savoir qu'ayant été créée par Dieu, la nature doit nécessairement incarner ses valeurs. Et Mill ajoute qu'il ne s'agit pas de n'importe quel Dieu. Supposons, par exemple, que Dieu ne soit pas bienveillant, dans ce cas pourquoi honorer ses valeurs ? Et s'il est bienveillant, mais pas tout-puissant, pourquoi supposer qu'il ait réussi à inscrire ses valeurs dans la nature ? Ainsi, la question de savoir si la nature mérite une imitation servile se réduit-elle à celle de savoir si elle est bien l'ouvrage d'un Dieu bienveillant et tout-puissant.

À quoi Mill répond : *Vous voulez rire !* Dans un essai intitulé *Nature*, il écrit que la nature « crucifie les êtres humains, les brise comme sur la roue, les voue à être dévorés par des bêtes sauvages, les fait périr par le feu, les lapide comme les premiers martyrs chrétiens, les affame, les glace, les empoisonne du venin rapide ou lent de ses exhalaisons et a encore en réserve pour eux des centaines de morts atroces ». Et elle fait tout cela « avec le plus parfait mépris pour la miséricorde et la justice, décochant indifféremment ses flèches sur le meilleur et le plus noble, comme sur le plus vil et le plus mauvais ». Mill ajoute encore : « S'il fallait voir dans la Création un dessein particulier, le plus évident serait celui-ci : que la plupart des animaux doivent passer leur existence à torturer et à dévorer d'autres animaux. » Chacun, « quelle que soit sa religion », doit admettre que, « si l'homme et la nature sont tous deux l'œuvre d'un Être d'une parfaite bonté, cet Être a pensé la nature selon un plan que l'homme doit amender et non pas imiter »[9]. Mill ne croit pas non plus qu'il nous faille ajouter à notre intuition morale un guide, un dispositif visant à « consacrer tous nos préjugés profonds »[10].

Mill a écrit *Nature* avant que ne paraisse *L'Origine des espèces* (bien qu'il l'ait publié après) et n'a pas envisagé l'hypothèse que la souffrance puisse être la rançon de la création organique. Cependant, même dans ce cas, la question demeurerait : si Dieu est bienveillant et véritablement tout-puissant, pourquoi n'a-t-il pu inventer un processus créatif indolore ? En tout cas, Darwin lui-même voit l'énorme souffrance du monde comme allant à l'encontre des croyances religieuses communes. En 1860, soit un an après la publication de *L'Origine des espèces* et longtemps avant celle de *Nature* de Mill, il écrit à Asa Gray : « Je ne parviens pas à voir aussi pleinement que d'autres, ni aussi pleinement que je le souhaiterais, la preuve d'un dessein et d'un dessein généreux dans ce qui nous environne. Il me semble qu'il y a trop de misère en ce monde. Je n'arrive pas à me persuader qu'un Dieu bienveillant et tout-puissant ait pu créer délibérément les ichneumons [des guêpes parasites] avec l'intention de les faire se nourrir de l'intérieur du corps de chenilles vivantes, ni les chats qui jouent avec des souris[11]. »

L'ÉTHIQUE DE DARWIN ET DE MILL

Darwin et Mill n'ont pas seulement posé le problème dans des termes à peu près similaires, ils ont aussi envisagé la solution dans des termes voisins. Tous deux pensent que, dans un univers d'où – autant que nous le sachions – Dieu est absent, on peut raisonnablement penser trouver un guide moral dans l'utilitarisme. Bien sûr, Mill a fait bien plus que souscrire à l'utilitarisme. Il a été son premier promoteur. En 1861, deux ans après la parution de *De la liberté* et de *L'Origine des espèces*, il publie, dans le *Fraser's Magazine*, une série d'articles que l'on connaît désormais sous le titre unique de *L'Utilitarisme* et qui sont devenus la défense classique de cette doctrine.

L'idée de l'utilitarisme est simple : les lignes directrices essentielles du discours moral sont le plaisir et la souffrance. On peut dire d'une chose qu'elle est bonne dans la mesure où elle augmente la quantité de bonheur dans le monde et qu'elle est mauvaise lorsqu'elle y augmente la quantité de souffrance. Le but d'un code moral est d'optimiser le bonheur global du monde. Darwin, lui, ergote sur cette formulation. Il établit une distinction entre « le bien ou le bien-être général de la communauté » et « le bonheur général », et il adopte le premier, mais concède ensuite que, puisque « le bonheur est une part essentielle du bien général, le principe du plus grand bonheur peut faire office de critère quasiment sûr dans la définition du bien et du mal [12] ». Il est, dans la pratique, un utilitariste [13]. Il est aussi un grand admirateur de Mill, tant pour sa philosophie morale que pour son libéralisme politique.

L'une des vertus de l'utilitarisme de Mill, dans un monde post-darwinien, est son minimalisme. Puisqu'il est désormais plus difficile de trouver une base à des assertions portant sur les valeurs morales fondamentales, plus les assertions fondatrices seront rares et simples, mieux cela vaudra. L'utilitarisme trouve son assise principale dans cette simple assertion : en tout état de cause, le bonheur est préférable au malheur. Qui contesterait cela ?

Vous allez être surpris. Pour certains, même cette apparemment modeste allégation morale revient à inférer de façon injustifiée ce qui « devrait être » de ce qui « est » – c'est-à-dire, à déduire à partir du monde réel que les hommes aiment vraiment le bonheur. G. E. Moore lui-même s'est élevé contre ce point de vue (bien que des philosophes ultérieurs aient pu imputer les objections de Moore à sa mauvaise compréhension des idées de Mill [14]).

Il est vrai que Mill formule parfois son argumentation d'une manière qui provoque la critique [15]. Mais jamais il ne prétend avoir « prouvé » que le plaisir était bon et la souffrance mauvaise ; pour lui, ces « principes premiers » sont au-delà de toute preuve. Son argumentation suit des lignes plus humbles et plus pragmatiques, dont l'une consiste en gros à dire : Ne nous voilons pas la face, nous adhérons tous au moins en partie à l'utilitarisme ; il se trouve juste que certains d'entre nous n'emploient pas le terme.

Pour commencer, nous menons tous *nos* propres vies comme si le bonheur était le but du jeu. (Même les gens qui pratiquent une rigoureuse abnégation le font au nom du bonheur futur, dans ce monde ou dans l'autre.) Et si nous admettons tous trouver quelque chose de fondamentalement bon dans le bonheur, si nous admettons tous qu'il est une chose à ne pas bafouer sans raison, il devient difficile, sans paraître un peu impertinent, de dénier à quiconque une revendication identique.

Du reste, l'affaire est largement reconnue : tout le monde – à l'exception des sociopathes, que nous considérons comme de piètres guides moraux – s'accorde à reconnaître que la façon dont nos actes affectent le bonheur des autres constitue une part importante de l'évaluation morale. Vous pouvez croire en une infinie quantité de droits imprescriptibles (la liberté, par exemple) ou de devoirs (ne jamais tricher). Vous pouvez considérer qu'il s'agit de décrets divins ou d'intuitions infaillibles. Vous pouvez croire qu'ils l'emportent toujours – « avec atout », comme disent certains philosophes – sur les arguments uniquement utilitaristes. Mais vous ne croyez pas que les arguments utilitaristes sont hors sujet ; vous admettez implicitement que, si vous n'avez pas d'atout maître, ils gagneront.

Qui plus est, poussé dans vos retranchements, vous êtes sans doute tenté de justifier vos atouts en des termes utilitaristes. Vous pouvez soutenir, par exemple, que même si un acte de tricherie occasionnel et isolé peut accroître, à court terme, le bien-être général, une tricherie régulière rongerait l'intégrité, au point que le chaos moral finirait par s'ensuivre, et ce au détriment de tout le monde. Ou, dans le même ordre d'idées, si on refuse la liberté, fût-ce à un petit groupe d'individus, plus personne ne se sent en sécurité. Ce type de logique sous-jacente – utilitarisme honteux – fait fréquemment surface lorsque l'on tente de démêler la logique qui se cache derrière les « droits » fondamentaux. « Le principe du plus grand bonheur, écrit Mill, a joué un rôle éminent dans la formation des doctrines morales, y compris dans la formation de celles qui rejettent avec le plus de mépris son autorité. Il n'est pas non plus une seule école de pensée qui refuse d'admettre l'influence des actions sur le bonheur comme une considération tout à fait essentielle, et même prédominante, au regard de nombre d'aspects de la morale, même si elle se refuse à reconnaître dans cette influence le principe fondamental de la moralité et la source de l'obligation morale [16]. »

Les « atouts maîtres » ci-dessus évoqués illustrent un fait que l'on n'a pas suffisamment apprécié : l'utilitarisme peut servir de fondement aux droits et devoirs absolus. Un utilitariste peut défendre avec acharnement des valeurs « inviolables », aussi longtemps que leur violation serait susceptible de conduire, à long terme, à de gros problèmes. Semblable utilitariste fait moins figure de « praticien » de l'utilitarisme que de « théoricien », comme semble l'avoir été Mill [17]. Semblable utilitariste ne se pose pas la question suivante : Quel impact le fait que je fasse telle ou telle chose aujourd'hui peut-il avoir sur le bonheur global de l'humanité ? Il se demande plutôt : Quel serait l'impact si les

gens faisaient, en règle générale, telle et telle chose dans des circonstances comparables?

Croire que le bonheur est bon et la souffrance mauvaise n'est pas
seulement un élément fondamental du discours moral qui nous est
commun à tous. De plus en plus, cette idée semble être le seul élément fondamental qui nous soit commun. Une fragmentation s'opère
ensuite, en fonction des vérités différentes – divinement révélées ou
apparemment évidentes – que poursuivent des individus différents.
Ainsi, si un code moral s'adresse vraiment à la communauté tout
entière, alors l'hypothèse utilitariste – le bonheur est bon, la souffrance mauvaise – semble être le fondement le plus pratique, sinon le
seul fondement pratique du discours moral. Il est le dénominateur
commun dans la discussion, la seule prémisse sur laquelle chacun
s'appuie. C'est à peu près tout ce qui nous reste.

Bien sûr, on pourrait toujours dénicher quelques rares personnes
qui n'iraient même pas jusque-là; se référant peut-être à l'erreur naturaliste, elles insisteraient sur le fait qu'il n'y a rien de bon dans le bonheur. (À mon sens, dire du bonheur qu'il est bon, est, en fait, une
valeur morale que n'affecte pas l'erreur naturaliste. Fort opportunément, la place qui m'est laissée ici ne m'autorise pas la longue dissertation
qu'exige une telle affirmation.) D'autres pourraient dire que, bien
que le bonheur soit une belle chose, ils ne pensent pas que devrait
exister un code moral consensuel. C'est parfaitement leur droit. Ils
sont libres de rejeter le discours moral, ainsi que toute obligation et
tout bénéfice que pourrait apporter le code en question. Mais si vous
croyez que l'idée d'un code moral public a un sens, et si vous souhai-
tez la voir largement acceptée, la prémisse utilitariste semble alors un
point de départ logique.

La question n'en est pas moins bonne : Pourquoi *devrions*-nous
avoir un code moral? Même en admettant le fondement de l'utilitarisme – à savoir que le bonheur est bon –, on peut se poser les questions suivantes : Pourquoi devrions-nous nous soucier du bonheur des
autres? Pourquoi ne pas laisser chacun se soucier de son propre bonheur (il semble, de toute façon, que l'on puisse plus ou moins compter
là-dessus)?

Peut-être la meilleure réponse à cette question est-elle purement
d'ordre pratique : grâce à notre vieille amie la somme non zéro, le
bonheur de chacun peut, en principe, augmenter si chacun traite gentiment son prochain. Tu t'interdis de me tromper ou de me maltraiter
et je m'interdis de te tromper ou de te maltraiter; nous nous en trouvons mieux, l'un et l'autre, que si nous vivions dans un monde sans
moralité. Car, dans un tel monde, un mauvais traitement réciproque
tendrait, de toute façon, à s'annuler (à supposer qu'aucun d'entre
nous ne soit beaucoup plus compétent que l'autre dans le domaine de
la méchanceté.) Et, dans l'intervalle, nous aurions à payer l'un et
l'autre le coût supplémentaire de la peur et de la vigilance.

Envisageons les choses sous un autre angle : la vie est pleine de situations où une légère dépense de l'un peut se révéler, pour l'autre, une grande économie. Par exemple : tenir la porte à la personne qui se trouve derrière vous. Une société dans laquelle chacun tient la porte à celui qui se trouve derrière est une société où tout le monde s'en tire mieux (en supposant que personne n'ait l'étrange habitude de toujours passer devant tout le monde). Si l'on peut créer ce système de respect mutuel – un système moral –, de quelque côté que l'on se place, le jeu en vaudra la chandelle.

Vu sous cet angle, l'argument en faveur d'une moralité utilitariste peut s'exprimer de façon concise : un utilitarisme largement pratiqué promet un mieux-être général ; et, à notre connaissance, c'est bien ce que tout le monde souhaite.

Mill a suivi la logique de la somme non zéro (sans utiliser le terme, ni même se montrer très explicite sur l'idée) jusqu'à sa conclusion logique. Il veut *optimiser* le bonheur général, et le moyen d'y parvenir, c'est que chacun fasse preuve d'une totale abnégation. On ne devrait pas tenir la porte ouverte uniquement si on peut le faire facilement et épargner aux suivants beaucoup de problèmes. Non, on devrait leur tenir la porte ouverte même si la quantité de problèmes qu'on leur épargne est à peine supérieure à la peine que l'on se donne. Bref, nous devrions vivre *en considérant le bien-être des autres comme tout aussi important que le nôtre.*

C'est là une doctrine radicale. Ceux qui l'ont prêchée, on le sait, ont fini sur la croix. Mill écrit : « Dans la règle d'or de Jésus de Nazareth, nous voyons l'esprit même de l'éthique de l'utilité. Faire aux autres ce que l'on voudrait qu'ils nous fassent, et aimer son prochain comme soi-même, constituent la perfection idéale de la moralité utilitariste [18]. »

DARWIN ET L'AMOUR FRATERNEL

On pourrait être surpris de voir une idée aussi jolie et chaleureuse – l'amour fraternel – sortir d'un terme aussi clinique et froid que « l'utilitarisme ». Pourtant, nous ne devrions pas l'être. L'amour fraternel est implicite dans les formulations ordinaires de l'utilitarisme : bonheur maximum *global*, le plus grand bien pour *le plus grand nombre*. En d'autres termes : le bonheur de chacun est d'égale valeur ; vous n'êtes pas privilégié et ne devriez pas agir comme si vous l'étiez. Telle est la seconde hypothèse, quoique moins manifestement fondatrice, développée par Mill dans son argumentation. Depuis le début, il affirme non seulement que le bonheur est bon, mais aussi qu'aucun bonheur n'est particulier.

On a du mal à imaginer une affirmation agressant plus directement les valeurs implicites dans la nature. S'il est une chose en quoi la
sélection naturelle « veut » que nous croyions, c'est bien que notre
bonheur individuel est particulier. Tel est le gyroscope de base qu'elle
a fabriqué en nous ; en poursuivant des objectifs qui promettent de
nous assurer le bonheur, nous optimiserons la prolifération de nos
gènes (du moins, aurions-nous eu une chance d'y parvenir dans l'environnement ancestral). Oublions momentanément que les objectifs
nous promettant le bonheur finissent souvent par ne pas nous le donner. Oublions aussi que la sélection naturelle ne se « soucie » pas vraiment de notre bonheur et qu'elle acceptera volontiers notre souffrance, si celle-ci doit permettre à nos gènes de se transmettre à la
génération suivante. Pour le moment, la question est la suivante : le
mécanisme fondamental par lequel nos gènes nous contrôlent est la
conviction profonde, souvent inexprimée (même inconsciente), que
notre bonheur est particulier. Nous sommes conçus pour ne pas nous
inquiéter du bonheur des autres, sauf dans les cas où, au cours de
l'évolution, s'en inquiéter a pu être profitable pour nos gènes.

Et cela ne concerne pas que le genre humain. L'égocentrisme est
la caractéristique de la vie sur cette planète. Les organismes sont des
choses qui agissent comme si leur bien-être était plus important que le
bien-être de tous les autres organismes (excepté, encore une fois,
lorsque d'autres organismes peuvent aider à la diffusion de leurs
gènes). Il a pu sembler innocent à Mill de déclarer que notre bonheur
était un but légitime tant qu'il n'empiétait pas sur celui des autres, et
pourtant il s'agit là d'une hérésie évolutionniste. Notre bonheur *est
conçu* pour empiéter sur celui des autres ; sa véritable raison d'être est
d'inspirer des préoccupations égoïstes [19].

Bien avant que Darwin rencontre la sélection naturelle, bien
avant qu'il réfléchisse à ses « valeurs », il avait lui-même des valeurs à
l'opposé de celles-ci, et déjà bien formées. L'éthique adoptée par Mill
était une tradition familiale chez les Darwin. Le grand-père Erasmus
avait écrit sur le « principe du plus grand bonheur ». Et des deux côtés
de la famille, la compassion universelle était depuis longtemps un
idéal. En 1788, le grand-père maternel de Darwin, Josiah Wedgwood,
fabriqua des centaines de médaillons contre l'esclavage, représentant
un homme noir enchaîné sous les mots : « NE SUIS-JE PAS UN HOMME
ET UN FRÈRE [20] ? » Darwin maintient la tradition, ressentant profondément l'angoisse des Noirs qui, observe-t-il avec amertume, sont « à
peine rangés par les sauvages civilisés d'Angleterre au nombre de leurs
frères, même au regard de Dieu » [21].

C'est finalement sur cette simple et profonde compassion que
repose l'utilitarisme de Darwin. Certes, comme Mill, il a rédigé
l'exposé raisonné de son éthique (exposé raisonné qui, bizarrement,
flirte plus ouvertement avec l'erreur naturaliste que celui de Mill [22]).
Mais, au bout du compte, Darwin est tout simplement un homme

dont l'empathie est illimitée ; et, au bout du compte, une empathie illimitée n'est autre que de l'utilitarisme.

Après avoir exploré la sélection naturelle, Darwin voit certainement à quel point son éthique personnelle se trouve à l'opposé des valeurs qu'implique la sélection naturelle. L'insidieuse létalité d'une guêpe parasite, la cruauté d'un chat jouant avec une souris – tout cela n'est, après tout, que la partie visible de l'iceberg. Réfléchir à la sélection naturelle, c'est être atterré par la quantité de souffrances et de morts qui peuvent venir payer un unique et infime progrès dans le projet organique. Et c'est comprendre, en outre, que la finalité d'un tel « progrès » – des canines plus longues et plus acérées chez les chimpanzés mâles, par exemple – consiste souvent à faire souffrir ou mourir plus sûrement d'autres animaux. Le projet organique se développe à partir de la souffrance, et la souffrance se développe à partir du projet organique.

Il ne semble pas que Darwin ait passé trop de temps à se tourmenter sur ce conflit entre la « moralité » de la sélection naturelle et la sienne propre. Si une guêpe parasite ou un chat jouant avec des souris incarnent les valeurs de la nature, eh bien ! tant pis pour les valeurs de la nature ! Il est remarquable qu'un processus créatif entièrement voué à l'égoïsme puisse produire des organismes qui, ayant fini par débusquer le processus, méditent sur sa valeur centrale pour ensuite la rejeter. Plus étonnant encore, cela s'est produit en un temps record : c'est ce qu'a fait le tout premier organisme à avoir jamais vu son processus créatif. Les sentiments moraux de Darwin, fondamentalement conçus pour servir l'égoïsme, ont rejeté cette idée même dès lors qu'elle est devenue explicite [23].

DARWINISME ET AMOUR FRATERNEL

On peut concevoir que les valeurs morales de Darwin aient, ironiquement, tiré un peu de leur force de sa réflexion sur la sélection naturelle. Songez-y : des milliards et des milliards d'organismes courent partout, chacun sous le charme hypnotique d'une vérité unique, toutes ces vérités étant identiques, et toutes logiquement incompatibles entre elles : « Ma substance héréditaire est la plus importante qui soit sur terre ; sa survie justifie votre frustration, votre souffrance et même votre mort. » Et vous êtes vous-même l'un de ces organismes, passant votre vie dans l'esclavage d'une logique absurde. C'est suffisant pour que vous vous sentiez un peu aliéné – sinon totalement rebelle.

La réflexion darwinienne s'oppose à l'égoïsme d'une autre manière, et dont Darwin lui-même n'a pu prendre pleinement la mesure ; ainsi, le nouveau paradigme darwinien peut-il sensiblement nous conduire vers les valeurs de Mill, de Darwin et de Jésus.

Je dis cela simplement. Je ne suis pas en train de prétendre que tout principe moral absolu *découle* du darwinisme. De fait, comme nous l'avons vu, l'idée même de principes moraux absolus a subi certains dommages entre les mains de Darwin. Mais je crois vraiment que la plupart de ceux qui comprennent clairement ce qu'est le nouveau paradigme darwinien et qui y réfléchissent sérieusement vont être amenés à davantage de compassion et d'intérêt pour leurs contemporains. Du moins admettront-ils, avec un peu de recul, que davantage de compassion et d'intérêt sembleraient appropriés.

Le nouveau paradigme dépouille l'égoïsme de ses nobles atours. Rappelons-nous que l'égoïsme se présente rarement à nous sous son jour véritable. Appartenant à une espèce (*à l'espèce même*) dont les membres justifient leurs actes par la morale, nous sommes conçus pour nous penser comme des êtres bons, à la conduite défendable, même lorsque ces propositions sont objectivement contestables. En dévoilant la machinerie biologique qui se cache derrière cette illusion, le nouveau paradigme rend l'illusion plus difficile à croire.

Par exemple, nous disons et croyons presque tous ne pas avoir d'antipathies irraisonnées. Si quelqu'un est l'objet de notre colère, ou même de notre impitoyable indifférence – si nous pouvons nous réjouir de sa souffrance ou l'admettre facilement –, c'est à cause d'une chose qu'il a faite ; il *mérite* d'être traité avec froideur.

Nous comprenons à présent, pour la première fois, comment les êtres humains en sont arrivés à avoir le sentiment que les châtiments ou récompenses qu'ils dispensent sont mérités. Et l'origine de ce sentiment n'inspire pas une grande confiance morale.

À la base de ce sentiment se trouve la pulsion de châtiment, l'un des principaux régulateurs de l'altruisme réciproque. Elle n'a pas évolué pour le bien de l'espèce, ou pour celui de la nation, ni même pour le bien de la tribu, mais pour le bien de l'individu. Et, en réalité, cela même peut nous égarer : la fonction ultime de cette pulsion est de faire que se duplique l'information génétique de l'individu.

Cela ne signifie pas nécessairement que la pulsion de châtiment soit *mauvaise*. En revanche, cela signifie que certaines des raisons qui nous l'ont fait tenir pour *bonne* sont maintenant remises en question. En particulier, il est plus difficile de croire en l'aura de respect entourant cette pulsion – ce sublime sentiment que le châtiment reflète quelque vérité éthique supérieure – dès lors que l'on considère cette aura comme un message intéressé lancé par nos gènes, et non comme un message bienfaisant venu du Ciel. Son origine n'est pas plus divine que celle de la faim, de la haine, du désir ou de toute autre chose qui doit son existence au fait d'avoir réussi, par le passé, à pousser des gènes de génération en génération.

Il existe, en fait, une défense du châtiment qui peut se formuler en termes moraux – en termes d'utilitarisme ou de quelque autre moralité dont l'objectif serait d'inciter les hommes à respecter leurs semblables. Le châtiment aide à résoudre le problème du « tricheur », problème auquel tout système moral se trouve confronté : les gens que l'on voit prendre plus qu'ils ne donnent sont punis, dissuadés d'être toujours celui à qui l'on tient la porte et jamais celui qui la tient. Bien que la pulsion de châtiment n'ait pas été conçue pour le bien du groupe, comme l'est le système moral de Mill, elle peut – et c'est souvent le cas – augmenter la quantité de bien-être social. Elle rend les gens soucieux de l'intérêt des autres. Si basse soit son origine, elle n'en a pas moins abouti à servir un noble dessein. Et on peut lui en être reconnaissant.

Cela seul pourrait suffire à la justifier, excepté sur un point : les torts réparés par le châtiment ne coïncident pas avec le genre d'objectivité divine que recommandait Mill. Nous ne cherchons pas à punir seulement ceux qui ont vraiment triché ou qui nous ont vraiment maltraités. Notre système de comptabilité morale est d'une capricieuse subjectivité, informé qu'il est par un profond préjugé en faveur du moi.

Ce préjugé général dans le calcul de ce qui nous est dû n'est que l'une des nombreuses entorses données à la transparence du jugement moral. Nous avons tendance à trouver nos rivaux moralement déficients, nos alliés dignes de compassion, à adapter cette compassion à leur statut social et à ignorer, dans le même temps, ce qui est socialement marginal. Qui pourrait considérer tout cela et prétendre encore sans ciller que nos diverses entorses à l'amour fraternel sont aussi intègres que nous le prétendons ?

Nous avons raison de dire que nous n'éprouvons jamais d'antipathies irraisonnées. Mais la raison, souvent, est qu'il n'est pas dans notre intérêt d'éprouver de la sympathie ; cela n'élèverait pas notre statut social, ne contribuerait pas à l'acquisition de biens matériels ou sexuels, n'aiderait pas notre famille, ni ne ferait rien de ce qui, au cours de l'évolution, a pu rendre les gènes prolifiques. Le sentiment d'être dans le « juste », qui accompagne notre antipathie, n'est qu'une façade. Une fois que l'on aura vu cela, la puissance de ce sentiment pourra diminuer *.

* Le débat est ici fondamentalement différent des autres discussions portant sur la moralité apparues antérieurement dans ce livre. Ici, nous ne prétendons pas seulement que le nouveau paradigme darwinien peut nous aider à comprendre quelles valeurs morales nous nous trouvons choisir. Non, nous disons que le nouveau paradigme peut effectivement *influencer* – légitimement –, depuis le début, notre choix des valeurs fondamentales. Certains darwiniens soutiennent qu'une telle influence ne peut jamais être légitime. Ils ont à l'esprit l'erreur naturaliste qui, par le passé, a tant entaché leurs travaux. Mais ce que nous faisons ici n'est pas une erreur naturaliste. Bien au contraire. En étudiant la nature – en observant les origines de la pulsion de châtiment –, nous voyons comment, à notre insu, nous avons été dupés jusqu'à commettre cette erreur ; nous découvrons que l'aura de divine vérité qui entoure le châtiment n'est rien d'autre qu'un outil grâce auquel la nature – la sélection naturelle – nous fait accepter les yeux fermés ses « valeurs ». Une fois que nous avons admis cette révélation, nous sommes moins disposés à obéir à cette aura, et donc moins enclins à commettre l'erreur.

Un instant. Ne pourrions-nous déprécier de la même façon le sentiment de justesse qui accompagne la compassion, la sympathie et l'amour? Après tout, l'amour, comme la haine, n'existent que par la vertu de leur contribution passée à la prolifération génétique. Du point de vue du gène, il est tout aussi grossièrement égoïste d'aimer un frère, une sœur, un enfant ou une épouse que de détester un ennemi. Si ce sont les origines du châtiment qui permettent de remettre en question celui-ci, pourquoi l'amour ne serait-il pas, lui aussi, remis en cause?

La réponse est que l'amour devrait, certes, être remis en cause, mais qu'il survit fort bien aux questions. Du moins leur survit-il fort bien aux yeux d'un utilitariste ou de quiconque tient le bonheur pour un bien moral. Après tout, l'amour nous incite à rechercher le bonheur des autres; il nous incite à céder un peu pour que les autres (ceux que nous aimons) aient beaucoup. Plus encore : l'amour rend ce sacrifice agréable, ce qui amplifie d'autant le bonheur global. Bien sûr, parfois l'amour est nuisible. Témoin cette femme, au Texas, qui a comploté d'assassiner la mère d'une femme qui était la rivale de sa fille sur un poste important. Son amour maternel, quoique indéniablement intense, ne vient pas s'inscrire sur la page « crédits » du grand-livre moral. Et il en est ainsi chaque fois que l'amour finit par faire plus de mal que de bien. Mais dans l'un et l'autre cas – que le résultat final soit bon ou mauvais –, l'évaluation morale de l'amour est la même que celle du châtiment : nous devons d'abord ôter la façade, ce sentiment intuitif du « bon droit », afin de pouvoir évaluer l'effet de l'amour sur le bonheur global.

Ainsi, le service que nous rend le nouveau paradigme n'est pas, à proprement parler, de révéler la bassesse de nos sentiments moraux; en tant que telle, cette bassesse ne plaide ni en leur faveur, ni en leur défaveur. Non, le paradigme nous est utile dans la mesure où il nous aide à voir que l'aura de justesse qui baigne tant de nos actions peut être une illusion; même lorsqu'elles ont l'air justes, nos actions peuvent porter tort. Et, à coup sûr, plus souvent que l'amour, c'est la haine qui porte tort en pensant être juste. C'est pourquoi je soutiens que le nouveau paradigme aura tendance à conduire l'individu réfléchi vers l'amour et non vers la haine. Le nouveau paradigme nous aide à juger chaque sentiment selon ses mérites; et sur le terrain des mérites, d'ordinaire, c'est l'amour qui l'emporte.

Bien sûr, si vous n'êtes pas utilitariste, régler ces questions risque d'être plus complexe. Et bien que l'utilitarisme ait été la solution de Darwin et de Mill face au défi moral que lance la science moderne, il n'est pas celle de tout le monde. Ce chapitre n'a pas non plus pour objet d'en faire celle de tout le monde (bien que, je le concède, cette solution soit aussi la mienne). Mon propos est plutôt de montrer qu'un univers darwinien n'est pas nécessairement un univers amoral. N'admettriez-vous que ceci : le bonheur est préférable au malheur (toutes autres choses étant égales), vous pourriez bâtir une moralité à part entière avec lois, droits imprescriptibles et tout ce qui s'ensuit. Vous pourriez continuer de louer certaines choses que nous avons toujours trouvées louables – amour, sacrifice, honnêteté, etc. Seul le plus pur et dur des nihilistes, prétendant encore qu'il n'est rien de bon dans le bonheur des êtres humains, pourrait trouver que le mot *morale* est dépourvu de sens dans un monde postdarwinien.

ENGAGER LE COMBAT AVEC L'ENNEMI

Darwin n'est pas le seul évolutionniste victorien à porter un regard sombre sur les « valeurs » de l'évolution. Son ami, l'avocat Thomas Huxley, fait de même. Au cours d'une conférence intitulée *Évolution et Éthique*, prononcée à l'université d'Oxford en 1893, Huxley vise tout le principe du darwinisme social, à savoir l'idée de faire dériver les valeurs de l'évolution. Faisant écho au raisonnement tenu par Mill dans *Nature*, il dit que « l'évolution cosmique peut nous enseigner comment ont pu naître les bonnes et les mauvaises tendances de l'homme ; mais, en tant que telle, elle ne saurait nous fournir de meilleures raisons que celles dont nous diposons afin de nous expliquer pourquoi ce que nous appelons le bien est préférable à ce que nous appelons le mal ». En fait, un examen approfondi de l'évolution, et son énorme tribut de morts et de souffrances, fait dire à Huxley qu'elle serait plutôt à l'opposé de ce que nous appelons le bien. Comprenons une fois pour toutes, dit-il, que « le progrès moral de la société dépend, non pas de notre imitation du processus cosmique, moins encore de notre détachement par rapport à lui, mais du combat que nous mènerons contre lui »[24].

Peter Singer, l'un des premiers philosophes qui ait pris au sérieux le nouveau darwinisme, fait remarquer, dans ce contexte, que « plus on en sait sur son adversaire, plus on a de chances de gagner »[25]. Et George Williams, qui fit tant pour la définition du nouveau paradigme, a fait la synthèse des vues de Huxley et de Singer, et souligné à quel point le nouveau paradigme les met en évidence. Son aversion pour les valeurs de la sélection naturelle, écrit-il, est encore plus grande que celle de Huxley, puisque « basée à la fois sur la vision contemporaine plus radicale de la sélection naturelle en tant que processus optimisant l'égoïsme, ainsi que sur la longue liste des vices désormais imputables à l'ennemi ». Et si l'ennemi est, en effet, « pire que ce que pensait Huxley, nous avons alors un besoin plus urgent encore de comprendre la biologie »[26].

La compréhension de la biologie, dont nous disposons aujourd'hui, nous propose quelques règles élémentaires afin d'engager le combat avec l'ennemi. (Le fait que je les énumère ne signifie pas que je parvienne à les suivre.) Un bon point de départ consisterait à réduire l'indignation morale de moitié, eu égard à ses préjugés intrinsèques, et à se montrer d'une égale méfiance envers l'indifférence morale à la souffrance. Nous devrions nous montrer particulièrement vigilants dans certaines situations. Nous semblons, par exemple, enclins à nous indigner de la conduite de certains peuples (disons, de nations), dont les intérêts sont en conflit avec le nôtre. Nous avons par ailleurs tendance à manquer de considération pour les gens dont le statut social est faible et à nous montrer d'une excessive indulgence envers les personnages haut placés. Rendre la vie un peu plus facile aux premiers au détriment des seconds est sans doute justifié, du moins d'un point de vue utilitariste (ou dans toute autre morale égalitaire).

Cela ne signifie pas que l'utilitarisme soit stupidement égalitaire. Un individu puissant, qui utilise sa position pour se conduire humainement, est un atout social précieux et, à ce titre, peut mériter des égards particuliers, tant que ceux-ci favorisent un tel comportement. Prenons un exemple célèbre dans les annales utilitaristes : Qui sauveriez-vous le premier d'un immeuble en flammes : un archevêque ou une femme de chambre ? La réponse est l'archevêque – même si la femme de chambre est votre mère – parce qu'il fera davantage de bien à l'avenir [27].

Admettons, dans le cas où la personne haut placée est un archevêque (et même alors, peut-être faudrait-il voir de quel archevêque il s'agit). Mais la plupart des gens haut placés ne sont pas archevêques. Et rien ne prouve que les individus haut placés soient particulièrement portés à la conscience morale et au sacrifice. En réalité, le nouveau paradigme met l'accent sur le fait qu'ils ont accédé à ce statut non pour « le bien du groupe », mais pour eux-mêmes ; on peut donc s'attendre à ce qu'ils en usent en conséquence, tout comme on peut s'attendre à ce qu'ils feignent le contraire [28]. Le statut mérite beaucoup moins d'indulgence qu'il n'en recueille généralement. La nature humaine seule peut étendre sa déférence de Mère Teresa à Donald Trump ; dans ce dernier cas, cet aspect de la nature humaine est sans doute regrettable.

Bien évidemment, ces indications supposent une prémisse utilitariste : à savoir que le bonheur des autres est l'objet d'un système moral. Mais qu'en est-il des nihilistes ? Et de ceux qui soulignent que le bonheur même n'est pas une bonne chose, ou que seul *leur* bonheur est une bonne chose, ou que, pour une raison quelconque, le bien-être des autres ne les concerne pas ? Eh bien, pour commencer, il est probable qu'ils se promènent dans la vie en faisant comme si. Car feindre l'altruisme fait autant partie de la nature humaine que la fréquente absence de ce même altruisme. Nous nous gargarisons de paroles moralisantes récusant nos basses motivations et soulignant notre considération, au moins minime, pour le bien supérieur ; et nous décrions avec férocité et autosatisfaction l'égoïsme des autres. Il semble juste de demander même à ceux qui n'adhèrent ni à la thèse de l'utilitarisme, ni à celle de l'amour fraternel d'opérer au moins cette modeste mise au point à la lumière du nouveau darwinisme : soyez cohérents et soumettez toute cette affectation morale à un minutieux et sceptique examen, ou alors abandonnez l'affectation morale.

À ceux qui choisiront la première solution, il suffit de garder à l'esprit que le sentiment du « bon droit » moral a été créé par la sélection naturelle pour que les individus puissent en user égoïstement. On pourrait presque dire que la moralité a été conçue pour être détournée par sa propre définition. Nous avons vu ce que pouvaient être les rudiments d'une moralisation intéressée chez nos proches parents chimpanzés, et comment ils poursuivent leur ordre du jour avec une vertueuse indignation. Contrairement à eux, nous pouvons prendre assez de recul par rapport à cette tendance pour l'observer – assez de recul, en effet, pour élaborer toute une philosophie morale dont le but serait de combattre cette tendance.

C'est sur ce type de raisonnements que se fonde Darwin pour dire de l'espèce humaine qu'elle est une espèce morale – et qu'en fait, nous sommes le seul animal moral. « Un être moral est un être capable de comparer ses actions ou ses motivations passées et futures, et de les approuver ou de les désapprouver, écrit-il. Rien ne laisse supposer que les animaux inférieurs possèdent cette faculté [29]. »

En ce sens, oui, nous sommes des êtres moraux ; nous avons, au moins, la capacité technique de mener une vie vraiment réfléchie ; nous avons la conscience de nous-mêmes, la mémoire, la prévoyance et le jugement. Cependant, les dernières décennies de la pensée évolutionniste invitent à insister sur l'aspect *technique* de la chose. Nous n'avons été conçus ni pour nous soumettre régulièrement à un examen moral véritable et soutenu, ni pour réformer notre conduite en conséquence. Nous sommes potentiellement des animaux moraux – et c'est plus que ne pourrait en dire tout autre animal –, mais nous ne sommes pas naturellement des animaux moraux. Pour devenir des animaux moraux, nous devons d'abord comprendre à quel point nous ne le sommes pas.

CHAPITRE XVII

BLÂMER LA VICTIME

> *Tous les hommes, désirant leur propre bonheur, accordent louange ou blâme aux actions et à leurs motifs, suivant qu'ils les mènent à ce résultat.*

La Descendance de l'homme (1871)

> *Nous acquérons beaucoup de notions inconsciemment, sans y penser et sans y réfléchir (comme la justice??).*

Carnet de notes (1838) [1]

Dans le milieu des années 70, l'ouvrage intitulé *Sociobiologie* va donner au nouveau paradigme darwinien son premier grand retentissement, tout en valant à son auteur, E. O. Wilson, les premières salves de l'injure publique. Il fut traité de raciste, de sexiste et de capitaliste impérialiste. Son livre fut dépeint comme un complot fomenté par la droite pour poursuivre l'abaissement des opprimés.

Il peut paraître étrange que de telles peurs aient subsisté plusieurs dizaines d'années après la révélation de « l'erreur naturaliste » et l'effondrement du darwinisme social. Mais le mot *naturel* peut s'appliquer à plus d'un titre aux questions morales. Si un homme qui trompe sa femme ou exploite les faibles trouve une excuse en disant que « c'est naturel », il ne veut pas forcément dire que son comportement répond à une volonté divine. Peut-être veut-il simplement dire qu'une pulsion si profonde est irrésistible ; ce qu'il fait n'est peut-être pas bien, mais il ne peut s'empêcher de le faire.

C'est sur cette question que le « débat sur la sociobiologie » a vécu pendant des années. Les darwiniens furent accusés de « déterminisme génétique » ou de « déterminisme biologique » – qui, disait-on, ne laissait pas de place au « libre arbitre ». Ils accusèrent alors leurs accusateurs de confusion ; bien compris, le darwinisme ne menaçait pas les nobles idéaux de la politique et de la morale.

Il est vrai que les accusations étaient souvent confuses (et les attaques spécifiquement dirigées contre Wilson gratuites). Mais il est vrai aussi que certaines des craintes de la gauche étaient fondées, même après dissipation de la confusion. Pour la psychologie évolutionniste, la question de la responsabilité morale est vaste et périlleuse. En fait, bien comprise, elle est suffisamment vaste pour alarmer aussi bien la droite que la gauche. Il est par là des problèmes profonds et considérables, que personne n'a encore véritablement soulevés [2].

Or, il se trouve que, un siècle auparavant, Charles Darwin a soulevé le plus profond d'entre eux d'une manière extrêmement pénétrante et humaine. Mais il ne l'a pas dit publiquement. Conscient, comme peuvent l'être aujourd'hui tous les darwiniens modernes, du caractère explosif que peut revêtir une analyse vraiment honnête de la responsabilité morale, il n'a jamais publié ses pensées. Elles sont restées dans le plus obscur recoin de ses écrits intimes – un sac de papiers qu'il étiqueta lui-même, avec la modestie définitive qui lui est propre : « Vieilles notes INUTILES sur le sens moral et quelques points de métaphysique ». À présent que le fondement biologique de la conduite humaine commence de s'éclairer, il est temps d'exhumer le trésor de Darwin.

L'HORRIBLE RÉALITÉ : LE RETOUR

L'analyse de Darwin a pour motif un conflit entre l'idéal et le réel. En théorie, l'amour fraternel est une grande chose, mais c'est dans la pratique que surgissent les problèmes. Même si l'on pouvait convaincre beaucoup de gens de pratiquer l'amour fraternel – problème réel numéro un –, l'on se heurterait au problème réel numéro deux : l'amour fraternel tend à provoquer la désagrégation de la société.

Somme toute, le véritable amour fraternel est une compassion inconditionnelle ; il recèle un doute absolu quant à l'opportunité de faire souffrir quelqu'un, si odieux soient ses actes. Et, dans une société où personne n'est jamais puni de quoi que ce soit, les actes odieux vont se multiplier.

Ce paradoxe est tapi dans les coulisses de l'utilitarisme, surtout dans l'interprétation qu'en donne John Stuart Mill. Mill peut dire qu'un bon utilitariste est quelqu'un qui aime sans condition, mais d'ici qu'arrive le jour où tout le monde aimera *vraiment* sans condition, la réalisation de l'objectif utilitariste – un maximum de bonheur pour tous – occasionnera encore un amour hautement conditionnel.

On doit inciter ceux qui n'ont pas encore vu la lumière à agir avec bonté. Le meurtre doit être puni, l'altruisme loué, etc. Chacun doit être tenu pour responsable de ses actes [3].

De façon étonnante, Mill n'a soulevé cette question nulle part dans le texte fondamental qu'il consacre au sujet : *L'Utilitarisme*. Une petite douzaine de pages après avoir adhéré à l'amour universel enseigné par Jésus, il souscrit au principe de « donner à chacun selon ses mérites, c'est-à-dire le bien pour le bien, et le mal pour le mal » [4]. Il y a une différence irréductible entre « Fais aux autres ce que tu voudrais qu'ils te fassent » et « Fais aux autres ce qu'ils t'ont fait », entre « Aime tes ennemis » ou « Tends l'autre joue » et « Œil pour œil, dent pour dent » [5].

Peut-être peut-on excuser Mill d'avoir une vision charitable du sens de la justice, le grand ordonnateur de l'altruisme réciproque [6]. Comme nous l'avons vu, le mécanisme de l'altruisme réciproque est, pour un utilitariste, une véritable aubaine évolutionniste ; en administrant le TIT FOR TAT à jet continu, il fournit et le bâton et la carotte qui incitent les hommes à ne pas perdre de vue les besoins de leurs voisins. La nature humaine n'ayant pas évolué pour augmenter le bien-être de la communauté, elle ne fait finalement pas un si mauvais boulot. La récolte en sommes non zéro est bonne.

Cependant, remercier la pulsion de châtiment pour services rendus n'est pas la même chose que la remercier d'avoir éclairci le problème. Quelle que soit sa valeur pratique, il n'existe aucune raison de croire que le sens inhérent de la justice – ce sentiment selon lequel les gens *méritent* un châtiment, selon lequel leur souffrance est, *en tant que telle, salutaire* – reflète une vérité supérieure. En effet, le nouveau paradigme darwinien révèle que l'impression de bon droit dans laquelle baigne le châtiment n'est qu'un expédient génétique et qu'elle est pervertie en conséquence. Cette prise de conscience est en partie à l'origine de ce que je suggérais dans le chapitre précédent : le nouveau paradigme tendra à amener les hommes à davantage de compassion.

Le darwinisme moderne offre une deuxième bonne raison de douter de la notion de châtiment. La psychologie évolutionniste prétend être le plus sûr moyen d'apporter une explication complète du comportement humain, bon ou mauvais, et de ses états psychologiques sous-jacents : amour, haine, avidité, etc. Et tout connaître, c'est tout pardonner. Une fois découvertes les forces qui régissent sa conduite, il devient plus difficile de blâmer l'être humain.

Cela n'a aucun rapport avec la doctrine prétendument de droite du « déterminisme génétique ». Tout d'abord, la question de la responsabilité morale n'a aucun caractère idéologique exclusif. L'extrême droite serait-elle enchantée d'apprendre que les patrons ne peuvent faire autrement qu'exploiter les ouvriers, elle serait moins heureuse d'apprendre que les criminels ne peuvent faire autrement que commettre des crimes. Et ni les évangélistes bon teint de la « majorité morale », ni les féministes n'ont spécialement envie d'entendre des coureurs de jupons se dire esclaves de leurs hormones.

Venons-en au fait : parler de « déterminisme génétique » montre que l'on ignore ce qu'est le nouveau darwinisme. Comme nous l'avons vu, tout le monde (y compris Darwin) est victime non pas des gènes, mais des gènes et de l'environnement : commandes et réglages tout ensemble.

Encore une fois, une victime est une victime. Une chaîne stéréo n'a pas plus de contrôle sur ses réglages que sur les commandes dont elle est équipée ; quelle que soit l'importance que l'on attache aux deux paramètres, en aucun cas on ne pourrait blâmer la chaîne de la musique qu'elle diffuse. En d'autres termes : même si la peur du « déterminisme génétique », courante dans les années 70, était infondée, la peur du « déterminisme », elle, ne l'était pas. Pourtant, c'est aussi une bonne nouvelle : nous avons davantage de raisons de douter de nos pulsions de blâme et de censure, et d'étendre notre compassion au-delà des frontières naturelles de la famille et des amis. Mais, une fois encore, c'est aussi la mauvaise nouvelle : cette entreprise philosophiquement pertinente a des effets pernicieux sur la réalité. Bref, une vraie pagaille.

Bien sûr, on peut discuter l'hypothèse selon laquelle nous serions tous faits de commandes et de réglages, de gènes et d'environnement. On peut insister sur le fait qu'il existe quelque chose... quelque chose *de plus*. Mais si l'on essaie de se représenter la forme que pourrait revêtir ce quelque chose, ou si l'on essaie de l'exprimer clairement, on s'aperçoit que la tâche est impossible, car toute force qui ne réside ni dans les gènes, ni dans l'environnement se trouve hors de la réalité physique telle que nous la percevons. C'est-à-dire au-delà du discours scientifique.

Naturellement, cela ne signifie pas qu'elle n'existe pas. La science n'est peut-être pas en mesure de nous raconter toute l'histoire. Mais tout le monde ou presque, des deux côtés du débat des années 70 sur la sociobiologie, disait avoir l'esprit scientifique. Et c'est bien ce qu'il y avait de drôle venant de tous les anthropologues et psychologues qui protestaient contre le « déterminisme génétique » de la sociobiologie. La philosophie qui régnait alors dans les sciences sociales n'était autre que le « déterminisme culturel » (comme l'appelaient les anthropologues) ou le « déterminisme environnemental » (comme l'appelaient les psychologues). Et lorsqu'on en vint à parler du libre arbitre, et par conséquent du blâme et de l'éloge, le déterminisme était du déterminisme qui était du déterminisme... Comme l'a dit Richard Dawkins : « Quel que soit le point de vue adopté sur la question du déterminisme, ce n'est pas l'introduction du mot " génétique " qui change quoi que ce soit [7]. »

LE DIAGNOSTIC DE DARWIN

Darwin a vu tout cela. S'il ignore qu'il existe des gènes, il connaît en tout cas le concept d'hérédité et il est un scientifique matérialiste ; il ne pense pas qu'on doive faire appel à de quelconques forces spirituelles pour expliquer le comportement humain, ni quoi que ce soit du monde naturel [8]. Il voit que tout comportement est tributaire de l'hérédité et de l'environnement. « On doute de l'existence du libre arbitre », écrit-il dans son carnet, parce que « chaque action déterminée par la constitution héréditaire nous montre un exemple ou un enseignement différent » [9].

Qui plus est, Darwin voit bien comment ces forces combinent leurs effets : en déterminant l'« organisation » physique d'un individu, laquelle détermine à son tour pensées, sentiments et conduite. « D'où viendrait que je souhaite améliorer mon caractère, sinon de cette organisation ? demande-t-il encore dans son carnet. Cette organisation a pu être affectée par les circonstances, l'éducation et par le choix qu'elle m'a laissé, à l'époque [10]. »

Darwin fait ici une remarque qui, aujourd'hui encore, n'est souvent pas bien comprise : *toutes* les influences sur le comportement humain, qu'elles soient héréditaires ou dues à l'environnement, se font par l'intermédiaire de la biologie. Quelle que soit la combinaison d'éléments qui a donné à votre cerveau l'exacte organisation physique qui est la sienne à cet instant précis (y compris vos gènes, votre environnement initial et votre assimilation de la première moitié de cette phrase), cette organisation physique est ce qui détermine la façon dont vous réagirez à la seconde moitié de cette phrase. Ainsi, même si le terme de *déterminisme génétique* est confus, celui de *déterminisme biologique* ne l'est pas – ou, du moins, il ne le serait pas si on voulait bien convenir qu'il n'est en rien un simple synonyme de *déterminisme génétique*. Encore une fois, si l'on en convient, on pourra aussi abandonner le mot « biologique » sans perdre quoi que ce soit. La façon dont E. O. Wilson est un « déterministe biologique » est aussi celle dont B. F. Skinner a été un « déterministe biologique » – c'est-à-dire qu'ils ont été déterministes [11]. La façon dont la psychologie évolutionniste est « biologiquement déterministe » est aussi celle dont toute psychologie est « biologiquement déterministe ».

Reste à savoir pourquoi, si toute conduite est déterminée, nous avons le « sentiment » de faire librement des choix. Darwin a une réponse étonnamment moderne à cette question : notre esprit conscient n'est pas dans le secret de toutes les forces qui nous motivent. « L'illusion générale au sujet du libre arbitre est évidente. Parce que l'homme a le pouvoir d'agir et qu'il peut rarement analyser ses motifs (qui sont à l'origine principalement INSTINCTIFS, et dont la découverte demande par conséquent un grand effort de la raison : voilà une explication importante), il croit que ses actions n'ont pas de motifs [12]. »

Darwin ne semble pas avoir subodoré ce que suggère le nouveau darwinisme : que certains de nos motifs nous sont cachés non pas par hasard mais à dessein, de sorte que nous puissions agir de manière crédible comme s'ils n'étaient pas ce qu'ils sont ; plus généralement, l'« illusion du libre arbitre » peut être une adaptation. Néanmoins, il a perçu l'idée fondamentale : le libre arbitre est une illusion que nous apporte l'évolution. Tout ce pour quoi nous sommes communément blâmés ou loués – depuis le meurtre et le vol jusqu'à l'éminemment victorienne civilité de Darwin – est le résultat non pas de choix faits par quelque « je » immatériel, mais d'une nécessité physique. « Cette observation devrait nous enseigner une profonde humilité, on ne mérite aucune approbation pour quoi que ce soit, note Darwin. De la même façon, on ne devrait blâmer personne [13]. » Darwin a donné là la vision scientifique la plus humaine de toutes – et, en même temps, l'une des plus dangereuses.

Il perçoit le danger du pardon qu'implique la compréhension ; il voit que le déterminisme, en émoussant le blâme, menace le tissu moral de la société. Mais il ne se soucie guère de diffuser cette doctrine. Si implacable que puisse sembler cette logique aux yeux d'un matérialiste scientifique sérieux, il se trouve que la plupart des gens ne sont pas des matérialistes scientifiques sérieux. « Cette vision des choses est inoffensive parce que personne ne peut être vraiment *pleinement* convaincu de sa véracité, hormis celui qui a déjà beaucoup réfléchi ; et lui, sachant que son bonheur, c'est faire le bien et être parfait, ne sera pas tenté de faire le mal puisqu'il sait que tout ce qu'il fait ne dépend pas de lui [14]. » Autrement dit : tant que l'affaire restera entre gentlemen anglais et n'ira pas contaminer les masses, tout ira bien.

Les masses sont en train d'être contaminées. Ce que Darwin ne pouvait imaginer, c'est que la technologie scientifique finirait par remettre le déterminisme à l'ordre du jour. Il a compris que « la pensée, aussi inintelligible soit-elle, semble être sécrétée par un organe, comme la bile l'est par le foie », mais n'a probablement jamais rêvé que l'on puisse un jour commencer à désigner des connexions précises entre organe et pensées [15].

Aujourd'hui, ces connexions font régulièrement les gros titres dans la presse. Des scientifiques établissent un lien entre le crime et un faible taux de sérotonine. Des chercheurs en biologie moléculaire essaient – avec un succès mince mais croissant – d'isoler des gènes favorisant les maladies mentales. On a découvert qu'un élément chimique naturel, appelé oxytocine, était à la base de l'amour. Et qu'un produit de synthèse, cette drogue baptisée Ecstasy, produisait un état mental profondément serein ; désormais, tout le monde peut être Gandhi l'espace d'une journée. Les gens ont le sentiment – du fait des découvertes en génétique, biologie moléculaire, pharmacologie, neurologie et endocrinologie – que nous sommes tous des machines mues par des forces qui nous restent indiscernables, mais que la science, elle, peut percevoir.

Ce tableau, bien que totalement biologique, n'a pas de rapport particulier avec la biologie *évolutionniste*. Gènes, neurotransmetteurs et autres éléments de contrôle du cerveau sont étudiés, pour la plupart, sans que l'on s'inspire particulièrement du darwinisme.

Mais le darwinisme va de plus en plus encadrer le tableau et lui donner sa puissance narrative. Nous ne verrons pas seulement, par exemple, qu'un faible taux de sérotonine encourage le crime, nous verrons aussi *pourquoi* : si un individu perçoit toutes les voies de la réussite matérielle comme lui étant fermées, il se peut que la sélection naturelle « veuille » que cet individu prenne d'autres chemins. Sérotonine et darwinisme ensemble pourraient donc témoigner avec précision face à des formulations vagues, telle celle-ci : les criminels sont des « victimes de la société ». Un jeune voyou des quartiers pauvres cherche à obtenir un statut par les voies les plus faciles, exactement comme vous ; et il est mû par des forces aussi puissantes et subtiles que celles qui ont fait de vous ce que vous êtes. Il est possible que cela ne vous vienne pas à l'esprit lorsqu'il donne un coup de pied à votre chien ou s'empare de votre porte-monnaie, mais à la réflexion, pourquoi pas ? Vous verriez alors que, venu au monde dans les mêmes conditions, vous auriez été lui.

Le raz de marée des nouvelles sur la biologie du comportement ne fait que commencer. Dans l'ensemble, les gens n'y ont pas encore succombé ni accepté l'idée qu'ils ne sont que de simples machines. Aussi, la notion de libre arbitre survit-elle. Mais elle commence à reculer. Chaque fois que l'on découvre qu'une conduite repose sur une réaction chimique, quelqu'un essaie de la retrancher du domaine de la volonté.

Et ce « quelqu'un » est comme d'habitude un avocat. L'exemple le plus connu est celui du « procès Twinkie ». Un avocat a convaincu un jury californien qu'un mauvais régime alimentaire avait « diminué les capacités mentales » de son client et qu'on ne pouvait donc plus l'accuser d'avoir « prémédité » son crime – un meurtre. Les exemples de ce type abondent. Devant les tribunaux anglais et américains, des femmes ont invoqué le syndrome prémenstruel pour partiellement se dégager d'une responsabilité criminelle. Martin Daly et Margo Wilson posent cette question rhétorique dans *Homicide* : une défense des meurtriers basée sur leur « fort taux de testostérone » est-elle si loin [16] ?

Naturellement, la psychologie érodait déjà la culpabilité, bien avant que la biologie ne vienne en renfort. Les « troubles post-traumatiques » sont l'une des maladies favorites des avocats, car ils sont supposés tout englober, depuis le « syndrome de la femme battue » jusqu'au « syndrome dépressif suicidaire » (qui pousserait certaines personnes non seulement à commettre des crimes, mais encore à les rater dans le but inconscient de se faire arrêter). À l'origine, le trouble se formulait en termes purement psychologiques, avec fort peu de références à la biologie. Mais on travaille beaucoup à relier de telles maladies à la biochimie, puisque la preuve physique est ce qui retient vraiment l'attention d'un jury. Un expert, essayant de caser une hypothétique sous-catégorie de trouble post-traumatique appelée « syndrome d'accoutumance à l'action » (une dépendance à l'excitation du danger), a trouvé l'origine du problème dans les endorphines, dont le criminel a désespérément besoin et qu'il obtient grâce au crime [17]. Les joueurs invétérés auraient aussi dans le sang, lorsqu'ils sont en train de jouer, un taux d'endorphines anormalement élevé. Par conséquent (poursuit la défense), le jeu est une maladie.

Certes, nous aimons tous nos endorphines et nous faisons ce qu'il faut pour les libérer, depuis la course à pied jusqu'aux activités sexuelles. Et dans ces moments-là, notre taux d'endorphines est anormalement élevé. Il est indubitable que les violeurs se sentent bien, à un moment donné, pendant ou après leur crime, que le plaisir a une origine biochimique et que cette origine sera bientôt mise en lumière. Si les avocats persévèrent et si nous persistons à retrancher du libre arbitre toutes les actions qui se font par l'entremise de la biochimie, d'ici quelques dizaines d'années, le libre arbitre deviendra infime. Ce qu'il est, en réalité – du moins d'un strict point de vue intellectuel.

Il existe au moins deux manières de faire face à l'accumulation des preuves selon lesquelles c'est la biochimie qui gouverne tout. L'une consiste, par esprit de contradiction, à utiliser les données comme preuve de l'existence de la volonté. À savoir que, bien sûr, tous ces criminels disposent du libre arbitre, quel que soit l'état de leurs endorphines, de leur glycémie et j'en passe. Parce que si la biochimie niait l'existence du libre arbitre, alors aucun d'entre nous n'aurait son libre arbitre! Et nous savons *que ce n'est pas le cas*. N'est-ce pas? (Silence.) J'ai dit : *N'est-ce pas?*

Nombre d'ouvrages et d'articles qui déplorent l'effondrement de la culpabilité lancent souvent ce genre d'appel comme on siffle dans le noir pour se rassurer. La chose était également implicite dans le référendum qui a fini par supprimer l'argument de la « diminution des facultés » de la loi californienne. Sans doute les votants ont-ils pensé que si une chose aussi naturelle que le sucre pouvait véritablement transformer quelqu'un en robot, c'est qu'alors nous étions tous des robots et que personne ne méritait de punition. Justement.

Seconde réponse aux données déshumanisantes de la biochimie, celle de Darwin : la capitulation totale. Abandon du libre arbitre ; personne ne mérite vraiment ni blâme ni approbation pour quoi que ce soit ; nous sommes tous esclaves de la biologie. Nous devons considérer un méchant, écrit Darwin dans ses notes, « comme un malade ». La pitié serait « plus appropriée que la haine et le dégoût » [18].

Bref, l'amour fraternel est une doctrine valable. La haine et la répulsion qui expédient les hommes en prison ou à la potence – et qui, dans des contextes différents, provoquent polémiques, batailles et guerres – n'ont aucun fondement intellectuel. Bien sûr, elles peuvent avoir un fondement *pratique*. Et c'est bien là le problème : blâme et châtiment sont pratiquement aussi nécessaires qu'ils sont intellectuellement dénués de sens. C'est pourquoi Darwin s'est rassuré en se disant que jamais ses idées ne se répandraient.

LES RECOMMANDATIONS DE DARWIN

Que faire ? Si Darwin savait que la mèche est vendue, que le dispositif étayant le comportement humain est dévoilé, que suggérerait-il ? Quelle devrait être la réponse de la société face à la découverte progressive de notre nature robotisée ? On trouve quelques indices de réponses dans ses notes. Pour commencer, nous devrions essayer de dissocier le châtiment des pulsions viscérales qui le provoquent. Cela signifiera parfois en limiter l'usage aux cas dans lesquels il a effectivement un effet bénéfique. « Il est juste de punir les criminels, mais uniquement pour *dissuader* les autres », écrit Darwin.

Voilà qui va tout à fait dans le sens des recommandations consacrées par l'utilitarisme. Nous ne devrions punir nos semblables que dans la mesure où cela augmente le bonheur collectif. Il n'y a rien de bon, en soi, dans le châtiment ; la souffrance infligée aux coupables est tout aussi triste que la souffrance de n'importe qui et vient s'inscrire de manière égale dans le grand-livre utilitariste. Elle ne se justifie que lorsque le bien-être des autres s'en trouve augmenté par la prévention de crimes à venir [19].

L'idée semble raisonnable à beaucoup et pas terriblement radicale, mais la prendre au sérieux impliquerait une révision de la législation. Dans la loi américaine, le châtiment a plusieurs fonctions explicites. La plupart sont strictement d'ordre pratique : empêcher le criminel de courir les rues, le dissuader de récidiver à sa sortie de prison, dissuader ceux qui seraient tentés de l'imiter, et le réinsérer – toutes choses qu'un utilitariste applaudirait. Mais l'une des fonctions prescrites au châtiment est aussi strictement d'ordre « moral » : c'est la punition pure et simple. Même si le châtiment semble sans objet, il est supposé bon. Si vous rencontrez sur une île déserte un prisonnier évadé âgé de quatre-vingt-quinze ans et dont, depuis longtemps, on a oublié jusqu'à l'existence, vous servirez la cause de la justice en le faisant souffrir d'une manière ou d'une autre. Même si vous ne prenez aucun plaisir à lui infliger un châtiment et si personne sur le continent n'en entendra jamais parler, vous pouvez être sûr que, quelque part dans les cieux, un Dieu de Justice vous sourit.

La doctrine de la justice punitive n'a plus le rôle prédominant qui était jadis le sien dans les tribunaux. Mais, ces derniers temps, surtout chez les conservateurs, on débat de l'opportunité de la renforcer. Et c'est même, à l'heure actuelle, l'une des raisons pour lesquelles les tribunaux sont si longs à décider si un crime a été commis par un individu « en pleine possession de ses facultés » – par opposition à un individu « mentalement aliéné », ou « temporairement mentalement aliéné », ou aux « capacités mentales diminuées », etc. Si les utilitaristes gouvernaient le monde, des termes aussi confus que le mot « volonté » seraient éliminés. La cour poserait deux questions : 1° Le prévenu a-t-il commis le crime ? et 2° Quel est l'effet pratique du châtiment sur la conduite future du criminel et sur celle d'autres criminels potentiels ?

Ainsi, lorsqu'une femme battue ou violée par son mari le tuerait ou le mutilerait, la question ne serait pas de savoir si elle est victime d'une « maladie » appelée « syndrome de la femme battue ». Et lorsqu'un homme tuerait l'amant de sa femme, il ne s'agirait pas de savoir si la jalousie est une « aliénation temporaire ». Dans les deux cas, la question serait de savoir si le châtiment va empêcher ces gens, ou quiconque se trouverait dans semblable situation, de commettre des crimes à l'avenir. Bien qu'il soit impossible de répondre avec exactitude à cette question, elle se révèle plus pertinente que celle de la volonté et a, qui plus est, le mérite de ne pas s'ancrer dans une vision du monde démodée.

Naturellement, les deux questions ont certains points communs. Les tribunaux ont tendance à reconnaître le « libre arbitre » et, du même coup, à justifier le « blâme » dans les cas où la punition peut se révéler dissuasive. Ainsi, ni un utilitariste, ni un juge à l'ancienne mode n'enverraient un vrai psychotique en prison (bien que tous deux puissent le faire interner s'il semble capable de répéter son crime). Comme l'ont écrit Daly et Wilson, « le volume énorme des péroraisons mystico-religieuses sur l'expiation, la pénitence, la justice divine n'est autre que l'attribution à une autorité supérieure et objective de ce qui est en réalité une affaire on ne peut plus pragmatique et terrestre : décourager les actions concurrentielles égoïstes en réduisant leur rentabilité à zéro »[20].

Tout bien pesé, le « libre arbitre » a été une fiction plutôt utile, un substitut approximatif à la justice utilitariste. Mais il semblerait bien qu'il ait fait son temps, vu celui perdu en débats qui se poursuivent encore : L'alcoolisme est-il une maladie ? Les crimes sexuels sont-ils une drogue ? Le syndrome prémenstruel affecte-t-il la volonté ? Encore dix ou vingt ans de recherches biologiques, et il ne vaudra plus la peine qu'on s'en inquiète autant ; et dans l'intervalle, la portée du « libre arbitre » aura sans doute considérablement diminué. Nous

nous trouverons alors face à (au moins) deux options : soit redonner au libre arbitre un peu de vigueur en le redéfinissant (en proclamant, par exemple, que l'existence d'une corrélation biochimique ne préjuge en rien le caractère volontaire d'une conduite) ; soit oublier la volonté et adopter des critères punitifs explicitement utilitaristes. Ces deux options sont à peu près équivalentes : alors qu'apparaît le fondement biologique (c'est-à-dire environnemental-génétique) de la conduite, nous devons nous habituer à tenir les robots pour responsables de leurs dysfonctionnements – aussi longtemps, du moins, que cette responsabilité sera bénéfique.

Se passer de l'idée de la volonté risque de dépouiller le système judiciaire de son soutien émotionnel. Si les jurés infligent sans hésiter un châtiment, c'est en partie parce qu'ils ont le sentiment confus que c'est là une bonne chose. Or, ce sentiment confus est un sentiment tenace, dont il est peu probable qu'il s'éteigne sous l'effet d'un changement de législation. Et même affaiblie, la valeur pratique du châtiment restera sans doute suffisamment claire pour que les jurés continuent de faire leur travail.

MORALITÉ TOTALEMENT POSTMODERNE

Ce n'est pas dans le domaine du droit, mais dans celui de la morale que plane la plus formidable menace soulevée par les nouvelles découvertes scientifiques. Le problème, ici, n'est pas que s'effondre totalement le sens de la justice qui gouverne l'altruisme réciproque. Même les individus d'une indifférence et d'une humanité extrêmes, s'ils sentent qu'on les a trompés, qu'on leur a menti, ou qu'on les a maltraités d'une façon quelconque, parviennent à rassembler assez d'indignation pour les visées utilitaristes. Darwin croit qu'au bout du compte chacun est irréprochable ; et pourtant Darwin est capable de recourir à la colère en cas de besoin. Il se découvre « brûlant d'indignation » face au comportement de Richard Owen, son plus sévère critique. Écrivant à Huxley, il dit : « Je crois que je le hais encore plus que vous ne le haïssez vous-même[21]. »

En règle générale, à supposer que nous œuvrions tous pour un idéal de compassion et de pardon universels, en tirant parti de toutes les lumières que peut nous offrir la science moderne, les maigres progrès accomplis ne font guère s'écrouler la civilisation autour de nous. Rares sont ceux à qui l'amour fraternel est fatal. Et il est peu probable que toute la logique démystifiante de la biologie moderne nous amène à ce point. Le dur noyau animal du Tit For Tat est à l'abri des ravages de la vérité.

Le vrai danger moral est plus insidieux. Les systèmes moraux ne tirent pas leur force des seuls principes régissant le Tɪᴛ Fᴏʀ Tᴀᴛ – les offensés punissant les offenseurs –, mais aussi de la société qui châtie amplement les offenseurs. Charles Dickens craignait de se lier publiquement avec sa maîtresse non parce que sa femme l'aurait puni (il l'avait déjà quittée et, de toute façon, quel pouvoir avait-elle ?), c'était plutôt la honte qu'il redoutait.

Et il en est ainsi chaque fois qu'une forte pulsion animale est régulièrement contrariée par un code moral : la transgression aurait pour conséquence une mauvaise réputation, et se préserver de celle-ci est également une forte pulsion animale. Les codes moraux efficaces combattent le feu par le feu.

En fait, ils combattent le feu avec une machine incendiaire élaborée. Robert Axelrod, dont le tournoi informatique a apporté un si joli soutien à la théorie de l'altruisme réciproque, a également étudié le flux et le reflux des normes. Il a découvert que les codes moraux solides ne reposent pas seulement sur des normes, mais sur des « métanormes » : la société ne réprouve pas seulement ceux qui transgressent les codes, mais aussi ceux qui, en s'abstenant de condamner, tolèrent qu'on les transgresse [22]. Si Dickens avait porté son adultère sur la place publique, ses amis auraient probablement dû couper les ponts avec lui, ou alors ils auraient eux-mêmes été punis de ne l'avoir pas puni.

C'est dans l'univers des normes et des métanormes, aux obliques et diffuses représailles, que la science moderne ébranle le tissu moral. Nous n'avons pas à nous inquiéter d'un déterminisme rampant qui assourdirait la fureur d'une victime. Mais la fureur des spectateurs risquera de décliner le jour où ils croiront, par exemple, qu'être un coureur de jupons est une chose « naturelle », une compulsion biochimique – et puis que, de toute façon, la fureur punitive de l'épouse n'est qu'un produit arbitraire de l'évolution. La vie – en tout cas, la vie de ceux qui ne sont ni nous-mêmes, ni notre famille, ni nos proches amis – devient un film que nous regardons avec le détachement perplexe d'un amateur d'absurde. Tel est bien le spectre d'une moralité totalement postmoderne. Le darwinisme n'est pas sa seule source, pas plus que la biologie, mais, ensemble, ils peuvent faire beaucoup pour l'alimenter.

Ici, le paradoxe fondamental – le fait que le blâme soit dénué de fondement intellectuel, alors que nous en avons la nécessité concrète – est une chose que peu de gens semblent impatients de reconnaître. Un anthropologue a déclaré les deux choses suivantes concernant le divorce : « 1° Je me refuse à encourager quelqu'un qui dit : " Si je suis programmé comme ça, je n'y peux rien. " Nous y pouvons quelque chose. Même si certains comportements peuvent être puissants, en fait, nombre de gens parviennent à y résister » ; et 2° « Aujourd'hui, il y a des hommes et des femmes qui se promènent dans la rue en se disant : " J'ai tout raté ! Sur deux mariages, aucun n'a marché. " C'est sans doute un schéma inhérent au comportement humain, et ces personnes se sentiront un peu mieux le jour où elles entendront ce que j'ai à leur dire. Je ne crois pas que les gens doivent ressentir une impression d'échec après un divorce [23]. »

Chacune de ces affirmations est défendable, mais on ne saurait avoir les deux en même temps. D'un côté, il est exact de dire de n'importe quel divorce qu'il était inévitable, dans la mesure où il a été amené par une longue chaîne de forces génétiques et environnementales, ayant toutes pour intermédiaire la biochimie. Néanmoins, mettre l'accent sur ce caractère inéluctable, c'est affecter le discours général et, par conséquent, affecter les forces environnementales et la neurochimie à venir, en rendant inéluctables de futurs divorces qui, sans cela, n'auraient pas eu lieu. Dire des choses du passé qu'elles étaient inexorables rend davantage les choses inexorables dans le futur. Dire aux gens qu'on ne va pas leur reprocher leurs erreurs passées, c'est rendre plus probables leurs erreurs futures. Il n'est pas si sûr que la vérité fasse de nous des hommes libres.

Ou, pour dire les choses de façon peut-être plus optimiste : la vérité dépend de ce que nous disons être la vérité. Si l'on dit aux hommes que la pulsion du coureur de jupons est profondément « naturelle », irrépressible dans son essence, alors cette pulsion – en tout cas pour ces hommes-là – pourra en effet le devenir. À l'époque où vivait Darwin, on disait autre chose aux hommes : que les pulsions animales sont de terribles adversaires, mais qu'elles peuvent, grâce à un effort laborieux et constant, être vaincues. Et, pour beaucoup d'hommes, cela devint la vérité. Le libre arbitre est né, pour une grande part, du fait qu'ils y croyaient.

Dans le même sens, pourrait-on m'objecter, s'ils ont cru, « avec succès », au libre arbitre, cela justifie que nous y croyions nous aussi. Mais il ne s'agit pas ici de croire en la doctrine *métaphysique* du libre arbitre. Il n'est rien dans l'autodiscipline des victoriens qui vienne bouleverser le déterminisme ; ils n'étaient que les produits de leur environnement, à une époque et en un lieu où croire en une possible maîtrise de soi était dans l'air – comme l'étaient (de ce fait) les sévères sanctions morales à l'encontre de ceux qui échouaient à se maîtriser. Cependant, ces hommes représentent un argument permettant de faire jouer les mêmes influences à notre époque. Au moins sont-ils la preuve que les influences peuvent fonctionner ; ils nous amènent à considérer la doctrine du libre arbitre comme « vraie » au sens le plus pragmatique du terme [24]. Mais qu'un tel pragmatisme puisse l'emporter sur la vérité *réelle* – qu'une « croyance » dans le libre arbitre fondée sur l'autosuggestion puisse survivre à sa mise en cause de plus en plus manifeste en tant que doctrine métaphysique –, c'est là une tout autre question.

Quoi qu'il advienne, et même si cet artifice réussit, même si l'idée du « blâme » demeure d'une solidité fort à propos, nous voilà revenus au défi qui consiste à la ramener à des proportions utiles : ne blâmer autrui que si cela sert le bien général, ne pas se laisser emporter par la satisfaction de soi (comme on a naturellement tendance à le faire). Et, dans le même temps, nous sommes toujours confrontés à ce défi plus grand encore : concilier la nécessité de la sanction morale et la compassion illimitée qui est, quant à elle, toujours opportune.

MILL LE PURITAIN

Se lancer dans une guerre contre le divorce, l'assortir de sanctions plus sévères à l'encontre des don juans, ne pas tolérer d'entendre ceux-ci prétendre que le donjuanisme est « naturel », tout cela peut – ou non – valoir le coup et les coûts. C'est là une question sur laquelle des gens raisonnables pourraient ne pas être d'accord. Mais le déterminisme larvé est, en tout cas, un problème, car il est certainement souhaitable d'avoir *certains* codes moraux. La moralité est, après tout, le seul moyen de récolter les divers fruits de la somme non zéro – notamment ceux que n'ont récoltés ni l'altruisme au sein de la famille, ni l'altruisme réciproque. La moralité nous rend attentifs au bien-être d'individus autres que la famille et les amis, augmentant ainsi le bien-être global de la société. Nul besoin d'être utilitariste pour se dire que c'est là une bonne chose.

À dire vrai, la moralité n'est pas la *seule* façon de récolter ces fruits. Mais elle est la moins coûteuse et la moins terrifiante. Si personne ne boit avant de conduire, la société s'en trouve mieux. Et la plupart d'entre nous préféreraient voir l'obéissance se renforcer par un code moral intériorisé plutôt que par des forces de police douées d'ubiquité. Voilà une rigoureuse réponse à ceux qui demandent pourquoi des mots comme *moralité* et *valeurs* devraient encore être pris au sérieux. Non parce que la tradition est une bonne chose en tant que telle. Mais à cause de ce qu'un code moral fort est seul capable d'offrir : les bénéfices plus impalpables de la somme non zéro, sans un car plein de policiers.

John Stuart Mill a senti que les codes moraux pouvaient être aussi étouffants et inquiétants qu'une police omniprésente. Il déplore, dans *De la liberté*, de vivre « sous l'œil d'une censure hostile et redoutée » [25]. Aussi pourrait-il sembler pour le moins curieux, de ma part, de rédiger un hymne à la rigueur morale tout de suite après en avoir composé un à la gloire de la philosophie morale de Mill, l'utilitarisme.

Mais ce que Mill déplore, ce ne sont pas les codes moraux rigoureux ; ce sont les codes moraux rigoureux et stupides. Et, en particulier, ceux qui condamnent des conduites qui n'auraient fait de tort à personne – en d'autres termes, des codes qui, d'un point de vue utilitariste, ne sont pas sains. À l'époque de Mill, des modes de vie statistiquement anormaux, comme l'homosexualité, étaient considérés comme de graves crimes contre l'humanité, même s'il était difficile de trouver un humain à qui ils fissent du tort. Et le divorce était proprement scandaleux, même si le mari et la femme le désiraient tous deux et s'ils n'avaient pas d'enfants.

Mais toutes les règles ne sont pas aussi absurdes aux yeux de Mill. En fait, et c'est assez significatif, il ne donne pas, en général, le droit d'abandonner un mariage [26]. Exposant ses vues sur la responsabilité conjugale en des termes abstraits qui ne lui ressemblent guère, il écrit : « Quand une personne, soit par une promesse expresse, soit par sa conduite, en a encouragé une autre à compter qu'elle agira d'une certaine façon – à fonder des espérances, à faire des prévisions et à hasarder une part de sa vie sur cette supposition –, elle s'est créé envers l'autre une nouvelle série d'obligations morales, lesquelles peuvent éventuellement être annulées, mais pas ignorées. » Et pour ce qui est d'abandonner un mariage après avoir eu des enfants : « En outre, si la relation entre les deux parties contractantes [...] a été suivie de conséquences pour d'autres – si elle a placé un tiers dans une position particulière, ou si, comme dans le cas du mariage, elle a donné naissance à des tiers –, les deux parties contractantes se sont créé des obligations envers ceux-ci, dont l'accomplissement sera grandement affecté par la continuation ou la rupture de la relation entre les parties originales du contrat [27]. » Autrement dit : il est très laid de quitter sa famille.

Dans *De la liberté*, Mill s'en prend au sérieux de la morale victorienne et non au sérieux moral en soi. Autrefois, il y a longtemps, écrit-il, à une époque où « l'élément de spontanéité et d'individualité dominait à l'excès et [où] le principe social avait à lui livrer de rudes combats », la difficulté était « d'amener les hommes puissants de corps ou d'esprit à obéir à des règles qui prétendaient contrôler leurs impulsions [...]. Mais, aujourd'hui, alors que la société a largement raison de l'individu, le danger qui guette la nature humaine n'est plus l'excès, mais la déficience des impulsions et des inclinations » [28]. Si Mill était encore là, rien ne dit qu'il exprimerait la même opinion.

Il s'en prendrait assurément aux absurdes scories de l'époque victorienne, telle la peur de l'homosexualité. Mais il se pourrait aussi qu'il ne chérisse guère le genre d'hédonisme qui, vers la fin des années 60, fut assimilé à la gauche (drogues hallucinogènes et sexe), ni celui qui, dans les années 80, fut assimilé à la droite (drogues non hallucinogènes et BMW).

En fait, pour Mill, l'hédonisme est une proie rêvée pour le jugement moral, même s'il ne porte tort à personne, excepté à l'hédoniste. Nous ne devrions pas *punir* les gens qui cèdent leur bien-être à long terme au bien-être de l'animal qui est en eux, dit-il ; cependant, puisqu'ils sont des modèles qu'on ne saurait imiter sans risque, ils ne peuvent que s'attendre à ce que nous préférions ne pas nous associer à eux et recommandions à nos amis d'en faire autant. « Une personne qui montre de la précipitation, de l'obstination, de la vanité, qui ne peut vivre dans des conditions modestes, renoncer aux divertissements nocifs et qui recherche les plaisirs primaires, sacrifiant ainsi le sentiment et l'intelligence –, une telle personne doit s'attendre à baisser dans l'opinion des autres et à mériter moins d'estime de leur part[29]. »

Ici, John Stuart Mill, le libertaire, rencontre Samuel Smiles, le puritain. Bien que Mill tourne en dérision l'idée d'une nature humaine « radicalement corrompue » et qu'il faut étouffer au nom du progrès spirituel, il doute aussi que les sentiments plus élevés, germes de la moralité, puissent s'épanouir sans être cultivés. « À la vérité, écrit-il, on aurait du mal à trouver un seul signe d'excellence appartenant au caractère humain qui ne soit résolument rebelle aux sentiments non cultivés de la nature humaine[30]. » Smiles lui-même n'aurait pas dit mieux ; une vision moins flatteuse encore de la nature humaine est à la base, dans *Self-Help*, de son insistance à souligner la nécessité d'une farouche retenue.

En effet, malgré les points de vue apparemment opposés des ouvrages de Smiles et de Mill parus en 1859, les deux hommes voient plutôt les choses du même œil. Tous deux (comme Darwin) adhèrent autant aux réformes politiques du centre gauche de leur temps qu'à leur cadre philosophique ; Smiles est un partisan convaincu de l'utilitarisme, connu à l'époque sous le nom de « radicalisme philosophique ».

La position de Mill sur la nature humaine s'accorde assez bien avec le darwinisme moderne. Il serait sûrement exagéré de dire que nous sommes nés mauvais – que, comme le dit Mill en caricaturant le calvinisme, nous ne pouvons être bons qu'en cessant d'être humains. En fait, les éléments qui composent la moralité, depuis l'empathie jusqu'à la culpabilité, trouvent leurs racines profondes dans la nature humaine. Dans le même temps, ces éléments ne fusionnent pas spontanément pour former un esprit qui soit véritablement bienveillant ; ils n'ont pas été conçus pour le plus grand bien. On ne peut pas non plus se reposer sur ces éléments pour favoriser notre bonheur *propre*. Notre bonheur n'a jamais figuré dans les priorités premières de la sélection naturelle, et eût-ce été le cas, le bonheur ne surgirait pas naturellement dans un environnement si différent du contexte de notre évolution.

DARWINISME ET IDÉOLOGIE

On peut donc dire que, dans un sens, le nouveau paradigme se prête à une morale conservatrice. En montrant que les « sentiments moraux » ne se déploient pas à partir d'une morale naturelle, il suggère qu'un code moral fort peut être utile si l'on veut que les gens respectent le bien de tous. Bien que l'on puisse s'émerveiller de ce que la quête de l'intérêt personnel amène souvent deux ou plusieurs êtres humains à un bénéfice commun, une grande part de ce bénéfice commun nous échappera encore si nous ne prenons pas la moralité au sérieux.

Ce genre de conservatisme moral a-t-il un lien profond avec le conservatisme *politique* ? Pas vraiment. Certes, dans le monde politique, les conservateurs passent plus de temps que leurs opposants à défendre l'austérité morale. Mais ils ont aussi tendance à penser que le code moral fort auquel nous devrions tous obéir est celui auquel ils adhèrent *ex cathedra* – ou, du moins, celui qui a la bénédiction de la « tradition ». À l'inverse, un darwinien considère les codes moraux consacrés par l'usage avec une profonde ambivalence.

D'un côté, les codes qui ont duré longtemps doivent avoir certaine compatibilité avec la nature humaine, et sans doute servent-ils les intérêts d'au moins une personne. Mais laquelle ? Modeler un code moral, c'est lutter pour le pouvoir, et le pouvoir, dans les sociétés humaines, se distribue généralement de façon complexe et inéquitable. Comprendre quels intérêts sont privilégiés peut se révéler une question délicate.

Les instruments du nouveau paradigme permettent de mieux disséquer les codes moraux : de déterminer qui en paie le prix, qui en bénéficie, et ce que coûteraient et rapporteraient d'autres codes. Et ces instruments permettent de le faire mieux et avec soin. Nous devrions, pour finir, nous passer de ces normes dénuées de justification pratique, mais en attendant, il nous faut admettre que les normes ont souvent une justification pratique : elles sont issues de concessions réciproques informelles qui, sans être jamais purement démocratiques, sont parfois à peu près pluralistes. Qui plus est, cette négociation implicite a probablement pris en compte quelques vérités (parfois cruelles) sur la nature humaine, qui peuvent ne pas apparaître à première vue. Nous devrions considérer les postulats moraux comme le chercheur d'or considère un caillou brillant – avec beaucoup de respect et autant de méfiance, saine ambivalence précédant un examen urgent de la chose.

Le résultat d'une telle évaluation pourra revêtir de trop multiples aspects pour que l'on puisse lui coller une simple étiquette. On pourra le dire conservateur tant que cette appellation s'applique à un timide respect de la tradition, et non à un éternel amour de celle-ci. D'autre part, on pourra le dire libéral tant que l'on ne fait pas du libéralisme un équivalent de l'hédonisme ou d'une morale du laisser-faire. Si la philosophie morale du libéralisme est ce que le (pour son époque) « radical » John Stuart Mill décrit dans *De la liberté*, alors cette philosophie morale comprend une saine appréciation de ce que la nature humaine a de plus sombre, ainsi que la nécessité d'une retenue, retenue qui s'applique aussi à la censure morale.

Quant aux effets du déterminisme biologique rampant – c'est-à-dire du déterminisme rampant –, ils défient aussi la catégorisation idéologique. D'un côté, en soulignant que l'incarcération est toujours une tragédie morale, même si elle est une nécessité pratique, le déterminisme met l'accent sur l'urgente nécessité de supprimer certaines conditions sociales qui conduisent à des conduites répréhensibles, telle la pauvreté. Darwin a vu tout cela. Après avoir proclamé son déterminisme et reconnu le châtiment vide de toute signification philosophique, il écrit dans ses notes : « Ceux qui partagent ce point de vue attacheront une grande attention à l'éducation. » Les animaux, dit-il, « attaquent le faible et le malade comme nous le faisons avec le méchant. Nous devrions prendre en pitié, aider et éduquer en organisant les choses de sorte qu'elles deviennent un puissant moteur » [31].

Toutefois, écrit Darwin, si un homme méchant se révèle « d'une incorrigible malfaisance, rien ne le guérira » [32]. Certes. Bien que le nouveau paradigme insiste sur la malléabilité mentale longtemps mise en avant par les libéraux, il suggère également – et on peut l'observer à l'occasion – que cette malléabilité n'est pas infinie, et certainement pas éternelle ; nombre de mécanismes du développement mental semblent exercer l'essentiel de leurs effets durant les vingt ou trente premières années de la vie. Ce que vont devenir alors les divers aspects concrets du caractère n'apparaît pas encore clairement. (Un homme peut-il devenir un violeur quasiment incorrigible – incorrigible, du moins, jusqu'à ce que son taux de testostérone baisse, c'est-à-dire vers la cinquantaine ?) Certaines réponses peuvent parfois avoir la préférence de la droite politique, notamment de cette droite qui dit qu'il faut les enfermer à clef et jeter la clef.

Les progrès de la psychologie évolutionniste affecteront pleinement – et *légitimement* – le discours moral et politique des décennies à venir. Mais aucun label idéologique simple ne pourra en résumer les effets. Quand tout le monde aura compris cela, les darwiniens n'auront plus à se défendre de critiques venant de la droite comme de la gauche. La lumière pourra alors se faire rapidement.

CHAPITRE XVIII

DARWIN ET LA RELIGION

> *J'ai écrit dans mon journal que, lorsque l'on se trouve plongé dans la magnificence d'une forêt brésilienne, « il n'est pas possible de donner une idée adéquate des sentiments élevés d'émerveillement, d'admiration et de dévotion qui remplissent et emportent l'esprit ». Je me rappelle bien ma conviction, selon laquelle il y a plus, en l'homme, que le simple souffle de son corps. Mais aujourd'hui, les scènes les plus grandioses n'entraîneraient chez moi aucune conviction ni sentiment de ce genre. On peut dire à juste titre que je suis comme un homme qui ne verrait plus les couleurs...*
>
> Autobiographie (1876) [1]

Quand le *Beagle* quitte l'Angleterre, Darwin est un chrétien orthodoxe et fervent. Plus tard, il se souviendra que « plusieurs officiers du navire (bien que chrétiens eux-mêmes) se moquaient de [lui] parce qu'[il citait] la Bible comme une autorité incontestable sur certains points de moralité ». Pourtant, dès cette époque, il éprouve quelques doutes silencieux. Il est troublé par « la manifestement fausse histoire du monde » que présente l'Ancien Testament et l'image qu'elle donne d'un Dieu « vengeur et tyrannique ». Il s'interroge aussi sur le Nouveau Testament : bien qu'il admire l'enseignement moral de Jésus, il constate que sa « perfection dépend en partie de la façon dont nous interprétons aujourd'hui métaphores et allégories ».

Mais Darwin a soif de certitudes. Il rêve que l'on exhumera un jour d'anciens manuscrits qui corroboreraient les Évangiles. Mais rien n'y fait : « L'incrédulité m'envahit très lentement [2]. »

Ayant perdu sa foi chrétienne, Darwin s'en tient pendant de

nombreuses années à un théisme vague. Il croit en une « cause première », une intelligence divine qui aurait donné, avec quelque dessein
précis, l'impulsion initiale à la sélection naturelle. Mais alors il
commence à s'interroger : « L'esprit de l'homme, dont je crois pleinement qu'il s'est développé à partir d'un esprit aussi fruste que celui de
l'animal le plus inférieur, mérite-t-il qu'on lui accorde sa confiance
lorsqu'il tire d'aussi importantes conclusions [3] ? » Darwin finit par s'en
tenir à un agnosticisme plus ou moins stable. Il peut, dans les
moments d'optimisme, méditer quelque scénario théiste ; mais, dans
sa vie, il est de longues périodes où les moments d'optimisme sont
rares.

D'une certaine façon, pourtant, Darwin n'a jamais cessé d'être
chrétien. Comme bon nombre de ses contemporains, il baigne dans
l'austérité morale de l'évangélisme. Il vit selon les principes édictés
dans les églises anglaises, principes qui trouveront leur expression profane dans le Self-Help de Samuel Smiles : un homme, en exerçant sa
« capacité d'action et d'abnégation » pourrait rester « armé contre la
tentation des plaisirs inférieurs ». On a vu que c'est là, pour Darwin,
« le plus haut degré dans la culture morale » : à savoir, reconnaître que
« nous devons contrôler nos pensées et ne pas regretter, même dans
notre for intérieur, les errements qui nous ont rendu le passé si
agréable » [4].

Mais si, en ce sens, Darwin est un chrétien évangélique, il pourrait tout aussi bien être appelé hindouiste, bouddhiste ou musulman.
Dans les grandes religions du monde, apparaît toujours le thème
d'une stricte maîtrise de soi, du contrôle des appétits animaux. Est
également largement répandue, quoique dans une moindre mesure,
cette doctrine de l'amour fraternel que Darwin trouve si belle. Six
cents ans avant Jésus-Christ, Lao Tseu disait : « Le Tao [...]
récompense l'outrage par la bonté [5]. » Les textes bouddhistes invitent
à « un amour embrassant tout l'univers [...], sans haine et sans hostilité » [6]. On trouve dans l'hindouisme la doctrine de l'ahimsa, c'est-à-
dire l'absence de tout désir de violence.

Que fait un darwinien face à la saisissante récurrence de ces
thèmes ? Pense-t-il qu'à des époques différentes des hommes différents
ont été dans le secret de la révélation divine de plusieurs vérités universelles ? Non, pas exactement.

Le raisonnement darwinien sur le discours spirituel ressemble
beaucoup au raisonnement darwinien sur le discours moral. Les
hommes ont tendance à dire et croire ce qui va dans le sens des intérêts que l'évolution a ancrés en eux. Ce qui ne signifie pas que ces
idées permettent toujours à leurs gènes de prospérer. Certaines doctrines religieuses – comme le célibat, par exemple – peuvent même s'y
opposer de façon spectaculaire. Plus simplement, les doctrines auxquelles adhèrent les hommes s'harmonisent d'une manière ou d'une
autre avec les organes mentaux conçus par la sélection naturelle.

« Harmonie » est, il est vrai, un terme assez vaste. Ces doctrines peuvent, d'un côté, assouvir une grande faim psychologique (la foi en une vie après la mort assouvit le désir de survivre) et, de l'autre, supprimer des faims si insatiables qu'elles en deviennent écrasantes (la concupiscence, par exemple). Mais, dans un sens ou dans l'autre, les croyances auxquelles souscrivent les hommes devraient pouvoir trouver une explication dans l'histoire évolutive de notre esprit. Ainsi, si divers sages réussissent à propager les mêmes thèmes, ces thèmes peuvent peut-être éclairer certains aspects de cet esprit et de la nature humaine.

Faut-il en déduire pour autant que les enseignements religieux les plus répandus recèlent, en tant que règles de vie, des sortes de valeurs intemporelles ? C'est en tout cas ce que suggère Donald T. Campbell, l'un des premiers psychologues à avoir accueilli avec enthousiasme le darwinisme moderne. Dans une conférence donnée devant l'American Psychological Association, il parle « de la possible validité de recettes de vie qui ont évolué, été vérifiées et passées au crible par des centaines de générations dans l'histoire sociale humaine. D'un point de vue purement scientifique, on pourrait considérer que ces recettes de vie ont été mieux vérifiées que les meilleures spéculations de nos psychologues et psychiatres sur la façon dont la vie devrait être vécue » [7].

Campbell fait cette observation en 1975, juste après la publication de *Sociobiologie*, l'ouvrage de Wilson, et avant que le cynisme darwinien ait pleinement cristallisé. Aujourd'hui, beaucoup de darwiniens seraient moins optimistes. Certains ont noté que, si les idées doivent, par définition, avoir une sorte d'harmonie avec le cerveau dans lequel elles s'installent, cela ne signifie pas qu'à long terme elles lui soient bénéfiques. Certaines idées, en effet, semblent parasiter le cerveau – elles sont des « virus », comme le dit Richard Dawkins [8]. L'idée qu'une injection d'héroïne est quelque chose d'amusant continue de contaminer les gens en appelant en eux des désirs myopes qui, au bout du compte, se révèlent rarement à leur avantage.

En outre, même si une idée se répand qui sert les intérêts à long terme des individus, il peut aussi s'agir des intérêts de ceux qui vendent l'idée, et non de ceux qui y adhèrent. Les chefs religieux ont en général un statut élevé, et il n'est pas impensable de voir dans leurs prêches une forme d'exploitation, une subtile orientation de la volonté de l'auditeur vers les objectifs de l'orateur. Les enseignements de Jésus, comme ceux de Bouddha et de Lao Tseu, ont sans doute eu pour effet d'amplifier leurs pouvoirs respectifs et d'accroître leur importance au sein d'un groupe toujours plus important.

Toutefois, tout ne se passe pas non plus comme si les doctrines religieuses étaient toujours *imposées* aux individus. Certes, les Dix Commandements ne manquent pas d'une certaine autorité totalitaire, en ce qu'ils sont transmis par la classe politique dirigeante et portent la signature de Dieu soi-même. Jésus, bien qu'en l'absence de tout bureau politique, a lui aussi régulièrement invoqué l'approbation divine. En revanche, Bouddha n'a, quant à lui, sollicité aucune autorité surnaturelle. Et, bien qu'appelé à une noble condition, il aurait abandonné les attributs d'un statut social élevé pour parcourir le monde et prêcher ; son mouvement est, apparemment, parti de zéro.

Le fait est qu'à différentes époques, nombre de gens ont adopté des doctrines religieuses différentes sans subir de fortes contraintes extérieures. Sans doute devait-il y avoir là quelque gratification psychologique. Les grandes religions sont, à certains égards, des idéologies d'autothérapie. Ce serait véritablement du gaspillage, comme le dit Campbell, de mettre au rebut toute une éternité de tradition religieuse sans l'avoir examinée auparavant. Peut-être les sages ont-ils été intéressés, comme nous tous, mais ils n'en étaient pas moins sages.

DÉMONS

L'un des thèmes principaux des grandes religions est celui de la tentation par le démon. Immanquablement, on retrouve un être maléfique qui, sous couvert d'innocence, essaie d'inciter les hommes à commettre quelque méfait apparemment insignifiant, mais, en définitive, d'une portée considérable. On retrouve Satan dans la Bible et dans le Coran. Dans les textes bouddhiques, c'est Mara, le tentateur par excellence, qui utilise insidieusement ses filles : Rati (le Désir) et Raga (le Plaisir).

La tentation par le démon peut ne pas paraître une doctrine spécialement scientifique, mais elle reflète bien la dynamique des habitudes : elles se prennent lentement mais sûrement. Par exemple, la sélection naturelle « veut » que les hommes aient des rapports sexuels avec une interminable succession de femmes. Et elle réalise cet objectif par le truchement d'une habile série de leurres qui peuvent commencer, par exemple, par le simple fait de méditer une infidélité, puis devenir régulièrement plus puissants et, finalement, inexorables. Donald Symons fait cette observation : « Jésus a dit : " Quiconque porte un regard de convoitise sur une femme, commet déjà l'adultère dans son cœur " ; il avait compris que la pensée a pour fonction de provoquer un comportement [9]. »

Ce n'est pas une coïncidence si démons et trafiquants de drogue ont souvent recours au même argument (« Prends-en juste un peu ; ça fait du bien ») ou si les croyants voient souvent le diable dans les drogues. Car s'accoutumer à n'importe quel objet – sexe ou pouvoir, par exemple –, c'est littéralement entrer dans un processus de dépendance, d'une dépendance croissante à la chimie biologique qui fait de ces objets des objets agréables. Plus on a le pouvoir, plus on en a besoin. Et tout glissement dans notre pouvoir nous fait nous sentir mal, même s'il nous ramène seulement à un niveau qui, autrefois, nous comblait. (S'il est une habitude que la sélection naturelle n'a jamais eu « l'intention » d'encourager, c'est bien l'accoutumance à la drogue. Ce miracle de la technologie est une intervention biochimique imprévue, une subversion du système des récompenses. Après une bonne journée de travail, nous étions supposés trouver nos sensations fortes à l'ancienne mode : manger, copuler, éliminer les concurrents, etc.)

La tentation par le démon est presque intégralement liée au concept plus fondamental du mal. Les deux idées – un être malin, et une force maligne – prêtent à la recommandation d'ordre spirituel la puissance de l'émotion. Lorsque Bouddha nous dit d'« extirper la racine de la soif » afin que « Mara, le tentateur, ne puisse plus nous accabler encore et encore », nous sommes supposés nous armer de courage pour la bataille à venir ; ce sont là des paroles belliqueuses [10]. Les avertissements stipulant que la drogue, le sexe ou quelque dictateur belligérant sont le « mal » produisent absolument le même effet.

Le concept du « mal », bien que métaphysiquement moins primitif que celui des « démons », par exemple, n'entre pas facilement dans une vision moderne et scientifique du monde. Néanmoins, il semble qu'il ait une utilité, et ce parce qu'il est métaphoriquement juste. Il existe, en effet, une force qui s'attache à nous entraîner dans des plaisirs variés, qui sont (ou qui étaient autrefois) dans notre intérêt génétique, mais qui ne nous apportent pas le bonheur à long terme et risquent d'engendrer de grandes souffrances pour d'autres. On pourrait appeler cette force le spectre de la sélection naturelle. Plus concrètement, on pourrait l'appeler « nos gènes » (en tout cas, *certains* de nos gènes). Mais si l'emploi du mot *mal* peut être d'un quelconque secours, il n'y a aucune raison de s'en priver.

Quand Bouddha nous exhorte à extirper en nous la « racine de la soif », il ne nous conseille pas nécessairement l'abstinence. Certes, beaucoup de religions prônent l'abstinence en divers domaines, et l'abstinence est certainement une façon de court-circuiter la dépendance au vice. Mais Bouddha insiste moins sur une interminable liste d'interdits que sur une attitude globalement austère, une indifférence cultivée aux récompenses matérielles et aux plaisirs des sens : « Coupez toute la forêt des désirs, et pas seulement un arbre [11] ! »

D'autres religions encouragent dans une certaine mesure cette méfiance fondamentale envers la nature humaine. Dans le Sermon sur la Montagne, Jésus dit : « Ne vous amassez point de trésors sur la terre [...]. Ne vous inquiétez pas pour votre vie de ce que vous mangerez, ni pour votre corps de quoi vous le vêtirez [12]. » Les textes hindous, comme les textes bouddhiques, s'attardent plus longuement et plus explicitement sur la nécessité de se retirer du monde des plaisirs.

L'homme doté d'une maturité spirituelle est celui qui « abandonne les désirs », qui « s'est affranchi du désir des plaisirs », qui, « telle une tortue rétractant ses membres au fond de sa carapace, peut détacher les sens de leurs objets » [13]. D'où l'homme idéal décrit dans la *Bhagavadgîta* : un homme de discipline, qui agit sans se préoccuper des fruits de son action, un homme qu'éloges et critiques laissent indifférent. Telle est l'image dont Gandhi va s'inspirer pour persévérer « sans espérer le succès ni redouter l'échec ».

Qu'hindouisme et bouddhisme aient autant de ressemblances n'a rien d'extraordinaire. Bouddha était hindou. Mais il a poussé plus loin le thème de l'indifférence aux sens en le réduisant à une sévère maxime – la vie est souffrance – et en le plaçant au cœur même de sa philosophie. Si l'on accepte la misère propre à l'existence et si l'on suit l'enseignement de Bouddha, alors seulement, et d'une façon assez singulière, on pourra trouver le bonheur.

Il y a une grande sagesse dans toutes ces attaques contre les sens – non seulement en ce qui concerne la dépendance aux plaisirs, mais aussi en ce qui concerne leur caractère éphémère. Après tout, l'essence de cette dépendance, c'est que le plaisir tend à se dissiper et à laisser l'esprit agité, impatient d'en avoir davantage. Penser qu'un dollar supplémentaire, un flirt supplémentaire, ou un échelon de plus sur l'échelle sociale nous laissera rassasiés reflète une méconnaissance de la nature humaine – méconnaissance, d'ailleurs, consubstantielle à son objet ; nous sommes conçus pour avoir l'impression que, une fois atteint, notre prochain grand objectif nous apportera la félicité, et la félicité est conçue pour se volatiliser aussitôt que nous y arrivons. La sélection naturelle a un méchant sens de l'humour ; elle nous fait avancer grâce à une succession de promesses pour nous dire ensuite : « C'était de la blague. » Comme il est dit dans la Bible : « L'homme ne travaille que pour remplir sa bouche, et pourtant son appétit n'est jamais satisfait [14]. » Chose remarquable, nous passons toute notre vie sans jamais vraiment le comprendre.

La recommandation des sages – refuser de jouer à ce jeu-là – n'est rien moins qu'une incitation à la révolte, à la rébellion contre notre Créateur. Les plaisirs sensuels sont le fouet qu'utilise la sélection naturelle pour nous contrôler et nous garder esclaves d'un système de valeurs perverti. Cultiver à l'égard de ces valeurs une certaine indifférence est une possible route vers la libération. Peu d'entre nous pouvant prétendre s'être aventurés bien loin sur cette route, la fréquence de cette recommandation biblique laisse à penser qu'elle a été suivie avec un *certain* succès et *jusqu'à un certain point*.

La fréquence de ces recommandations a aussi une explication plus cynique. Un moyen de réconcilier les pauvres avec leur misère, c'est de les convaincre que les plaisirs matériels n'ont, de toute façon, rien d'amusant. Les exhortations à renoncer aux bas plaisirs pourraient n'être qu'un instrument de contrôle social, d'oppression. Il en est ainsi, également, de la promesse de Jésus, qui nous assure que, dans l'au-delà, « les premiers seront les derniers et les derniers les premiers » [15] – c'est un peu une façon de recruter des individus de statut inférieur dans les rangs grandissants d'une armée, recrutement qui risque de se faire au détriment de ces individus, dans la mesure où ils cessent de lutter pour obtenir la réussite terrestre. La religion, de ce point de vue, a toujours été l'opium du peuple.

Peut-être. Mais il n'en reste pas moins que le plaisir *est* vraiment éphémère, que le poursuivre constamment *n'est pas* une source sûre de bonheur (comme l'ont fait remarquer, non seulement Samuel Smiles, mais aussi John Stuart Mill) et que nous sommes faits pour *ne pas* le comprendre facilement. Et le pourquoi de tout cela apparaît plus clairement à la lumière du nouveau paradigme darwinien.

À certaines allusions, disséminées dans les textes anciens, on voit qu'est bien compris le fait que tous les efforts humains visant au plaisir, à la richesse ou au statut sont soumis à l'autoaveuglement. La *Bhagavad-gîta* enseigne que les hommes « tournés uniquement vers les plaisirs et le pouvoir » sont « privés de clairvoyance ». Rechercher les fruits de l'action, c'est vivre dans « la forêt touffue de l'illusion » [16]. Bouddha dit que « la meilleure des vertus [est] dépourvue de passion, et le meilleur des hommes celui qui a des yeux pour voir » [17]. Et, dans l'Ecclésiaste : « Mieux vaut ce que voient les yeux que l'errance du désir [18]. »

Certaines de ces paroles sont ambiguës dans leur contexte, mais incontestablement, les sages ont clairement saisi une illusion humaine bien particulière : le préjugé moral fondamental en faveur du moi. L'idée réapparaît dans l'enseignement de Jésus : « Que celui de vous qui est sans péché lui jette la première pierre »; « Hypocrite, enlève d'abord la poutre de ton œil, et alors tu verras clair pour enlever la paille de l'œil de ton frère » [19]. Bouddha l'a exprimé plus directement encore : « La faute des autres est facilement perçue, mais la faute de soi-même est difficilement perçue [20]. »

Bouddha a particulièrement bien vu que beaucoup d'illusions proviennent de ce penchant qu'ont les hommes à vouloir faire mieux que les autres. Mettant en garde ses disciples contre les querelles dogmatiques, il dit :

> « Le témoignage de ses sens
> et leurs œuvres lui inspirent un tel mépris
> des autres et une telle suffisante
> certitude qu'*il* a raison,
> qu'il prend tous ses rivaux
> pour de "pauvres idiots sans cervelle" [21]. »

Cette façon d'appréhender notre vision déformée des choses est liée aux exhortations à l'amour fraternel. Car ces exhortations pos-

tulent que nous sommes fortement enclins à *ne pas* considérer tout le
monde avec la charité que nous accordons à notre famille et à nous-
mêmes. En réalité, si nous n'y étions pas si fortement enclins, si nous
n'appuyions pas ce penchant de toute la conviction morale et intellectuelle dont nous diposons, il n'eût pas été nécessaire d'inventer la religion pour corriger ce déséquilibre.

Renoncer aux plaisirs des sens est aussi lié à l'amour fraternel.
Agir avec générosité et respect est une affaire délicate, sauf si l'on peut,
d'une quelconque façon, échapper à cette préoccupation humaine :
nourrir l'ego. Considérées dans leur ensemble, certaines pensées religieuses constituent un programme joliment cohérent pour une optimisation de la somme non zéro.

LES THÉORIES DE L'AMOUR FRATERNEL

La question demeure : Comment ces pensées ont-elles commencé ?
Pourquoi la doctrine de l'amour fraternel a-t-elle connu une telle réussite ? Oublions pour l'instant le fait que cet amour s'honore surtout
dans l'illégalité, que même ceux qui le pratiquent avec le plus de zèle
risquent de ne parvenir que très légèrement à diluer leur amour d'eux-
mêmes, oublions que les religions organisées ont souvent permis de
violer à une très grande échelle cette doctrine de l'amour fraternel. Le
seul fait que l'idée perdure encore dans l'espèce est étrange. À la
lumière de la théorie darwinienne, tout ce qui touche à l'idée d'amour
fraternel semble paradoxal, excepté la puissance rhétorique du mot
fraternel. Et, assurément, cela seul n'a pu suffire à en faire accepter
l'idée.

Les solutions proposées pour élucider ce mystère vont de la plus
cynique à la moins excitante. Du côté le plus excitant, se trouve une
théorie du philosophe Peter Singer qui, dans *The Expanding Circle,* se
demande comment le champ de la compassion humaine a pu s'élargir
au-delà de ses frontières primitives – c'est-à-dire la famille ou, peut-
être, le clan. Singer note que la nature humaine et la structure de la vie
sociale humaine ont, depuis longtemps, accoutumé les gens à justifier
publiquement leurs actes en des termes objectifs. Lorsque nous exi-
geons que soient respectés nos intérêts, nous parlons comme si nous
ne demandions rien de plus que ce que nous accorderions à quiconque se trouverait à notre place. Singer croit qu'une fois cette habitude instaurée (par l'évolution de l'altruisme réciproque, notamment),
l'« autonomie de raisonnement » prend la relève. « L'idée d'une
défense désintéressée de la conduite de quelqu'un » est née de
l'égoïsme, « mais, dans la pensée des êtres raisonnants, elle adopte une

logique qui lui est propre et qui l'amène à s'étendre au-delà des limites du groupe ».

Une extension qui a pris des proportions impressionnantes. Singer raconte comment Platon pressa les Athéniens d'adopter ce qui, à l'époque, constituait un progrès moral majeur : « Il défendait l'idée qu'en temps de guerre, les Grecs ne devaient pas réduire d'autres Grecs en esclavage, ni dévaster leurs terres ou raser leurs maisons ; ils devaient faire ces choses aux non-Grecs seulement [22]. » Depuis lors, l'extension de la responsabilité morale aux frontières de l'État-nation est devenue la norme. Pour finir, pense Singer, elle pourrait atteindre des proportions mondiales : une famine en Afrique paraîtra aussi scandaleuse aux Américains qu'une famine en Amérique. La pure logique nous aura véritablement mis en contact avec le grand principe religieux enseigné à travers les âges : l'égalité morale fondamentale de tous les êtres humains. Notre compassion s'étendra, comme elle devrait le faire, équitablement à toute l'humanité. Darwin partage cet espoir. Il écrit dans *La Descendance de l'homme* : « À mesure que l'homme progresse dans la civilisation et que les petites tribus s'unissent pour former de plus larges communautés, la raison seule recommanderait à chaque individu d'étendre ses instincts sociaux et sa sympathie à tous les membres de la même nation, même s'il ne les connaît pas personnellement. Une fois atteint ce point, seule une barrière artificielle pourrait empêcher cette sympathie de s'étendre à tous les hommes de toutes les nations et de toutes les races [23]. »

En un sens, ce que dit Singer, c'est que nos gènes ont été un peu trop malins. Ils ont commencé il y a longtemps à parer l'égoïsme brut du noble langage de la moralité, l'utilisant pour exploiter les diverses pulsions morales créées par la sélection naturelle. Maintenant, ce langage, tout harnaché de pure logique, pousse les cerveaux ainsi structurés à se conduire égoïstement. La sélection naturelle a commis deux agents au service de notre petit intérêt personnel – la froide raison et les chaudes pulsions morales – et, d'une manière ou d'une autre, une fois combinés, ces agents prennent une vie bien à eux.

Assez d'hypothèses excitantes. Passons à l'explication cynique, permettant de comprendre pourquoi tant de sages ont préconisé l'extension du champ de la morale : c'est celle que nous avons évoquée au début de ce chapitre : semblable extension accroît le pouvoir de ces mêmes sages. Les Dix Commandements et leurs interdits – mentir, voler, tuer – ont rendu les ouailles de Moïse plus aisément manœuvrables. Et les admonestations de Bouddha concernant les querelles dogmatiques garantissent la solidité de son pouvoir.

À l'appui de ce cynisme, le fait que l'amour universel vanté dans de nombreux écrits religieux, n'apparaît pas, à l'examen, comme une donnée vraiment universelle. Les odes au détachement de la *Bhagavad-gîta* interviennent dans un contexte passablement ironique : Krishna exhorte le guerrier Arjuna à l'autodiscipline afin que ce dernier massacre plus sûrement une armée ennemie – une armée qui, s'il vous plaît, contient des membres de sa famille [24]. Et saint Paul, dans son *Épître aux Galates*, après avoir chanté amour, paix, douceur et bonté, ajoute : « Soyons bons pour tous les hommes, *surtout* pour ceux qui sont de la famille de notre foi [25]. » Sages paroles en vérité, surtout dans la bouche du chef de famille. On a même dit que Jésus ne prêchait pas vraiment l'amour universel, et que lorsqu'il nous appelle à aimer nos « ennemis », après examen, il s'agit uniquement de nos ennemis juifs [26].

Vu sous cet angle, le « cercle en expansion » de Singer apparaît davantage comme une extension de la portée politique que comme une extension de la logique morale. À mesure que l'organisation sociale s'étend au-delà du clan primitif – jusqu'à la tribu, jusqu'à l'État-cité, jusqu'à l'État-nation –, l'organisation religieuse devient possible sur une échelle toujours plus grande. Ainsi les sages saisissent-ils l'occasion d'étendre leur pouvoir – ce qui signifie qu'ils prêchent une tolérance à la mesure de cette expansion. Les appels à l'amour fraternel sont donc comparables aux appels intéressés d'un homme politique au patriotisme. En fait, les appels au patriotisme *sont*, d'une certaine manière, des appels à l'amour fraternel, mais à l'échelle nationale [27].

Il existe une troisième théorie, qui tient à peu près le milieu entre les deux précédentes. Oui, les Dix Commandements ont pu rendre les ouailles de Moïse plus aisément manœuvrables. Mais il est vraisemblable que beaucoup de ces brebis en ont aussi tiré des bénéfices, puisque retenue et respect mutuels sont sources de bénéfices dans la logique de la somme non zéro. Autrement dit : aussi intéressés soient-ils, les chefs religieux ont simplement transmis leurs intérêts aux masses. Ils ont trouvé de possibles recoupements entre leurs intérêts et ceux des masses, et ces recoupements sont devenus de plus en plus importants. À mesure que s'étendait le champ de l'organisation sociale et économique, et avec lui la zone de somme non zéro, les individus ont eu intérêt à se conduire avec une décence au moins minime à l'égard d'un nombre croissant d'autres individus. Les chefs religieux n'ont pu que se féliciter de voir leur envergure croître en proportion.

Et il y a eu changement, non seulement dans l'*étendue* de l'organisation sociale, mais aussi dans sa nature. Les sentiments moraux ont été conçus pour un environnement particulier – ou, plus précisément, pour une succession particulière d'environnements, incluant les villages primitifs et autres sociétés antérieures perdues dans les brumes de la préhistoire. On peut dire sans trop s'aventurer que ces sociétés n'avaient ni système judiciaire élaboré ni considérables moyens policiers. En effet, la force de la pulsion de châtiment témoigne bien qu'il fut un temps où, si l'on ne défendait pas soi-même ses propres intérêts, personne d'autre ne le faisait.

À un moment donné, les choses ont commencé à changer, et la

valeur de ces pulsions a commencé de diminuer. Aujourd'hui, bon nombre d'entre nous gaspillent beaucoup de temps et d'énergie à se livrer à l'indignation. Nous tempêtons en vain contre des automobilistes imprudents, passons une journée à aider la police à retrouver un voleur à la tire, même si le portefeuille volé contenait seulement le gain de trois heures de travail et même si la capture du voleur ne changera rien à nos risques d'être à nouveau dépouillés dans le futur ; nous fulminons devant la bonne fortune de nos rivaux professionnels, même si nous nous savons impuissants à contrarier leurs chances et même si nous n'ignorons pas qu'il serait profitable de les traiter avec davantage de courtoisie.

Il est difficile de déterminer à quel moment précis de l'histoire de l'humanité certains sentiments moraux ont commencé de tomber en désuétude. Mais la thèse de Donald Campbell vaut la peine que l'on y réfléchisse : il pense que ce sont les religions des anciennes civilisations *urbaines* – « qui se sont développées indépendamment en Chine, en Inde, en Mésopotamie, en Égypte, au Mexique et au Pérou » – qui ont produit les pratiques religieuses actuelles : à savoir un frein à de « nombreux aspects de la nature humaine », dont « l'égoïsme, l'orgueil, l'avidité [...], la convoitise [...], la concupiscence, la colère ».

Pour Campbell, ce frein était indipensable à une « coordination sociale optimale » [28]. Optimale pour les gouvernants ou optimale pour les gouvernés ? Il ne le dit pas. Mais nous pouvons penser que, bien que fréquemment opposés, ces deux intérêts ne s'excluent pas mutuellement.

Qui plus est, la « coordination sociale » en question peut dépasser les frontières d'une unique nation. Dire des peuples du monde qu'ils sont plus interdépendants que jamais est devenu un lieu commun. Commun, mais vrai. Le progrès matériel a beaucoup accru l'intégration économique, et diverses technologies ont généré des menaces que l'humanité ne peut prévenir que de concert – telles la dégradation de l'environnement et la prolifération nucléaire. Il y a sans doute eu une époque où il était dans l'intérêt des dirigeants politiques d'entretenir l'intolérance et le sectarisme de leur peuple jusqu'à l'aboutissement du conflit entre nations. Cette page de l'histoire est en train de se tourner.

Les textes religieux hindous enseignent qu'une âme universelle unique habite chaque être humain ; l'homme sage « se voit en tous et tous se voient en lui » [29]. En tant que métaphore d'une grande vérité philosophique – le caractère également sacré (entendez : la valeur utilitariste) de chaque sphère de la conscience humaine –, cet enseignement est profond. Et, en tant que fondement à une règle pratique de vie – le sage s'interdit de porter tort aux autres, de sorte qu'il « ne se porte pas tort à lui-même » [30] –, cet enseignement est doué de prescience. Les anciens sages ont mis le doigt – bien que de façon ambi-

guë, bien que de façon intéressée – sur une vérité qui était non seulement valable, non seulement précieuse, mais destinée à prendre
davantage de valeur encore à mesure que progressait l'histoire.

LE LAÏUS DU JOUR

Pour illustrer la « conscience puritaine » de l'Angleterre victorienne,
Walter Houghton parle d'un homme qui notait tous ses « péchés et
erreurs » et décelait toujours « l'égoïsme [...] dans chaque effort, dans
chaque résolution » [31]. L'idée remonte au moins à Martin Luther, qui
disait qu'un saint est quelqu'un qui comprend que chacun de ses actes
est égotiste.

Cette définition de la sainteté s'applique bien à Darwin. Voici
une déclaration caractéristique : « Mais quelle lettre horriblement égotiste je suis en train d'écrire ; je suis si fatigué que rien, hormis le plaisant stimulus de la vanité et le fait d'écrire sur ce moi chéri, n'eût été
suffisant à me tenir éveillé [32]. » (Inutile de dire que cette phrase fait
suite à un paragraphe dont l'égotisme ne frapperait pas grand monde
de nos jours. Darwin y exprime ses craintes, et non sa confiance, en
l'accueil que recevront les travaux effectués à bord du *Beagle*.)

Que Darwin réponde pleinement ou non à la définition du saint
selon Martin Luther, il est sans doute vrai que le darwinisme peut
contribuer à la sainteté. Aucune doctrine ne donne à la conscience de
l'égoïsme caché l'intensité qu'elle trouve dans le nouveau paradigme
darwinien. Si vous comprenez la doctrine, acceptez-la, appliquez-la et
vous passerez votre vie à suspecter profondément vos motivations.

Félicitations ! C'est la première étape sur la voie du redressement
des préjugés moraux implantés en nous par la sélection naturelle. La
seconde consiste à empêcher ce cynisme nouvellement appris
d'empoisonner votre vision des autres : c'est-à-dire à associer la
rigueur pour soi à l'indulgence pour les autres, à assouplir quelque peu
le jugement sans pitié qui nous rend fort commodément indifférents,
voire hostiles, au bien-être des autres, à user avec libéralisme de la
sympathie dont l'évolution nous a si parcimonieusement dotés. En cas
de succès démesuré, cette opération pourrait aboutir à un individu qui
prendrait le bien-être des autres un peu moins, mais pas beaucoup
moins au sérieux que le sien.

Darwin ne s'est pas trop mal tiré de cette affaire. Bien qu'habitué
à la vanité des autres et la méprisant, il a, à l'égard de ses semblables,
une attitude générale d'un grand sérieux moral ; il se réserve à lui-
même la plupart de ses railleries. Même lorsqu'il ne peut faire autrement que détester quelqu'un, il essaie de mettre cette haine en perspective. Au sujet de Richard Owen, son ennemi par excellence, il écrit

à son ami Hooker : « Je suis devenu tout à fait diabolique au sujet de Owen [et] j'essaie de faire montre de sentiments plus angéliques[33]. » Peu importe s'il y réussit. (D'ailleurs, il n'y réussit pas.) Non, ce qui importe, c'est qu'en qualifiant, à moitié par plaisanterie, sa haine de « diabolique », Darwin montre davantage de doutes moraux sur lui-même et moins de suffisance que la plupart d'entre nous n'en manifestent ordinairement. (Ce qui est d'autant plus impressionnant que les sentiments de Darwin n'ont rien d'original : bien qu'il représente une menace particulière pour son statut du fait qu'il ne croit pas en la sélection naturelle, Owen est aussi un homme malveillant et très largement détesté[34].) Darwin a approché de très près un état quasiment inaccessible et hautement digne d'éloges : un cynisme détaché, entièrement moderne (voire postmoderne), envers lui-même, associé à une gravité victorienne envers les autres.

Martin Luther a dit également que le tourment moral chronique est un signe de la grâce de Dieu. Dans ce cas, Darwin est l'ambulant dépositaire de la grâce divine. Voilà un homme que sa culpabilité tient éveillé la nuit parce qu'il n'a pas encore répondu à quelques ennuyeuses lettres d'admirateurs[35].

On pourrait se demander où est la grâce lorsqu'on se retrouve chargé d'angoisses. La réponse, c'est que d'autres peuvent tirer bénéfice de ces angoisses. Peut-être Martin Luther eût-il dû formuler les choses autrement et dire d'un individu moralement tourmenté qu'il est le *moyen* de la grâce de Dieu. Et c'est bien (métaphoriquement, du moins) ce qu'est parfois Darwin : un amplificateur utilitariste. Grâce à la magie de la somme non zéro, il transforme les petits sacrifices auxquels il se livre en gains majeurs pour les autres. En passant quelques minutes à répondre à une lettre, il peut sensiblement illuminer la journée, et peut-être même la semaine, de quelque inconnu. La conscience n'a pas été conçue pour cela, puisque ces personnes ne sont généralement pas dans une position qui leur permette de lui rendre la pareille et souvent trop loin de lui pour contribuer à sa réputation morale. Comme on l'a vu, une bonne conscience, au sens le plus exigeant et le plus moral du terme, est celle qui ne fonctionne pas seulement comme la sélection naturelle l'a « voulu ».

Certains redoutent que le nouveau paradigme darwinien ne dépouille leur vie de toute noblesse. Si l'amour des enfants n'est que la défense de notre ADN, si aider un ami n'est qu'une rétribution pour services rendus, si la compassion pour les opprimés n'est qu'une chasse aux bonnes affaires – alors, qu'y a-t-il là-dedans dont nous puissions tirer fierté ? Eh bien, d'une conduite comme celle de Darwin. Dépasser, surpasser l'appel d'une ronronnante conscience, aider ceux qui ne sont pas susceptibles de nous aider et le faire alors que personne ne regarde. Voilà une façon d'être un animal véritablement moral. Aujourd'hui, à la lumière du nouveau paradigme, nous pouvons voir à quel point la chose est difficile et combien Samuel Smiles avait raison de dire qu'une vie de bien est une bataille contre « l'ignorance morale, l'égoïsme et le vice » ; ce sont eux les ennemis et ils ont été conçus pour être tenaces.

Autre antidote, étrange, au désespoir qu'entraîne la fondamentale bassesse des motivations humaines : la gratitude. Si vous n'éprouvez pas de reconnaissance envers l'infrastructure morale passablement entortillée de notre espèce, songez donc à ce qui aurait pu arriver. Vu la façon dont opère la sélection naturelle, il n'y avait que deux possibilités à l'aube de l'évolution : 1° soit finissait par apparaître une espèce douée de conscience, de sympathie et même d'amour – le tout étant enraciné, en dernière instance, dans l'intérêt génétique personnel ; 2° soit aucune espèce possédant ces caractéristiques ne voyait jamais le jour. Eh bien, c'est la première possibilité qui l'a emporté. Nous disposons d'une base de respect sur laquelle nous pouvons construire. Un animal tel que Darwin peut passer un temps fou à s'inquiéter du sort d'autres animaux – et pas seulement de sa femme, de ses enfants et de ses amis haut placés, mais aussi des esclaves lointains, des admirateurs inconnus et même des chevaux et des moutons. Le critère ayant présidé à notre conception étant l'intérêt personnel, nous sommes un groupe d'organismes raisonnablement soucieux des autres. En effet, si vous méditez assez l'impitoyable logique de l'évolution, vous allez peut-être commencer à trouver que, telle qu'elle est, notre moralité tient presque du miracle.

LA FIN DE DARWIN

Darwin eût été le dernier à reconnaître la grâce de Dieu dans ses angoisses, ou dans n'importe quoi d'autre d'ailleurs. Il dit, vers la fin de sa vie, que sa disposition d'esprit le porte à l'agnosticisme. Lorsqu'il déclare, à la veille de son décès : « Je ne suis pas le moins du monde effrayé par la mort », c'est presque certainement parce qu'il espère un soulagement à ses souffrances terrestres, et rien de mieux [36].

Darwin a réfléchi au sens de la vie pour « un homme qui n'a pas de croyance affermie et constante en l'existence d'un Dieu particulier, ou d'une vie future avec châtiment et récompense ». Il croit qu'un tel homme trouverait « en accord avec le jugement des hommes les plus sages, que la plus grande satisfaction résulte de l'obéissance à certaines impulsions, les instincts sociaux. S'il agit pour le bien des autres, il recevra l'approbation de ceux qui le connaissent et gagnera l'amour de ceux avec lesquels il vit ; et ce sera pour lui son plus grand plaisir sur terre ». Cependant, « sa raison peut occasionnellement lui conseiller d'agir contre l'opinion des autres, qui le désapprouveront ; mais il aura encore la solide satisfaction de savoir qu'il a suivi son guide intérieur, sa conscience » [37].

Il se peut que cette dernière phrase soit une échappatoire pour un homme qui a passé sa vie à bâtir une théorie n'ayant pas reçu l'universelle « approbation de ceux qui le connaissent », une théorie qui, bien que juste, risque de ne pas tendre au « bien des autres ». Une théorie, en tout cas, avec laquelle notre espèce va devoir se réconcilier.

Ayant défini un étalon moral, Darwin décerne un satisfecit à son existence : « Je crois avoir bien agi en m'attachant à consacrer ma vie à la science. » Cependant, alors qu'il n'éprouve « pas le remords d'avoir commis aucun péché grave », il dit avoir « bien souvent regretté de n'avoir pas fait plus directement du bien à [ses] semblables. [Sa] seule et pauvre excuse est [son] mauvais état de santé et [sa] constitution mentale qui [le] rend pratiquement incapable de passer d'un sujet ou d'une occupation à une autre. [Il peut], avec une grande satisfaction, imaginer de consacrer tout [son] temps à la philanthropie, mais pas la moitié ; c'eût été pourtant une bien meilleure ligne de conduite » [38].

Certes, la vie de Darwin n'a pas été d'un utilitarisme optimal. Ce ne fut d'ailleurs jamais le cas de la vie de personne. Néanmoins, alors qu'il se prépare à mourir, il est en droit de se dire qu'il a vécu avec compassion et décence, qu'il a fidèlement accompli ses devoirs et mené un combat douloureux, même s'il fut partial, contre ces courants d'égoïsme dont il a été le premier à discerner la source. Ce ne fut pas une vie parfaite, mais les humains sont capables de pire.

QUELQUES QUESTIONS
QUE L'ON SE POSE SOUVENT

En 1859, lorsque Erasmus reçoit un exemplaire de *L'Origine des espèces*, il adresse à Darwin une lettre pleine d'éloges. La théorie de la sélection naturelle est d'une si indiscutable logique, écrit-il, que l'impuissance des fossiles à démontrer la valeur du changement évolutif ne l'a pas dérangé outre mesure. « En fait, le postulat est pour moi tellement satisfaisant que, si les faits ne s'y conforment pas totalement, tant pis pour les faits ! Tel est mon sentiment. »

Ce sentiment est plus partagé par les évolutionnistes que certains ne veulent bien l'admettre. La théorie de la sélection naturelle est si élégante et si puissante qu'elle entraîne une adhésion voisine de la foi – sans qu'il s'agisse pour autant d'une foi *aveugle*, puisque cette adhésion repose sur la capacité reconnue de cette théorie d'expliquer beaucoup de ce qui fait la vie. Toute question de foi mise à part, il est un point au-delà duquel rechercher encore quelque élément qui viendrait contredire la théorie dans son ensemble n'est plus nécessaire.

Et je dois reconnaître que j'ai atteint ce point. Il est désormais démontré que la sélection naturelle rend compte, de façon plausible, de tant d'aspects de la vie en général, et de l'esprit humain en particulier, que je n'ai guère de doutes quant au reste. Toutefois, ce « reste » n'est pas un bout de terrain insignifiant. Nombre d'aspects de la pensée, du sentiment et du comportement humains constituent encore un défi déconcertant pour un darwinien – et beaucoup d'autres, qui ne dérouteraient pas un darwinien confirmé, peuvent néanmoins heurter le profane. Il serait assez non darwinien de ma part de ne pas citer quelques exemples frappants. Darwin se souciait des failles réelles aussi bien qu'apparentes de sa théorie, et c'est l'insistance avec laquelle il les affronte qui contribue, notamment, à faire de *L'Origine des espèces* un ouvrage aussi convaincant. La faille à laquelle Erasmus fait allusion figure dans le chapitre que Darwin a intitulé « Difficultés de la théorie ». Dans les éditions ultérieures, il ajoutera un chapitre supplémentaire intitulé « Diverses objections à la théorie de la sélection naturelle ».

Les pages suivantes sont loin de représenter la liste exhaustive des énigmes réelles ou supposées qui entourent le nouveau paradigme darwinien appliqué à l'esprit humain, mais elles précisent la nature de ces énigmes et suggèrent quelques pistes permettant de les résoudre. Elles posent également certaines des questions les plus courantes concernant la psychologie évolutionniste et contribuent, je l'espère, à dissiper un certain nombre d'idées fausses.

1. Et l'homosexualité ?

Personne n'attendrait de la sélection naturelle qu'elle crée des êtres peu enclins à faire ce qu'il faut (avoir des rapports hétérosexuels, par exemple) pour transmettre leurs gènes à la génération suivante. À l'aube de la sociobiologie, certains évolutionnistes pensaient que la théorie de la sélection par la parenté pouvait résoudre ce paradoxe. Les homosexuels étaient peut-être comme les fourmis stériles : au lieu de consacrer leur énergie à tenter de transmettre directement leurs gènes à la génération suivante, ils le faisaient de façon détournée ; au lieu d'investir dans des enfants à eux, ils investissaient dans des frères et sœurs, des nièces et des neveux.

Sur le principe, cette explication pourrait fonctionner ; pourtant la réalité ne semble pas la favoriser. Premièrement, combien sont les homosexuels qui passent une partie conséquente de leur temps à aider frères, sœurs, neveux et nièces ? Deuxièmement, voyons donc à quoi la plupart d'entre eux passent leur temps : à rechercher une union homosexuelle avec la même ardeur que les hétérosexuels recherchant une union hétérosexuelle. Où est la logique évolutionniste dans tout cela ? Les fourmis stériles ne passent pas beaucoup de temps à caresser d'autres fourmis stériles, et si elles le faisaient, nous aurions une nouvelle énigme à résoudre.

Nous savons que les bonobos, nos proches parents, peuvent être bisexuels (quoiqu'il n'existe apparemment pas chez eux d'homosexualité exclusive). Ils se gratifient, par exemple, de frottements génitaux qui sont des signes d'amitié, une manière de désamorcer les tensions. Voilà qui met l'accent sur un principe général : dès lors que la sélection naturelle a créé une forme de gratification – dans le cas présent, la stimulation génitale –, celle-ci peut venir remplir d'autres fonctions : elle peut, soit s'être adaptée à ces autres fonctions grâce à l'évolution génétique, soit les remplir grâce à un changement purement culturel. On sait que, dans la Grèce antique, une tradition culturelle voulait que les jeunes garçons satisfassent parfois les hommes par la stimulation sexuelle. (Et, en termes strictement darwiniens, il est difficile de dire qui exploitait qui ; les garçons qui usaient de cette technique pour soigner leurs mentors avaient, au moins, la certitude de voir s'élever leur statut ; les hommes, en revanche – et toujours en termes strictement darwiniens – perdaient, semble-t-il, leur temps.)

De ce point de vue, que les pulsions sexuelles de certains se détournent des voies ordinaires n'est qu'un tribut supplémentaire à la malléabilité du cerveau humain. Soumis à un ensemble spécifique d'influences venant de l'environnement, le cerveau peut faire toutes sortes de choses. (La prison est l'exemple extrême d'une influence environnementale de cet ordre. Lorsque la gratification hétérosexuelle est impossible, le besoin sexuel – et spécialement le besoin sexuel *mâle*, relativement fort et aveugle – peut chercher un substitut très approchant.)

Existe-t-il un « gène » de l'homosexualité? Nous disposons d'indices qui laissent à penser que certains gènes inclinent plus que d'autres à l'homosexualité. Mais cela ne signifie pas qu'il y ait un « gène homosexuel » – un gène qui pousserait inexorablement à l'homosexualité, quel que soit l'environnement; et cela ne signifie certainement pas que les gènes en question aient été choisis par la sélection naturelle *du fait* de leur contribution à l'homosexualité. (Sans doute certains gènes disposent-ils plus que d'autres à une carrière de banquier ou de footballeur professionnel, mais il n'existe pas pour autant un « gène de la banque » ou un « gène du foot » – aucun qui ait été sélectionné *du fait* qu'il contribue à faire de quelqu'un un banquier ou un footballeur. Seuls existent des gènes qui conduisent à certaines facilités pour les chiffres ou la forme physique.) En fait, une fois exclue la théorie selon laquelle l'inclination homosexuelle serait due à la sélection par la parenté, on a du mal à imaginer un gène sélectionné *du fait* qu'il conduit exclusivement à l'homosexualité. Si un « gène homosexuel » s'était répandu dans une portion suffisamment importante de la population, il aurait probablement eu sur l'environnement des effets autres que la stricte inclination homosexuelle.

Si certaines personnes s'intéressent tant à la question du « gène homosexuel », c'est aussi parce qu'elles veulent savoir si l'homosexualité est « naturelle », question qui – à leurs yeux, du moins – semble avoir des répercussions morales. Elles estiment qu'il est capital de savoir : premièrement, s'il existe un gène (ou une combinaison de gènes) conduisant à l'homosexualité et ayant véritablement été sélectionné pour cela; ou, deuxièmement, s'il existe un gène (ou une combinaison de gènes) conduisant à l'homosexualité, ayant été sélectionné pour une autre raison, mais qui, dans certains environnements, a pour effet d'encourager l'homosexualité; ou, troisièmememt, s'il existe un gène (ou une combinaison de gènes) conduisant à l'homosexualité, arrivé tout récemment sur la scène de l'humanité et n'ayant pas encore été avalisé par la sélection naturelle du fait de quelque propriété spécifique; ou, quatrièmement, s'il n'existerait pas un « gène homosexuel ».

Qu'importe! Pourquoi le « caractère naturel » de l'homosexualité devrait-il affecter en quoi que ce soit notre jugement moral? Il est « naturel », c'est-à-dire qu'il est « approuvé » par la sélection naturelle, qu'un homme tue l'amant de sa femme. Dans le même sens, le viol est

« naturel ». Et veiller à ce que les enfants soient nourris et habillés est certainement « naturel ». Mais, dans leur majorité, les gens jugent les conséquences de ces choses et non leurs origines. Voici quelques vérités au sujet de l'homosexualité : 1° Certains sont nés avec une combinaison de circonstances génétiques et environnementales qui les pousse fortement vers un mode de vie homosexuel ; 2° L'homosexualité pratiquée entre adultes consentants ne contredit en rien le bien-être d'autres personnes. Pour ce qui est de la morale, cela devrait suffire (je crois) à clore le débat.

2. Pourquoi frères et sœurs sont-ils si différents les uns des autres?
Si les gènes ont une telle importance, pourquoi des gens qui ont tant de gènes en commun sont-ils souvent si dissemblables ? D'une certaine façon, poser cette question à un psychologue évolutionniste n'est pas très logique. Après tout, le courant dominant de la psychologie évolutionniste n'étudie pas comment des gènes différents peuvent induire des comportements différents, mais comment les gènes communs à l'espèce humaine peuvent conduire à des comportements différents – parfois différents, parfois semblables. Autrement dit, ces psychologues analysent le comportement conformément à leur théorie, sans se préoccuper de la constitution génétique particulière d'un individu. Cependant, la réponse à cette question concernant les frères et sœurs éclaire une énigme qui se trouve *au cœur* de la psychologie évolutionniste : si les principales influences génétiques sur le comportement humain viennent de gènes communs à tous, pourquoi les individus se comportent-ils, *en général*, de façon si différente ? Cette question a été diversement soulevée dans ce livre, mais le cas des frères et sœurs va l'éclairer d'un jour nouveau.

Prenons l'exemple de Darwin. Avant-dernier d'une famille de six enfants, il corrobore un schéma saisissant qui n'a que récemment été mis en lumière : il est extrêmement rare que ceux qui initient ou soutiennent des révolutions scientifiques soient les premiers-nés d'une famille. Frank Sulloway, qui a nourri ce schéma d'une grande quantité de données, a aussi découvert que les personnes qui conduisent ou qui soutiennent des révolutions *politiques* sont très rarement des premiers-nés.

Comment est-ce explicable ? Pour Sulloway, ce schéma est probablement en rapport avec le fait que les enfants plus jeunes se trouvent souvent en compétition avec leurs frères et sœurs plus âgés – figures d'autorité. Ils peuvent même très souvent se trouver en conflit, non seulement avec ces autorités particulières, mais avec l'establishment au complet. Après tout, les aînés, ayant une valeur reproductive supérieure à celle de leurs jeunes frères (voir le chapitre VII), devraient, en théorie, être plutôt favorisés par les parents. Il se peut donc qu'il y ait souvent une communauté naturelle d'intérêts, une alliance entre parents et aînés, que les cadets doivent combattre.

L'establishment édicte la loi, et les frères et sœurs plus jeunes la défient. Il pourrait être adaptatif, pour les enfants se trouvant dans de telles situations, de devenir de bons contestataires. C'est-à-dire qu'un programme de développement propre à l'espèce pourrait guider les enfants ayant des frères et sœurs plus âgés vers un mode de pensée radical.

De façon plus large, se pose ici la question de « l'environnement non partagé », dont les généticiens n'ont compris l'importance qu'au cours de ces dix dernières années (voir Plomin et Daniels, 1987). Ceux qui doutent du déterminisme par l'environnement aiment reprendre l'exemple de deux frères élevés ensemble et demander pourquoi l'un est, par exemple, devenu criminel et l'autre procureur de la République. Si l'environnement est si essentiel, demandent-ils, pourquoi ces deux individus ont-ils évolué de façons à ce point différentes ? De telles questions relèvent d'une mauvaise interprétation du mot « environnement ». Bien que deux frères partagent effectivement certains aspects de leur environnement (mêmes parents, même école), une grande part de leur environnement est « non partagée » (professeurs, amis, etc.).

Paradoxalement, comme le souligne Sulloway, les frères et sœurs peuvent, du simple fait qu'ils sont frères et sœurs, avoir des environnements tout particulièrement « non partagés ». Par exemple, alors que vous et votre voisin de palier pouvez tous deux être des aînés – et donc « partager » cette influence de l'environnement –, la même chose ne peut être vraie de vous deux et de vos frères et sœurs respectifs. Qui plus est, Sulloway pense qu'un frère ou une sœur, du fait qu'il ou elle occupe certaine « niche » stratégique dans l'écologie familiale, peut pousser, dans la compétition, les autres frères et sœurs vers d'autres niches. Ainsi, un frère ou une sœur plus jeune peut estimer qu'un autre a déjà gagné de grandes faveurs grâce, par exemple, à de consciencieux sacrifices pour les parents ; en réaction, lui ou elle peut chercher une autre « niche » – un excellent travail scolaire, par exemple –, plutôt que d'essayer de se placer sur le marché déjà encombré du sacrifice.

3. *Pourquoi y a-t-il des gens qui choisissent de n'avoir que peu ou pas du tout d'enfants ?*

La question fait parfois figure de grand « mystère » évolutionniste. Les chercheurs se sont beaucoup interrogés sur la « transition démographique », qui a diminué le taux des naissances dans les sociétés industrialisées, et ont essayé d'expliquer ce phénomène en termes darwiniens. Certains ont avancé, par exemple, que dans un environnement moderne, ce qui était considéré autrefois comme une famille de taille moyenne pouvait désormais constituer un handicap pour le patrimoine génétique. Vous vous retrouverez peut-être avec davantage de petits-enfants si vous n'avez que deux enfants, auxquels vous pouvez offrir une bonne éducation dans des écoles onéreuses, plutôt que si vous en avez cinq qui seront élevés dans des écoles plus modestes et se retrouveront dans l'incapacité de pouvoir élever eux-mêmes des enfants. Ainsi, en ayant moins d'enfants, les gens feraient-ils preuve d'une conduite adaptative.

Il existe une réponse plus simple : le moyen qu'a trouvé la sélection naturelle pour nous pousser à nous reproduire n'a pas été de nous instiller un irrépressible et conscient désir d'avoir des enfants. Nous sommes conçus pour aimer le sexe et pour en aimer les conséquences qui se matérialisent neuf mois plus tard – et pas nécessairement pour anticiper cet amour des conséquences. (Témoin les habitants des îles Trobriand, qui, selon Malinowski, n'avaient pas compris la relation existant entre le sexe et la naissance d'un enfant et n'en continuaient pas moins de se reproduire.) Tout cela n'a commencé de vaciller qu'avec l'apparition des techniques contraceptives.

Le choix des dimensions de la famille constitue l'un des nombreux cas où nous nous sommes montrés plus malins que la sélection naturelle ; grâce à la réflexion consciente – en constatant, par exemple, que, si adorables soient-ils, les enfants peuvent, au-delà d'un certain nombre, devenir un véritable fardeau –, nous pouvons choisir de court-circuiter l'objectif ultime que la sélection naturelle « voulait » nous voir poursuivre.

4. Pourquoi le suicide ?

On peut, une fois encore, essayer d'échafauder des scénarios dans lesquels ce type de comportement se révélerait adaptatif. Dans l'environnement ancestral, il est possible qu'une personne devenue un fardeau pour sa famille optimisât l'aptitude globale en se rayant délibérément de la carte. La nourriture, par exemple, était peut-être si rare que le fait de continuer à manger risquait de priver des parents à la valeur reproductive importante des aliments nécessaires à leur survie.

Si cette explication n'est pas totalement invraisemblable, elle pose néanmoins quelques problèmes, dont voici un exemple : dans l'environnement moderne, en tout cas, les gens qui se suicident appartiennent rarement à des familles au bord de la famine. Et, d'ailleurs, la famine est précisément le seul cas où le suicide aurait véritablement un sens darwinien. Dans un contexte où la nourriture abonde, presque tout le monde – sauf ceux qui sont très sérieusement handicapés ou les personnes très âgées et infirmes – peut, en restant en vie, aider substantiellement des parents aptes à la reproduction : en ramassant des baies, en gardant les enfants, en les éduquant, etc. (De toute façon, même si vous êtes devenu un fardeau injustifiable pour votre famille, le suicide pur et simple est-il vraiment la meilleure voie génétique ? Ne vaudrait-il pas mieux, par exemple, pour les gènes d'un homme déprimé, qu'il quitte simplement son village dans l'espoir de courir sa chance ailleurs – celle, peut-être, de rencontrer une femme inconnue qu'il pourra essayer de séduire, voire de violer?)

Une possible résolution du paradoxe du suicide consiste à se rappeler que les « adaptations » comportementales conçues par la sélection naturelle ne sont pas les conduites en elles-mêmes, mais les organes mentaux qui les sous-tendent. Et les organes mentaux qui, dans un environnement donné, étaient suffisamment adaptatifs, dans un autre environnement, pour faire partie de la nature humaine, peuvent pousser les hommes à des conduites moins adaptatives. Nous avons vu, par exemple, en quoi ne pas être content de soi pouvait parfois se révéler adaptatif (voir le chapitre XIII). Mais, hélas, l'organe mental conçu pour que nous nous sentions mécontents de nous-mêmes peut aussi avoir des ratés; ne pas être content de soi pendant trop longtemps, sans relâche, peut conduire au suicide.

Les environnements modernes semblent davantage susceptibles d'engendrer ce genre de dysfonctionnements que les environnements antérieurs. Ils autorisent, par exemple, un degré d'isolement social que nos ancêtres ne connaissaient pas.

5. Pourquoi existe-t-il des gens qui tuent leurs enfants?

L'infanticide n'est pas un pur produit de l'environnement moderne. Il fut fréquent dans les cultures vivant de la chasse et de la cueillette ainsi que dans les cultures agraires. Est-il le résultat d'une adaptation – d'un organe mental qui calcule implicitement quand le meurtre d'un nouveau-né pourra optimiser l'aptitude génétique? C'est possible. Ce ne sont pas seulement les bébés handicapés et en mauvaise santé qui courent davantage le risque de se faire tuer, mais aussi les enfants nés dans toutes sortes de circonstances défavorables – lorsque, par exemple, la mère a déjà plusieurs jeunes enfants et pas de mari.

Bien sûr, dans l'environnement moderne, il est plus difficile d'expliquer le meurtre de la progéniture comme un stratagème génétique cohérent. Mais, comme nous l'avons vu (chapitre IV), plusieurs cas de meurtres d'enfants visent en fait des beaux-enfants. Je suppose que beaucoup des autres meurtres sont commis par des maris, qui sont peut-être les véritables géniteurs, mais qui conçoivent des doutes – conscients ou non – sur leur paternité biologique. Enfin, les cas relativement rares où une mère tue son propre bébé relèvent plutôt des éléments qui, dans l'environnement ancestral, auraient signifié que l'infanticide était génétiquement profitable : une relative pauvreté, aucun investissement parental mâle fiable, etc.

6. Pourquoi les soldats meurent-ils pour la patrie?

Sauter sur une mine – ou, dans l'environnement ancestral, s'attaquer sans espoir de survie à une troupe de farouches envahisseurs – peut avoir un sens darwinien si l'on se trouve en présence de proches parents. Mais pourquoi mourir pour des gens qui sont tout juste des amis? C'est là un service dont vous n'aurez jamais le plaisir d'être payé de retour.

Tout d'abord, il est bon de se rappeler que, dans l'environnement ancestral, au sein d'un petit village primitif, le degré moyen de parenté avec un compagnon d'armes n'était pas chose négligeable – et, en effet, les alliances pouvaient le rendre considérablement élevé (voir Chagnon, 1988). En examinant, au chapitre VII, la théorie de la sélection parentale, nous avons porté notre attention sur les organes mentaux qui identifient la proche famille et la traitent avec une générosité particulière; et nous avons suggéré que les gènes suscitant une telle discrimination tendent à proliférer aux dépens de ceux qui dispensent plus largement l'altruisme. Mais quelques rares circonstances interdisent des distinctions d'une telle subtilité. Et l'une de ces circonstances n'est autre que la menace collective. Si, par exemple, tout un clan d'un village primitif, comprenant votre famille immédiate et beaucoup de proches parents, subit une terrible attaque, un courage fou peut avoir un sens génétique direct du fait de la sélection parentale. Dans une guerre moderne, les hommes peuvent parfois agir sous l'influence d'une tendance à prodiguer précisément ce genre d'altruisme aveugle dans les conflits.

Autre différence entre guerre moderne et guerre ancestrale : la récompense génétique qu'apporte la victoire est aujourd'hui moins importante. On peut raisonnablement supposer – en se fondant sur l'observation des sociétés vivant de chasse et de cueillette – que le viol ou l'enlèvement des femmes étaient jadis des actes de guerre courants. Ainsi, les récompenses suffisaient-elles donc, en termes darwiniens, à justifier des risques substantiels (sans aller cependant jusqu'à des conduites suicidaires). Et ceux qui manifestaient le plus de bravoure pendant la guerre étaient sans doute les plus richement récompensés.

En somme, la meilleure hypothèse que l'on puisse formuler quant au courage guerrier, c'est qu'il serait le produit d'organes mentaux qui, autrefois, servaient à optimiser l'aptitude globale et ne le font sans doute plus. Mais les organes existent toujours, prêts à être exploités, notamment par les leaders politiques auxquels profitent les guerres (voir Johnson, 1987).

Le comportement humain soulève encore de nombreuses énigmes darwiniennes. Quelles sont les fonctions de l'humour et du rire? Pourquoi se confesse-t-on sur son lit de mort? Pourquoi certains font-ils des vœux de chasteté et de pauvreté – et pourquoi les respectent-ils parfois? Quelle est la fonction exacte du deuil? (Il indique sûrement, comme nous l'avons supposé dans le chapitre VII, le degré d'investissement de l'émotion envers le défunt, et cet investissement de l'émotion avait certainement un sens génétique lorsque la personne était encore en vie. Mais à présent qu'elle ne l'est plus, en quoi le deuil sert-il les gènes?)

La résolution de telles énigmes constitue l'un des grands défis de la science contemporaine. Le chemin de la solution passera souvent par ces thèmes : 1° Faire la distinction entre le comportement et l'organe mental qui le gouverne ; 2° Se rappeler que c'est l'organe mental, et non le comportement, qu'a conçu la sélection naturelle ; 3° Se rappeler ensuite que, bien que les organes mentaux aient dû engendrer une conduite adaptative dans l'environnement de leur conception (puisque c'est la raison unique pour laquelle la sélection naturelle a jamais conçu un organe mental), il est possible que ce ne soit plus le cas ; 4° Se rappeler que le cerveau humain est d'une incroyable complexité, qu'il a été conçu pour générer une vaste gamme de comportements, dépendants de toutes sortes de subtilités conjoncturelles, et que cette gamme de comportements s'est formidablement élargie du fait de l'inédite diversité des conditions que propose l'environnement social moderne.

NOTES

ABRÉVIATIONS

Autobiographie : *Darwin, la vie d'un naturaliste à l'époque victorienne*, texte original restitué, présenté avec annexes et notes par Nora Barlow, petite-fille de Charles Darwin. Traduit et préfacé par Jean-Michel Goux, Paris, éditions Belin, 1985.

CCD : *The Correspondence of Charles Darwin*, 8 vol., Cambridge, Cambridge University Press, Frederick Burkhardt and Sydney Smith ed., 1985-1991.

La Descendance : Charles Darwin, *La Descendance de l'homme et la Sélection sexuelle*, traduit en français par Edmond Barbier, 2 vol., Paris, éditions Complexe, 1981.

ED : *Emma Darwin : A Century of Family Letters (1792-1896)*, Henrietta Litchefield, éd., 2 vol., New York, D. Appleton and Co., 1915.

Expression : Charles Darwin, *The Expression of the Emotions in Man and Animal*, (1872), Chicago, University of Chicago Press, 1965.

LLCD : *Life and Letters of Charles Darwin*, Francis Darwin ed. (1888), 3 vol., New York, Johnson Reprint Corp., 1969.

Notebooks : *Charles Darwin's Notebooks, 1836-1844*, Paul H. Barret *et alii* ed., Ithaca, New York, Cornell University Press, 1987.

L'Origine : *L'Origine des espèces*, Charles Darwin (1859), traduit en français par Daniel Becquemont à partir de la traduction de l'anglais d'Edmond Barbier, Paris, Garnier-Flammarion, 1992.

Papers : *The Collected Papers of Charles Darwin*, Paul H. Barrett ed., Chicago, University of Chicago Press, 1977.

Voyage : *Charles Darwin's " Voyage of the* Beagle *",* Janet Browne and Michael Neve ed., New York, Penguin Books, 1989.

Introduction
DARWIN ET NOUS

1. *L'Origine*, p. 547.
2. Greene (1963), pp. 114-115.
3. Tooby et Cosmides (1992), pp. 22-25, 43.
4. *Ibid.*
5. Certains de ceux qui rejettent cette étiquette précisent qu'ils le font en raison des profondes différences de doctrine existant entre la manière dont Wilson délimite son champ et la leur. Il y a bien évidemment des différences, et la sophistication conceptuelle du champ d'étude s'est assurément accentuée depuis 1975.

Pourtant ces différences n'auraient certainement pas empêché quantité de personnes d'utiliser le terme de Wilson si celui-ci n'avait acquis des connotations politiques malheureuses au sein de l'Université.

6. Voir Brown (1991) et le dernier chapitre de Pinker (1994).
7. Smiles (1859), pp. 16, 332-333.
8. Mill, *De la liberté*, pp. 136, 155-156.
9. *Autobiographie*, p. 13.
10. *Autobiographie*, pp. 57-58.
11. Clark (1984), p. 168.
12. Bowlby, *Charles Darwin : une nouvelle biographie*, traduit par Pierre-Emmanuel Daurat, Paris, Presses universitaires de France, 1995, p. 62 ; Smiles (1859), p. 17.

Chapitre I

DARWIN ATTEINT SA MAJORITÉ

1. CCD, vol. 1, p. 460.
2. Marcus (1974), pp. 16-17.
3. Voir Stone (1977), p. 422 ; Himmelfarb (1968), p. 278 ; Young (1936), pp. 1-5 ; Houghton (1957).
4. Young (1936), pp. 1-2.
5. Houghton (1957), pp. 233-234.
6. Houghton (1957), pp. 62, 238 ; Young (1936), pp. 1-4.
7. *La Descendance*, vol. 1, p. 132.
8. *Autobiographie*, pp. 37-44.
9. Voir Gruber (1981), pp. 52-59 ; pour une réponse récente à Paley, voir Dawkins (1986).
10. *Autobiographie*, pp. 42-44.
11. *Ibid.*, p. 69. Sur la conversion de Darwin à l'évolutionnisme et sa formulation de la sélection naturelle, voir Sulloway (1982 et 1984).
12. Clark (1984), p. 6.
13. *Autobiographie*, pp. 18-19, 51.
14. Clark (1984), p. 3.
15. Himmelfarb (1959), p. 8.
16. Clark (1984), p. 137.
17. *L'Origine*, p. 130-179.
18. À propos du débat d'idées sur les fondements de la psychologie évolutionniste, voir Cosmides et Tooby (1987), Tooby et Cosmides (1992), Symons (1989 et 1990).
19. Voir Humphrey (1976), Alexander (1974), p. 335, et Ridley (1994).
20. Certains darwiniens contestent à présent l'emploi du mot « hasard », en arguant qu'au cours du processus de génération les traits produits sont ceux qui ont le plus de chances d'être utiles, et non ceux que produirait le simple hasard. Certains pensent que le processus qui engendre les traits a lui-même évolué grâce à la sélection naturelle, que les gènes présidant le processus ont été sélectionnés pour favoriser la génération des gènes utiles. Voir, par exemple, Wills (1989). Ce débat actuel, si important qu'il soit, n'a pas vraiment sa place dans ce livre ; même si le résultat doit nous éclairer sur la rapidité avec laquelle l'évolution se produit, cela ne changera pas notre perspective sur la qualité des traits que cette évolution a tendance à produire.
21. ÉD, vol. 1, pp. 226-227.
22. Desmond et Moore (1991), pp. 51, 54, 89.
23. Mais voir Brent (1983), pp. 319-320, pour les preuves circonstancielles de l'activité sexuelle avant le mariage.
24. Marcus (1974), p. 31.

Chapitre II

MÂLE ET FEMELLE

1. *La Descendance,* vol. 2, p. 672.
2. *La Descendance,* vol. 1, p. 243.
3. *La Descendance,* vol. 1, pp. 257-258 ; vol. 2., p. 602 ; Wilson (1975), pp. 318-324.
4. *La Descendance,* vol. 2, pp. 309-402.
5. Une théorie veut que l'évolution ait initialement doté les femmes d'une attirance particulière pour les mâles faisant montre d'une certaine robustesse, par exemple de couleurs plus vives que la moyenne. Ces signes extérieurs étaient annonciateurs d'une progéniture robuste ; mais cette préférence féminine, une fois enracinée, eut pour conséquence que les mâles aux couleurs encore plus vives ont acquis un avantage reproductif, même si la couleur a fort peu à voir avec la santé ; aussi les gènes porteurs d'une bonne couleur chez les mâles se sont-ils mis à prospérer. Par la suite, ce succès reproductif de la couleur mâle s'est encore amplifié grâce à la sélection naturelle (la préférence des femelles pour le teint coloré), puisque les femelles qui préféraient des mâles aux couleurs vives tendaient à avoir une progéniture mâle aux couleurs vives et sexuellement heureux. D'où le cercle vicieux : plus les femelles aimaient la couleur, plus il y avait de mâles aux couleurs vives, et *vice versa.* Ces dernières années, cette théorie a été attaquée sur plusieurs fronts (même si les théories « alternatives » ne sont pas toujours incompatibles avec elle). Pour de bons commentaires à ce sujet, consulter Ridely (1994) et Cronin (1991).
6. Voir *La Descendance,* vol. 1, p. 243-244 : Darwin était en fait sur la bonne voie. Il a établi un lien de cause à effet entre la taille de la cellule sexuelle féminine et l'ardeur masculine. Du fait de la grande taille de l'ovule, il en a déduit que la cellule sexuelle masculine pouvait être transportée facilement vers la cellule sexuelle féminine. Chez les animaux aquatiques dotés d'une force locomotrice réduite, le sperme aurait plutôt tendance à voguer vers les ovules que l'inverse. Mais voguer est un processus passablement aléatoire, et Darwin s'est donc dit que les mâles avaient tiré profit, en termes évolutionnistes, du fait d'aller à la rencontre des ovules pour y déposer le sperme. Cette tendance des mâles allant à la rencontre des femelles aurait persisté même chez les animaux terrestres supérieurs, sous forme de « fortes passions ». Un des points faibles de cette théorie est de passer sous silence la mutation de l'ardeur mâle et l'augmentation du désir féminin, chez les espèces où le déséquilibre de l'investissement parental est contraire à la norme, comme il sera démontré dans le prochain chapitre.
7. Cité par Hrdy (1981), p. 132.
8. Le terme fut estampillé par John Bowlby, éminent psychiatre et biographe de Darwin.
9. Il y eut un vif débat sur l'importance relative de l'étude à consacrer à l'EAE et à la contribution des traits favorisant l'adaptation dans un environnement moderne ou du moins très récent. (Il y en eut un autre sur la façon dont il faudrait définir l'EAE.) *Ethology and Sociobiology* a consacré un numéro entier aux discussions sur la signification de l'EAE (vol. 11, n° 4/5, 1990).
10. Voir Tooby et Cosmides (1990[b]).
11. Bateman (1948), p. 365.
12. Le livre le plus provocant, le plus accessible et le plus célèbre de Richard Dawkins, *Le Gène égoïste,* se réfère en grande partie à la vision du monde de G. C. Williams. Dans son premier chapitre, Dawkins reconnaît avoir été « largement influencé par le célèbre ouvrage de Williams... »
13. Williams (1966), pp. 183-184.
14. Williams (1966), p. 184.
15. Trivers (1972), p. 139.

16. Sur le fait que Trivers aurait donné à cet élargissement théorique sa forme finale, le débat reste entier. En 1991, Timothy Clutton-Brock et A. C. J. Vincent suggèrent qu'au lieu de nous concentrer sur « l'investissement parental », difficile à mesurer, nous devrions le faire exclusivement sur le taux potentiel de reproduction de chaque sexe. Après avoir passé les espèces en revue, ils démontrent que le fait de connaître le sexe doté du taux potentiel de reproduction le plus élevé est une énorme indication quant au sexe qui va devoir lutter le plus âprement pour avoir accès à l'autre. J'ai remarqué que pour de nombreuses personnes, le taux potentiel relatif de reproduction est intuitivement une explication plus claire de la timidité féminine qu'un relatif investissement parental. D'ailleurs, en introduisant ce sujet en début de chapitre, je me suis penché sur le taux potentiel relatif de reproduction, en racontant l'histoire ainsi même que Clutton-Brock et Vincent l'auraient fait. Voir Clutton-Brock et Vincent (1991)

17. Cité dans Buss et Schmitt (1993), p. 227. Bien sûr, il est fort possible que quantité de femmes aient craint pour leur vie, dans la mesure où tous ces hommes leur étaient inconnus.

18. Cavalli-Sforza *et alii* (1988).

19. Malinowski (1929), pp. 193-194.

20. Voir Symons (1979), p. 24, pour une discussion au sujet de la jalousie des Trobriandais dans ce contexte.

21. Malinowski (1929), pp. 313-314, 319.

22. Malinowski (1929), p. 488.

23. Pour une étude concernant les cas précis où les adaptations mentales propres à l'espèce sont « universellement » évidentes, voir Tooby et Cosmides (1989).

24. Trivers (1985), p. 214.

25. *La Descendance,* vol 2, p. 387.

26. Trivers (1985), P.214

27. *Notebooks,* p. 370. (Darwin a plus tard inséré le terme « souvent » entre « consiste à » et « transformer »).

28. Williams (1966), pp. 185-186 ; voir aussi Trivers (1972).

29. V. C. Wynne-Edwards, cité par West-Eberhard (1991), p. 162.

30. Trivers (1985), pp. 216-218 ; Daly et Wilson (1983), p. 156 ; Wilson (1975), p. 326. Il est vrai que, dans une étude sur les aiguilles de mer, Gronell (1984) conclut que « faire la cour... ne fait que renforcer partiellement » la théorie de l'investissement parental, car le rôle des femelles dans cette parade amoureuse, bien qu'important, « ne dépasse pas celui du mâle ». Pourtant cette analyse semble se référer à l'idée que l'investissement féminin est moins important que celui du mâle. En réalité, ces investissements peuvent être plus ou moins égaux, tout dépend du temps que prend la femelle à produire les œufs – ce qui n'a pas été quantifié dans cette étude.

31. De Waal (1989), p. 173.

32. Il n'a pas été établi avec certitude que *l'Homo erectus* soit notre ancêtre.

33. Voir Wrangham (1987) pour la reconstitution d'un protosinge, fondée uniquement sur les singes d'Afrique (hormis l'orang-outan).

34. Rodman et Mitani (1987).

35. Stewart et Harcourt (1987).

36. De Waal (1982) ; Nishida et Hiraiwa-Hasegawa (1987).

37. Badrian et Badrian (1984), Susman (1987), de Wall (1989), Nishida et Hiraiwa-Hasegawa (1987) et Kano (1990).

38. Wolfe (1991), pp. 136-137 ; Stewart et Harcourt (1987).

39. De Waal (1982), p. 168.

40. Goodall (1986), pp. 453-466.

41. Wolfe (1991), p. 130.

42. Leighton (1987).

Chapitre III

HOMMES ET FEMMES

1. *La Descendance,* vol. 2, p. 646.
2. Morris (1967), p. 64.
3. Murdock (1949), pp. 1-3. Dans certaines sociétés, l'oncle maternel joue un rôle plus important que le père dans l'éducation de l'enfant. Richard Alexander pense que cela a tendance à se produire dans les sociétés où les habitudes sexuelles peuvent laisser supposer que le mari n'est pas forcement le père des enfants. Dans un tel contexte, la théorie de la sélection par la parenté (sur laquelle nous reviendrons dans le chapitre VII) suggère qu'un homme s'en trouvera mieux, en termes darwiniens, s'il investit sur les enfants de sa sœur plutôt que sur ceux de sa femme. Voir Alexander (1979), pp. 169-175.
4. Trivers (1972), p. 153.
5. Benshoof et Thornhill (1979), Tooby et DeVore (1987).
6. Les Mangaïens de Polynésie, par exemple, furent longtemps célèbres pour leur manque de romantisme amoureux. En 1979, Symons (voir p. 110) reprend cette opinion conventionnelle, en reconnaissant qu'il s'était trompé auparavant (communication personnelle). Sous sa tutelle, une étudiante, Yonie Harris (Université de Californie, Santa Barbara), après avoir étudié les Mangaïens de façon intensive, émet l'hypothèse que le romantisme amoureux est universel (renseignement personnel). De manière plus générale, voir Jankowiak et Fisher (1992).
7. Cela ne veut pas dire que les calculs féminins soient simples. Voir Cronin (1991) et Ridley (1994) pour une bonne réflexion sur les débats compliqués concernant la relative importance de tout ce qu'une femelle peut « rechercher » chez un mâle : les « bons gènes » qui augmenteront l'aptitude des enfants des deux sexes ; ceux qui développeront l'aptitude seulement chez les petits mâles (par exemple les gènes affectés à la longueur du bois des cerfs) en augmentant leurs chances de trouver une partenaire ; une absence de pathogènes (qui diminue les risques de maladies sexuellement transmissibles, et peut également signifier des gènes résistants aux pathogènes) ; certaines formes d'investissement (comme chez la mécoptère, décrite dans ce paragraphe), etc.
8. Thornhill (1976).
9. Buss (1989) et Buss (1994), chapitre II.
10. Sur les vingt-neuf cultures recensées dotées de différences significatives entre les sexes, on notait que, dans vingt-huit d'entre elles, les femmes accordent une place importante à l'ambition et au zèle industrieux. Voir Tooby et Cosmides (1989) pour un débat sur la façon dont les conduites spécifiques ou les préférences peuvent ne pas être universelles, alors qu'elles démontrent l'existence plus profonde d'organes cérébraux propres aux espèces.
11. Trivers (1972), p. 145.
12. Tooke et Camire (1990). Tooke et Camire supposent que la fameuse sensibilité des femelles aux signes non verbaux peut résulter de cette course à l'armement.
13. Pour l'observation faite par Trivers en 1976 et la construction de son raisonnement, se reporter au chapitre XIII, « Tromper les autres et se tromper soi-même ». La première personne à appliquer cette logique semble avoir été Joan Lockard (1980). Tooke et Camire (1990) apportent un début de preuve de l'auto-aveuglement masculin.
14. « J'ai entendu des hommes admettre tromper leurs femmes, et qui disaient que la tromperie était moins dans ce qu'ils avaient dit (par exemple : " Je resterai toujours avec toi ") que dans ce qu'ils n'avaient pas dit (par exemple : " Je suis certain du contraire "). C'est comme s'ils marchaient sur une corde raide, en commettant toutes sortes de mensonges *excepté* le genre de tromperie ouverte qui pourrait

justifier certaines représailles. Dans les cas de ce type, toute la question est de savoir si la tromperie a été accomplie de façon inconsciente, même si le menteur en est rétrospectivement conscient. »

15. Kenrick *et alii* (1990) ; voir Buss et Schmitt (1993) pour preuve que les hommes sont, à plus d'un titre, moins exigeants que les femmes quant à leurs liaisons passagères.

16. Trivers (1972), pp. 145-146.

17. Malinowski (1929), p. 524.

18. Voir Buss (1989) et le *New York Times* du 13 juin 1989, p. C1.

19. Voir Buss (1994), p. 59. Il est vrai que, pour l'homme, la fertilité n'est pas le seul critère de choix d'une partenaire ; la fidélité en est un autre. Mais cette attente semble finalement assez voisine du désir féminin de trouver un conjoint capable de rester au foyer pour qu'ils puissent élever ensemble leurs enfants.

20. Trivers (1972), p. 149.

21. Symons (1979) note que, dans un couple, les hommes attachent plus d'importance que les femmes à l'adultère, mais il ne souligne pas la crainte, spécifique aux femmes, de l'infidélité sentimentale comme signe de dispersion des biens.

22. Voir Daly, Wilson et Weghorst (1982) pour un condensé de certaines de ces études. Teismann et Mosher (1978) ont souligné que la jalousie du mâle est plutôt sexuelle, alors que celle de la femme repose davantage sur « le temps et l'attention » qu'elle craint de perdre. Quel que soit leur niveau social, les femmes sont plus portées à accepter l'infidélité sexuelle de leur compagnon que l'inverse. Cela figure dans le rapport Kinsey cité par Symons (1979), p. 241.

23. Buss *et alii* (1992).

24. Symons (1979), pp. 138-141 ; voir aussi Badcock (1990), pp. 142-160.

25. Shostak (1981), p. 271.

26. À propos des gorilles, se reporter à Stewart et Harcourt (1987), pp. 158-159. Pour les langurs, voir Hrdy (1981).

27. Daly et Wilson (1988), p. 47.

28. Hill et Kaplan (1988), p. 298 ; Hill (communication personnelle).

29. Hrdy (1981), pp. 153-154, 189.

30. Symons (1979), pp. 138-141. Une théorie très semblable a été développée par Benshoof et Thornhill (1979).

31. Voir, par exemple, Hill (1988), Daly et Wilson (1983), p. 318. Cette question demeure ouverte.

32. Hill et Wenzl (1981) ; Grammer, Dittami et Fischmann (1993).

33. Baker et Bellis (1993). Il existe d'autres manières dont une femme peut inconsciemment faire de la discrimination à l'égard de son partenaire habituel. Selon Baker et Bellis, l'orgasme de la femelle, du moment qu'il n'intervient pas trop tôt avant l'éjaculation, augmente la quantité de sperme retenue et donc les chances de conception. Aussi le type d'homme pouvant mener une femme à l'extase peut être celui que la « sélection naturelle » recherche pour être le père de ses enfants. Baker et Bellis ont découvert une certaine tendance chez les femmes infidèles à avoir ce type d'orgasme avec leurs amants plutôt qu'avec leurs maris. (Mais les données sont à ce jour peu fiables et leur méthode d'investigation est loin d'être parfaite.) Ces deux modes de contrôle de la conception – le calcul du temps de copulation par rapport à celui de l'orgasme – pourraient, en théorie, servir de différentes manières la perspicacité féminine. Dans les premiers temps d'une relation, la qualité de son orgasme peut permettre à la femme de mesurer l'éventuel engagement de l'homme et, si leur relation intime s'intensifie, la femme pourra avoir des orgasmes bien calculés. Elle aura, de ce fait, moins de chances de tomber enceinte avec un partenaire occasionnel ou peu concerné. Mais si l'homme est assez « sexy » – s'il témoigne d'une force sauvage et de quelque autre signe annonciateur de « bons gènes » –, un orgasme bien calculé peut intervenir plus tôt dans le début de la relation. Incidemment, Baker et Bellis ont aussi découvert que le « double accouplement » – deux partenaires sexuels différents en cinq jours – est plus fréquent autour de la période d'ovulation. Baker et

Bellis voient dans cette deuxième découverte une confirmation de la théorie dite de la « compétition du sperme » : il se peut qu'un des objets de l'infidélité, en termes darwiniens, soit de laisser le sperme de plusieurs mâles se battre « à armes égales » dans l'utérus ; l'ovule aurait donc plus de chance d'être fécondé par un sperme combatif et résistant, et, si le résultat de cet accouplement donne naissance à un fils, son sperme aura tendance à être plus résistant et plus combatif qu'à l'ordinaire.

34. Voir Betzig (1993[a]).

35. Daly et Wilson (1983), p. 320.

36. Harcourt *et alii* (1981). Consulter aussi Wilson et Daly (1992).

37. Baker et Bellis (1989). Chez de nombreuses espèces n'appartenant pas au genre humain, et ayant longtemps été considérées comme monogames (par exemple chez les oiseaux), on découvre à présent, grâce à la biologie moléculaire qui permet de retrouver le véritable géniteur d'un petit, que certaines femelles sont assez portées sur le sexe. Voir Montgomerie (1991).

38. Wilson et Daly (1992), pp. 289-290.

39. Symons (1979), p. 241.

40. Bien que l'étude de Buss, portant sur trente-sept cultures, montre que, dans vingt-trois cultures qui affichent des différences statistiquement significatives entre les sexes, les mâles avouent une plus grande préférence pour les vierges que les femmes, les quatorze cultures restantes ne montrent pas cette différence. La plupart de ces dernières sont des cultures européennes modernes où la virginité chez les deux sexes est une denrée rare. Pourtant nous savons que dans certaines de ces cultures, notamment en Suède, les femmes ayant la réputation d'être volages ne sont pas désirées. Voir Buss (1994), chap. 4.

41. Mead (1928), p. 105.

42. Mead (1928), pp. 98, 100.

43. Freeman (1983), pp. 232-236, 245. Freeman traduit par « prostituée » le terme de « putain » que j'ai employé, mais il note que le terme initial implique une notion de honte qui n'apparaît pas dans sa traduction.

44. Mead (1928), p. 98 ; Freeman (1983), p. 237.

45. Mead (1928), p.107.

46. En Mangaïe, Yonie Harris (communication personnelle) nous apprend que les femmes aux mœurs légères sont traitées de « putes », mais, comme les Mangaïens emploient le terme anglais (*slut*), il est difficile de savoir s'ils ont été influencés ou non par la culture occidentale. Pour les Aches, voir Hill et Kaplan (1988) p. 299.

47. William Jankowiak (communication personnelle).

48. Buss et Schmitt (1993), tableau p. 213.

49. Voir Tooby et Cosmides (1990 [a]).

50. Maynard Smith (1982), pp. 89-90.

51. Le principe de la « sélection dépendant de la fréquence » était loin d'avoir été totalement exploité, lorsque, en 1930, le biologiste anglais Ronald Fisher l'utilisa pour expliquer pourquoi la proportion de bébés mâles et de bébés femelles tournait autour de 50-50. La raison n'est pas, comme on voudrait le croire, qu'une telle proportion soit « bonne pour l'espèce ». Si les gènes favorisant la naissance d'un des sexes tendent à dominer la population, alors ceux qui favorisent la naissance de l'autre sexe grandissent en valeur reproductive, et donc en nombre, jusqu'à ce que l'équilibre soit rétabli. Voir Maynard Smith (1982), pp. 11-19 et Fisher (1930), pp. 141-143.

52. Dawkins (1976), pp. 162-165.

53. Travaux non publiés de Mart Gross, université de Toronto (communication personnelle).

54. Dugatkin (1992).

55. L'hypothèse du « fils sexy » a été proposée par Gangestad et Simpson (1990). Les auteurs disposaient d'étonnantes données suggérant, indirectement, que les femmes inhibées sexuellement avaient un nombre disproportionné d'enfants

mâles – ce qui était logique si leur but était d'avoir des « fils sexy ». (Quoique ce soient les cellules séminales et non celles des ovules qui déterminent le sexe de l'enfant, la mère peut, par exemple, altérer la proportion de naissances en détruisant de façon sélective des œufs déjà fertilisés.) Pourtant l'altération de la proportion de naissances pourrait bien être due à des facteurs d'environnement. Pour preuve, certains mammifères qui se trouvent dans un environnement hostile ont tendance à donner plutôt naissance à des femelles. (Voir chapitre VII, « Familles », pour de plus amples explications.)

56. Tooby et Cosmides (1990 [a]) insistent sur l'explication par le « parasite ». Ils disent en particulier que la variation génétique peut être choisie comme moyen de réduire à néant des pathogènes ayant évolué avec la personne et qui n'affectent qu'incidemment la personnalité. Pour une vision darwinienne de la génétique et de la personnalité plus ouverte à la possibilité de « types » de personnalité génétiquement distincts, voir Buss (1991).

57. Trivers (1972), p. 146.

58. Walsh (1993) a noté une correspondance inverse entre l'appréciation que peut avoir une femme de ses charmes et le nombre de ses partenaires sexuels. Les données ne présentant aucune corrélation ont été collectées par Steve Gangestad (communication personnelle) ; dans ce cas (de façon probablement significative), le degré d'attirance de la femme a été évalué non par les femmes elles-mêmes mais par des observateurs.

59. Voir, par exemple, Chagnon (1968).

60. Cashdan (1993). L'analogie peut, bien sûr, fonctionner dans un sens ou dans l'autre : les femmes vêtues de façon provocante et qui sont prêtes à avoir de fréquentes relations sexuelles peuvent, du fait de ces habitudes, se retrouver avec des partenaires n'ayant aucune envie d'investissement paternel – du moins pas avec elles. Cette causalité fonctionne probablement dans les deux sens.

61. Gangestad (communication personnelle). Voir Simpson *et alii* (1993).

62. Buss et Schmitt (1993), surtout pp. 214 et 229.

63. Cité dans Thornhill (1983), p. 154. Ce texte est la première analyse approfondie du viol sous l'angle du nouveau paradigme darwinien. Voir aussi Palmer (1989).

64. Voir Barret-Ducrocq (1989).

65. Les anthropologues Patricia Draper et Henry Harpending ont suggéré que la façon d'aborder la sexualité chez l'adolescent (fille ou garçon) peut dépendre fortement de la présence du père dans l'entourage. Ils soutiennent que, pendant l'évolution, la présence ou l'absence du père étaient en corrélation avec les stratégies pratiquées par les hommes en général, et donnait donc une indication sur la qualité de l'environnement amoureux d'une femme. Le résultat étant que les enfants élevés sans la présence de leur père ont tendance, entre autres choses, à se montrer friands de liaisons amoureuses passagères. (Une critique de cette théorie est que la présence ou l'absence du père auprès de sa fille n'apparaît pas comme un facteur important, comparé, par exemple, à l'observation directe des habitudes sexuelles des mâles de la même génération que la jeune fille.) Voir Draper et Harpending (1982 et 1988).

66. Buehlman, Gottman et Katz (1992). Leur étude montre deux causes de divorce également signifiantes : les déclarations faites par le mari indiquant qu'il est déçu par le mariage, et son « repli sur soi » lorsqu'on évoque son mariage – par exemple son inaptitude à raconter en détail comment le couple s'est rencontré. Mais cette position de repli n'est, en quelque sorte, qu'une seconde manifestation de dégoût de son mariage (les deux indices étant, par ailleurs, fortement liés). Dans tous les cas, les sentiments du mari sont un plus grand facteur de divorce que ceux de la femme.

67. Charmie et Nsuly (1981), surtout pp. 336-340.

68. Symons (1979) a été l'un des premiers à mettre en cause la thèse du couple à vie et à relever les problèmes soulevés par la comparaison entre homme et gibbon.

Voir aussi Daly et Wilson (1983). Pour le comportement des gibbons, voir Leighton (1987).

69. Alexander *et al.* (1979).

70. Il est aussi possible d'avancer, de façon plus spéculative, que certains dimorphismes sexuels reflètent non pas un combat entre mâles mais l'importance qu'a eu la chasse au cours de l'évolution de l'être humain.

71. Ces chiffres proviennent d'une banque de données informatique issue de l'*Atlas ethnographique* de G. P. Murdock, et ont été rassemblés grâce à Steven J. C. Gaulin. Notez que six des 1 154 sociétés recensées – environ 0,5 % – sont polyandres, ce qui signifie que les femmes ont plusieurs maris. Mais ces sociétés sont aussi polygynes, puisque chaque sexe peut avoir plus d'un époux. Et les mariages polyandres ne sont souvent pas polyandres au sens strict du terme (plus d'un mari par foyer), mais relèvent plutôt d'un type de monogamie à répétition, donnant vraisemblablement aux maris une certaine assurance de paternité. Voir Daly et Wilson (1983), pp. 286-288, pour une discussion sur la polyandrie.

72. Morris (1967), pp. 10, 51, 83.

Chapitre IV

LE MARCHÉ DU MARIAGE

1. *La Descendance,* vol. 1. 156-157.

2. Gaulin et Boster (1990).

3. Alexander (1975), Alexander *et alii* (1979).

4. Le « seuil polygyne » du modèle de polygynie chez les oiseaux a été totalement développé dans l'ouvrage d'Orians (1969). Voir aussi Daly et Wilson (1983), pp. 118-123, et Wilson (1975), p. 328. Gaulin et Boster (1990) font le rapprochement entre le seuil polygyne du modèle et la terminologie utilisée par Alexander.

5. Gaulin et Boster (1990). J'utilise le terme *non-polygyne,* car les auteurs n'établissent pas leurs données sur les polygames par rapport aux monogames mais sur les polygynes par rapport aux non-polygynes, alors que les non-polygynes incluent l'infime nombre de sociétés polyandres connues à ce jour.

6. Si la première fiancée de l'avocat ne souhaite pas le partager avec d'autres femmes, celui-ci trouvera certainement une remplaçante. Et comme les hommes ayant un rang social élevé trouvent généralement sans aucun problème deux ou trois femmes consentantes, il devient de plus en plus difficile pour les femmes de statut élevé de rester monogames sans renoncer à leur possibilité de choix. D'ailleurs, si vous vous demandez pourquoi nous ne pensons pas que des hommes de statut social élevé puissent se partager une femme de même statut, nous répondrons que les hommes, pour des raisons qui devraient à présent être évidentes, ont, en général, une aversion beaucoup plus profonde que les femmes pour le fait de partager leur compagne avec un autre homme. L'authentique polyandrie n'a été décelée que dans quelques cultures, étant du reste toujours associée à la polygynie. Voir Daly et Wilson (1983), pp. 286-288.

7. Je suppose qu'une femme accepterait volontiers d'épouser un homme à la condition légalement définie qu'il ne prenne jamais de seconde épouse. Cependant les hommes, dans ces conditions, réagiraient en passant outre les liens du mariage, ce qui explique pourquoi certaines femmes ne tiennent pas à poser cette condition.

8. Cette thèse – la monogamie institutionnalisée comme compromis implicite entre les hommes dans des sociétés relativement égalitaires – ressort des travaux de différents chercheurs. Richard Alexander (1975, p. 95) l'indique, ainsi que la paraphrase de Betzig (1982, p. 217). J'ai entendu cette thèse pour la première fois lors d'une conversation en 1990 avec Kevin MacDonald qui, pour autant que je sache, ne l'a pas transcrite exactement ainsi. Mais, pour les travaux qui y sont liés, voir MacDonald (1990). Consulter aussi Tucker (1993), qui insiste sur le lien existant entre la monogamie et les valeurs démocratiques.

9. Zoulous : Betzig (1982) ; Incas : Betzig (1986).

10. Stone (1985), p. 32.

11. Voir MacDonald (1990).

12. Voir Daly et Wilson (1988), Daly et Wilson (1990[a]).

13. Daly et Wilson (1990[a]). La différence persiste pour les hommes de plus de trente-cinq ans. Mais, curieusement, il n'y a pas de grande différence pour les hommes de moins de vingt-quatre ans. Daly et Wilson proposent une solution : les hommes qui mûrissent tôt physiquement ont plus de chances de devenir à la fois délinquants et sexuellement très actifs (et ont, de ce fait, plus de chances de se marier). Ces données proviennent de Detroit (1972) et du Canada (1974-1983).

14. Sur les risques, le crime, etc., voir Daly et Wilson (1988), pp. 178-179 ; Thornhill (1983) ; Buss (1994) et Pedersen (1991). Buss et Pedersen pensent que ces phénomènes sont dus à une proportionnalité sexuelle élevée – la proportion entre l'âge des hommes face au mariage et celui des femmes face au mariage. Mais la polygynie, qui inclut la polygynie *de facto* (par exemple la monogamie à répétition), produit ce qui est bien souvent l'équivalent grossier d'une proportionnalité sexuelle élevée.

15. Cela a été souligné par Tucker (1993), par exemple, qui indique aussi que la monogamie à répétition encourage la violence masculine.

16. Saluter (1990), p. 2. Chez l'homme comme chez la femme, le nombre de personnes n'ayant jamais été mariées a chuté entre 1960 et 1990. Cela peut sembler sans rapport avec l'idée que la monogamie à répétition tendrait à laisser les hommes socialement défavorisés dépourvus de partenaire, et pourtant, tandis que le taux de divorces augmente, le nombre de personnes mariées ou l'ayant été devrait s'accroître, mais la durée moyenne du mariage peut diminuer, et cette diminution peut être pour les hommes socialement défavorisés particulièrement importante. Les données qu'on peut tirer des recensements ne nous éclairent pas sur ce point, mais elles nous indiquent qu'à présent les femmes sont partagées entre les hommes de façon moins équitable qu'avant : en 1960, 7,5 % des femmes de quarante ans ou plus, et 7,6 % des hommes de quarante ans ou plus, ne s'étaient jamais mariés. En 1990, le rapport a changé : 5,3 % chez les femmes et 6,4 % chez les hommes. Il est intéressant de voir que, chez les hommes et les femmes dans la tranche d'âge comprise entre trente-neuf et quarante-cinq ans, la proportion de personnes n'ayant jamais été mariées a augmenté entre 1960 et 1990. Elle est maintenant respectivement de 8 % et de 10,5 %. C'est également vrai pour la tranche d'âge entre trente et trente-quatre ans : chez les femmes, le nombre est passé de 6,9 % à 16,4 % et chez les hommes de 11,9 % à 27 %. Ces chiffres sont toutefois ambigus ; nombreuses sont les personnes jamais mariées qui, principalement chez les jeunes, auraient pu se marier mais ont préféré vivre en concubinage. En l'absence de statistiques complètes sur les relations monogames – incluant aussi bien la cohabitation hors mariage que la fidélité mutuelle sans cohabitation –, une bonne analyse quantitative est impossible.

17. Voir Symons (1988).

18. Daly et Wilson (1988), p. 83.

19. Daly et Wilson (1988), pp. 89-91. Ces signes peuvent être trompeurs, puisque les familles comprenant un parent biologique et un beau-parent peuvent avoir des problèmes antérieurs à cette situation familiale. Mais, comme le remarquent Daly et Wilson (p. 87), ces familles reconstituées, à l'inverse des parents célibataires, vivent rarement dans la pauvreté.

20. Laura Betzig (communication personnelle).

21. Voir le chapitre XII, « Statut social ».

22. Wiederman et Allgeier (1992).

23. Tooby et Cosmides (1992), p. 54.

24. Tooby et Cosmides (1992), p. 54.

Chapitre V

LE MARIAGE DE DARWIN

1. CCD, vol. 2, pp. 117-118 ; *Notebooks*, p. 574.
2. Voir Stone (1990), pp. 18, 20, 325, 385, 424, et en général, les chapitres VII, X et XI. En plus des séparations à l'amiable existait l'option de la « séparation judiciaire », mais elle était rarement choisie. Voir Stone (1990), p. 184.
3. Voir, par exemple, Whitehead (1993).
4. ED, vol. 2, p. 45.
5. LLCD, vol. 1, p. 132.
6. CCD, vol. 1, pp. 40, 209.
7. CCD, vol. 1, pp. 425, 429, 439. Même la plus petite différence d'âge était sujette à commentaires. Avant son mariage, Emma Darwin écrivit à sa mère à propos de fiançailles dont le bruit s'était répandu « à notre grande surprise, car elle a vingt-quatre ans », alors que le fiancé n'en avait que vingt et un. Voir ED, vol. 1, p. 194.
8. CCD, vol. 1, p. 72.
9. Le mariage entre cousins n'était pas rare dans l'Angleterre du XIXᵉ siècle. Des relations sexuelles entre proches – frère et sœur, ou parent et enfant – entraînant de sérieux dangers de pathologies génétiques chez la progéniture, il n'est pas surprenant que le monde entier ait l'inceste en horreur. Cette aversion dépend plus spécifiquement d'une faculté innée que nous avons de pouvoir identifier nos proches. Ce mécanisme est manifeste surtout lorsqu'il fonctionne à faux : des enfants sans liens de parenté, mais élevés tels des germains – comme dans un kibboutz en Israël – ne semblent pas enclins à avoir des relations sexuelles entre eux, alors qu'ils n'encourent aucune sanction culturelle. Voir Brown (1991), chapitre V.
10. CCD, vol. 1, p. 190.
11. *Ibid.*, pp. 196-197.
12. *Ibid.*, p. 211.
13. *Ibid.*, p. 220.
14. *Ibid.*, p. 254.
15. *Ibid.*, p. 229.
16. ED, vol. 1, p. 255 ; Desmond et Moore (1991), p. 235 ; Wedgwood (1980), p. 219-221. Sur l'intérêt d'Erasme, voir CCD, vol. 1, p. 318.
17. ED, vol. 1, p. 272.
18. CCD, vol. 2, pp. 67, 79, 86.
19. *Papers*, vol. 1, pp. 49-53.
20. CCD, vol. 2, pp. 443-445.
21. *Ibid.*, pp. 443-444.
22. Voir *Notebooks*, pp. 157, 237.
23. Voir Sulloway (1979[b]), p. 27, et Sulloway (1984), p. 46.
24. *Autobiographie*, p. 100.
25. *Notebooks*, p. 375.
26. Voir Buss (1994).
27. ED, vol. 2, p. 44.
28. CCD, vol. 2, p. 439 ; ED, vol. 2, p. 1.
29. *Ibid.*, pp. 1, 7.
30. *Ibid.*, p. 6.
31. CCD, vol. 2, p. 126.
32. J'ai supposé, comme beaucoup, que les notes de Darwin sur le mariage avaient été écrites sans faire référence à une femme en particulier. Mais c'est peut-être faux. Cette supposition repose sur des phrases telles que : « À moins que l'épouse ne soit meilleure qu'un ange, et riche », qui suggèrent qu'il ne sait pas qui est la femme. Cependant, cette fausse modestie ressemble bien à Darwin ; il se ser-

vait, en général, de ses propres souvenirs pour étayer ses exemples. De toute façon, même si l'on ne tient pas compte de la singulière coïncidence voulant qu'Emma soit véritablement un ange ayant de l'argent, une chose vient encore compliquer la thèse habituelle : après avoir demandé la main d'Emma en novembre, Darwin a écrit à Lyell pour lui dire qu'il s'est décidé à le faire lors de sa dernière visite à la jeune femme à la fin du mois de juillet. On a du mal a croire que les notes n'aient été écrites que quelques semaines avant qu'il fasse le choix d'une épouse et sans que la moindre allusion y soit faite.

33. CCD, vol. 2, p. 119 ; Himmelfarb (1959), p. 134.
34. CCD, vol. 2, p. 133.
35. *Ibid.*, pp. 132, 150, 147.
36. Daly et Wilson (1988, p. 163) mettent l'accent sur le fait qu'un homme qui n'a pas réussi à s'accoupler a tendance à prendre de plus en plus de risques ; mais cette logique s'applique également à d'autres manifestations de recherche intensive du sexe, y compris la bonne vieille passion.
37. Mais consulter Brent (1983), pp. 319-320, pour des preuves circonstancielles de l'activité sexuelle avant le mariage.
38. Bowlby (1995), p. 157.
39. *Notebooks*, p. 579.
40. Brent (1983), p. 251.
41. CCD, vol. 2, pp. 120, 169.
42. ED, vol. 2, p. 47.
43. CCD, vol. 2, p. 172. Elle s'adresse en réalité directement à Darwin mais s'amuse à utiliser la troisième personne pour le désigner. La date de la lettre est incertaine mais, selon Darwin, elle l'a écrite « peu de temps après notre mariage ». Les éditeurs de la correspondance de Darwin situent cette lettre aux alentours de février ; les Darwin se sont mariés le 29 janvier 1839.
44. *Notebooks*, p. 619.
45. Houghton (1957), p. 341, et voir, en général, son chapitre XIII.
46. *Ibid.*, pp. 354-355.
47. Cité par Houghton (1957), p. 380-381.
48. Voir Rasmussen (1981).
49. Voir, par exemple, Betzig (1989).
50. Desmond et Moore (1991), p. 628.
51. Voir Thomson et Colella (1992) et Kahn et London (1991). Kahn et London pensent que le gros risque de divorce encouru par les femmes qui se marient sans être vierges est dû aux différences existant déjà entre les deux types de femme, et que, par conséquent, la sexualité pratiquée avant le mariage n'est pas cause de divorce. Thomson et Colella, eux, insistent sur le lien réel existant entre la cohabitation avant le mariage et la possibilité de divorce. Comme Kahn et London, ils démontrent que ce lien n'est pas de cause à effet, mais (voir p. 266) ils admettent que ce fait est en lui-même ambigu.
52. Laura Betzig (communication personnelle). Voir Short (1976). À l'époque victorienne, beaucoup de femmes employaient encore des nourrices mais l'usage était rare parmi les femmes de la classe ouvrière ; par ailleurs, il était moins répandu alors qu'avant l'époque victorienne.
53. Symons (1979, pp. 275-276) décrit ces facteurs, ainsi que d'autres, comme ceux qui font souvent du mâle « le partenaire qui s'investit le moins sentimentalement ».
54. CCD, vol. 2, pp. 140-141.
55. Irvine (1955), p. 60.
56. Rose (1983), pp. 149, 181, 169.

Chapitre VI

LE PLAN DARWINIEN
POUR LE BONHEUR CONJUGAL

1. *Autobiographie*, p. 79.
2. CCD, vol. 4, p. 147.
3. Himmelfarb (1959), p. 133.
4. *Autobiographie*, p. 79.
5. Voir Ellis et Symons (1990).
6. Kenrick, Gutierres et Goldberg (1989).
7. Certaines études ont trouvé une corrélation inversée entre le nombre d'enfants et la satisfaction dans le mariage. Mais cela peut indiquer que les mariages qui ne produisaient que peu ou pas d'enfants – il se peut que, de ce fait, ces mariages n'étaient pas heureux –, se brisaient suffisamment tôt pour ne pas figurer dans cette étude. Autrement dit, les couples qui restent ensemble alors qu'ils n'ont que peu ou pas d'enfants doivent avoir énormément d'atomes crochus ; et leur bonheur, comparé à celui des couples avec beaucoup d'enfants, n'est donc pas nécessairement lié au nombre d'enfants.
8. Près de la moitié des Américains qui se marient divorceront, et les probabilités de divorce sont encore plus grandes quand il n'y a pas d'enfants. Voir, par exemple, Essock-Vitale et McGuire (1988), p. 230, et Rasmussen (1981).
9. Brent (1983), p. 249.
10. Un sondage de 1985 montre que 26 % des hommes qui s'étaient mariés étaient soit séparés, soit divorcés. 25 % de ceux qui s'étaient remariés par la suite étaient à nouveau séparés ou divorcés. (Ce qui ne veut pas dire que 75 % des mariages soient des succès ; ce sondage porte sur des hommes de tous âges, et les plus jeunes d'entre eux divorceront peut-être plus tard, et donc feront descendre le taux de succès.) Puisque les hommes mariés pour la deuxième fois ont tendance à être plus âgés que ceux qui ne se marient qu'une fois, les seconds mariages auront tendance à avoir, jusqu'à la mort du mari, un taux de succès plus élevé. Mais cela ne veut pas dire que leur chance de réussite, calculée année par année, soit plus grande. Ces chiffres sont le résultat des calculs que j'ai faits à partir d'un sondage du Bureau américain de recensement.
11. Rose (1983), p. 108. Randolph Nesse (1991[a]) serait d'accord avec Mill. Il note que l'harmonie conjugale est souvent considérée, à tort, comme la norme, et que beaucoup de couples se révèlent « insatisfaits de leur mariage, qui est pourtant plus heureux que la moyenne » (p. 28).
12. Mill (1863), pp. 278, 280-281.
13. *Los Angeles Times*, 5 janvier 1991.
14. Saluter (1990), p. 2.
15. Calculs faits d'après les rapports du Bureau de recensement de juin 1985 : « Âge à la date du compte rendu en fonction du statut conjugal, marié combien de fois, façon dont se sont terminés le premier et le second mariage, race, origine hispanique, et sexe, pour des personnes âgées de quinze ans et plus à la date du rapport. États-Unis. »
16. Bien sûr, certains de ces célibataires endurcis sont des monogames à répétition ; même s'ils ne sont jamais passés devant le maire, ils constituent une menace aux yeux des célibataires moins chanceux.
17. *Washington Post*, 1er janvier 1991, p. Z15 ; *Washington Post*, 20 octobre 1991, p. W12.
18. Rose (1983), pp. 107-109.
19. Stone (1991), p. 384.
20. *The New York Times Book Review*, 4 novembre 1990, p. 12.
21. Tous ces chiffres qui proviennent du rapport Roper ont été condensés par Crispell (1992).

22. À propos de l'impact du divorce par consentement mutuel sur les femmes, voir, par exemple, Levinsohn (1990).

23. Sur le déterminisme biologique, voir, par exemple, Fausto-Sterling (1985) ; sur les différences de sexe, se reporter, par exemple, à Gilligan (1982).

24. Shostak (1981), p. 238.

25. Le terme *male bonding* (en compagnie d'autres mâles) a été estampillé par Lionel Tiger (1969).

26. *The New York Times*, 12 février 1992, p. C10.

27. Voir, par exemple, Lehrman (1994).

28. Cashdan (1993).

29. Kendrick, Gutierres et Goldberg (1989) font preuve, du moins ici, d'une certaine pertinence.

30. Par exemple, une chute du taux des naissances provoque, vingt ans plus tard, un plus grand nombre de jeunes de vingt et un ans que de dix-huit, un plus grand nombre de jeunes de vingt-deux ans que de dix-neuf, etc. Puisque l'homme a tendance à épouser des femmes plus jeunes que lui, il en résulte un plus grand nombre d'hommes sur le marché du mariage. Les hommes peuvent pallier le manque de partenaires en manifestant un plus grand intérêt pour la monogamie et en se montrant moins coureurs. Quant aux femmes, en voyant leur valeur remonter sur le marché, elles peuvent se montrer moins tolérantes à l'égard d'une sexualité impliquant peu d'engagement. Il n'est pas prouvé que cette dynamique ait aidé à freiner l'augmentation des divorces au milieu des années quatre-vingt. Voir Pedersen (1991) et Buss (1994), chapitre IX.

31. Stone (1977), p. 427.

32. Colp (1981).

33. *Ibid.*, p. 207.

34. CCD, vol. 1, p. 524.

35. Marcus (1974), p. 18.

36. Voir, par exemple, Alexander (1987). Alexander a, comme tant d'autres, contribué à forger la nouvelle pensée darwinienne sur la moralité.

37. Kitcher (1985), pp. 5, 9.

Chapitre VII

FAMILLES

1. *L'Origine*, p. 290 ; CCD, vol. 4, p. 422.

2. Voir Trivers (1985), pp. 172-173 et Wilson (1975), chapitres 5 et 20.

3. *L'Origine*, p. 289 ; sur le rôle possible de la perplexité, à propos de la stérilité des insectes, dans le retard de Darwin, voir Richards (1987), pp. 140-156.

4. *L'Origine*, p. 290.

5. Hamilton (1963), pp. 354-355. Consulter la version la plus complète et la plus connue de la théorie de Hamilton sur les sociétés d'insectes et ses applications (1964).

6. Haldane (1955), p. 44. Voir aussi Trivers (1985), chapitre III. Comme le souligne Hamilton dans son texte de 1964, la sélection par la parenté avait déjà été envisagée par Fisher (1930).

7. Trivers (1985), p. 110.

8. Il se peut que d'autres mécanismes incluent des signaux chimiques innés et reconnaissables, comparables à ceux que possèdent les insectes sociaux, et l'« identification phénotypique », grâce auxquels un individu peut reconnaître comme étant de sa parenté des organismes qui lui ressemblent (par la vue et l'odorat) ou qui ressemblent à un organisme déjà identifié comme parent. Voir Wilson (1987), Wells (1987), Dawkins (1982), chapitre VIII, et Alexander (1979).

9. Hamilton (1963), pp. 354-355.

10. CCD, vol. 4, p. 424. Cette note ainsi que celles pages 425 et 426 sont de la main d'Emma. Elle transcrivait apparemment les paroles de Darwin, ce qui devait se produire fréquemment lorsque celui-ci était indisposé.

11. Darwin a pourtant remarqué que ce que l'on nomme la sélection par la parenté pouvait aussi s'appliquer parfois aux humains. Voir *La Descendance de l'homme*, vol. 1, p. 139, à propos des inventeurs à succès : « Même s'ils ne laissaient pas de descendance, la tribu tenait compte de leur parenté consanguine... »

12. Trivers (1974), p. 250.

13. Trivers (1985), pp. 145-146.

14. CCD, vol 4, pp. 422, 425.

15. CCD, vol. 4, pp. 426, 428.

16. Robert M. Yerkes, cité par Trivers (1985), p. 158

17. LLCD, vol. 1, p. 137 ; CCD, vol. 4, p. 430.

18. Trivers (1974), p. 260.

19. CCD, vol. 2, p. 439.

20. Trivers (1985) p. 163. Ici, Trivers suggère que les mécanismes psychologiques qui régissent les intérêts de l'enfant ainsi que ceux exprimés par ses parents, en réconciliant les deux, peuvent correspondre en partie à la distinction que fait Freud entre le moi et le surmoi.

21. Trivers (1974), p. 260.

22. Tiré du *Manifeste communiste*.

23. Dans certaines situations, des parents peuvent mieux réussir en investissant sur un enfant relativement désavantagé. Si, par exemple, un enfant est assuré d'un certain succès reproductif et que son avenir semble bien s'annoncer, alors qu'un autre enfant semble moins bien parti mais pourrait être mieux armé si on lui consacrait plus d'attention. Ce raisonnement peut amener des parents à répartir leur investissement parental de façon peu équitable entre leurs fils. Après tout, ce qui fait des mâles des partenaires recherchés (ambition, talent pour s'enrichir) peut être plus recherché que certains atouts féminins (beauté, jeunesse). C'est ce qui explique sans doute la forte tendance des professeurs à accorder plus d'attention à leurs élèves masculins – ce qui ne signifie pas que cette tendance ne puisse être corrigée par un effort conscient.

24. Voir Trivers et Willard (1973).

25. *Ibid.*

26. On trouvera l'exemple le plus limpide, concernant la proportion de la variété de sexes, chez le cerf rouge. La solution ne se trouve pas dans l'aptitude physique de la mère mais dans sa place hiérarchique, qui pèsera énormément sur le succès sexuel de ses fils. Les femelles de statut élevé ont surtout des fils, alors que les autres ont principalement des filles. Voir Trivers (1985), p. 293. À propos des rats de Floride, voir Daly et Wilson (1983), p. 228.

27. Desmond et Moore (1991), p. 449. Huxley ne commentait d'ailleurs pas la sélection naturelle mais une certaine forme de bassesse qu'il avait découverte chez certains animaux.

28. Dickemann (1979).

29. Hrdy et Judge (1993). Sur la tendance des familles aisées à favoriser leurs fils au moment de l'héritage, voir par exemple Smith, Kish et Crawford (1987) et Hartung (1982). Hartung a découvert que plus une société est polygyne, plus ses modèles d'héritage rejoignent le raisonnement de Trivers et Willard.

30. Betzig et Turke (1986).

31. Boone (1988) a établi que la progéniture mâle l'emporte sur la progéniture femelle grâce à une étude sur la noblesse portugaise des XVe et XVIe siècles. (Mais rien ne laisse supposer que cette règle s'applique dans des environnements totalement différents de l'environnement ancestral, surtout depuis l'utilisation répandue de la contraception.)

32. Gaulin et Robbins (1991). Les données proviennent de graphiques, et peuvent donc être légèrement faussées.

33. D'un autre côté, pour certaines des découvertes qui corroborent l'hypothèse de Trivers-Willard, on ne peut pas écarter la possibilité d'un calcul conscient. Les parents aisés remarqueront, par exemple, qu'un fils fera plus qu'une fille usage de son argent pour séduire de nouvelles partenaires. Pour une critique des découvertes de Trivers-Willard relevant, entre autres choses, cette lacune, voir Hrdy (1987). Certaines études admettent ne trouver aucun signe de la théorie de Trivers-Willard dans les populations, mais je ne connais pas non plus de recherches qui prouveraient le contraire, annulant les nombreuses études qui, elles, témoignent vraiment de l'effet Trivers-Willard. Voir Ridley (1994) pour des travaux supplémentaires corroborant l'effet Trivers-Willard.

34. Hamilton, (1964), p. 21.

35. Freeman (1978), p. 118.

36. Voir Daly et Wilson (1988), pp. 73-77, pour leur analyse des valeurs reproductives inversées et la façon dont ils les utilisent pour expliquer les tendances d'homicide parental.

37. Crawford, Slater et Lang (1989). La première corrélation était de 0,64 et la seconde a atteint 0,92 (sur une base de 1).

38. Bowlby (1995) ; ED, vol. 2, p. 78. Emma a ajouté : « Pourtant, aucun de nous ne pourra oublier de sitôt ce pauvre petit visage. »

39. *The New York Times*, 7 octobre 1993, p. A21. Voir Mann (1992) pour preuve que les mères préfèrent avoir des enfants bien-portants plutôt que des jumeaux trop petits à la naissance.

40. CCD, vol. 7, p. 521.

41. Bowlby (1995), p. 330.

42. CCD, vol. 4, pp. 209, 227. Bowlby (1995), pp. 269-284, prétend que la maladie puis la mort du père de Charles Darwin ont profondément touché ce dernier, au point de le rendre malade. Il ne fait aucun doute que Darwin fut très marqué par la mort de son père ; à cause de son état physique et mental, il n'a pu assister aux funérailles. Bowlby note aussi que les références superficielles à la mort de son père sont faites après qu'il s'est excusé de ne pas avoir écrit plus tôt – « Mais, pendant tout l'automne et tout l'hiver, j'étais trop démoralisé pour faire autre chose que ce à quoi j'étais obligé. » Pourtant Bowlby admet que, au cours des mois qui suivent la mort de son père, rien ne laisse supposer, dans les écrits de Darwin, qu'il est en deuil... Aucune mention de sa tristesse, du regret ou du souvenir de son père. Aussi Bowlby est-il forcé d'admettre que le sentiment « inhibé » du deuil de Darwin s'est manifesté sous la forme d'un maladie physiologique.

43. LLCD, vol. 1, pp. 133-134.

44. CCD, vol. 4, p. 143. Voir Freeman (1983), p. 70, et Desmond et Moore (1991), p. 375.

45. CCD, vol. 4, p. 225.

46. CCD, vol. 5, p. 32 (note de bas de page) ; *Autobiographie*, pp. 97-98.

47. LLCD, vol. 3, p. 228. Darwin a écrit plus tard que sa tristesse au sujet d'Annie « était moins insurmontable que dans les premiers temps » – Desmond et Moore (1991), p. 518. Il est vrai que Darwin s'efforçait alors de consoler un ami qui venait de perdre sa propre fille.

Chapitre VIII

DARWIN ET LES SAUVAGES

1. *La Descendance,* vol. 1, p. 104 (note 5 en bas de page).

2. CCD, vol. 1, pp. 306-307 ; *Voyage*, pp. 173, 178.

3. CCD, vol. 1, pp. 303-304 ; voir p. 306 (note 5 en bas de page) pour preuve que les histoires de cannibalisme étaient apocryphes.

4. *La Descendance,* vol. 2, p. 678.
5. *Voyage,* p. 172.
6. *Ibid.,* pp. 172-173.
7. CCD, vol. 1, p. 380.
8. Voir Alland (1985), p. 17.
9. *La Descendance,* vol. 1, p. 124.
10. Malinowski (1929), p. 501.
11. *La Descendance,* p. 131
12. Dans *La Descendance,* vol. 1, p. 136-138, il écrit : « La variabilité ou diversité des facultés mentales des hommes d'une même race, sans parler des grandes différences existant entre hommes de races distinctes »... *In* vol. 2, p. 616, il parle de « races inférieures ».
13. *La Descendance,* vol. 1, p. 130-131, 142.
14. *Ibid.,* p. 128-130.
15. *Ibid.,* p. 118-119, 124-125.
16. *Ibid.,* p. 126.
17. Dans *Le Voyage* de Darwin, p. 277 de l'édition non abrégée, publiée par Anchor/Doubleday (1962).
18. *La Descendance,* vol. 1, pp. 109-112.
19. *Expression,* p. 213.
20. *La Descendance,* vol. 1, pp. 106, 119.
21. *Ibid.,* vol. 1, p. 112
22. *Ibid.,* vol. 1, p. 143. Sur le sujet de la sélection par le groupe de Darwin et, bien évidemment, sur les idées de Darwin à propos des sentiments moraux en général, voir Cronin (1991).
23. *La Descendance,* vol. 1, p. 141.
24. Voir D. S. Wilson (1989), Wilson et Sober (1989), et Wilson et Sober (à paraître).
25. Williams (1966), p. 262. Voir Wilson (1975), p. 30, pour son opinion sur le dogmatisme trop prononcé de Williams.

Chapitre IX

AMIS

1. *Expression,* p. 216.
2. *La Descendance,* vol. 1, p. 141-142.
3. Williams (1966), p. 94.
4. Voir, par exemple, *La Descendance,* vol. 1, p. 112.
5. Au départ la théorie du jeu a été développée par John von Neumann et Oskar Morgenstern dans *Theory of Game and Economic Behavior* (Princeton University Press, 1953), bien que von Neumann ait utilisé la théorie du jeu pour la première fois dans les années 1920.
6. Ce point a été établi, de façon légèrement différente, par Maynard Smith (1982), p. VII. Il note : « En recherchant la solution d'un jeu, le concept de la rationalité humaine est remplacé par celui de stabilité évolutionnaire. L'intérêt est qu'il y a de bonnes raisons théoriques de penser que les populations évoluent vers des états stables, alors qu'il y a lieu de douter que l'homme se comporte toujours de façon rationnelle. »
7. Pour une analyse limpide de la logique du dilemme du prisonnier, voir Rapoport (1960), p. 173.
8. Voir Rothstein et Pierotti (1988), bien que, selon moi, leurs critiques du modèle soient loin d'être écrasantes.
9. On pourrait faire une distinction technique pointue entre « coopération » et « altruisme réciproque », mais cela ne changerait rien à notre propos. J'utiliserai ces termes de façon interchangeable.

10. *Voyage*, p. 183.
11. Cosmides et Tooby (1989), p. 70. Voir aussi Barkow (1992).
12. Voir Cosmides et Tooby (1989).
13. Bowlby (1995), p. 321.
14. Tit for tat n'a jamais eu l'occasion de se répandre dans les populations. La fin de la période, dans cet univers, était de mille générations – le temps d'un éclair, en termes évolutionnistes. Mais Tit for tat est devenu la créature la plus répandue à la deuxième génération et, après mille générations, elle se propageait plus vite que n'importe quelle autre.
15. Williams (1966), p. 94.
16. Des années plus tard, Axelrod s'est vu contredire sur ce point ; une population de Tit for tat peut en fait être facilement envahie. Mais la morale de l'histoire ne change pas – la coopération engendre la coopération –, car la stratégie capable d'empiéter sur le Tit for tat peut en fait s'avérer plus sympathique que ce dernier. Elle part du même principe que le Tit for tat mais est parfois plus « indulgente » ; elle rend le plus souvent le bien pour le mal et essaie de coopérer même avec un tricheur avéré lors d'une prochaine rencontre avec lui. Cette stratégie est particulièrement probante dans des environnements qui, comme dans la vie réelle, sont « bruyants » : un joueur peut parfois oublier ou mal percevoir les actions d'un autre. Voir Lomborg (1993) et le *New York Times*, 15 avril 1992, p. C1.
17. Axelrod (1984), p. 99.
18. En réalité, ce gène de l'altruisme réciproque peut avoir un second effet : dans de nombreux cas, il peut directement aider à la production de répliques de lui-même, et s'étendre ainsi, pour des raisons techniquement distinctes de celle qui veut qu'il se diffuse *via* la sélection parentale. Voir Rothstein et Pierotti (1988).
19. Voir Singer (1984), p. 146. Pour des exemples sur la théorie des échanges sociaux, voir Gergen, Greenberg et Willis (1980).
20. L'article de Trivers (1971) était audacieux quant à la variété d'animaux à laquelle il applique la théorie, et certaines de ses applications les plus extrêmes – chez les oiseaux et certaines espèces de poissons – n'ont guère gagné en évidence. Mais les applications qui nous concernent – sur les mammifères, et plus particulièrement sur les primates et les humains – continuent de faire loi en la matière. En 1966, Williams a insisté sur le fait que l'altruisme réciproque a surtout tendance à évoluer rapidement chez les mammifères, qui sont capables de reconnaître des individus et gardent en mémoire leur conduite passée.
21. L'altruisme réciproque appliqué aux dauphins semble plus documenté que dans le cas des marsouins. Pour les deux cas, consulter Taylor et McGuire (1988).
22. Wilkinson (1990). Voir aussi Trivers (1985), pp. 363-366.
23. Voir de Wall (1982), de Waal et Luttrell (1988), et Goodall (1986).
24. Au sujet de l'infrastructure émotionnelle de l'altruisme réciproque, voir Nesse (1990[a]).
25. Voir Cosmides et Tooby (1992), et Cosmides et Tooby (1989). Pour un compte rendu net et clair sur les expériences de détection de la triche, voir Cronin (1991), pp. 335-340, et Ridley (1994), chapitre x.
26. Trivers (1971), p. 49.
27. Wilson et Daly (1990). Plusieurs de ces meurtres sont, sans aucun doute, motivés, plus ou moins directement, par la rivalité sexuelle. Mais ils relèvent du même principe : la violence de ces combats est, du moins en partie, expliquée par le fait que, dans l'environnement ancestral, les nouvelles concernant les combats violents se propageaient rapidement.
28. Voir Trivers (1971), p. 50.
29. Il y a d'autres explications darwiniennes – comme dans Frank (1990) – à l'altruisme envers les étrangers (donner un pourboire à un serveur inconnu qu'on ne reverra jamais plus, etc.), bien qu'à mon sens elles aient tendance à être inutilement complexes. Certaines décrivent la générosité comme moyen de persuader l'altruiste de sa générosité, de façon à pouvoir mieux en convaincre les autres par la suite.

30. À propos de scénarios de la théorie de la sélection par le groupe, se reporter au travail de David Sloan Wilson, biologiste qui pense que la répugnance à cette théorie s'est développée sans discernement, entretenant ainsi une vision cynique des motivations humaines. Si Wilson a raison, le pendule finira probablement par faire marche arrière et on en reviendra à la théorie de la sélection par le groupe. Quoi qu'il en soit, la théorie de la sélection par l'individu conserve encore sa place prépondérante. C'est d'ailleurs bien ce qui a provoqué cette percée ; le rejet des théories alambiquées de la sélection par le groupe a suscité et soutenu durant ces trois dernières décennies les progrès radicaux accomplis dans la compréhension de la nature humaine.

31. Daly et Wilson (1988), p. 254. Voir aussi Wilson et Daly (1992).

Chapitre X

LA CONSCIENCE DE DARWIN

1. *La Descendance,* vol. 1, pp. 143-144.
2. Bowlby (1995), pp. 61-62.
3. Bowlby (1995), pp. 60-61.
4. CCD, vol. 1, pp. 39, 507 ; CCD, vol. 3, p. 289.
5. LLCD, vol. 1, pp. 119, 124.
6. LLCD, vol. 3, p. 220 ; Desmond et Moore (1991), p. 329. Pour une analyse des implications du darwinisme sur les mouvements pour les droits des animaux, voir James Rachels (1990).
7. Voir Nesse (1991[b]), sur le sujet général de l'adaptation du mal psychique.
8. Voir MacDonald (1988[b]), en particulier p. 158. Voir aussi Schweder, Mahapatra, Miller (1987), pp. 10-14.
9. Lœhlin (1992). Les psychologues de la personnalité n'emploient pas le terme « conscience » dans un sens aussi large que je le fais dans ce chapitre, mais tout cela se recoupe largement ; par exemple, l'attention acharnée que Darwin accorde aux devoirs sociaux et aux plus petits détails de ses travaux en fait partie. Les psychologues évolutionnistes pourront vraisemblablement bientôt montrer que cette chose impalpable qu'on appelle la conscience consiste en diverses adaptations (ou suradaptations) assignées à diverses fonctions. Dans ce chapitre, j'utilise le terme de façon plutôt vague et informelle.
10. *Autobiographie,* pp. 18, 34.
11. *Autobiographie,* p. 15.
12. Brent (1983), p. 11. Brent émet une opinion contraire à celle qu'il caractérise ici.
13. *Autobiographie,* p. 15.
14. *Ibid,* p. 19 ; ED, vol. 2, p. 169.
15. LLCD, vol. 1, p. 11.
16. Trivers (1971), p. 53.
17. Voir Cosmides et Tooby (1992).
18. Piaget (1992), p. 106.
19. *The New York Times* du 17 mai 1988, p. C1. Voir aussi Vasek (1986). Et voir Krout (1931) pour une analyse extrêmement perspicace du mensonge des enfants, qui met l'accent sur le fait que ceux-ci utilisent souvent le mensonge comme moyen d'attirer l'attention et de s'affirmer. Krout note aussi que la propre enfance de Darwin dément et démythifie cette vision répandue à la fin du siècle selon laquelle, parmi les enfants, un certain nombre seraient des malfaiteurs-nés.
20. *Autobiographie,* p. 15 ; CCD, vol. 2, p. 439.
21. *The New York Times,* du 17 mai 1988, p. C1.
22. Vasek (1986), p. 288.

23. CCD, vol. 2, p. 439.

24. Smiles (1859), p. 372.

25. ED, vol. 2, p. 145.

26. Smiles (1859), pp. 399, 401.

27. Voir, par exemple, le *Washington Post* du 5 janvier 1986. Le contraste entre la « personnalité » et le « caractère » est lié à la distinction faite entre l'orientation « dirigée vers soi » et celle « dirigée vers les autres », devenue célèbre grâce à Riesman (1950).

28. Smiles (1859), pp. 397-400.

29. *Ibid.* (1859), pp. 401-402.

30. Brent (1983), p. 253.

31. Voir Cosmides et Tooby (1989).

32. Smiles (1859), pp. 407.

33. De façon moins anecdotique, on a pu établir la preuve que des personnes vivant en ville, ou du moins y ayant passé leur adolescence, ont une approche particulièrement « machiavélique » des interactions sociales. Voir Singer (1993), p. 141.

34. Daly et Wilson (1988), p. 168.

35. Smiles (1859), pp. 415, 409.

36. Pour un autre exemple sur l'explication darwinienne de l'influence de l'environnement sur le caractère, voir Draper et Belsky (1990).

37. Voir Wilson (1975), p. 565.

38. C'est l'un des nombreux points litigieux pour lequel E. O. Wilson a été écorché lors de la « controverse sociobiologique » des années 1970. Voir Wilson (1975), p. 553.

39. Houghton (1957), p. 404. Sur l'hypocrisie en tant que testament de la solidité du code moral, voir Himmelfarb (1968) pp. 277-278.

40. James Lincoln Collier, *The Rise of Selfishness in America*, cité dans le *New York Times* du 15 octobre 1991, p. C17.

41. Desmond et Moore (1991), pp. 333, 398.

42. ED, vol. 2, p. 168.

Chapitre XI

LE RETARD DE DARWIN

1. CCD, vol. 2, p. 298.

2. Pour un condensé sur les symptômes et les traitements de Darwin, voir le prologue de Bowlby (1995).

3. CCD, vol. 3, p. 397.

4. CCD, vol. 3, pp. 43-46. Sur les travaux hebdomadaires de Darwin, voir Bowlby (1995), pp. 415-417.

5. Bowler (1995), p. 137.

6. Gruber (1981), p. 68.

7. Himmelfarb (1959), p. 210.

8. Himmelfarb (1959), p. 212.

9. Le débat se poursuit encore pour savoir si la dynamique de la sélection naturelle engendre inévitablement, ou du moins de façon quasi inévitable, une forme de vie plus complexe et supérieurement intelligente (voir, par exemple, Williams (1966), chapitre II, Bonner (1988) et Wright (1990).) Il se trouve que la sélection naturelle ne contient pas de force mystique qui rendrait cette tendance littéralement inévitable.

10. *Notebooks*, p. 276, Gruber (1988) insiste particulièrement sur certains passages comme celui-ci pour expliquer le retard de Darwin.

11. CCD, vol. 3, p. 2.

12. CCD, vol. 2, pp. 47, 430-435.

13. *Ibid.*, p. 150.

14. Clark (1984), pp. 65-66. D'autres influences émotionnellement pertur-
bantes, comme la mort prématurée de sa mère, sont en partie responsables de la
mauvaise santé de Darwin. Bowlby pense que ces facteurs ont contribué à accentuer
le « syndrome d'hyperventilation », diagnostic de la maladie de Darwin qui a sa préférence.

15. CCD, vol. 3, p. 346.

16. Voir LLCD, vol. 1, p. 347 ; ou CCD, vol. 4, pp. 388-409.

17. Voir Richards (1987), p. 149.

18. Voir Gruber (1981), pp. 105-106.

19. Comme pour la recombinaison sexuelle : avant la découverte de la génétique, le sexe semblait, par certains côtés, un obstacle à la théorie de Darwin. La
façon la plus naturelle de voir la reproduction sexuelle est d'imaginer une « mixture » des traits de caractère du père avec ceux de la mère, et une simple « mixture »
des traits n'élargissant pas le choix préexistant. Si l'on mélange le contenu de deux
verres l'un d'eau froide, l'autre d'eau chaude, on obtient de l'eau tiède. Nous
n'avons, bien sûr, qu'à regarder deux parents très grands dont l'enfant est encore
plus grand pour comprendre que cette analogie ne fonctionne pas. Mais c'est parce
que nous savons que les expériences vécues par les parents n'affectent pas leur capital
héréditaire et que les effets de l'environnement ont peu à voir avec la taille d'un
enfant. Darwin ne connaissait pas ce premier point.

20. LLCD, vol. 2, p. 54.

Chapitre XII

STATUT SOCIAL

1. *Notebooks*, pp. 541-542.

2. *Voyage*, pp. 183-184.

3. Voir Freeman (1983), Brown (1991), en particulier le chapitre III, et
Degler (1991).

4. Voir Hill et Kaplan (1988), surtout pp. 282-283.

5. Hewlett (1988). Les différences en terme de fertilité entre les *kombeti* et les
autres hommes (une progéniture de 7,89 contre 6,34) n'étaient pas statistiquement
probantes, car seulement neuf *kombeti* ont été étudiés ; mais tout porte à croire que
cette démonstration se serait avérée si l'on avait eu les moyens de la mener jusqu'au
bout. Les autres cultures où nous trouvons un lien entre le statut et le succès reproductif sont les Efé du Zaïre et les Mukogodo du Kenya. À ce sujet, voir Betzig
(1993[a]). Voir aussi Betzig (1993[b]), et Betzig (1986). Napoléon Chagnon (1979)
fut l'un des premiers à remarquer les chances inégales en matière de reproduction
dans les sociétés dites « égalitaires ».

6. Murdock (1945), p. 89.

7. Ardrey (1970), p. 121. Darwin a peu réfléchi aux racines évolutionnaires
de la hiérarchie humaine, mais quand il l'a fait – en débattant par exemple la question d'une éventuelle forme de facteur héréditaire qui conduirait à « obéir au chef de
la communauté » –, cela semblait le mener plutôt vers la logique de « bien pour le
groupe ». Voir *La Descendance*, vol. 1, p. 116.

8. Ardrey (1970), p. 107. Voir aussi Wilson (1875), p. 281.

9. Williams (1966), p. 218. Pour une bonne explication, point par point, de
la simplicité avec laquelle les statuts hiérarchiques évoluent, voir Stone (1989).

10. Voir Maynard Smith (1992), chapitre II, ou, pour un résumé de son raisonnement, voir le chapitre V de Dawkins (1976).

11. Les passereaux soumis qu'on teignait d'une couleur plus foncée, la couleur
des dominants, étaient harcelés continuellement. Mais si l'on teignait les oiseaux
comme les dominants et qu'on leur donnât une dose supplémentaire de testosté-

rone, ils devenaient dominants au sens propre. Sachant qu'une dose accrue de testostérone et de mélanine transforme un oiseau soumis en un oiseau dominant, on serait tenté de se dire, comme nous le suggère Maynard Smith, que tous les oiseaux optent, en général, pour la stratégie dominante si elle leur donne un avantage reproductif certain, et pourtant ils ne le font pas. Voir Maynard Smith (1982), pp. 82-84.

12. Voir Betzig (1993[a]) pour les références. À propos du lien existant entre le statut et le succès reproductif chez d'autres espèces, voir Clutton-Brock (1988).

13. Voir Lippitt *et alii* (1958). Pour des travaux plus récents, se reporter par exemple à Jones (1984).

14. Voir Strayer et Trudel (1984) et Russon et Waite (1991).

15. Atzwanger (1993).

16. Mitchell et Maple (1985). Pour une expérience comparant explicitement les dynamiques qui régissent la hiérarchie chez les humains et les non-humains, voir Barchas et Fisek (1994).

17. *Expression*, pp. 261, 263.

18. Weisfeld et Beresford (1982).

19. Cité *in* Weisfeld et Beresford (1982), p. 117.

20. À propos des sentiments qui gouvernent la compétition pour le statut, voir Weisfeld (1980). Pour une étude générale sur la hiérarchie chez les humains et les autres primates, voir Ellyson et Dovidio (1985). Une expression subtile quoique universelle de la hiérarchie se retrouve dans les conversations ou dans d'autres rencontres de la façon suivante : qui observe qui et dans quelles circonstances ? On doit à Chance un célèbre article (1967) qui attira l'attention sur cette forme de statut chez les primates.

21. Au sujet des vervets, voir McGuire, Raleigh et Brammer (1984). Raleigh et McGuire (1989) démontrent le rôle crucial, quoique subtil, joué parfois par les femelles vervets lors de la sélection du mâle dominant. Sur les confréries d'étudiants : données non publiées de McGuire (communication personnelle, reprises aussi par le *New York Times* du 27 septembre 1983, p. C3).

22. McGuire n'a pas vérifié le taux de sérotonine des gradés de cette confrérie, avant qu'ils ne soient élus, et ne peut donc pas totalement exclure la possibilité que leur taux fût déjà élevé avant leur montée en grade. Mais divers facteurs circonstanciels, dont l'analogie faite avec les primates non humains (dont le taux de sérotonine a été vérifié avant et après leur promotion sociale), le poussent à croire que la promotion sociale augmente de façon considérable le taux de sérotonine des humains.

23. Raleigh *et alii* (manuscrit non publié).

24. Sur la sérotonine en général, voir Kramer (1993) et Master et McGuire (1994).

25. Sur la tricherie : Aronson et Mettee (1968). Sur les crimes impulsifs : les articles de Linnoila dans le chapitre VI de Master et McGuire (1994).

26. Comme dans le cas de l'altruisme réciproque, nous ne devrions pas trop dramatiser ce qui s'oppose à la théorie de la sélection par le groupe. Si trois primates sont en train de chasser et que l'un d'eux possède un nouveau gène facilitant la soumission, il en résultera pour le groupe une meilleure dynamique et le succès collectif procurera au primate soumis un gain personnel suffisamment important pour contrebalancer sa baisse relative de statut (par exemple une part du butin plus petite) ; il vaut mieux avoir un quart de cinquante kilos de viande qu'un tiers de vingt-cinq. Ce genre de dynamique (que certains biologistes appellent la sélection par le groupe) est évidemment concevable. Pourtant, même dans ce scénario, les gènes considérés comme les plus précieux ne sont pas ceux qui entraîneront la soumission ou la dominance mais ceux qui rendront le choix possible selon les circonstances.

27. De Waal (1982), p. 87.

28. Voir De Waal (1984) et Goodall (1986) pour les comptes rendus détaillés de la quête du statut et de ses enjeux parmi les chimpanzés mâles et femelles.

29. Tannen (1990), p. 77.

30. Daly et Wilson (1983), p. 79.
31. Le lecteur peut y voir un paradoxe. Nous avons déjà dit que le statut est largement déterminé par l'environnement. À présent, nous insistons sur le rôle des gènes dans la variation de statut chez les mâles. Cependant, nous n'avons jamais dit que toute variation de traits de caractère contribuant au prestige est due aux différences d'environnement. Il est certain que, pour n'importe quel trait de caractère génétiquement favorisé par la sélection naturelle, il faut qu'il y ait eu quelque variation génétique au sein de la population. Sinon, comment la sélection naturelle pourrait-elle favoriser ce trait au détriment d'autre chose ? Pourtant, cette façon de favoriser un trait n'a pas pour effet de réduire le champ de variation. Dans ce cas, par exemple, la sélection naturelle éliminera les gènes ne contribuant pas au succès dans la compétition pour le statut. Le principe général est que la mutation et la recombinaison sexuelle continuent de créer des variations, tandis que la sélection naturelle continue de compresser ces variations, les combinant dans un champ réduit.
32. CCD, vol. 2, p. 29.
33. *La Descendance,* vol. 2, p. 616.
34. *La Descendance,* vol. 2, p. 654-658.
35. Perusse (1993)
36. Cité par Symons (1979), p. 162.
37. Low (1989).
38. À propos des chimpanzés, voir De Waal (1982), pp. 56-58. À propos des bonobos : De Waal (1989), p. 212 ; Kano (1990), p. 68. La question de savoir si les femelles humaines sont plus (ou moins) « ambitieuses » que les femelles chimpanzés est intéressante. En un sens, elles sont certainement plus compétitives. Comme nous l'avons vu, le grand investissement parental mâle leur donne une raison de lutter (quoique cette compétition semble être moins motivée par la sélection naturelle que par la compétition des mâles entre eux pour les femelles). D'un autre côté, la femelle chimpanzé, qui n'a pas de partenaire régulier, doit souvent assumer les responsabilités premières concernant la protection et les avantages sociaux de ses petits, un devoir qui prime à la fois sur son agressivité physique et sur sa propre recherche de statut social.
39. Stone (1989).
40. Goodall (1986), pp. 426-427.
41. De Waal (1989), p. 69.
42. De Wall (1982), p. 98.
43. *Ibid.,* p. 196.
44. *Ibid.,* p. 114. Voir De Waal (1989) pour un débat plus large sur la question des rituels de réconciliation chez les primates.
45. De Waal (1982), p. 117.
46. Goodall (1986), pp. 431.
47. De Waal (1982), p. 207.
48. À propos de la corrélation entre la « structure d'attention » et les hiérarchies dominantes, voir Abramovitch (1980) et Chance (1967).
49. Voir Weisfeld (1980), p. 277. Voir Stone (1989), pp. 22-23, sur le sens de cette technique d'escalade de l'échelle sociale.
50. De Waal (1982), p. 211-212.
51. *Ibid.,* pp. 56, 136, 150-151.
52. Freedman (1980), p. 336.
53. Benedict (1934), p. 15.
54. *Ibid.,* p. 99.
55. Glenn Weisfeld (communication personnelle) a insisté sur cette connexion qui existe entre le statut social et les valeurs.
56. Voir Chagnon (1968), chapitres I et V.

Chapitre XIII

TROMPER LES AUTRES
ET SE TROMPER SOI-MÊME

1. CCD, vol. 4, p. 140.
2. À propos des lucioles, voir Lloyd (1986). À propos des orchidées, des serpents et des papillons, voir Trivers (1985) chapitre XVI.
3. Goffman (1956), p. 17.
4. Dawkins (1976), p. VI. Alexander (1974), p. 377, note que « la sincérité représente un avantage social certain, même lorsqu'elle provient d'une foncière incapacité à reconnaître le profond égoïsme reproductif et les effets de la propre conduite de chacun.... La sélection peut avoir largement favorisé cette tendance de l'homme à ne pas vraiment savoir ce qu'il fait ni pourquoi. » Voir aussi Alexander (1975), p. 96, et Wallace (1973).
5. Donald Symons et Leda Cosmides (communication personnelle) ont souligné quelques-uns des problèmes qui se posent lorsqu'on étudie l'autoaveuglement. Voir Greenwald (1988) pour une analyse claire des formes possibles de l'autoaveuglement, et quelles formes ont tendance à apparaître le plus souvent.
6. CCD, vol. 2, pp. 438-439.
7. *Papers*, vol. 2, p. 198.
8. Glantz et Pearce (1989 et 1990).
9. *La Descendance*, vol. 1, p. 130.
10. Voir Lancaster (1986).
11. *La Descendance*, vol. 1, p. 142
12. *The New York Times*, 17 mai 1988, pp. C1, C6.
13. *Autobiographie*, p. 123.
14. *Bartlett's Book of Familiar Quotations*, 15e éd.
15. Loftus (1992).
16. Voir, par exemple, Fitch (1970) et Streufert & Streufert (1969). La documentation dans ce domaine a été critiquée par certains, comme Miller et M. Ross (1975), ainsi que Nisbett et L. Ross (1980), pp. 231-237. Miller et M. Ross précisent qu'on peut trouver une explication à ces données non seulement dans l'égocentrisme en soi, mais aussi par le biais du mécanisme qui favorise le processus humain d'information. Cette affirmation est exacte, elle renvoie au fait qu'il est nécessaire de réaliser des expériences plus subtiles – et, en effet, lorsque, par la suite, Miller réalisera une expérience de ce type, c'est l'explication de l'égocentrisme qui se révélera la plus probante ; voir Miller (1976). Nisbett et L. Ross notent les cas précis d'individus qui se sentent plus responsables de leurs échecs que de leurs succès. Ce fait, également juste, illustre parfaitement le propos de la psychologie évolutionniste ; en nous donnant une meilleure connaissance des fonctions qui régissent, par exemple, l'amour-propre, elle devrait nous aider à comprendre pourquoi certaines personnes ont une si haute et d'autres une si faible opinion d'elles-mêmes – quels types de situations et de développements de notre environnement conduisent vers telle ou telle tendance. Le reste de ce chapitre aura évidemment pour but de nous éclairer sur ce sujet.
17. LLCD, vol. 1, p. 137.
18. Voir Krebs, Denton, et Higgins (1988), pp. 115-116.
19. Voir, par exemple, Buss et Dedden (1990).
20. Desmond et Moore (1991), p. 491.
21. Voir Stone (1989).
22. Hartung (1988), p. 173.
23. Trivers (1985), p. 417.
24. Nesse (1990[a]), p. 273.
25. CCD, vol. 6, p. 429.

26. *Ibid.*, p. 430.
27. Voir Dawkins et Krebs (1978).
28. Alexander (1987), p. 128.
29. Pour les références, voir Aronson (1980), pp. 138-139. Une autre interprétation de ces résultats est que les sujets avaient une peur insurmontable qu'une fois découvertes leurs critiques des décharges violentes leur fussent assenées en représailles.
30. Ces techniques ont été soulignées par S. H. Schwartz et J. A. Howard, comme il est dit dans MacDonald (1988[b]).
31. Voir Hilgard et Atkinson (1975), p. 52
32. Voir Krebs, Denton et Higgins (1988), p. 109 ; Gazzaniga (1992), chapitre VI.
33. Cité par Timothy Ferris, *The Mind's Sky* (Bantam Books, 1992), p. 80.
34. Barkow (1989), p. 104.
35. CCD, vol. 1, p. 412.
36. Bowlby (1995), p. 94.
37. Voir *Ibid.*, p. 364 ; *L'Origine* ; *Autobiographie*, p. 35. Erasme est cité par Gruber (1981), p. 51.
38. Bowlby (1995), p. 364.
39. Malinowsky (1929), p. 91.
40. Voir Cosmides et Tooby (1989), p. 77.
41. *Autobiographie*, p. 105.
42. Trivers (1985), p. 420.
43. Voir Aronson (1980), p. 109. Voir aussi Levine et Murphy (1943).
44. Voir Greenwald (1980) et Trivers (1985), p. 418.
45. Cité *in* Miller et Ross (1975), p. 217. Un phénomène du même ordre est relaté par Ross et Sicoly (1979), expérience 2.
46. Cet épisode est raconté par Desmond et Moore (1991), pp. 495-499.
47. *Expression*, p. 237.
48. CCD, volume 1, pp. 96, 98, 124 et 126. Il est fort possible (bien que pas tout à fait certain) que le cadeau de Jenyns ait précédé l'éloge sur Jenyns. Darwin demande à Henslow de remercier Jenyns pour le « fabuleux cadeau » deux jours après qu'il a fait part de ses remerciements à Fox. Comme c'était sa première lettre à Henslow depuis des mois, il a sans doute trouvé là l'occasion de faire passer ses remerciements à Jenyns, par l'intermédiaire d'Henslow. Les chances que le cadeau lui fût parvenu dans les quarante-huit heures précédentes sont minces. De toute façon, Darwin et Jenyns ont continué d'entretenir, par la suite, des relations satisfaisantes – « Plus je le vois, plus je l'aime » (CCD, vol. 1, p. 124) –, et Darwin n'a plus jamais parlé de son « esprit simplet ».
49. *The New York Times*, 14 octobre, p. A1.
50. Voir, par exemple, Chagnon (1968).
51. Que cette sorte de création implique une sélection par le groupe dépend en partie de ce qu'on entend par psychologie de la guerre. Si on pense que les êtres humains sont programmés pour se conduire de façon totalement désintéressée, et que le fait de sauter sur une grenade pour sauver la vie de ses camarades est un acte propre à notre espèce, alors l'explication prend en compte la sélection par le groupe. Mais si l'on pense qu'un guerrier a tendance à exploiter ses camarades – en leur faisant prendre des risques plus sérieux, pour ensuite se mettre joyeusement à piller et à violer –, alors la sélection par le groupe ne pèse pas si lourd. Voir Tooby et Cosmides (1988) pour leur point de vue selon lequel les conflits entre bandes peuvent contribuer à produire différents types d'adaptations à l'agression collective sans la sélection par le groupe. Voir aussi l'appendice de ce livre, question 6.
52. Trivers (1971), p. 51.
53. CCD, vol. 3, p. 366.

Chapitre XIV

LE TRIOMPHE DE DARWIN

1. CCD, vol. 6, p. 346.
2. LLCD, vol. 3, p. 361.
3. Brent (1983), pp. 517-518.
4. Clark (1984), p. 214.
5. *Ibid.* (1984), p. 3.
6. CCD, vol. 1, pp. 85, 89 ; *Autobiographie*, p. 47.
7. Bowlby (1995), pp. 57-61.
8. Brent (1983), p. 85.
9. *Autobiographie*, p. 39.
10. *Ibid.*, p. 39.
11. *The New York Times*, 17 mai 1988, p. C1.
12. *Autobiographie*, p. 48-50.
13. CCD, vol. 1, p. 110.
14. Desmond et Moore (1991), p. 81.
15. Goodall (1986), p. 431.
16. CCD, vol. 1, pp. 140, 142 ; « aussi parfait que la nature a pu le faire » :
Bowlby (1995), p. 101.
17. CCD, vol. 1, pp. 143, 141 ; « de façon pervertie » : CCD, vol. 2, p. 80.
18. CCD, vol. 1, pp. 469, 503 ; « marteau de géologue » : *Autobiographie*,
p. 66.
19. CCD, vol. 1 pp. 57, 62 ; Brent (1983), p. 81 ; Desmond et Moore (1991),
p. 76
20. CCD, vol. 1 pp. 416-417.
21. Laura Betzig (communication personnelle).
22. CCD, vol. 1, pp. 369, 508.
23. *Ibid.*, p. 460 ; *Papers*, pp. 41-43.
24. Bowlby (1995), p. 202.
25. CCD, vol. 1 pp. 524, 532-533.
26. Gruber (1981), p. 90.
27. CCD, vol. 1 p. 517.
28. Voir Thibaut et Riecken (1955). Dans les rares cas où l'individu de
« faible statut », plutôt que l'individu de « statut élevé », était ressenti par le sujet
comme répondant à l'influence du sujet pour des « raisons internes » (plutôt qu'à
cause d'une pression sociale qui se serait exercée sur lui), l'effet était inversé : le sujet
montrait une attirance grandissante pour l'individu de « faible statut ». Les auteurs
suggèrent que cette perception – celle du fondement de ses motivations – pourrait
être la variable réellement autonome, et non la variable du statut social. Je prétends
pourtant que, dans ces cas où le sujet désigné par les auteurs comme étant de « faible
statut » a été perçu comme ayant des « raisons internes » pour la soumission, il est
tout de même considéré par les autres sujets comme un individu de « statut élevé »
dont il ne cesse lui-même de donner des signes (même s'il s'est décrit comme peu
éduqué, etc.). Je pense donc que la résistance à la « pression sociale » et la tendance à
se jeter dans l'action pour des raisons « internes » fait incontestablement partie de la
définition du « statut élevé ».
29. CDD, vol. 2, p. 284 ; CCD, vol. 1, p. 512.
30. *Autobiographie*, p. 82. Dans cette autobiographie, le jugement porté par
Darwin sur Lyell est plutôt positif.
31. Asch (1955).
32. Verplanck (1955).
33. Zimmerman et Bauer (1956).
34. Himmelfarb (1959), p. 210.

35. CCD, vol. 6, p. 445.

36. Sulloway (1991), p. 32.

37. *Ibid.*, p. 32. Certains peuvent s'opposer à l'utilisation que fait Sulloway du terme « estime de soi ». Douter de soi, de façon persistante mais sporadique, n'implique pas nécessairement une faible estime de soi. Il est certain qu'une personne presque dépourvue d'estime de soi n'aurait jamais eu l'audace de mettre en cause les idées reçues sur l'origine de l'homme. Certains psychologues évolutionnistes semblent vouloir actuellement séparer « la faible estime de soi » (et le doute de soi chronique) du manque d'assurance (avec son doute de soi épisodique), et montrer qu'ils sont, pour différentes raisons, calibrés dès le début par l'environnement social. Quoi qu'il en soit, d'un point de vue général, Sulloway semble avoir vu juste – le pénible doute de soi dont Darwin s'est imprégné pendant son enfance, notamment à cause de son père, a probablement été positif pour sa carrière.

38. Bowlby (1995), pp. 57-61. Sulloway (1991) note que, si l'on se réfère à la pensée de Bowlby, le père de Darwin a favorisé le doute de soi chez son fils, et donc certaines des découvertes scientifiques de Darwin lui sont redevables. Sulloway ne suggère pourtant pas que le père ait été sous l'emprise de quelque forme d'adaptation mentale conçue à cette fin.

39. Bowlby reconnaît une forme d'utilité pratique dans la déférence de Darwin à l'égard de l'autorité. Il suggère que, lorsque Darwin se montrera « respectueux » de l'avis de ses aînés, « ce qui n'est pas le cas des jeunes gens plus effrontés », cela lui servira lorsqu'il lui faudra trouver d'importants alliés. Cependant il ajoute : « Si positives que puissent être de telles attitudes dans la jeunesse, elles peuvent devenir excessives par la suite. Car, alors, non seulement on accorde au statut des autres un respect qu'ils ne méritent pas et leurs opinions reçoivent une importance qu'elles n'ont pas, mais le risque est surtout que l'on sous-estime à l'avenant sa valeur et ses opinions » (p. 59). Peut-être, peut-être pas. Bowlby cite l'extrême déférence de Darwin face aux personnes qui incarnent l'autorité, tel le grand scientifique lord Kelvin qui semble avoir émis à l'époque un avis très critique sur sa théorie. Darwin l'a donc amendée pour satisfaire de semblables critiques, au point que les éditions successives de *L'Origine* sont devenues des copies de plus en plus pâles de l'édition originale ; on s'aperçoit à présent que la sixième et dernière édition, comparée à la première, n'est que le faible reflet de sa théorie. Mais, en termes darwiniens, cette concession, de nature sociale, n'a sans doute pas causé trop de tort dans l'absolu ; une telle souplesse a probablement contribué à la crédibilité de la théorie du vivant de Darwin, tout en préservant son statut social, et a ainsi aidé ses descendants directs à tirer parti de leur nom de famille.

40. Voir Aronson (1980), pp. 64-67.

41. Brent (1983), p. 376.

42. CCD, vol. 6, pp. 250, 256. D'autres auteurs ont interprété cette conversation dans le sens où le fait Brent. Voir, par exemple, Bowlby (1995), pp. 268, 277.

43. *Autobiographie*, p. 137.

44. Voir LLCD, vol. 2, p. 156, pour preuve de ce que Lyell et Hooker ont bien été les alliés de Darwin.

45. Voir LLCD, vol. 2, pp. 238, 241.

46. *Ibid.*, vol. 2, pp. 165-166.

47. LLCD, vol. 3, pp. 8-9.

48. Voir Bowlby (1995), p. 252-255.

49. *Autobiographie*, p. 86.

50. LLCD, vol. 2, pp. 237.

51. CCD, vol. 6, p. 432.

52. *Ibid.*, pp. 100, 387, 514, 521.

53. LLCD, vol. 2, p. 116.

54. *Ibid.*, pp. 116-117.

55. *Ibid.*, pp. 117-119. D'autres – par exemple, Gould (1980), p. 48 – ont la même opinion.

56. Cité par Rachels (1990), p. 34.
57. *Papers*, vol. 2, p. 4.
58. Ce point de vue est particulièrement défendable à l'heure où les règles qui gouvernent la science sont mises en question. Au cours du siècle précédant celui de Darwin, lorsqu'un scientifique était le premier à affirmer une nouvelle thèse – comme ce fut le cas de Darwin lorsqu'il envoya sa théorie à Gray –, on lui accordait une priorité, même s'il n'avait pas encore publié ses travaux. Vers le milieu du XIXᵉ siècle, cette tradition avait presque complètement disparu mais n'était pas encore totalement éteinte (communication personnelle de Sulloway).
59. Rachels (1990) fait cette remarque, un des rares observateurs à avoir considéré avec une certaine dureté la façon dont Darwin a traité Wallace, en racontant l'affaire un peu comme je le fais : le triomphe d'une puissante clique sur un naïf.
60. Cité par Clark (1984), p. 119.
61. Eiseley (1958), p. 292.
62. Desmond et Moore (1991), p. 569.
63. Clark (1984), p. 115.
64. LLCD, vol. 2, p. 117.
65. Brent (1983), p. 415.
66. LLCD, vol. 2, p. 145.
67. Bowlby (1995), p. 76.
68. Voir l'épigraphe de ce chapitre.
69. LLCD, vol. 2, p. 128.
70. *Autobiographie*, p. 104.
71. Mais aider grandement un allié, même à peu de frais, peut s'avérer avantageux si cela met ce dernier en situation de mieux vous aider par la suite.
72. Voir Alexander (1987).
73. *Papers*, vol. 2, p. 4.
74. Clark (1984), p. 119.
75. Bowlby (1995), p. 61.

Chapitre XV

CYNISME DARWINIEN (ET FREUDIEN)

1. *Notebooks*, p. 538.
2. Richard Alexander a dit que « l'amitié à l'intérieur du groupe » implique souvent « l'inimitié entre groupes ».
3. *Eminent Victorians*, le livre de Lytton Strachey paru en 1918, a été un important jalon à cet égard. Strachey y épingle l'affectation victorienne, dévoilant par exemple l'égotisme masqué de Florence Nightingale.
4. Consulter Sulloway (1979[a], en particulier son chapitre VII), dont l'étude fait autorité quant aux éléments darwinistes et aux facteurs biologiques contenus dans la théorie freudienne.
5. Daly et Wilson (1990[b]).
6. Nesse (1991[b]).
7. CCD, vol. 2, p. 439.
8. Brent (1983), p. 24.
9. Desmond et Moore (1991), p. 138.
10. Cité d'après Bowlby (1995), p. 351.
11. Voir Buss (1991), p. 473-477, et Tooby et Cosmides (1990[a]).
12. *Autobiographie*, p. 105.
13. Freud, *Introduction générale à la psychanalyse* (1922), Paris, Payot, 1989, p. 64.
14. *Ibid.*, p. 65. Freud a par ailleurs formulé des lois théoriques pour essayer d'expliquer les exceptions à cette tendance générale que nous avons de refouler les souvenirs douloureux.

15. MacLean (1983), p. 88. Pour un survol rapide de l'évolution du cerveau, consulter Jastrow (1981).

16. Nesse et Lloyd (1992), p. 164.

17. Slavin (1990).

18. Voir Nesse et Lloyd (1992), p. 608.

19. *Ibid.*, p. 611.

20. Freud, *Malaise dans la civilisation* (1930), Paris, Presses universitaires de France, 1992, pp. 61, 64-65.

21. Freud, *Introduction générale à la psychanalyse*, p. 266.

22. Voir Connor (1989), chapitres 1 et 6; Graham, Doherty et Malek (1992); et Wyschogrod (1990), en particulier pp. XIII-XXVII.

Chapitre XVI
ÉTHIQUE ÉVOLUTIONNISTE

1. *Notebooks*, pp. 550, 629.

2. *La Descendance*, vol. 1., p. 105.

3. Clark (1984), p. 197.

4. Hofstadter (1944), p. 45.

5. Rachels (1990), p. 62.

6. Rachels (1990), p. 65. Voir le début du chapitre II pour un résumé convaincant de l'éthique de Spencer et pour d'autres tentatives ayant eu pour objet de trouver des valeurs morales dans l'évolutionnisme.

7. Voir Rachels (1990), pp. 66-70.

8. L'affirmation courante selon laquelle David Hume aurait été le premier à identifier l'erreur naturaliste reste à démontrer. Voir Glossop (1967), en particulier p. 533.

9. Mill (1874), pp. 385, 391, 398-399.

10. *Encyclopedia of Philosophy*, Macmillan, vol. 5, p. 319.

11. LLCD, vol. 2, p. 312.

12. *La Descendance*, vol. 2, p. 669.

13. Quelques auteurs – par exemple Richards (1987), pp. 234-241 – ont souligné les différences existant entre l'éthique de Darwin et l'utilitarisme tel qu'il est classiquement formulé. Comme Darwin l'a lui-même remarqué, les différences sont évidentes, mais elles sont davantage le fait de la dérive de la doctrine que de ses applications (voir *infra* la note 22). Selon Gruber (1984), p. 64, Darwin aurait « accepté l'éthique utilitariste », du moins « dans son ensemble »; il considérait les actes « selon leurs conséquences directes sur les êtres vivants, et non selon un prétendu code moral préétabli ». Cette façon d'apprécier la morale peut ne pas sembler extraordinaire aujourd'hui, à l'heure où tant de déclarations éthiques suivent implicitement ce type de raisonnement; mais au XIXᵉ siècle l'éthique de Darwin et celle de Mill allaient à l'encontre de la grande majorité des idées reçues dans de nombreux domaines. Une autre importante question liait ces deux penseurs : même si Darwin utilisait le terme de « bien-être » lorsque Mill employait celui de « bonheur », les deux hommes considéraient également le bien-être/bonheur de chaque individu dans leurs évaluations morales. Nous verrons plus loin dans ce chapitre à quel point cette forme d'égalitarisme se rapproche du cœur de la doctrine utilitariste. Et c'est principalement pour cette raison que l'utilitarisme a été perçu comme une doctrine de gauche dans l'Angleterre victorienne. À propos de l'admiration de Darwin pour la morale et la philosophie de Mill, voir ED, vol. 2, p. 169.

14. Voir MacIntyre (1966), p. 251.

15. Voir Mill (1863), pp. 307-308, et l'introduction d'Alan Ryan, p. 49.

16. Mill (1863), pp. 274-275.

17. Le fait que Mill ait été un utilitariste théoricien n'est pas indifférent. Si

l'on en veut des preuves, se reporter à Mill (1863), pp. 291, 295. Au sujet de l'utilitarisme se fondant sur des actes, comparé à celui qui se fonde sur des règles, voir Smart (1973).

18. Mill (1863), p. 288.

19. En réalité, l'existence même du plaisir et de la douleur – et généralement de toute expérience subjective – constitue un mystère bien plus important que ce que suppose la majorité des individus, y compris bon nombre d'évolutionnistes (quoique John Maynard Smith l'ait noté en passant). Voir Wright (1992).

20. Gruber (1981), pp. 64-66.

21. Desmond et Moore (1991), p. 120.

22. En fait, on peut se demander si ce qu'on considère habituellement comme la logique de Darwin soutenant la primauté du « plus grand bien, ou bien-être de la communauté » – en particulier dans le paragraphe de *La Descendance de l'homme*, vol. 1, p. 129-130 – constitue véritablement le raisonnement par excellence en faveur de cette primauté. Comme pour bon nombre de débats sur l'utilitarisme, la frontière entre le prescriptible et le descriptif reste floue ; et il n'est pas facile de discerner (en tout cas à mes yeux) si Darwin affirme que l'on doit s'inquiéter du « bien » ou du « bien-être » de la communauté plutôt que de son « bonheur » ou s'il observe plutôt que les gens, du fait de leur nature, s'inquiètent plus du « bien » ou du « bien-être » que du « bonheur ». Bien sûr, ce type de confusion est fréquemment lié à l'erreur naturaliste, au même titre que l'analogie malencontreuse entre le *devrait* et le *doit*. On retrouve encore un peu de cette erreur naturaliste dans la définition que donne Darwin du bien général comme étant « le moyen qui permet d'élever, dans les conditions existantes, le plus grand nombre possible d'individus en pleine santé, en pleine vigueur, doués de facultés aussi parfaites que possible » (p. 130). Il est sûr que les certitudes de Darwin concernant l'origine des sentiments moraux – qui se développent pour le « bien du groupe » – rendent l'erreur naturaliste tentante. C'est-à-dire : puisque l'évolution semblait avoir forgé ses impulsions morales afin de soutenir l'éthique qui avait régi son enfance et à laquelle il adhérait, il n'avait pas de raison majeure de se méfier du rôle de la nature dans la quête de l'équité ; du moins pas dans ce contexte particulier. De plus, comme nous l'avons vu dans ce chapitre, Darwin était capable, à d'autres moments, de rejeter énergiquement l'idée que la nature aurait le monopole de l'autorité morale.

23. Encore une fois (voir la note précédente), Darwin, qui faisait en quelque sorte partie des tenants de la sélection par le groupe, n'a pas vu jusqu'à quel point l'égoïsme individuel pouvait s'infiltrer dans les desseins de la nature. Bien que d'un côté il ait été horrifié par la vision d'un chat jouant avec une souris, de l'autre il considérait les sentiments moraux de l'homme de façon plus optimiste que ne le ferait un évolutionniste moderne.

24. Huxley (1984), pp. 80, 83.

25. Singer (1981), p. 168.

26. Williams (1989), p. 208.

27. Voir l'introduction d'Alan Ryan à Mill (1863).

28. Voir Betzig (1988).

29. *La Descendance*, vol. 1, pp. 119-120.

Chapitre XVII

BLÂMER LA VICTIME

1. *La Descendance*, vol. 2, p. 669. *Notebooks*, p. 571.

2. Mais voir Daly et Wilson (1988), chapitre XI, pour un exposé précis sur le déterminisme et la culpabilité.

3. Ruse relève cette contradiction (1986), pp. 242-243.

4. Mill (1863), p. 334.

5. Matthieu 5 : 44 ; Exode 21 : 24.

6. Bien que Mill s'en soit sorti en acceptant, à contrecœur, mais pour des raisons pratiques, la valeur du blâme et de la punition, il a clairement refusé de suivre cette voie. Selon lui, rendre le bien par le bien et le mal par le mal « ne fait pas partie de l'idée de justice, telle que nous la définissons, mais est le fait même de cette intensité de sentiments qui place le juste, selon l'estimation des hommes, au-dessus de tout opportunisme » (Mill (1863), p. 334).

7. Dawkins (1982), p. 11.

8. À propos du matérialisme et du déterminisme de Darwin, voir Gruber (1981) et Richards (1987).

9. *Notebooks*, pp. 526, 535. « L'exemple des autres » et « l'enseignement des autres » n'épuisent pas, bien sûr, la liste des influences de l'environnement, mais il est manifeste que son but était de tout ramener à l'hérédité et à l'environnement.

10. *Notebooks*, p. 536.

11. Skinner, type même de l'environnementaliste, s'est efforcé de dénoncer le mythe du libre arbitre dans *Beyond Freedom and Dignity* et a soutenu que les notions de blâme et de mérite n'existent que pour leur valeur pratique, et non pour leur sens philosophique. Mais il ignorait que ces valeurs ont été créées par la sélection naturelle qui en avait implicitement reconnu l'intérêt pratique.

12. *Notebooks*, p. 608.

13. *Ibid.*, p. 608.

14. *Ibid.*, p. 608.

15. *Ibid.*, p. 614.

16. Daly et Wilson (1988), p. 269.

17. Voir Saletan et Watzman (1989).

18. *Notebooks*, p. 608. Ce texte transcrit par les éditeurs peut se lire ainsi : « Il faut traiter une épave humaine *(wrecked man)* comme un malade – Nous ne pouvons nous empêcher d'être révulsé par la vision d'un malade particulièrement repoussant, aussi faisons-nous preuve de méchanceté. – alors qu'il vaudrait mieux ressentir à son endroit de la pitié plutôt que de la haine et du dégoût. » Je soupçonne que le terme d'« épave humaine » *(wrecked man)* est une erreur de transcription du mot « méchant » *(wicked man)*. C'est l'une des raisons qui m'ont poussé à écrire « homme méchant » dans ma paraphrase ; de toute façon, l'emploi ultérieur du mot « méchanceté » justifie vaguement ma paraphrase.

19. Quoique Mill n'ait pas défendu cette conception de la punition, elle était partagée par son père et par les premiers penseurs du courant utilitariste, ainsi que, au XVIIIᵉ siècle, par l'Italien Cesare Beccaria, théoricien du droit.

20. Daly et Wilson (1988), p. 256.

21. Bowlby (1995), p. 347.

22. Axelrod (1987).

23. Cité par Franklin (1987), pp. 246-247.

24. Je donne au terme « pragmatique » le même sens que William James (il est vrai, un peu perverti), et non le sens strict que lui donnait Charles S. Pierce, fondateur de l'école de philosophie pragmatique.

25. Mill (1859), *De la liberté*, p. 154.

26. Voir Himmelfarb (1974), pp. 273-275. Himmelfarb décrit Mill comme un penseur dont les tendances morales conservatrices ont été étouffées dans la plupart de ses travaux (dans *De la liberté* par exemple) sous l'influence de sa femme, dont les opinions étaient plus radicales.

27. Mill, *op. cit.* (1859), p. 223.

28. Mill, *op. cit.* (1859), p. 153. Voir Himmelfarb (1974, chapitre VI, et 1968, p. 143), qui dit en substance que *De la liberté* fut publié à une époque de grande libéralité dans l'histoire sociale de l'Angleterre. Il démontre qu'il arrivait à Mill de le reconnaître.

29. Mill, *op. cit.* (1859), p. 181.

30. Mill (1874), p. 393. Voir encore Himmelfarb, 1974, et 1968, chapitre IV, à propos de ces tensions qui transparaissent dans les travaux de Mill.

31. *Notebooks,* p. 608.
32. *Ibid.,* p. 608.

Chapitre XVIII

DARWIN ET LA RELIGION

1. *Autobiographie,* p. 75.
2. *Ibid.,* p. 72-74.
3. *Ibid.,* p. 76.
4. Smiles (1859), pp. 16, 333; *La Descendance,* p. 132.
5. Singer (1989), p. 631.
6. « Buddha's Farewell Address », Burtt (1982), p. 47.
7. Campbell (1975), p. 1103.
8. Voir Dawkins (1976), p. 207, et, plus généralement, le chapitre entier sur les « mèmes » (chapitre xi de l'édition française du *Gène égoïste*); voir aussi le chapitre vi de Dawkins (1982).
9. Symons (1979), p. 207.
10. « The Way of Truth », Burtt (1982), p. 68.
11. *Ibid.,* Burtt (1982), p. 66.
12. Matthieu, 6 : 19, 6 : 27.
13. *Bhagavad-gîtâ* II : 55-58 (Edgerton [1944], p. 15).
14. Ecclésiaste, 6 : 7.
15. Matthieu, 19 : 30.
16. *Bhagavad-gîtâ* II : 44; 52 (Edgerton [1944], pp. 13, 14).
17. « The Way of Truth », Burtt (1982), p. 65.
18. Ecclésiaste 6 : 9.
19. Jean 8 : 7, Matthieu 7 : 5.
20. « The Way of Truth », Burtt (1982), p. 65.
21. « Truth Is Above Sectarian Dogmatism », Burtt (1982), p. 37.
22. Singer (1981), pp. 112-114.
23. *La Descendance,* vol. 1, pp. 132.
24. Certaines interprétations récentes voient dans le mot « guerre » une métaphore pour la bataille livrée à l'intérieur du moi : les désirs sensuels doivent être férocement attaqués.
25. Paul, *Épître aux Galates,* 6 : 10.
26. Hartung (1993).
27. Voir Johnson (1987).
28. Campbell (1975), pp. 1103-1104.
29. *Bhagavad-gîtâ,* II : 55 (Easwaran [1975], vol. 1, p. 105).
30. *Bhagavad-gîtâ,* XIII : 28 (Edgerton [1944], p. 68).
31. Houghton (1957), p. 62.
32. CCD, vol. 1, p. 496.
33. Bowlby (1995), p. 353.
34. *Ibid.,* p. 448.
35. LLCD, vol. 1, p. 124.
36. ED, vol. 2, p. 253. Francis Darwin, dans LLCD, a entendu cette phrase ainsi : « Je ne suis pas le moins du monde effrayé par la mort. »
37. *Autobiographie,* p. 76-77.
38. *Ibid.,* p. 77.

BIBLIOGRAPHIE

ABRAMOVITCH, Rona, « Attention Structures in Hierarchically Organized Groups », in OMARK, STRAYER et FREEDMAN (cf. infra), 1980.
ALEXANDER, Richard D. et alii, « Sexual Dimorphisms and Breeding Systems in Pinnipeds, Ungulates, Primates and Humans », in CHAGNON et IRONS (cf. infra), 1979.
ALEXANDER, Richard D., et NOONAN, Katherine M., « Concealment of Ovulation, Parental Care, and Human Social Evolution », in CHAGNON et IRONS (cf. infra), 1979.
ALEXANDER, Richard. D., « The Evolution of Social Behavior », Annual Review of Ecology and Systematics, 5, 1974, pp. 325-383; « The Search for a General Theory of Behavior », Behavioral Science, 10, 1975, pp. 77-100; Darwinism and Human Affairs, University of Washington Press, 1979; The Biology of Moral Systems, Aldine de Gruyter, Hawthorne, New York, 1987.
ALLAND, Alexander, éd., Human Nature : Darwin's View, New York, Columbia University Press, 1985.
ARDREY, Robert, The Social Contract, New York, Atheneum, 1970.
ARONSON, Elliot, éd., Readings About the Social Animal, San Francisco, W. H. Freeman, 1973; The Social Animal, San Francisco, W. H. Freeman, 1980.
ARONSON, Elliot, et METTEE, David R., « Dishonest Behavior as a Function of Differential Levels of Induced Self-Esteem », Journal of Personality and Social Psychology, 9, 1968, pp. 121-127, article repris in ARONSON (cf. supra), 1973.
ASCH, Solomon E., « Opinions and Social Pressure », Scientific American, novembre 1973, article repris in ARONSON (cf. supra), 1973.
ATZWANGER, Klaus, « Social Reciprocity and Success », contribution au colloque de la Human Behavior and Evolution Society, 1993, Binghamton, New York.
AXELROD, Robert, The Evolution of Cooperation, New York, Basic Books, 1984; « Laws of Life », The Sciences, 27, 1987, pp. 44-51.
BADCOCK, Christopher, Œdipus in Evolution : A New Theory of Sex, Oxford, Basil Blackwell, 1990.
BADRIAN, Alison et Nœl, « Social Organization of Pan paniscus in the Lomako Forest, Zaire », in SUSMAN, Randall L., éd., The Pigmy Chimpanzee : Evolutionary Biology and Behavior, New York, Plenum, 1984.
BAILEY, Michael, « Can Behavior Genetics Contribute to Evolutionary Explanations of Behavior? », contribution au colloque de la Human Behavior and Evolution Society, 1993, Binghamton, New York.
BAKER, R. Robin, et BELLIS, Mark A., « Number of Sperm in Human Ejaculates Varies in Accordance with Sperm Competition Theory », Animal Behaviour, 37, 867-869, 1989; « Human Sperm Competition : Ejaculate Adjustment by Males and the Function of Masturbation » et « Human Sperm Competition :

Ejaculate Manipulation by Females and a Function for the Female Orgasm »,
Animal Behaviour, 46, 1993, pp. 861-909.

BARCHAS, Patricia R., et HAMIT FISEK, M., « Hierarchical Differentiation in Newly
Formed Groups of Rhesus and Humans », in BARCHAS, Patricia R., éd., *Social
Hierarchies*, Greenwood Press, Westport, Connecticut, 1984.

BARKOW, Jerome H., COSMIDES, Leda, et TOOBY, John, *The Adapted Mind : Evolutionary Psychology and the Generation of Culture*, New York, Oxford University
Press, 1992.

BARKOW, Jerome, « Darwinian Psychological Anthropology : A Biosocial Approach », *Current Anthropology*, 14, 1973, pp. 373-388 ; « Prestige and Self-
Esteem : A Biosocial Interpretation », in OMARK, STRAYER et FREEDMAN *(cf.
infra)*, 1980 ; *Darwin, Sex and Status*, Toronto, University of Toronto Press,
1989 ; « Beneath New Culture Is Old Psychology : Gossip and Social Stratification », in BARKOW, COSMIDES et TOOBY *(cf. supra)*, 1992.

BARLOW, Nora, éd., *The Autobiography of Charles Darwin*, New York, Harcourt
Brace, 1959, texte original restitué, présenté avec annexes et notes par la petite-
fille de Charles Darwin ; édition française : *Darwin, la vie d'un naturaliste à
l'époque victorienne*, traduit et préfacé par Jean-Michel GOUX, Paris, éditions
Belin, 1985.

BARRET-DUCROCQ, Françoise, *L'Amour sous Victoria : sexualité et classes populaires à
Londres au XIXᵉ siècle*, Paris, Plon, 1989.

BARRETT, Paul H., éd., *The Collected Papers of Charles Darwin*, Chicago, University
of Chicago Press, 1977.

BARRETT, Paul H. *et alii*, éd., *Charles Darwin's Notebooks, 1836-1844*, Ithaca, New
York, Cornell University Press, 1987

BATEMAN, A. J., « Intra-sexual Selection in *Drosophila* », *Heredity*, 2, 1948, pp. 349-
368.

BENEDICT, Ruth, *Patterns of Culture* (1934), édition Houghton-Mifflin-Sentry, Boston, 1959.

BENSHOOF, Lee, et THORNHILL, Randy, « The Evolution of Monogamy and Concea-
led Ovulation in Humans », *Journal of Social and Biological Structures*, 2, 1979,
pp. 95-106.

BETZIG, Laura L., « Despotism and Differential Reproduction : A Cross-Cultural
Correlation of Conflict Asymmetry, Hierarchy, and Degree of Polygyny »,
Ethology and Sociobiology, 3, pp. 209-221, 1982 ; *Despotism and Differential
Reproduction : A Darwinian View of History*, New York, Aldine de Gruyter,
1986 ; « Redistribution : Equity or Exploitation ? » *in* BETZIG, BORGERHOFF
MULDER et TURKE *(cf. infra)*, 1988 ; « Causes of Conjugal Dissolution : A
Cross-Cultural Study », *Current Anthropology*, 30, 1989, pp. 654-676 ;
« Where Are the Bastards' Daddies ? », *Behavioral and Brain Sciences*, 16,
1993(a), pp. 285-295 ; « Sex, Succession, and Stratification in the First Six
Civilizations », *in* ELLIS, Lee, éd., *Social Stratification and Sociœconomic Inequa-
lity*, New York, Praeger, 1993(b).

BETZIG, Laura, BORGERHOFF MULDER, Monique, et TURKE, Paul, éd., *Human Reproductive Behaviour : A Darwinian Perspective*, New York, Cambridge University
Press, 1988.

BETZIG, Laura, et TURKER, Paul, « Parental Investment by Sex on Ifaluk », *Ethology
and Sociobiology*, 7, 1986, pp. 29-37.

BONNER, John Tyler, et MAY, Robert M., « Introduction », *in* Darwin (1871), 1981.

BONNER, John Tyler, *The Evolution of Culture in Animals*, Princeton, N. J., Princeton University Press, 1980 ; *The Evolution of Complexity by Means of Natural
Selection*, Princeton, N. J., Princeton University Press, 1988.

BOONE, James L. III, « Parental Investment, Social Subordination, and Population
Processes Among the 15th and 16th-Century Portuguese Nobility », *in* BETZIG,
BORGERHOFF MULDER et TURKE *(cf. supra)*, 1988.

BOWLBY, John, *Charles Darwin : A New Life*, New York, Norton, 1991 ; édition française : *Charles Darwin : une nouvelle biographie*, traduit par Pierre-Emmanuel DAUZAT, Paris, Presses universitaires de France, coll. « Perspectives critiques », 1995.

BOWLER, Peter J., *Charles Darwin : The Man and His Influence*, Oxford, Basil Blackwell, 1990 ; édition française : *Darwin*, traduit par Daniel BECQUEMONT et Francis GRIMBERT, Paris, Flammarion, 1995.

BRENT, Peter, *Charles Darwin : A Man of Enlarged Curiosity*, New York, Norton, 1990.

BRIGGS, Asa, *Victorian People : A Reassessment of Persons and Themes*, 1851-1867, Chicago, University of Chicago Press, 1972.

BROWN, Donald E., *Human Universals*, New York, McGraw-Hill, 1991.

BROWNE, Janet, et NEVE, Michael, éd., *Charles Darwin's "Voyage of the* Beagle *"*, New York, Penguin Books, 1989.

BUEHLMAN, Kim Therese, GOTTMAN, J. M., et KATZ, L. F., « How a Couple View Their Past Predicts Their Future : Predicting Divorce from an Oral History Interview », *Journal of Family Psychology*, 5, 1992, pp. 295-318.

BURKHARDT, Frederick, et SMITH, Sydney, éd., *The Correspondence of Charles Darwin*, 8 vol., Cambridge, Cambridge University Press, 1985-1991.

BURTT, E. A., éd., *The Teachings of the Compassionate Buddha*, New York, New American Library, 1982.

BUSS, David, « Sex Differences in Human Mate Preferences : Evolutionary Hypotheses Tested in 37 Cultures », *Behavioral and Brain Sciences*, 12, 1989, pp. 1-49 ; « Evolutionary Personality Psychology », *Annual Review of Psychology*, 42, 1991, pp. 459-491 ; *The Evolution of Desire : Strategies of Human Mating*, New York, Basic Books, 1994 ; édition française : *Les Stratégies de l'amour*, traduit par Suzanne Falcone, Paris, InterÉditions, 1994.

BUSS, David, *et alii*, « Sex Differences in Jealousy : Evolution, Physiology and Psychology », *Psychological Science*, 3, 1992, pp. 251-255.

BUSS, David, et DEDDEN, Lisa A., « Derogation of Competitors », *Journal of Social and Personal Relationships*, 7, 1990, pp. 395-422.

BUSS, David, et SCHMITT, D. P., « Sexual Strategies Theory : An Evolutionary Perspective on Human Mating », *Psychological Review*, 100, 1993, pp. 204-232.

CAMPBELL, Donald T., « On the Conflicts Between Biological and Social Evolution and Between Psychology and Moral Tradition », *American Psychologist*, 30, 1975, pp. 1103-1126.

CASHDAN, Elizabeth, « Attracting Mates : Effects of Paternal Investment on Mate Attraction », *Ethology and Sociobiology*, 14, 1993, pp. 1-24.

CAVALLI-SFORZA, Luigi, *et alii*, « Reconstruction of Human Evolution : Bringing Together Genetic, Archaeological, and Linguistic Data », *Proceedings of the National Academy of Science*, 85, 1988, pp. 6002-6006.

CHAGNON, Napoleon, *Yanomamos : The Fierce People*, New York, Holt, Rinehart and Winston, 1968 ; « Is Reproductive Success Equal In Egalitarian Societies ? » *in* CHAGNON et IRONS (*cf. infra*), 1979 ; « Life Histories, Blood Revenge and Warfare in a Tribal Population », *Science*, 239, 1988, pp. 985-992.

CHAGNON, Napoleon, et IRONS, William, éd., *Evolutionary Biology and Human Social Behavior : An Anthropological Perspective*, North Scituate, Massachusetts, Duxbury Press, 1979.

CHANCE, Michael, « Attention Structure as the Basis of Primate Rank Orders », *Man*, 2, 1967, pp. 503-518.

CHARMIE, Joseph, et NSULY, Samar, « Sex Differences in Remarriage and Spouse Selection », *Demography*, 18, 1981, pp. 335-348.

CLARK, Ronald W., *The Survival of Charles Darwin*, New York, Avalon Books, 1986.

CLUTTON-BROCK, T. H., et VINCENT, A. C. J., « Sexual Selection and the Potential Reproductive Rates of Males and Females », *Nature*, 351, 1991, pp. 58-60.

CLUTTON-BROCK, Timothy, éd., *Reproductive Success : Studies of Individual Variation in Contrasting Breeding Systems*, Chicago, University of Chicago Press, 1988.
COLP, Ralph, Jr., « Charles Darwin, Dr. Edward Lane, and the " Singular Trial " of *Robinson v. Robinson and Lane* », *Journal of the History of Medicine and Allied Sciences*, 36, 1981, pp. 205-213.
CONNOR, Steven, *Postmodernist Culture : An Introduction to Theories of the Contemporary*, Oxford, Basil Blackwell, 1989.
COSMIDES, Leda, et TOOBY, John, « From Evolution to Behavior : Evolutionary Psychology as the Missing Link », in DUPRE, John, éd., *The Latest on the Best : Essays on Evolution and Optimality*, Cambridge, Massachusetts, MIT Press, 1987 ; « Evolutionary Psychology and the Generation of Culture » (2ᵉ partie), *Ethology and Sociobiology*, 10, 1989, pp. 51-97 ; « Cognitive Adaptations for Social Exchange », in BARKOW *et alii (cf. supra)*, 1992.
CRAWFORD, Charles B., SALTER, B. E., et LANG, K. L., « Human Grief : Is Its Intensity Related to the Reproductive Value of the Deceased ? », *Ethology and Sociobiology*, 10, 1989, pp. 297-307.
CRISPELL, Diane, « The Brave New World of Men », *American Demographics*, janvier 1992.
CRONIN, Helena, *The Ant and the Peacock : Altruism and Sexual Selection from Darwin to Today*, New York, Cambridge University Press, 1991.
DALY, Martin, et WILSON, Margo, « Discriminative Parental Solicitude : A Biological Perspective », *Journal of Marriage and the Family*, 42, 1980, pp. 277-288 ; *Sex, Evolution and Behavior*, Boston, Willard Grant, 1983 ; *Homicide*, Hawthorne, N. Y., Aldine de Gruyter, 1988 ; « Killing the Competition : Female/ Female and Male/Male Homicide », *Human Nature*, 1, 1990(a), pp. 81-107 ; « Is Parent-Offspring Conflict Self-Linked ? Freudian and Darwinian Models », *Journal of Personality*, 58, 1990(b), pp. 163-189.
DALY, Martin, WILSON, Margo, et WEGHORST, S. J., « Male Sexual Jealousy », *Ethology and Sociobiology*, 3, 1982, pp. 11-27.
DARWIN, Charles, *L'Origine des espèces* (1859), texte établi par Daniel BECQUEMONT à partir de la traduction de l'anglais d'Edmond BARBIER, Paris, Garnier-Flammarion, 1992 ; *La Descendance de l'homme et la Sélection sexuelle* (1871), traduit par Edmond BARBIER d'après la deuxième édition anglaise revue et augmentée par l'auteur, 2 tomes, Paris, éditions Complexe, 1981 ; *The Expression of the Emotions in Man and Animals* (1872), Chicago, The University of Chicago Press, 1965 ; édition française : *L'Expression des émotions chez l'homme et les animaux*, Paris, 1874.
DARWIN, Francis, éd., *Life and Letters of Charles Darwin* (1888), 3 vol., New York, Johnson Reprint Corp., 1969.
DAWKINS, Richard, et KREBS, John R., « Animal Signals : Information or Manipulation ? » in KREBS, J. R., et DAVIES, N. B., ed., *Behavioural Ecology*, Oxford, Basil Blackwell, 1978.
DAWKINS, Richard, *The Selfish Gene*, New York, Oxford University Press, 1976 ; édition française : *Le Gène égoïste*, traduit par Laura OVION, Paris, Armand Colin, 1990 ; *The Extended Phenotype* (1982), New York, Oxford University Press, 1989 ; *The Blind Watchmaker*, New York, W. W. Norton and Co., 1986.
DESMOND, Adrian, et MOORE, James, *Darwin : the Life of a Tormented Evolutionist*, New York, Warner Books, 1991.
DEVORE, Irven, « The Evolution of Human Society », in EISENBERG, J. F., et DILLON, Winton S., éd., *Man And Beast : Comparative Social Behavior*, Washington, D. C., Smithsonian Institution Press, 1969.
DE WAAL, Frans, *Chimpanzee Politics* (1982), Baltimore, John Hopkins University Press, 1989 ; « Sex Differences in the Formation of Coalitions Among Chimpanzees », *Ethology and Sociobiology*, 5, 1984, pp. 239-255 ; *Peacemaking Among Primates*, Cambridge, Massachusetts, Harvard University Press, 1989.

DE WAAL, Frans, et LUTTRELL, Lesleigh, « Mechanism of Social Reciprocity in Three Primate Species : Symmetrical Relationship Characteristics or Cognition ? », *Ethology and Sociobiology*, 9, 1988, pp. 101-118.

DICKEMANN, Mildred, « Female Infanticide, Reproductive Strategies » et « Social Stratification : A Preliminary Model, *in* CHAGNON et IRONS *(cf. supra)*, 1979.

DOBZHANSKY, Theodosius, *Mankind Evolving : The Evolution of the Human Species*, New Haven, Yale University Press, 1962.

DRAPER, Patricia, et BELSKY, Jay, « Personality Development in Evolutionary Perspective », *Journal of Personality*, 58, 1990, pp. 141-161.

DRAPER, Patricia, et HARPENDING, Henry, « Father Absence and Reproductive Strategy : An Evolutionary Perspective », *Journal of Anthropological Research*, 38, 1982, pp. 255-273 ; « A Sociobiological Perspective on the Development of Human Reproductive Strategies », *in* MACDONALD *(cf. infra)*, 1988(a).

DUGATKIN, Lee Alan, « The Evolution of the " Con Artist " », *Ethology and Sociobiology*, 13, 1992, pp. 3-18.

DURANT, John R., « The Ascent of Nature in Darwin's *Descent of Man* », *in* KOHN, David, éd., *The Darwinian Heritage*, Princeton, New Jersey, Princeton University Press, 1985.

EASWARAN, Eknath, *The Bhagavad Gita for Daily Living*, 3 vol., Berkeley, Californie, Blue Mountain Center of Meditation, 1975.

EDGERTON, Franklin, traduction de la *Bhagavad Gîtâ* (1944), Cambridge, Massachusetts, Harvard University Press, 1972.

EISELEY, Loren, *Darwin's Century* (1958), New York, Anchor Books, 1961.

ELLIS, Bruce, et SYMONS, Donald, « Sex Differences in Sexual Fantasy : an Evolutionary Psychological Approach », *Journal of Sex Research*, 27, 1990, pp. 527-555.

ELLYSON, S. L., et DOVIDIO, J. F., éd., *Power, Dominance, and Nonverbal Behavior*, New York, Springer-Verlag, 1985.

ESSOCK VITALE, Susan M., et MCGUIRE, Michael T, « What 70 Million Years Hath Wrought : Sexual Histories and Reproductive Success of a Random Sample of American Women », *in* BETZIG, BORGERHOFF MULDER et TURKE *(cf. supra)*, 1988.

FAUSTO-STERLING, Anne, *Myths of Gender*, New York, Basic Books, 1985.

FISCHER, Ronald A., *The Genetical Theory of Natural Selection*, Oxford, Clarendon Press, 1930.

FITCH, Gordon, « Effects of Self-Esteem, Perceived Performance and Choice on Causal Attributions », *Journal of Personality and Social Psychology*, 16, 1970, pp. 311-315.

FLETCHER, David J. C., et MICHENER, Charles D., éd., *Kin Recognition in Animals*, New York, John Wiley & Sons, 1987.

FRANK, Robert, *Choosing the Right Pond : Human Behavior and the Quest for Status*, New York, Oxford University Press, 1985 ; 1990, « A Theory of Moral Sentiments », contribution au colloque de la Human Behavior and Evolution Society, Los Angeles, 1990.

FRANKLIN, Jon, *Molecules of the Mind*, New York, Atheneum, 1987.

FREEDMAN, Daniel G., « Cross-Cultural Notes on Status Hierarchies », *in* OMARK, STRAYER et FREEDMAN *(cf. infra)*, 1980.

FREEMAN, Derek, *Margaret Mead and Samoa : The Making and Unmaking of an Anthropological Myth*, Cambridge, Massachusetts, Harvard University Press, 1983.

FREEMAN, R. B., *Charles Darwin : A Companion*, Kent (Angleterre), William Dawson & Sons, 1978.

FREUD, Sigmund, *Introduction générale à la psychanalyse* (1922), traduit de l'allemand par S. Jankélévitch, Paris, Payot, 1989 ; *Malaise dans la civilisation* (1930), traduit de l'allemand par Ch. et J. Odier, Paris, Presses universitaires de France, 1992.

GANGESTAD, Steven W., et SIMPSON, Jeffrey A., « Toward an Evolutionary History of Female Sociosexual Variation », *Journal of Personality*, 58, 1990, pp. 69-95.

GAULIN, Steven J. C., et BOSTER, James S., « Dowry as Female Competition », *American Anthropologist*, 92, 1990, pp. 994-1005.

GAULIN, Steven J. C., et Robbins, Carole J., « Trivers-Willard Effect in Contemporary North American Society », *American Journal of Physical Anthropology*, 85, 1991, pp. 61-69.

GAULIN, Steven J. C., et FITZGERALD, Randall W., « Sex Differences in Spatial Ability : An Evolutionary Hypothesis and Test », *American Naturalist*, 127, 1986, pp. 69-95.

GAZZANIGA, Michael, *Nature's Mind : The Impact of Darwinian Selection on Thinking, Emotions, Sexuality, Language, and Intelligence*, New York, Basic Books, 1992.

GERGEN, Kenneth J., GREENBERG, M. S. et WILLIS, R. H., éd., *Social Exchange : Advances in Theory and Research*, New York, Plenum Press, 1980.

GHISELIN, Michael T., « Darwin and Evolutionary Psychology », *Science*, 179, 1973, pp. 964-968.

GILLIGAN, Carol, *In a Different Voice : Psychological Theory and Women's Development*, Cambridge, Massachusetts, Harvard University Press, 1982.

GLANTZ, Kalman, et PEARCE, John K., *Exiles from Eden : Psychotherapy from an Evolutionary Perspective*, New York, Norton, 1989 ; « Towards an Evolution-Based Classification of Psychological Disorders », contribution au colloque de la Human Behavior and Evolution Society, Los Angeles, 1990.

GLOSSOP, Ronald J., « The Nature of Hume's Ethics », *Philosophy and Phenomenological Research*, 27, 1967, pp. 527-536.

GOFFMAN, Erving, *The Presentation of Self in Everyday Life*, New York, Anchor-Doubleday, 1959. Trad. fr. : *La Mise en scène de la vie quotidienne*, 2 vol., éd. de Minuit, Paris, 1973.

GOODALL, Jane, *The Chimpanzees of Gombe : Patterns of Behavior*, Cambridge, Massachusetts, Harvard University Press, 1986.

GOULD, Stephen Jay, *Le Pouce du panda* (1980), traduit de l'anglais par Jacques Chabert, Paris, LGF, 1982.

GRAHAM, Elspeth, DOHERTY, J., et MALEK, M., « The Context and Language of Postmodernism », in DOHERTY, GRAHAM et MALEK, éd., *Postmodernism and the Social Sciences*, Londres, MacMillan, 1992.

GRAMMER, Karl, DITTAMI, J., et FISCHMANN, B., « Changes in Female Sexual Advertisement According to Menstrual Cycle »,, contribution au colloque de la Human Behavior and Evolution Society, Syracuse, New York, 1993.

GREENE, Graham, *La Puissance et la Gloire*, roman traduit de l'anglais par Marcelle Sibon, Paris, Le Livre de poche, 1948.

GREENE, John C., *Darwin and The Modern World View* (1961), New York, New American Library, 1963.

GREENWALD, Anthony G., « The Totalitarian Ego : Fabrication and Revision of Personal History », *American Psychologist*, 357, 1980, pp. 603-618 ; « Self-Knowledge and Self-Deception », *in* LOCKARD et PAULHUS, éd. *(cf. infra)*, 1988.

GRONELL, Ann M., « Courtship, Spawning and Social Organization of the Pipefish, *Corythoichthys intestinalis* (Pisces : Syngnathidae), with Notes on Two Congeneric Species », *Zeitschrift fur Tierpsychologie*, 65, 1984, pp. 1-24.

GROTE, John, *An Examination of the Utilitarian Philosophy*, Cambridge, Deighton, Bell and Co., 1870.

GRUBER, Howard E., *Darwin on Man : A Psychological Study of Scientific Creativity*, Chicago, University of Chicago Press, 1981.

GRUTER, Margaret, et MASTER, Roger D., éd., *Ostracism : A Social and Biological Phenomenon*, New York, Elsevier, 1986.

HALDANE, J. B. S., « Population Genetics », *New Biology*, 18, 1955, pp. 34-51.

HAMILTON, William D., « The Evolution of Altruistic Behavior », *American Natura-*

list, 97, 1963, pp. 354-356; « The Genetical Evolution of Social Behaviour », première et seconde partie, *Journal of Theoretical Biology*, 7, 1964, pp. 1-52.

HARCOURT, A. H., *et alii*, « Testis Weight, Body Weight and Breeding System in Primates », *Nature*, 293, 1981, pp. 55-57.

HARPENDING, Henry C., et SOBUS, Jay, « Sociopathy as an Adaptation », *Ethology and Sociobiology*, 8, 1987, pp. 63S-72S.

HARTUNG, John, « Polygyny and the Inheritance of Wealth », *Current Anthropology*, 23, 1982, pp. 1-12; « Deceiving Down : Conjectures on the Management of Subordinate Status », *in* LOCKARD et PAULHUS, éd. *(cf. infra)*, 1988; *Love Thy Neighbor : Prospects for Morality*, manuscrit non publié, 1993.

HEWLETT, Barry S., « Sexual Selection and Paternal Investment Among Aka Pygmies », *in* BETZIG, BORGERHOFF MULDER et TURKE *(cf. supra)*, 1988.

HILGARD, Ernest R., ATKINSON, R. C. et Rita L., *Introduction to Psychology*, New York, Harcourt Brace Jovanovich, 1975.

HILL, Elizabeth, « The Menstrual Cycle and Components of Human Female Sexual Behaviour », *Journal of Social and Biological Structures*, 11, 1988, pp. 443-455.

HILL, Elizabeth, et WENZL, P. A., « Variation in Ornamentation and Behavior in a Discotheque for Females Observed at Different Menstrual Phases », contribution au colloque de l'Animal Behavior Society, Knoxville, Tennessee, 1981.

HILL, Kim, et KAPLAN, Hillard, « Trade-Offs in Male and Female Reproductive Strategies Among the Ache », première et seconde partie, *in* BETZIG, BORGERHOFF MULDER et TURKE *(cf. supra)*, 1988.

HIMMELFARB, Gertrude, *Darwin and the Darwinian Revolution*, Garden City, New York, Doubleday, 1959; *Victorian Minds*, New York, Knopf, 1968; *On Liberty and Liberalism : The Case of John Stuart Mill* (1974), San Francisco, ICS Press, 1990; *Marriage and Morals among the Victorians and Other Essays*, New York, Vintage, 1987.

HOFSTADTER, Richard, *Social Darwinism in American Thought* (1944), Boston, Beacon Press, 1955.

HOUGHTON, Walter E., *The Victorian Frame of Mind, 1830-1870*, New Haven, Connecticut, Yale University Press, 1957.

HOWARD, Jonathan, *Darwin*, Oxford, Oxford University Press, 1982.

HRDY, Sarah Blaffer, et JUDGE, Debra S., « Darwin and the Puzzle of Primogeniture », *Human Nature*, 4, 1993, pp. 1-45.

HRDY, Sarah Blaffer, *The Woman That Never Evolved*, Cambridge, Massachusetts, Harvard University Press, 1981; « Sex-Biased Parental Investment Among Primates and Other Mammals : A Critical Evaluation of the Trivers-Willard Hypothesis », *in* GELLES, Richard J., et LANCASTER, Jane B., éd., *Child Abuse and Neglect : Biosocial Dimensions*, Hawthorne, New York, Aldine de Gruyter, 1987.

HUMPHREY, Nicholas K., « The Social Function of Intellect », *in* BATESON, P. P. G., et HINDE, R. A., éd., *Growing Points in Ethology*, Cambridge, Cambridge University Press, 1976; repris *in* BYRNE, Richard, et WHITE, Andrew, éd., *Machavellian Intelligence*, Oxford, Oxford University Press, 1988.

HUXLEY, Thomas H., *Evolution and Ethics* (1894), Princeton, New Jersey, Princeton University Press, 1989.

IRONS, William, « How Did Morality Evolve », *Zygon*, 26, 1991, pp. 48-49.

IRVINE, William, *Apes, Angels and Victorians : The Story of Darwin, Huxley, and Evolution*, New York, McGraw-Hill, 1955.

JANKOWIAK, William, et FISHER, Ted, « A Cross-Cultural Perspective on Romantic Love », *Ethnology*, 31, 1992, pp. 149-155.

JASTROW, Robert, *The Enchanted Loom : Mind in the Universe*, New York, Simon and Schuster, 1981.

JOHNSON, Gary R., « In the Name of the Fatherland : An Analysis of Kin Term Usage in Patriotic Speech and Literature », *International Political Science Review*, 8, 1987, pp. 165-174.

JONES, Diane Carlson, « Dominance and Affiliation as Factors in the Social Organization of Same-Sex Groups of Elementary School Children », *Ethology and Sociobiology*, 5, 1984, pp. 193-202.

KAGAN, Jerome, et LAMB, Sharon, éd., *The Emergence of Morality in Young Children*, Chicago, University of Chicago Press, 1987.

KAHN, Joan R., et LONDON, Kathryn A., « Premarital Sex and the Risk of Divorce », *Journal of Marriage and the Family*, 53, 1991, pp. 845-855.

KANO, Takayoshi, « The Bonobos' Peaceable Kingdom », *Natural History*, novembre 1990.

KENRICK, Douglas T. *et alii*, « Evolution, Traits, and the Stages of Human Courtship : Qualifying the Parental Investment Model », *Journal of Personality*, 58, 1990, pp. 97-115.

KENRICK, Douglas T., GUTIERRES, Sara E., et GOLDBERG, Laurie L., « Influence of Popular Erotica on Judgements of Strangers and Mates », *Journal of Experimental Social Psychology*, 25, 1989, pp. 159-167.

KINZEY, Warren G., éd., *The Evolution of Human Behavior : Primate Models*, Albany, New York, State University of New York Press, 1987.

KITCHER, Philip, *Vaulting Ambition : Sociobiology and the Quest for Human Nature*, Cambridge, Massachusetts, MIT Press, 1985.

KONNER, Melvin, *The Tangled Wing : Biological Constraints on the Human Spirit* (1982), New York, Harper Colophon Books, 1983 ; *Why the Reckless Survive... and Other Secrets of Human Nature*, New York, Viking, 1990.

KREBS, Dennis, DENTON, K., et HIGGINS, N. C., « On the Evolution of Self-Knowledge and Self-Deception », *in* MACDONALD *(cf. infra)*, 1988(a).

KROUT, Maurice H., « The Psychology of Children's Lies », *Journal of Abnormal and Social Psychology*, 26, 1931, pp. 1-27.

LANCASTER, Jane G., « Primate Social Behavior and Ostracism », *Ethology and Sociobiology*, 7, 1986, pp. 215-225 ; repris *in* GRUTER et MASTERS, éd. *(cf. supra)*, 1986.

LEHRMAN, Karen, « Flirting with Courtship », *in* LUI, Eric, éd., *Next : Young American Writers on the New Generation*, New York, Norton, 1994.

LEIGHTON, Donna Robbins, « Gibbons : Territoriality and Monogamy », *in* SMUTS *et alii*, éd. *(cf. infra)*, 1987.

LEVINE, Jerome M., et MURPHY, Gardner, « The Learning and Forgetting of Controversial Material », *Journal of Abnormal and Social Psychology*, vol. 38 ; repris *in* MACCOBY, NEWCOMB et HARTLEY *(cf. infra)*, 1958.

LEVINSOHN, Florence Hamlish, « Breaking Up Is Still Hard to Do », *Chicago Tribune Sunday Magazine*, 21 octobre 1990.

LIPPITT, Ronald, *et alii*, « The Dynamics of Power : A Field Study of Social Influence in Groups of Children », *in* MACCOBY, NEWCOMB et HARTLEY *(cf. infra)*, 1958.

LITCHFIELD, Henrietta, éd., *Emma Darwin : A Century of Family Letters, 1792-1896*, 2 vol., New York, Appleton and Co., 1915.

LLOYD, Elizabeth, *The Structure and Confirmation of Evolutionary Theory*, Westport, Connecticut, Greenwood Press, 1988.

LLOYD, James E., « Firefly Communication and Deception : " Oh, What a Tangled Web " », *in* MITCHELL et THOMPSON *(cf. infra)*, 1986.

LOCKARD, Joan S., « Speculations on the Adaptive Significance of Self-Deception », *in* LOCKARD, éd., *The Evolution of Human Social Behavior*, New York, Elsevier, 1980.

LOCKARD, Joan S., et PAULHUS, Delroy S., éd., *Self-Deception : An Adaptive Mechanism*, Englewood Cliffs, New Jersey, Prentice Hall, 1988.

LŒHLIN, John, *Genes and Environment in Personality Development*, Newbury Park, Californie, Sage, 1992.

LOFTUS, Elizabeth, « The Evolution of Memory », contribution au colloque du Gruter Institute sur l'usage de la biologie dans l'étude du droit, Squaw Valley, Californie, 1992.

LOMBORG, Bjorn, « The Structure of Solutions in the Iterated Prisoner's Dilemma », contribution au colloque du Gruter Institute sur l'usage de la biologie dans l'étude du droit, Squaw Valley, Californie, 1993.

LOW, Bobbi S., « Cross-Cultural Patterns in the Training of Children : An Evolutionary Perspective », *Journal of Comparative Psychology*, 103, 1989, pp. 311-319.

MAC INTYRE, Alasdair, *A Short History of Ethics*, New York, Macmillan, 1966.

MACCOBY, Eleanor E., NEWCOMB, T. M., et HARTLEY, E. L., éd., *Readings in Social Psychology*, New York, Holt, Rinehart et Winston, 1958.

MACDONALD, Kevin, « Sociobiology and the Cognitive-Developmental Tradition in Moral Development », *in* MACDONALD *(cf. supra)*, 1988 ; « Mechanisms of Sexual Egalitarianism in Western Europe », *Ethology and Sociobiology*, 11, 1990, pp. 195-238.

MACDONALD, Kevin, éd., *Sociobiological Perspectives on Human Development*, New York, Springer-Verlag, 1988.

MACLEAN, Paul D., « A Triangular Brief on the Evolution of Brain and Law », *in* GRUTER, Margaret, et BOHANNAN, Paul, *Law, Biology, and Culture*, Santa Barbara, Californie, Ross-Erikson Inc., 1983.

MALINOWSKI, Bronislaw, *The Sexual Life of Savages in North-Western Melanesia : An Ethnographic Account of Courtship, Marriage and Family Life Among the Natives of the Trobriand Islands, British New Guinea*, New York, Harcourt, Brace, 1929 ; édition française : *La Sexualité et sa répression dans les sociétés primitives*, traduit de l'anglais par S. JANKÉLÉVITCH, Paris, Payot, 1990.

MANN, Janet, « Nurturance and Negligence : Maternal Psychology and Behavioral Preference Among Preterm Twins », *in* BARKOW, COSMIDES et TOOBY *(cf. supra)*, 1992.

MARCUS, Steven, *The Other Victorians : A Study of Sexuality and Pornography in Mid-Nineteenth-Century England*, New York, Basic Books, 1974.

MASTERS, Roger D., et MCGUIRE, Michael T., éd., *The Neurotransmitter Revolution : Serotonin, Social Behavior, and the Law*, Carbondale, Illinois, Southern Illinois University Press, 1994.

MAYNARD SMITH, John, « The Theory of Games and the Evolution of Animal Conflict », *Journal of Theoretical Biology*, 47, pp. 209-221 ; *Evolution and the Theory of Games*, Cambridge, Cambridge University Press, 1982.

MCGUIRE, M. T., RALEIGH, M. J., et BRAMMER, G. L., « Adaptation, Selection, and Benefit-Cost Balances : Implications of Behavioral-Physiological Studies of Social Dominance in Male Vervet Monkeys », *Ethology and Sociobiology*, 5, 1984, pp. 269-277.

MEAD, Margaret, *Mœurs et Sexualité en Océanie* (1928), traduit par Georges CHEVASSUS, Paris, Plon, 1963.

MEALEY, Linda, et MACKEY, Wade, « Variation in Offspring Sex Ratio in Women of Differing Social Status », *Ethology and Sociobiology*, 11, 1990, pp. 83-95.

MILL, John Stuart, *De la liberté* (1859), traduit par Laurence LENGLET à partir de la traduction de Dupond WHITE, Paris, Gallimard, 1990 ; « Utilitarianism » (1863), *in* MILL et BENTHAM, Jeremy, *Utilitarianism and Other Essays*, New York, Penguin, 1987 ; « Nature » (1874), repris dans le dixième volume de ROBSON, J. M., éd., *Collected Works of John Stuart Mill*, Toronto, University of Toronto Press, 1969.

MILLER, Dale T., « Ego Involvement and Attributions for Success and Failure », *Journal of Personality and Social Psychology*, 34, 1976, pp. 901-906.

MILLER, Dale T., et ROSS, Michael, « Self-Serving Biases in the Attribution of Causality : Fact or Fiction ? », *Psychological Bulletin*, 82, 1975, pp. 213-225.

MITCHELL, G., et MAPLE, Terry L., « Dominance in Nonhuman Primates », *in* ELLYSON et DOVIDIO *(cf. supra)*, 1985.

MITCHELL, Robert W., et THOMPSON, Nicholas S., éd., *Deception : Perspectives on*

Human and Nonhuman Deceit, Albany, New York, State University of New York Press, 1986.

MONTGOMERIE, Robert, « Mating Systems and the Fingerprinting Revolution », contribution au colloque de la Human Behavior and Evolution Society, Hamilton, Ontario, 1991.

MORRIS, Desmond, *The Naked Ape*, New York, McGraw-Hill, 1967 ; édition française : *Le Singe nu*, traduit de l'anglais par Jean ROSENTHAL, Paris, Grasset, 1988.

MURDOCK, George P., *Our Primitive Contemporaries*, Toronto, Macmillan, 1934 ; *The Common Denominator of Cultures* (1945), in MURDOCK, George P., *Culture and Society*, Pittsburgh, Pittsburgh University Press, 1965 ; *Social Structure*, New York, Macmillan, 1949.

NESSE, Randolph M., « Evolutionary Explanations of Emotions », *Human Nature*, 1, 1990(a), pp. 261-289 ; « The Evolutionary Functions of Repression and the Ego Defenses », *Journal of the American Academy of Psychoanalysis*, 18, 1990(b), pp. 260-285 ; « Psychiatry », *in* MAXWELL, Mary, éd., *The Sociobiological Imagination*, Albany, State University of New York Press, 1991(a) ; « What Good Is Feeling Bad? », *The Sciences*, 31, 1991(b), pp. 30-37.

NESSE, Randolph, et LLOYD, Alan, « The Evolution of Psychodynamic Mechanisms », *in* BARKOW, COSMIDES et TOOBY *(cf. supra)*, 1992.

NESSE, Randolph, et WILLIAMS, George, *Evolution and Healing : The Darwinian Revolution Comes to Medicine*, New York, Times Books (à paraître).

NISBETT, Richard, et ROSS, Lee, *Human Inference : Strategies and Shortcomings of Social Judgment*, Englewood Cliffs, New Jersey, Prentice Hall, 1980.

NISHIDA, Toshisada, et HIRAIWA-HASEGAWA, Mariko, « Chimpanzees and Bonobos : Cooperative Relationships Among Males », *in* SMUTS *et alii (cf. infra)*, 1987.

OMARK, Donald R., STRAYER, F. F., et FREEDMAN, D. G., éd., *Dominance Relations : An Ethological View of Human Conflict and Social Interaction*, New York, Garland, 1980.

ORIANS, Gordon H., « On the Evolution of Mating Systems in Birds and Mammals », *American Naturalist*, 103, 1969, pp. 589-603.

PALMER, Craig, « Is Rape a Cultural Universal ? A Reexamination of the Ethnographic Data », *Ethnology*, 28, pp. 1-16.

PEDERSEN, F. A., « Secular Trends in Human Sex Ratios : Their Influence on Individual and Family Behavior », *Human Nature*, 3, 1991, pp. 271-291.

PERUSSE, Daniel, « Cultural and Reproductive Success in Industrial Society : Testing the Relationship at the Proximate and Ultimate Levels », *Behavioral and Brains Sciences*, 16, 1993, pp. 267-322.

PIAGET, Jean, *Le Jugement moral chez l'enfant*, Paris, Presses universitaires de France, 1992.

PINKER, Steven, *The Language Instinct*, New York, Morrow, 1994.

PLOMIN, R., et DANIELS, D., « Why Are Children in the Same Family so Different from Each Other ? », *Behavioral and Brain Sciences*, 10, 1987, pp. 1-6.

PRICE, J. S., « The Dominance Hierarchy and the Evolution of Mental Illness », *Lancet*, 2, 1967, p. 243.

RACHELS, James, *Created from Animals : The Moral Implications of Darwinism*, New York, Oxford University Press, 1990.

RALEIGH, Michael J., et McGUIRE, Michael T., « Female Influence on Male Dominance Acquisition in Captive Vervet Monkeys, *Cercopithecus aethiops sabaeus* », *Animal Behaviour*, 38, 1989, pp. 59-67.

RALEIGH, Michael J., McGUIRE, M. T., BRAMMER, G. L., POLLACK, D. B., et YUWILER, Arthur, « Serotonergic Mechanisms Promote Dominance Acquisition in Adult Male Vervet Monkeys », article non publié.

RAPOPORT, Anatol, *Fights, Games, and Debates*, Ann Arbor, University of Michigan Press, 1960.

RASMUSSEN, Dennis, « Pair-Bond Strength and Stability and Reproductive Success », *Psychological Review*, 88, 1981, pp. 274-290.

RICHARDS, Robert J., *Darwin and the Emergence of Evolutionary Theories of Mind and Behavior*, Chicago, University of Chicago Press, 1987.

RIDLEY, Matt, *The Red Queen : Sex and the Evolution of Human Nature*, New York, Macmillan, 1994.

RIESMAN, David, *The Lonely Crowd*, New Haven, Connecticut, Yale University Press, 1950.

RODMAN, Peter S., et MITANI, John C., « Orangutans : Sexual Dimorphism in a Solitary Species », *in* SMUTS *et alii (cf. infra)*, 1987.

ROSE, Phyllis, *Parallel Lives : Five Victorian Marriages* (1983), New York, Vintage, 1984.

ROSS, Michael, et SICOLY, Flore, « Egocentric Biases in Availability and Attribution », *Journal of Personality and Social Psychology*, 37, 1979, pp. 322-336.

ROTHSTEIN, Stephen I., et PIEROTTI, Raymond, « Distinctions Among Reciprocal Altruism, Kin Selection, and Cooperation and a Model for Initial Evolution of Beneficient Behavior », *Ethology and Sociobiology*, 9, 1988, pp. 189-209.

RUSE, Michael, *Taking Darwin Seriously : A Naturalistic Approach to Philosophy*, Oxford, Basil Blackwell, 1986.

RUSSON, A. E., et WAITE, B. E., « Patterns of Dominance and Imitation in an Infant Peer Group », *Ethology and Sociobiology*, 13, 1991, pp. 55-73.

SALETAN, William, et WATZMAN, Nancy, « Marcus Welby, J. D. », *The New Republic*, 17 avril 1989.

SALUTER, Arlene F., « Marital Status and Living Arrangements », Current Population Reports Series P-20, n° 450, bureau du recensement, Département américain du Commerce, 1990.

SCHELLING, Thomas, *The Strategy of Conflict*, Cambridge, Massachusetts, Harvard University Press, 1960.

SCHWEDER, Richard A., MAHAPATRA, M., et MILLER, J. G., « Culture and Moral Development », *in* KAGAN et LAMB *(cf. supra)*, 1987.

SHORT, R. V., « The Evolution of Human Reproduction », *Proceedings of the Royal Society* B 195, 1981, pp. 3-24.

SHOSTAK, Marjorie, *Nisa : The Life and Words of a Kung Woman*, New York, Vintage, 1983.

SIMPSON, George Gaylord, « The Search for an Ethic », *in* SIMPSON, *The Meaning of Evolution*, New Haven, Connecticut, Yale University Press, 1947.

SIMPSON, Jeffry A., GANGESTAD, S. W., et BICK, M., « Personal and Nonverbal Social Behavior : An Ethological Perspective on Relationship Initiation », *Journal of Experimental Social Psychology*, 29, 1993, pp. 434-461.

SINGER, Peter, *The Expanding Circle*, New York, Farrar, Straus and Giroux, 1981 ; « Ethics and Sociobiology », *Zygon*, 19, 1984, pp. 139-151 ; « Ethics », *Encyclopedia Britannica*, 18, 1989, pp. 627-648 ; *How Are We to Live ? Ethics in the Age of Self-Interest*, Melbourne, Text Publishing Company, 1993.

SKINNER, B. F., *Walden II*, New York, Macmillan, 1948 ; *Beyond Freedom and Dignity*, New York, Knopf, 1972.

SLAVIN, Malcolm O., « The Dual Meaning of repression and the Adaptive Design of the Human Psyche », *Journal of the American Academy of Psychoanalysis*, 18, 1990, pp. 307-341.

SMART, J. J. C., « An Outline of a System of Utilitarian Ethics », *in* SMART et WILLIAMS, Bernard, *Utilitarianism, For and Against*, Cambridge, Cambridge University Press, 1973.

SMILES, Samuel, *Self-Help*, London, John Murray, 1859. Édition revue et augmentée, New York Publishing Company.

SMITH, Martin S., KISH, Bradley J., et CRAWFORD, Charles B., « Inheritance of Wealth as Human Kin Investment », *Ethology and Sociobiology*, 8, 1987, pp. 171-182.

SMUTS, Barbara, *et alii*, ed., *Primate Societies*, Chicago, University of Chicago Press, 1987.

STEWART, Kelly J., et HARCOURT, Alexander H., « Gorillas : Variation in Female Relationships », *in* SMUTS *et alii (cf. supra)*, 1987.

STONE, Lawrence, *The Family, Sex and Marriage in England, 1500-1800* (1977), New York, Harper Torchbook, 1979 ; « Sex in the West », *The New Republic*, 8 juillet 1985 ; *Road to Divorce : England, 1530-1987*, Oxford, Oxford University Press, 1990.

STONE, Valerie E., *Perception of Status : An Evolutionary Analysis of Nonverbal Status Cues*, mémoire de doctorat, département de psychologie de l'université Stanford.

STRACHEY, Lytton, *Eminent Victorians*, New York, Harcourt Brace, 1918.

STRAHLENDORF, Peter W., *Evolutionary Jurisprudence : Darwinian Theory in Juridical Science*, S. J. D. thesis, Toronto, Ontario, 1991.

STRAYER, F. F., et TRUDEL, M., « Developmental Changes in the Nature and Function of Social Dominance Among Young Children », *Ethology and Sociobiology*, 5, 1984, pp. 279-295.

STREUFERT, Siegfried et Susan C., « Effects of Conceptual Structure, Failure, and Success on Attribution of Causality and Interpersonal Attitudes », *Journal of Personality and Social Psychology*, 11, 1969, pp. 138-147.

SULLOWAY, Frank J., *Freud, Biologist of the Mind : Behind the Psychoanalytic Legend*, New York, Basic Books, 1979(a) ; « Geographic Isolation in Darwin's Thinking : The Vicissitudes of a Crucial Idea », *Studies in History of Biology*, 3, 1979(b), pp. 23-65 ; « Darwin's Conversion : The *Beagle* Voyage and the Aftermath », *Journal of the History of Biology*, 15, 1982, pp. 325-396 ; « Darwin and the Galapagos », *Biological Journal of the Linnean Society*, 21, 1984, pp. 29-59 ; « Darwinian Psychobiography », *New York Review of Books*, 10 octobre 1991 ; *Born to Rebel : Radical Thinking in Science and Social Thought*, Massachusetts Institute of Technology, Cambridge, Massachusetts (à paraître) ; « Birth Order and Evolutionary Psychology : A Meta-Analytic Overview », *Psychological Inquiry* (à paraître).

SUSMAN, Randall L., « Pygmy Chimpanzees and Common Chimpanzees : Models for the Behavioral Ecology of the Earliest Hominids », *in* KINZEY *(cf. supra)*, 1987.

SYMONS, Donald, *The Evolution of Human Sexuality*, New York, Oxford University Press, 1979 ; « Another Woman That Never Existed », *Quarterly Review of Biology*, 57, 1982, pp. 297-300 : « Darwinism and Contemporary Marriage », *in* DAVIS, Kingsley, éd., *Contemporary Marriage*, New York, Russell Sage Foundation, 1985 ; « A Critique of Darwinian Anthropology », *Ethology and Sociobiology*, 10, 1989, pp. 131-144 ; « Adaptiveness and Adaptation », *Ethology and Sociobiology*, 11, 1990, pp. 427-444.

TANNEN, Deborah, *You Just Don't Understand : Women and Men in Conversation*, New York, Morrow, 1990.

TAYLOR, Charles E., et MCGUIRE, Michael T., « Reciprocal Altruism : Fifteen Years Later », *Ethology and Sociobiology*, 9, 1988, pp. 67-72.

TEISMANN, Mark W., et MOSHER, Donald L., « Jealous Conflict in Dating Couples », *Psychological Reports*, 42, pp. 1211-1216.

THIBAUT, John W., et RIECKEN, Henry W., « Some Determinants and Consequences of the Perception of Social Causality », *Journal of Personality*, 24, 1955, pp. 113-133. Repris in MACCOBY, NEWCOMB et HARTLEY *(cf. supra)*, 1958.

THOMSON, Elizabeth, et COLELLA, Ugo, « Cohabitation and Marital Stability : Quality or Commitment ? », *Journal of Marriage and the Family*, 54, 1992, pp. 259-267.

THORNHILL, Randy et Nancy, « Human Rape : An Evolutionary Analysis », *Ethology and Sociobiology*, 4, 1983, pp. 137-173.

THORNHILL, Randy, « Sexual Selection and Paternal Investment in Insects », *American Naturalist*, 110, 1976, pp. 153-163.

TIGER, Lionel, *Men in Groups*, New York, Random House, 1969.

TOOBY, John, « The Emergence of Evolutionary Psychology », *in* PINES, D., éd., *Emerging Syntheses in Science*, Santa Fe, Nouveau-Mexique, Santa Fe Institute, 1987.

TOOBY, John, et COSMIDES, Leda, « The Evolution of War and Its Cognitive Foundations », rapport technique de l'Institute for Evolutionary Studies, 1988, pp. 88-91 : « The Innate Versus the Manifest : How Universal Does Universal Have to Be ? », *Behavioral and Brain Sciences*, 12, 1989, pp. 36-37 ; « On the Universality of Human Nature and the Uniqueness of the Individual : The Role of Genetics and Adaptation », *Journal of Personality*, 58, 1990(a), 1, pp. 17-67 ; « The Past Explains the Present : Emotional Adaptations and the Structure of Ancestral Environments », *Ethology and Sociobiology*, 11, 1990(b), pp. 375-421 ; « The Psychological Foundations of Culture », *in* BARKOW, COSMIDES et TOOBY *(cf. supra)*, 1992.

TOOBY, John, et DEVORE, Irven, « The Reconstruction of Hominid Behavioral Evolution », *in* KINZEY *(cf. supra)*, 1987.

TOOKE, William, et CAMIRE, Lori, « Patterns of Deception in Intersexual and Intrasexual Mating Strategies », *Ethology and Sociobiology*, 12, 1990, pp. 345-364.

TRIVERS, Robert L., et WILLARD, Dan E., « Natural Selection of Parental Ability to Vary the Sex Ratio of Offspring », *Science*, 179, 1973, pp. 90-91.

TRIVERS, Robert, « The Evolution of Reciprocal Altruism », *Quarterly Review of Biology*, 46, 1971, pp. 35-36 ; « Parental Investment and Sexual Selection », *in* CAMPBELL, Bernard, éd., *Sexual Selection and the Descent of Man*, Chicago, Aldine de Gruyter, 1972 ; « Parent-Offspring Conflict », *American Zoologist*, 14, 1974, pp. 249-264 ; *Social Evolution*, Menlo Park, Californie, Benjamin/Cummings, 1985.

TUCKER, William, « Monogamy and Its Discontents », *National Review*, 4 octobre 1993.

VASEK, Marie E., « Lying as a Skill : The Development of Deception in Children », *in* MITCHELL et THOMPSON *(cf. supra)*, 1986.

VERPLANCK, William S., « The Control of the Content of Conversation : Reinforcement of Statements of Opinion », *Journal of Abnormal and Social Psychology*, 51, 1955, pp. 668-676. Repris *in* MACCOBY, NEWCOMB et HARTLEY *(cf. supra)*, 1958.

WALLACE, Bruce, « Misinformation, Fitness and Selection », *American Naturalist*, 107, 1973, pp. 1-7.

WALSH, Anthony, « Love Styles, Masculinity/Femininity, Physical Attractiveness and Sexual Behavior : A Test of Evolutionary Theory », *Ethology and Sociobiology*, 14, 1993, pp. 25-38.

WEDGWOOD, Barbara et Hensleigh, *The Wedgwood Circle, 1730-1897 : Four Generations of a Family and Their Friends*, Westfield, New York, Eastview Editions, 1980.

WEISFELD, Glenn E., « Social Dominance and Human Motivation », *in* OMARK, STRAYER et FREEDMAN *(cf. supra)*, 1980.

WEISFELD, Glenn E., et BERESFORD, Jody M., « Erectness of Posture as an Indicator of Dominance or Success in Humans », *Motivation and Emotion*, 6, 1982, pp. 113-129.

WELLS, P. A., « Kin Recognition in Humans », *in* FLETCHER et MICHENER *(cf. supra)*, 1987.

WEST-EBERHARD, Mary Jane, « Sexual Selection and Social Behavior », *in* ROBINSON, Michael H., et TIGER, Lionel, éd., *Man and Beast Revisited*, Washington, D. C., Smithsonian Institution Press, 1991.

WHITEHEAD, Barbara Dafoe, « Dan Quayle Was Right », *The Atlantic Monthly*, avril 1993.

WHYTE, Lancelot Law, « Unconscious », in *The Encyclopedia of Philosophy*, 8, New York, Macmillan, 1967, pp. 185-188.

WIEDERMAN, Michael W., et ALLGEIER, Elizabeth Rice, « Gender Differences in Mate Selection Criteria : Sociobiological or Socioeconomic Explanation ? », *Ethology and Sociobiology*, 13, 1992, pp. 115-124.

WILKINSON, Gerald S., « Food Sharing in Vampire Bats », *Scientific American*, février 1990.

WILLIAMS, George C., *Adaptation and Natural Selection : A Critique of Some Current Evolutionary Thought* (1966), Princeton, New Jersey, Princeton University Press, 1974 ; *Sex and Evolution*, Princeton, New Jersey, Princeton University Press, 1975 ; « A Sociobiological Expansion of *Evolution and Ethics* », préface à Huxley (1894), 1989.

WILLIAMS, George C., et NESSE, Randolph, « The Dawn of Darwinian Medicine », *Quarterly Review of Biology*, 66, 1991, pp. 1-22.

WILLS, Christopher, *The Wisdom of the Genes : New Pathways in Evolution*, New York, Basic Books, 1989.

WILSON, David S., « Levels of Selection : An Alternative to Individualism in Biology and the Social Sciences », *Social Networks*, 11, 1989, pp. 257-272.

WILSON, David S., et SOBER, Elliott, « Reviving the Superorganism », *Journal of Theoretical Biology*, 136, 1989, pp. 337-356 ; « Reintroducing Group Selection to the Human Behavioral Sciences », *Behavioral and Brain Sciences* (à paraître).

WILSON, Edward O., *Sociobiology : The New Synthesis*, Cambridge, Massachusetts, Harvard University Press, 1975 ; *On Human Nature*, Cambridge, Massachusetts, Harvard University Press, 1978 ; « Kin Recognition : An Introductory Synopsis », *in* FLETCHER et MICHENER *(cf. supra)*, 1987.

WILSON, James Q., *The Moral Sense*, New York, Free Press, 1993.

WILSON, Margo, et DALY, Martin, « The Age-Crime Relationship and the False Dichotomy of Biological versus Sociological Explanations », contribution au colloque de la Human Behavior and Evolution Society, Los Angeles, 1990 ; « The Man Who Mistook His Wife for a Chattel », *in* BARKOW, COSMIDES et TOOBY *(cf. supra)*, 1992.

WOLFE, Linda D., « Human Evolution and the Sexual Behavior of Female Primates », *in* LOY, James D., et PETERS, Calvin B., éd., *Understanding Behavior*, New York, Oxford University Press, 1991.

WRANGHAM, Richard, « The Significance of African Apes for reconstructing Human Social Evolution », *in* KINZEY *(cf. supra)*, 1987.

WRIGHT, Robert, « Alcohol and Free Will », *The New Republic*, 14 décembre 1987 ; « The Intelligence Test », *The New Republic*, 29 janvier 1990 ; « Why Is It Like Something to Be Alive ? » *in* SHORE, William, éd., *Mysteries of Life and the Universe*, New York, Harcourt Brace Jovanovich, 1992.

WYSCHOGROD, Edith, *Saints and Postmodernism*, Chicago, University of Chicago Press, 1990.

YOUNG, G. M., *Portrait of an Age : Victorian England* (1936), Oxford, Oxford University Press, 1989.

ZIMMERMAN, Claire, et BAUER, Raymond A., « The Effect of an Audience upon What Is Remembered », *Public Opinion Quarterly*, 20, 1956, pp. 238-248. Repris *in* MACCOBY, NEWCOMB et HARTLEY *(cf. supra)*, 1958.

REMERCIEMENTS

Nombreux sont ceux qui ont eu la gentillesse de lire et de commenter les ébauches de certaines parties de ce livre : Leda Cosmides, Martin Daly, Marianne Eismann, William Hamilton, John Hartung, Philip Hefner, Ann Hulbert, Karen Lehrman, Peter Singer, Donald Symons, Frans De Waal et Glenn Weisfeld. Sachant qu'ils avaient tous mieux à faire, je leur en suis tout particulièrement reconnaissant.

D'autres, plus rares, ont fait preuve d'une autodiscipline assez rigoureuse pour lire le premier jet du livre dans son entier : Laura Betzig, Jane Epstein, John Pearce, Mickey Kaus (qui a également amélioré plusieurs de mes autres ouvrages au fil des ans), Mike Kinsley (qui, alors qu'il était directeur de *The New Republic* et depuis cette époque, en a amélioré davantage encore) et Frank Sulloway (qui a également eu la gentillesse de me prêter son concours de diverses manières, notamment en m'autorisant à utiliser ses archives photographiques). Gary Krist m'a fait part de judicieux commentaires sur une version antérieure et plus embrouillée du livre ; il m'a également gratifié de conseils avisés et d'un soutien moral vital qui, à un autre stade de l'aventure, m'ont été extrêmement précieux. Chacun d'eux mérite une médaille.

Marty Peretz m'a autorisé à m'absenter longuement du *New Republic*, en accord avec sa générale – et rare – ligne de conduite : laisser les gens explorer les domaines qui les intéressent. J'ai la chance de travailler pour quelqu'un qui respecte sincèrement les idées. Pendant ce congé, Henry et Eleanor O'Neill ont mis à ma disposition un logement pour l'hiver à Nantucket, me permettant ainsi d'écrire une partie de ce livre dans les plus belles conditions qui se puissent imaginer.

Edward O. Wilson, dont *Sociobiology* et *On Human Nature* ont éveillé mon intérêt pour le sujet, n'a cessé de m'aider depuis lors. John Tyler Bonner, James Beniger et Henry Horn qui, ensemble, enseignaient la sociobiologie à l'époque où j'étais en faculté, ont nourri mon intérêt dans ce domaine. Alors que j'étais rédacteur au magazine *The Sciences*, dans les années 80, j'ai eu le privilège d'éditer la rubrique de Mel Konner, *On Human Nature*. J'ai beaucoup appris de sa chronique et de mes conversations avec Mel sur sa conception de la vie.

Merci à Bill Strobridge (pour m'avoir encouragé à écrire), à Ric Aylor (pour m'avoir orienté sur la lecture de B. F. Skinner alors que j'étais encore lycéen), à Bill Newlin (pour ses premiers conseils), à Jon Weiner, Steve Lagerfeld et Jay Tolson (pour leurs conseils ultérieurs), à Sarah O'Neill (pour son baby-sitting à temps partiel et autres actes d'altruisme), et merci à mon frère, Mike Wright (qui a alimenté ma fascination pour le sujet de ce livre comme il n'en a pas idée, ne serait-ce qu'en étant lui-même un véritable animal moral). Plusieurs collègues du journal *The New Republic* déjà cités – Ann Hulbert, Mickey Kaus et Mike Kinsley – méritent d'être bissés pour m'avoir aidé, jour après jour, de leurs conseils et de leur sollicitude. C'est pour moi un privilège de les avoir connus et d'avoir travaillé avec eux ces dernières années. John McPhee, qui fut mon professeur à l'université et fit beaucoup pour l'orientation de ma vie, m'a, lui aussi, apporté ses précieux conseils au cours de l'élaboration de ce projet. Certes, ce n'est pas là un livre très « McPheesien », mais il est tout de même guidé par bon nombre de ses valeurs (exemple : à ma connaissance, tout y est exact, et je n'ai pas choisi le sujet en pensant qu'il allait optimiser mes revenus).

De nombreux savants (y compris ceux qui sont mentionnés plus haut, en particulier dans le premier paragraphe) m'ont permis de les interroger, de façon formelle ou informelle : Michael Bailey, Jack Beckstrom, David Buss, Mildred Dickemann, Bruce Ellis, William Irons, Elizabeth Lloyd, Kevin MacDonald, Michael McGuire, Randolph Nesse, Matt Ridley, Peter Strahlendorf, Lionel Tiger, John Tooby, Robert Trivers, Paul Turke, George Williams, David Sloan Wilson et Margo Wilson. Nombreux sont ceux qui m'ont fourni des copies de leurs écrits, des réponses à des questions tenaces, etc. : Kim Buehlman, Elizabeth Cashdan, Steve Gangestad, Mart Gross, Elizabeth Hill, Kim Hill, Gary Johnson, Debra Judge, Bobbi Low, Richard Marius et Michael Raleigh. Et je suis sûr que j'en oublie, notamment parmi les membres de la *Human Behavior and Evolution Society*, que j'ai harponnés au passage au cours de leurs réunions.

Dan Frank, mon éditeur, est un homme rare parmi les éditeurs contemporains, en raison de l'attention qu'il porte, tant en quantité qu'en qualité, aux manuscrits. Un certain nombre d'autres personnes chez Pantheon, comme Marge Anderson, Altie Karper, Jeanne Morton et Claudine O'Hearn, m'ont également apporté leur aide. Mon agent Rafe Sagalyn a été prodigue de son temps et juste dans son conseil.

Enfin, merci à ma femme Lisa, envers qui j'ai la dette la plus importante. Je me souviens encore du jour où, venant de lire le brouillon de la première partie de ce livre, elle m'expliqua – sans toutefois employer le mot – qu'il était mauvais. Depuis cette date, elle a relu les divers états du manuscrit et m'a fait part de jugements tout aussi pénétrants, et toujours avec la même diplomatie. Souvent, lorsque j'étais confronté à des avis contradictoires ou que mes idées s'embrouillaient, sa réaction m'a éclairé. Que dire de tout ce qu'elle a fait par ailleurs pour me permettre de terminer ce livre sans devenir complètement fou ? Je n'aurais pu en demander davantage (encore que je me souvienne l'avoir fait quelquefois).

Lisa n'est pas d'accord avec certaines parties. Je suis certain que c'est également le cas de tous ceux que j'ai mentionnés. Ainsi vont les choses lorsqu'il s'agit d'une science jeune et chargée d'un sens moral aussi bien que politique.

INDEX

DEUXIÈME PARTIE

LE CIMENT SOCIAL

TROISIÈME PARTIE

CONFLITS SOCIAUX

Cet ouvrage a été réalisé par la
SOCIÉTÉ NOUVELLE FIRMIN-DIDOT
Mesnil-sur-l'Estrée
pour le compte des Éditions Michalon
en septembre 1995

Imprimé en France

Dépôt légal : octobre 1995
N° d'édition : 00009 – N° d'impression : 31687